afgeschreven

DE VROUW DIE UIT DE LUCHT VIEL

JENNIFER STEIL

de vrouw die uit de lucht viel

Een Amerikaanse journaliste in Jemen

Oorspronkelijke titel   The Woman Who Fell From The Sky
Copyright © 2010 by Jennifer Steil
This translation published by arrangement with The Doubleday Broadway
Publishing Group, a division of Random House, Inc.

Vertaling   Edzard Krol
Opmaak binnenwerk Lizet Heijboer, Wildegeit
Omslagbeeld   Getty Images en Alamy Images/Imageselect
Omslagontwerp   Mariska Cock

© 2010 A.W. Bruna Uitgevers B.V., Utrecht

ISBN 978 90 229 9527 3
NUR 402

Voor Kawbab
en alle andere flinke Jemenitische vrouwen
die me hoop geven voor het land

*Ze was een vrouw
die gekleed in een gewaad
van dauw uit de lucht viel
en een stad werd*

INHOUD

fantasie in suikerwerk

Ik zag Zuhra niet meteen toen ik de bruidskamer inliep. Het was er halfduister en ze lag links van me voorovergebogen te bidden, een grote berg wit satijn met een zwarte sluier over haar hoofd. Slechts een paar mensen mochten in de kamer bij haar zijn – alleen zussen en heel goede vrienden – en iedereen zweeg. Ik stond stil tegen de muur, keek naar haar, wachtte tot ze klaar was. Ik had niet gedacht dat ik Zuhra nog zou zien voordat ze aan haar trage, welbewuste wandeling begon, over het smalle looppad dat in lengterichting door de hele trouwzaal liep. Maar haar zussen hadden me geroepen en me aan de hand naar deze achteraf gelegen kamer gevoerd. Zuhra zag er klein en kwetsbaar uit, verwoordde haar gebeden op plechtige toon.

Maar elke zweem van zwaartekracht verdween toen ze klaar was, de sluier van haar gezicht aftrok en haar ogen naar me opsloeg. Ze kwam overeind, terwijl de zijden sjaal van haar blote schouders gleed, en kwam op me af om zich door me te laten kussen. Boven de witte, in Brooklyn gekochte jurk waren haar armen, rug en sleutelbenen met gekrulde, bloemrijke wijnranken beschilderd, waarbij gebruik was gemaakt van *nagsh*, een zwarte inkt die Jemenitische bruiden het liefst gebruikten. Even zeiden we niets en keken elkaar glimlachend aan.

'*Antee jameela*,' zei ik en raakte haar smalle taille aan. 'Schitterend. Net een kleine bruidspop.'

'Echt waar?' Ze draaide van links naar rechts, zodat ik haar van alle kanten kon bewonderen. Haar dikke zwarte haar was opgestoken in een prachtige fontein van krullen. Haar donkere ogen waren aangezet met kohl, haar gezicht was dik bepoederd en haar lippen hadden een bleke granaatappelkleur.

'Werkelijk waar. Ik wou dat ik een foto van je kon maken!' Bij het betreden van het gebouw waren we allemaal beklopt, om er zeker van te zijn dat geen van ons een camera zou binnensmokkelen.

Zuhra trok me naast haar neer op de kussens aan het eind van de kamer, waar we allebei nog een uur bleven wachten totdat de gasten klaar waren met het gebed voor zonsondergang en gek van nieuwsgierigheid waren geworden. Zuhra bracht de tijd al pratend met me door en belde met haar mobieltje haar bruidegom, die (anders dan de traditie voorschreef) haar aan het eind van de avond zou komen ophalen. 'Je weet zeker dat je vandaag met niemand hebt ruziegemaakt?' sprak ze in het toestel. 'Je klinkt alsof je ruzie hebt gemaakt.' Ze vreesde dat haar echtgenoot met haar broer had gekibbeld, maar werd gerustgesteld.

'Ben je zenuwachtig?' vroeg ik. Alle Jemenitische bruiden die ik eerder had gezien, hadden zo te zien doodsangsten uitgestaan toen ze over het middenpad waren gelopen. Maar anders dan deze bruiden kende Zuhra haar echtgenoot.

'Nee,' zei ze, vriendelijk lachend. 'Ik ben gewoon gelukkig.'

Haar twee oudere zussen, met lange glimmende baljurken aan, kwamen binnenvallen om te zeggen dat het bijna tijd was.

Ik stond naast Zuhra, voelde me groot en onbeholpen op mijn hoge hakken, die ik voor bijna niemand verdraag. Buiten de deur hoorden we het aanzwellende gegil van vrouwen, bedoeld als aanmoediging voor de bruid. Toen dit Arabische gejodel z'n hoogtepunt dreigde te bereiken, leek Zuhra in paniek te raken.

'Mijn pil!' Ze greep het handtasje uit de handen van een in de buurt staande vriendin en rommelde door de vakjes van haar portefeuille. Ze haalde een plastic verpakking met anticonceptiepillen tevoorschijn, waarvan alle pillen op vier na ontbraken. We hadden een hele middag besteed aan het uitkiezen van deze pillen, om ervan overtuigd te zijn dat de combinatie van hormonen de juiste was en door een echt farmaceutisch bedrijf geproduceerd.

Zuhra prutste aan het pakje, maar was met haar valse nagels niet in staat de pil eruit te halen. 'Geef maar,' zei ik. 'Laat mij maar even.' Ik drukte er eentje uit en gaf hem aan haar. Ze spoelde hem weg met een slok water uit een flesje van een van de omstanders en pakte haar jurk bijeen.

'Pff, Zuhra, net op tijd,' fluisterde ik terwijl we de deur uitliepen.

Net voor haar betrad ik de kamer. De honderden in het zwart gehulde vrouwen die ik eerder die avond de hal in had zien spoeden, waren in opzichtige, minirokken dragende vlinders veranderd, overdekt met glitter en lippenstift, wankelend op torenhoge hakken. Er waren geen mannen.

Zuhra's jongste zus drukte me een bak met bloemblaadjes van een jasmijn in de handen. 'Hier,' zei ze. 'Gooien.'

Zuhra stapte naar voren. De lichten waren gedimd. Alle jongere vrouwen en meisjes bevonden zich op het podium aan het eind van het gangpad, hun handen boven hun hoofden zwaaiden als evenzoveel kleurige wimpels. Vanachter het scherm waar de band verdekt stond opgesteld, zwelde de muziek aan. Eerst geloofde ik mijn oren niet. Op een Jemenitische trouwerij verwachtte ik Arabische muziek. Maar nee, Zuhra betrad het middenpad op weg naar haar huwelijksleven op Céline Dions *My Heart Will Go On*, uit de soundtrack van *Titanic*.

☪

ER BESTAAT EEN OUD GRAPJE over Jemen, dat aan iedere reiziger wordt verteld die er lang genoeg verblijft: 'Kortgeleden keerde Noach terug op aarde, want hij was benieuwd wat er sinds zijn tijd was gebeurd. In een van God geleende privéjet vloog hij eerst over Frankrijk en zei: "Allemachtig! Moet je Frankrijk zien! Wat is dat veranderd! Wat een fantastische moderne architectuur! Wat een verbazingwekkende vernieuwingen!" Vervolgens vloog hij over Duitsland. "Ongelooflijk! Ik zou het bijna niet herkennen! Zoveel nieuwe technologie! Wat een sensationele industrie!" Waarna hij naar het zuiden van Arabië vloog. "Ah, Jemen," zei hij blij. "Dat zou ik overal herkennen. Geen spat veranderd."'

In vele opzichten is dat inderdaad het geval. Al ben ik natuurlijk nooit in het eerste millennium voor Christus in Jemen geweest, toen Noachs zoon Sem naar verluidt de hoofdstad Sana'a gesticht zou hebben. Maar in vele delen van het land wonen mensen nog precies zoals ze duizenden jaren geleden deden. Ze hoeden geiten en koeien, verbouwen tarwe, granaatappelen en druiven. Ze leggen grote afstanden af om water te halen. Ze wonen in eenvoudige rechthoekige lemen woningen. Ze beschilderen zich met nagsh als ze gaan trouwen. Ze bidden.

Aan het oude landschap valt het verstrijken van de tijd ook nauwelijks af te zien. Als hij er tegenwoordig overheen vliegt, zou Noach opmerken dat de erosie met lichte vingers door de grillige bergen van de centrale hooglanden heeft gestreken. Grote lappen leeg strand in het zuiden worden door dezelfde getijden beroerd als vlak na de zondvloed. In het oosten verandert woestijnzand op nauwelijks vatbare wijze. De groene terrassen die in het Harazgebergte in het westen of in de bergen rondom Ibb en Taiz in het zuiden zijn uitgespaard, zouden daar weleens sinds de opkomst van de landbouw hebben kunnen liggen, generatie na generatie door Jemenitische boeren bewerkt. De dichte begroeiing van de dalen doet vermoeden dat een speelse god, die genoeg had van het eindeloze beige van de Arabische rotsen en zandvlakten, een dikke smaragdgroene deken over het Jemenitische platteland heeft geworpen, daarmee een vruchtbare laag scheppend die het Jemenitische volk generaties lang heeft gevoed.

Noach zou vooral de meest afgelegen plekken herkennen, zoals het eiland Soqotra, dat op 350 kilometer van de Jemenitische oostkust ligt. Op Soqotra zijn maar weinig wegen en is nog minder elektrisch licht. Daar springen niet de vervallen stenen gebouwtjes in het oog (die zozeer opgaan in het heuvellandschap dat je ze pas ziet als je ogen blijven hangen bij een klein kind dat uit een van de optrekjes naar buiten rent), maar de grillig gevormde drakenbloedbomen. Hun grote, duizend jaar oude stammen lopen uit in zo'n woeste bos takken, dat die veel weg heeft van een woud met paraplu's waarvan de baleinen door de wind omhoog zijn geblazen.

Veel mensen op Soqotra wonen nog altijd in grotten, waar ze op een vuurtje in een hoek hun thee koken, die ze opdienen met geitenmelk die nog warm is van hun dieren. Hun eetkamers bestaan uit dunne geweven matten die voor de deur liggen. Onder de zoute nachthemel eten ze daar hun stoofpotjes met vis en hun stevige platte broden. Er zijn mensen op Soqotra die geen idee hebben wat er in Amerika op 11 september 2001 is gebeurd. Er zijn geen radiostations en bijna niemand kan er lezen. Alles wat ze weten, hebben ze van hun buren gehoord, van imams of van de incidentele buitenlandse ontwikkelingswerker. Britney Spears bestaat hier niet. Hollywood zegt ze niets. IJsjes zouden er smelten; er zijn nauwelijks koelkasten.

Veel dorpjes op het vasteland van Jemen zijn al even afgelegen, liggen tegen een bergrug aan of aan de rand van een stuk woestijn. Deze dorpjes krijgen hun nieuws via de gecontroleerde staatstelevisie of de moskee. Alleen de elite leest boeken of kranten. Maar wat kunnen deze mensen met nieuws van de buitenwereld? Groeit hun oogst er beter door? Vrijwaart het nieuws hun geiten van ziekten? Brengt het hen dichter bij God? Nee? Nou dan.

Jemen heeft er niet alleen voor gezorgd dat het er vrijwel hetzelfde uitziet als in de tijd van Noach, maar het land ruikt ook nog eens net zoals in de tijd dat het jong was. Als hij laag over zou vliegen, zou Noach wierook ruiken, de hars die Jemen al duizenden jaren geleden bekendmaakte onder handelaren en die nog altijd om zijn geur wordt gebruikt; het scherpe zweet van werkende mannen en in kunstzijde gehulde vrouwen; de paarse en witte jasmijnbloemen die overal in de weelderig begroeide laaglanden staan; en de rook van de houtvuren die de broodovens verhitten. In de steden vermengen deze geuren zich met de reuk van het braden van bonen en chilipepers, naar fenegriek ruikende stoofpotten, tabaksrook en geroosterd lamsvlees, terwijl het platteland zweemt naar mest, rijpende bananen, dadels en mango's.

Als hij deze luchten nog dichter naar het aardoppervlak volgt, zou Noach al snel groepjes hoekige bruine huizen zien, met op de daken talloze luchtende tapijten en drogende was. Door het doolhof van de straten spoeden mannen zich naar de moskee, verkopen vrouwen brood en rennen kinderen achter een bal aan.

Sana'a is een van de oudste steden van het Arabische schiereiland, en van de wereld. De stad is minstens 2500 jaar geleden gesticht, en eens vonden de koningen van Sheba en de heersers van de Himjarieten er onderdak.

De islam arriveerde in de zevende eeuw na Christus, waardoor het aangezicht van de stad veranderde. Veel gebouwen die in de tijd van de profeet Mohammed werden gebouwd, staan er nog altijd, al raken ze wel een beetje vervallen. De grote moskee van Sana'a werd op aanwijzing van de profeet zelf gebouwd, zo wil de plaatselijke legende. Het is niet alleen de grootste, maar ook de meest beroemde moskee van de Oude Stad (Sana'a al-Qadeema). In het gebouw bevindt zich ook een grote bibliotheek met vele antieke manuscripten.

Tegenwoordig staan er meer dan honderd andere moskeeën in de Oude Stad, een gegeven waar je je tijdens de oproep voor het gebed bijzonder bewust van wordt. Waar je ook bent, overal lijkt het net alsof je recht onder de luidspreker van een moskee staat. De muezzins overstemmen gesprekken en maken het onmogelijk naar muziek te luisteren. Waar het natuurlijk om te doen is. Op dat soort momenten is bidden de enige passende activiteit. Als de boodschappers van Allah het woord voeren, heb je te luisteren.

De antieke schoonheid van de Oude Stad wordt niet ontsierd door moderne gebouwen. In 1984 werd de stad door de UNESCO op de werelderfgoedlijst geplaatst. Waarschijnlijk ziet het er nog net zo uit als duizend jaar geleden. Noach zou het beslist herkennen.

Dit is Jemen zoals het was, dit is Jemen zoals het is.

☪

TOCH ZIJN ER onmiskenbaar tekenen van verandering. De daken van de stad zijn tegenwoordig overdekt met satellietschotels. De zijkanten van gebouwen worden ontsierd door billboards die reclame maken voor geklaarde boter van Girl, de Islamitische Bank van Jemen, kardemom en kaneeltoffees, en de grootsheid van president Ali Abdullah Saleh. Er zijn vrouwen te zien die naar hun werk op de ministeries wandelen. Mannen die westerse streepjespakken of poloshirts dragen. Bruiden die op de muziek van Céline Dion door het gangpad wandelen. Een paar zilvergrijze Porsches die door de volle, door Chinezen aangelegde wegen manoeuvreren. Zelfs in afgelegen plattelandsdorpjes reikt vandaag de dag het moderne puin kniehoog; plastic zakken, snoepverpakkingen en frisdrankflessen.

En als Noach in juni 2006 langs zou komen en van heel, heel dichtbij zou kijken, zou hij mij hebben gezien, terwijl ik me vastklamp aan de rand van een gebouw in het centrum van Sana'a, doodsbenauwd, uitgeput, maar vervuld van een vage hoop mijzelf te veranderen.

☪

GEHINDERD DOOR MIJN KLEDING stond ik wankelend op een ladder. De lange zwarte rok die ik eerder in Manhattan had gekocht, wikkelde zich bij elke stap die ik deed om mijn benen, en de sluier gleed telkens van mijn haar. Al met al had ik te veel om me heen hangen. Met een hand hield ik me aan de ladder vast en met de andere trok ik aan de stof.

Ik stond tussen twee daken van een grote suikerwerkwoning in Sana'a. Het was mijn eerste ochtend in het land, überhaupt mijn eerste ochtend in een Arabisch land, en mijn eerste poging om me te kleden als een Jemenitische vrouw. Het gebouw dat ik beklom behoorde aan Sabri, de vriendelijke directeur van het Jemenitische Talencentrum. Behalve voor zijn eigen appartement was er plaats voor een stuk of wat studenten Arabisch en, tijdelijk, voor mij. Ik had een verblijfplaats nodig terwijl ik een drie weken durende journalistieke cursus gaf aan de medewerkers van de *Yemen Observer*, en Sabri was zo aardig geweest me onderdak te verlenen.

Omdat ik midden in de nacht was geland, had ik geen idee hoe Sana'a eruitzag. Het enige wat ik me van de verwarrende, misselijkmakende autorit vanaf het vliegveld herinnerde, was een reeks helverlichte winkelpuien, met mango's overladen kruiwagens en mannen. Honderden en honderden mannen. Mannen in lange witte jurken (*thawb* genoemd) met dolken aan hun sierlijke gordels, mannen in westerse pakken, mannen in van patronen voorziene *foutahs*, traditionele Jemenitische mannenrokken.

Op mijn vlucht waren geen andere vrouwen meegevlogen, en ik zag er ook geen op het vliegveld, wat ik heel merkwaardig en opvallend vond. Jemen leek wel een land zonder vrouwen.

Sabri leidde me naar de zijkant van zijn huis om me een van zijn favoriete uitzichten op Sana'a te tonen. De hoog aan de hemel staande, heldere zon van de vroege zomer deed me mijn ogen tot spleetjes knijpen toen ik de trap op klom. Ik vermeed het naar beneden te kijken totdat ik mezelf, en verscheidene meters stof, op de laatste sport van de gammele ladder had gehesen en wankelend naast Sabri ging staan. Ik was buiten adem. Sana'a ligt op 2200 meter boven zeeniveau en je kunt altijd de buitenlanders eruit pikken door na te gaan wie er hijgt bij het beklimmen van een trap.

Ik stond naast Sabri op het platte, stoffige dak en keek om me heen. In elke richting zag ik zandkleurige bergtoppen. Omdat ik in mijn jeugd in Vermont heb gewoond, heb ik de aanblik van bergen altijd erg vertrouwd gevonden en deze ochtend vormde hierop geen uitzondering. Onder ons bevond zich de fantasie in suikerwerk waar de Oude Stad Sana'a uit bestaat, een grote groep forse, koekkleurige huizen, versierd met wat eruit ziet als witte glazuur, omgeven door dikke, hoge muren. Sabri wees enkele van de voornaamste van de honderden moskeeën aan, die overal in de stad en in alle richtingen te zien waren, met de slanke minaretten die eindeloos naar God wezen.

Het huis van Sabri stond even buiten de Oude Stad, in de Straat van de 22e september, genoemd naar de datum waarop in 1962 de Arabische Republiek Jemen officieel werd gesticht (waardoor er een burgeroorlog losbarstte die tot 1970 duurde). Zwijgend keek ik naar het onwaarschijnlijke landschap. Ondertussen ging Sabri door, legde me uit waar het noorden was (richting Mekka) en waar verschillende buurten, hotels en belangrijke straten lagen. Ook wees hij op de antennes voor draadloos internet, op een dak onder ons. Daar was hij bijzonder trots op.

Ik was Sabri uiterst dankbaar. Toen ik afgelopen avond tegen middernacht voor zijn deur had gestaan, duizelend van de desoriëntatie, was hij naar beneden gespurt om me met de dartelheid van een bosfaun te verwelkomen. Sabri was begin veertig, klein, had donkere ogen, krullend haar en lachte snel. Mooier nog, hij leek het heerlijk te vinden mij te zien.

Juni was de drukste tijd voor de school van Sabri en de meeste kamers zaten vol, dus had hij mij een kamer in zijn eigen appartement gegeven.

'Ik zag je gezicht, keek in je ogen en besloot dat ik je kon vertrouwen,' zei hij tegen me. 'Wij oordelen in een ogenblik, wij Jemenieten. En dan stellen we ons volledig open. In New York ben je misschien niet in staat meteen zo gastvrij te zijn. Maar ik kan zien dat je een goed mens bent en ik houd van je gevoel voor humor. Ook is het goed dat je niet jong bent.'

'Niet jong?' Dat komt door de jetlag, wilde ik zeggen. Meestal zag ik er veel en veel jonger uit.

'Ik bedoel, niet tweeëntwintig.'

Daar had hij inderdaad een punt. Ik was zevenendertig, een leeftijd waarop veel Jemenitische vrouwen al oma zijn.

Na maar liefst veertien ongelijke stenen trappen omhoog te zijn gelopen om in mijn eenvoudige witte kamer boven in het huis te belanden, trof ik daar tot mijn grote opluchting een houten tweepersoons bed, een werktafel en een ladekast aan; zaken die ik herkende. De badkamer, compleet met bad, bevond zich aan de andere kant van de hal. Wat een paradijs. Ik weet niet wat voor verblijf ik had verwacht, een strooien mat op de grond misschien, in een hut zonder douche. Maar dit zeker niet.

Het huis van Sabri was vorstelijk, zeker voor een inwoonster van Manhattan. De keuken was even groot als mijn appartement met slaapkamer, zo niet groter, en was van alle moderne gemakken voorzien, waaronder een luxe espressoapparaat uit Italië, een afwasmachine, een magnetron, en nota bene zelfs een wijnvoorraad. In New York had ik geen van deze zaken tot mijn beschikking. Ik bezat niet eens een broodrooster of televisie. Naast de keuken was een brede hal die vol hing met schilderijen van de Duitse vrouw van Sabri, van wie hij was gescheiden. Aan de andere kant daarvan lag het kantoor van Sabri. Tussen deze verdieping en de verdieping waar ik verbleef, lagen Sabri's slaapkamer en zijn eigen badkamer, voorzien van een jacuzzi. Toen ik die ochtend wakker werd, had Sabri een espresso voor me gemaakt, die we aan zijn reusachtige houten eettafel opdronken, terwijl de zon door de gekleurde ramen om ons heen naar binnen scheen. Overal had hij planten staan. Op zoek naar licht groeiden dikke wijnranken vol bladeren tegen de witgekalkte muren van de kamers omhoog.

Toen nam hij me mee naar zijn dak.

☪

DE HEMEL OM ONS HEEN was helder, wolkeloos blauw gekleurd. Nog altijd onvast na mijn vierentwintig uur durende reis, schuifelde ik langzaam naar de rand van het dak. Terwijl ik de sjaal van mijn hoofd af liet glijden en door het stof achter me aan sleepte, wierp ik een blik op de zeven verdiepingen lager liggende straat onder me. Kleine, in het wit gehulde mensen liepen twee aan twee voorbij, hand in hand, terwijl kinderen in het heldergroen, roze en geel naar elkaar schreeuwend van de ene naar de andere kant door de steegjes snelden.

Toen zag ik een vrouw. Het was de eerste die ik zag sinds mijn aankomst. Volledig in het zwart gekleed, leek het net een duistere geest die daar onder in de straat voorbij zweefde. Getroffen door de aanblik van de vrouw, trok onverwacht een rilling van angst en weerzin door me heen. Al haar trekken waren uitgewist. Ze was onzichtbaar. Meteen schaamde ik me voor mijn instinctieve afschuw en ik was blij dat ik haar vanaf het dak had waargenomen, waar ze mijn reactie niet kon opmerken. Ik zei niets tegen Sabri en haalde diep adem om rustig te blijven. De inrichting van zijn welvoorziene woning voelde zo vertrouwd aan, dat ik bijna was vergeten dat ik me in een totaal andere wereld bevond.

☪

VOORDAT IK UIT NEW YORK VERTROK, hadden meerdere vrienden en collega's me gevraagd of ik in Jemen een boerka zou dragen. Dit is altijd een van de eerste dingen die Amerikanen over Jemen willen weten. Voor westerlingen behoren de vele verschillende manieren waarop oosterse vrouwen zich in kleren hullen misschien wel tot een van de meest verbijsterende en problematische aspecten van de moslimcultuur.

'De vrouwen in Jemen dragen geen boerka's,' zei ik. Zoveel was ik wel te weten gekomen. Als westerlingen aan boerka's denken, stellen ze zich meestal de

Afghaanse boerka voor, een uit een lap stof bestaand kledingstuk dat het hele lichaam afdekt en een raster voor het gezicht heeft, waar de vrouw doorheen kan kijken. Maar de vrouwen hier dragen een zwarte *aba* of *balto*. Een aba is een wijder en voller gewaad dat over het hoofd heen wordt aangetrokken. De nauwer zittende balto heeft knopen aan de voorkant. Beide kledingstukken worden over andere kleren heen gedragen, net als regenjassen, en dekken het hoofd niet af. Eronder droeg bijna iedere Jemenitische vrouw die ik zou ontmoeten westerse kleren: spijkerbroeken en T-shirts.

Behalve deze gewaden hebben bijna alle vrouwen een zwarte sluier over hun haar, *hijab* genoemd, en een lap zwarte stof, de *nikab*, die alleen de ogen vrijlaat en het hele gezicht afdekt. Al deze termen – aba, nikab, hijab, boerka – hebben in elk land weer een andere betekenis. Sommige moslims gebruiken het woord aba als aanduiding voor een kledingstuk dat ook het hoofd bedekt, waardoor het bijna overeenkomt met de Iraanse *chador*. En een nikab wordt ook wel een *khimar* genoemd.

Geen van deze kledingstukken is in Jemen wettelijk verplicht. Voor zover het de kleding van vrouwen betreft, behoort het land (in elk geval officieel) tot de meer liberale moslimlanden. Evenmin is het sluieren van vrouwen door de Heilige Koran verplicht gesteld. Toch bestaat er een enorme sociale druk om een sluier te dragen. Een Jemenitische vrouw die zich ongesluierd buiten waagt, wordt vaak door mannen lastiggevallen, die haar opdragen zich af te dekken, haar een onbeschaamde hoer noemen en erger. Zoals zoveel gebruiken in Jemen is het meer een eeuwenoude culturele traditie dan een religieus voorschrift. Maar de rollen van cultuur en religie worden vaak verward, net zozeer door buitenstaanders als door de Jemenieten zelf.

De gewoonte om een sluier te dragen, is terug te voeren op de *Hadith* van Sahih Bukhari. De Hadith is een tekst met leerstellingen van de profeet Mohammed, en Bukhari's interpretatie wordt vaak gezien als norm, alhoewel er verscheidene andere bestaan.

Volgens de Hadith, 'Is Mijn Heer het over drie zaken met mij (Umar) eens... En voor wat betreft het sluieren van vrouwen, zei ik: "O, Apostel van Allah! Ik wil dat u uw vrouwen opdraagt om zich voor de mannen af te dekken omdat goede en slechte mannen met ze praten." Zo werd het vers over het sluieren van vrouwen geopenbaard.' (Hadith, vers 1, boek 8, soenna 395).

Net als vele andere westerlingen dacht ik voordat ik naar Jemen kwam dat de sluier een middel was om vrouwen te onderdrukken, dat ervoor zorgde dat vrouwen zichzelf niet konden zijn. Maar de vrouwen die ik in Jemen zou ontmoeten, vertelden me vaak dat het omgekeerde het geval was. Deze vrouwen beschouwen hun sluiers als uiting van hun identiteit, een belangrijke verdediging tegen mannen, en een bron van vrijheid.

De hijab is niet bedoeld om ervoor te zorgen dat vrouwen er niet te verleidelijk uitzien, kreeg ik van een vrouw te horen. 'Ik draag hem omdat ik mezelf respecteer. En als de schoonheid verborgen is, treden de belangrijkere zaken op de voorgrond.'

Aanvankelijk had ik een eenvoudige reden om mijn hoofd af te dekken: ik wilde erbij horen. Met mijn blauwe ogen en bleke huid viel ik al genoeg op en het leek me niet verstandig om nog meer aandacht op me te vestigen door mijn tot mijn middel reikende haren vrij rond te laten wapperen. Bovendien wilde ik laten zien dat ik de cultuur van het gastland respecteerde. De hoofdsluier was een manier om te tonen dat ik wist hoe het er hier aan toeging en dat ik me graag schikte naar de gewoonten van het land.

Dus was ik met een koffer vol lange, zwarte jurken gearriveerd, lange, zwarte Indiase blouses en een zwarte hoofdsluier. Mijn vriendin Nick had me bij de aanschaf van deze zaken geholpen, omdat ik doodsbenauwd ben voor winkelen. De hoofdsluier die we kochten, was eigenlijk de deur van een kleedkamer van een kleine boetiek geweest. Nick had op de eigenaar ingepraat om hem voor tien dollar aan me te verkopen. 'Het is hem gewoon helemaal,' zei ze, terwijl ze de stoffige lap katoen omhooghield. 'Als hij gewassen is.'

Maar hoewel ik van plan was geweest om bij het verlaten van Sabri's woning mijn hoofd te bedekken, had ik er nooit bij stilgestaan om mijn gezicht te verbergen. Een doek over mijn neus en mond bezorgt me een claustrofobisch gevoel. De gedachte dat ik de hele dag mijn eigen adem tegen mijn huid zou voelen, deed me walgen. Op deze hoogte had ik al problemen genoeg met ademen.

En ik vroeg me toch ook af of het niet een beetje met ijdelheid te maken had. Ik wist niet hoe ik zonder gezicht mezelf kon zijn. Plotseling voelde ik me vreselijk oppervlakkig. Ik wilde dat mensen wisten hoe ik eruitzag. Dat vond ik belangrijk. Misschien waren de Jemenitische vrouwen meer ontwikkeld dan ik en hoefden ze geen goede sier te maken met hun gelaatstrekken. Stel je toch eens voor dat je jaar in jaar uit aan niemand buiten je familiekring kunt tonen dat je er goed uitziet!

☪

HET BEKIJKEN VAN SANA'A vanaf een hoge positie verschilt hemelsbreed met de ervaring op de begane grond (en is veel rustiger). Nadat we van het dak naar beneden waren geklommen, kondigde Sabri aan dat hij een bijzondere lunch voor me wilde bereiden om me welkom te heten, en dat we boodschappen moesten doen. Voor twee uur 's middags konden we niet naar de markt, zei hij, anders zouden mensen hem vragen waarom hij op vrijdag niet in de moskee was. Dus gingen we na tweeën naar beneden. We stonden voor zijn zwarte Mercedes en twee magere jongens die het huis bewaakten openden de deuren van de wagen. Eenmaal plaatsgenomen legde Sabri zijn hand op de versnellingspook en de auto kwam grommend tot leven.

Terwijl Sabri tussen de drukke wirwar van straten naar de *souqs* (Arabische markt) manoeuvreerde, hield ik me aan de deurkruk vast. Jemenieten zijn slechtere chauffeurs dan mensen uit Boston. Het lijkt niet uit te maken aan welke kant van de weg je rijdt. Verkeerslichten staan er louter voor de vorm. Niemand draagt veiligheidsgordels (behalve ik, in het zeldzame geval dat ze beschikbaar zijn), al deed Sabri ten slotte de zijne om, toen zijn auto maar bleef piepen om hem eraan te herinneren. Het getoeter was niet van de lucht. Jemenieten, stelde ik vast, rijden met een hand op de claxon en de andere aan het stuur. In New York toeteren chauffeurs om te waarschuwen voor gevaar. In Vermont toeteren ze om vriendelijk te groeten. In Jemen toetert men eenvoudigweg omdat men rijdt.

De meeste van de wit-geelgekleurde taxi's en andere auto's die voorbijreden leken bijeengehouden te worden door plakband en gebeden. En ze braakten wolken zwarte rook uit. Omdat uitlaatgassen in Jemen totaal niet worden getest, is de lucht in Sana'a een soort stoffige mist.

In de straten krioelde het van de mensen, meestal mannen in witte jurken, die zich voor een middagmaal huiswaarts spoedden. Veel van hen droegen lange bossen heldergroene bladeren onder hun armen, waarvan Sabri me vertelde dat het qat was, een plant met stimulerende bladeren waar de Jemenieten vele uren per dag op kauwen. Ik had over qat gelezen en wilde het graag proberen, ondanks het feit dat ik me meestal niet interesseer voor drugs. Maar het grootste deel van het sociale en politieke leven van Jemen speelt zich af rond het ritueel van het kauwen van qat en als ik echt iets over de Jemenitische cultuur wilde leren, kon ik niet om dat kauwen heen.

Stuiterend in de wagen probeerde ik het Arabische schrift op de puien van de winkels en moskeeën te lezen. Ik had mezelf het alfabet geleerd en het was tamelijk opwindend om de sierlijke Arabische letters overal om me heen te zien. Op elk bord! Op elk restaurant! Wat wilde ik ze graag leren ontcijferen. Tot nu toe herkende ik niet meer dan een incidentele s-klank en een tekstfragment dat 'de' betekent.

Eerst reden we naar de vismarkt in de oude Joodse wijk, waar dicht opeengepakte rijen lage gebouwtjes rond pleintjes stonden, en mannen kruiwagens met stekelige palmnoten of komkommers voortduwden. Met een snelle beweging sneden marskramers de schil van hun waren, zodat hun klanten ze ter plekke konden verorberen, waarbij het sap in hun kruiwagen droop. Mannen die voor de visstalletjes stonden, verdrongen elkaar om aan de beurt te komen. Er was geen rij te onderscheiden. Stappend over waterplassen en vissenbloed liepen Sabri en ik twee treden op en een kleine groezelige winkel binnen, waar stapels bloederige vissen op een stenen toonbank lagen. Een muur van geuren sloeg me in het gezicht: pekel, bederf en *vissigheid*. Ik voelde mijn lege maag opspelen en deinsde terug, de straat op, waar ik op Sabri bleef wachten. Passerende mannen keerden zich naar me om en staarden me met wijd opengesperde ogen aan. 'Welkom in Jemen!' zeiden sommigen. Hoe konden ze nou weten dat ik pas was gearriveerd, vroeg ik me af. (Meer dan een jaar later werd ik nog altijd door mannen welkom geheten in Jemen. Hoe prettig het ook was te merken dat ze me graag in hun midden zagen, toch stoorde ik me aan de begroeting. Ik *woon* hier, wilde ik zeggen. Ik ben hier al *eeuwen*.

Sabri wees alle vis in de eerste winkel af en we liepen door naar de volgende. Een man met een bebloed schort voor toonde een redelijk grote tandbaars en opende de kieuwen zodat Sabri hem kon inspecteren. Deze vis werd goedgekeurd, in een plastic tas gestopt en overhandigd.

Vervolgens gingen we naar een klein, naar bederf ruikend visrestaurant. We stapten door de voordeur naar binnen en Sabri overhandigde onze vangst door een raam in de keuken. Daar werd de vis opengereten, met roodoranje kruiden ingesmeerd en in een diepe, cilindervormige oven geschoven. Mannen met smoezelige schorten voor renden met borden heen en weer naar de kleine eetruimte, waar tafels vol broodmagere mannen (van overgewicht hadden ze in Jemen duidelijk geen last) met hun handen stukken brood en vis afbraken en in hun mond propten. In de keuken roerden andere mannen stukken vis door oranje sauzen of kneedden brood tot grote schijven om ze te kunnen roosteren. In de achterkamer gaf Sabri een medewerker aanwijzingen bij de bereiding van een saus (*zawahek* geheten) voor de vis. Knoflook, tomaten, pepers en een stuk witte kaas werden door iets wat op een gehaktmolen leek geduwd en de saus die daar het resultaat van was, werd in een plastic zak gedaan. Ik stond in een hoek, keek toe en probeerde niemand in de weg te staan.

De in het wit geklede, dolkdragende mannen die hun lunch aan het eten waren, staarden me aan, ondanks het feit dat ik van top tot teen in het zwart was gehuld en mijn haar was afgedekt. Hierdoor kreeg ik het gevoel alsof ik per ongeluk de straat op was gegaan in een met lovertjes bezaaide bikini. Ik had nooit geweten dat ik zo opvallend was. 'Welkom in Jemen,' zei ieder van de mannen als ze mijn lichtblauwe ogen voor het eerst zagen. 'Waar kom je vandaan?'

Een bebaarde man vertelde me dat hij twee jaar in New York had gewoond, maar dat hij weer was vertrokken vanwege de drugsoverlast. Een andere man zei me dat hij een buurman van Sabri was. Een derde man vroeg me of ik kinderen had en getrouwd was. Ze waren zo nieuwsgierig en opgewonden dat je zou denken dat Julia Roberts was binnen komen wandelen, al hadden deze mannen waarschijnlijk geen idee wie dat was.

Ik zei dat ik getrouwd was en de mannen drongen erop aan dat ik kinderen zou krijgen. Ik zei dat ik mijn best zou doen. (Ik was niet alleen ongetrouwd, maar de gedachte daaraan joeg me al de stuipen op het lijf. En op zevenendertigjarige leeftijd wist ik nog steeds niet of ik wel kinderen wilde.) Geen van de mannen daar verloor me ook maar een seconde uit het oog, totdat ik me omkeerde en wegliep. Misschien keken ze daarna nog steeds.

Onze vis was eindelijk gekookt en Sabri haalde hem op, evenals het brood en de saus. Bij ons vertrek klonk er een koor aan afscheidsgroeten. *'Ma'a salaama!'* riepen de mannen. 'Welkom in ons land!' Hun aandacht was vleiend en sociaal, maar ik was opgelucht dat ik ervan was verlost. In Jemen vond men het geen probleem iemand aan te staren. Geen van de mannen toonde zich er ook maar een beetje ongemakkelijk over. Maar als vrouw kon je beter niet terugstaren (had ik gelezen). Voor mij zou dit nog het lastigst zijn. Ik ben iemand die oogcontact maakt met onbekenden in de metro, flirt met mannen die ik in een vliegtuig ontmoet en mijn telefoonnummer geef aan willekeurige buschauffeurs. Dat overkwam me nu eenmaal. Maar nu moest ik er beslist iets aan doen. Als ik te sociaal zou zijn, zou ik het bezuren.

☪

TERUG IN DE AUTO zette Sabri de airconditioning vol aan, al vond ik het niet eens te heet. Sana'a ligt zo hoog en de lucht is zo droog dat ik het er nooit als ondraaglijk warm ervoer. De wagen vulde zich met de geur van komijn, geroosterde vis en brood. We zetten koers naar de fruitmarkt, waar we mango's uitzochten, kleine Jemenitische appels, sinaasappelen en bananen zo klein als een sigaar. Sabri brak een verse vijg open en bood hem aan. Hij smaakte naar heerlijk fris gras.

Ik werd verleid door de stapels granaatappels, die er heel anders uitzagen dan de kleine, rode granaatappels zoals ik die kende. Deze waren gigantisch, geelgroen met een zweem roze en zo groot als grapefruits. Ik wilde Sabri vragen er een paar te kopen maar wilde niet al te gretig overkomen. Bovendien zijn granaatappels bijzonder lastig te eten. Dat ik die taaie schil eraf zou moeten pellen, elke sappige pit los zou moeten trekken, leek me, in elk geval op dat moment, een uitputtende bezigheid.

We stopten nog een keer om gekruide saffraanrijst te halen en keerden naar huis terug. Ik was blij weer in de veilige, westers aandoende woonomgeving te belanden, waar ik van alle nieuwe indrukken kon bijkomen. We waren de tafel aan het dekken toen Theo arriveerde. Theo, mijn vriendje van de middelbare school en de reden dat ik in Jemen was terechtgekomen, woonde al bijna twee jaar in Sana'a, waar hij onderzoek verrichtte voor een boek en nu en dan een artikel schreef voor de *Yemen Observer*. Omdat hij gefrustreerd was geraakt door de chaos en het gebrekkige niveau van de krant, had hij me gevraagd om de verslaggevers enkele basisprincipes te komen bijbrengen. Zelf had hij geen journalistieke opleiding genoten. Ik wist nog steeds niet waarom hij juist mij had uitgenodigd. Hij kende beslist vele andere journalisten. Onwillekeurig vroeg ik me af of hier, misschien een beetje, de vage hoop meespeelde dat onze lang voorbije verhouding weer zou ontvlammen. Het was al wel een jaar of zeventien geleden dat we iets hadden gehad, maar in zijn bijzijn voelde ik me nog altijd kwetsbaar, zoals dat bij een eerste liefde kan gebeuren. Nog altijd gaven we te veel om elkaar om ons op ons gemak te voelen. Maar ik was hier niet voor de liefde gekomen. Ik kwam hier met de avontuurlijke opdracht om de journalistieke boodschap te verkondigen in een bijzonder vreemde cultuur.

We hadden een enorme hoeveelheid eten ingeslagen. Sabri opende zelfs een van zijn beste flessen wijn, die we warm opdronken. Wijn was een waardevol goed in dit droge land, waar de verkoop van alcohol verboden was en niet in het openbaar gedronken mocht worden. Niet-moslims die betrapt werden bij het in het openbaar nuttigen van alcohol konden veroordeeld worden tot een celstraf van zes maanden, terwijl moslims een jaar achter de tralies moesten, inclusief (in theorie) tachtig zweepslagen. Dus ik had het geluk bij een van de weinige Jemenieten te verblijven met een wijnkelder. Theo was onder de indruk van de vrijgevigheid van Sabri en zei dat ik werd verwend. 'Wen er maar niet aan,' zei hij op waarschuwende toon.

We aten van gemeenschappelijke schalen en gebruikten onze blote handen. We scheurden stukken stevig brood af, gebruikten het brood om hele brokken van de donkere vis af te trekken en dipten het hele pakket in de zawahek. Het smaakte naar knoflook en komijn. Ik vond het heerlijk. De vis was zoet en mals, viel zo van de graten. Door al dat nieuwe voedsel werd ik helemaal in beslag genomen, terwijl Theo en Sabri over Faris spraken, de geheimzinnige oprichter en uitgever van de *Yemen Observer*, die ik de volgende dag zou ontmoeten.

Voor mijn aankomst had ik meerdere nummers van de *Observer* bestudeerd en ik luisterde zorgvuldig toe toen Sabri en Theo de talloze gebreken van de krant bespraken. Het grootste probleem was de manier waarop de krant werd geleid, zei Theo. Dat gebeurde namelijk niet. Geen enkele tekst kwam op tijd binnen en er bestonden geen procedures om goedkeuring te krijgen voor ideeën voor artikelen. Als ik voor een krant schreef, ging dat over het algemeen als volgt: verslaggevers bevonden zich in de stad en hadden contact met bronnen, waardoor ze op ideeën kwamen voor een artikel. Vervolgens legden ze die ideeën voor aan hun redacteur. De redacteur keurde ze af, verfijnde ze of stemde in met de ideeën, waarna de verslaggevers verslag uitbrachten, het verhaal opschreven en naar hun redacteur opstuurden. De betreffende redacteur controleerde het bericht en de opbouw ervan en stuurde het door naar een persklaarmaker, die alleen naging of de zinsbouw en de stijl klopten. Daarna kon het worden gepubliceerd. Bij de *Yemen Observer* gebeurde niets van dit alles. Volgens Theo schreven de journalisten over alle onderwerpen die ze hadden bedacht en verschenen de artikelen zoals ze die aanleverden. Aan kwaliteitscontrole van de ideeën of het taalgebruik werd niet gedaan.

Dit nieuwtje deed me niet zoveel. Het was niet mijn probleem. Ik zou hier immers niet langer dan drie weken blijven, om journalisten te helpen hun vaardigheden te verbeteren. Met het management zou ik me absoluut niet bezighouden en ik had geen tijd om een revolutie teweeg te brengen.

'En niemand heeft enige scholing gehad,' zei Theo. 'Alle medewerkers hebben Engels als hoofdvak gehad, maar ze hebben geen enkele journalistieke achtergrond. Ze hebben geen idee hoe ze een verhaal moeten opbouwen, of hoe ze er een artikel van moeten maken. O, en je zult hen ervan moeten overtuigen dat ze geen stukken tekst van het internet mogen overnemen.'

Ik stopte met kauwen, met een handvol vis in mijn mond. 'Plegen ze plagiaat?'

'Voortdurend.'

'En het auteursrecht dan?'

'In Jemen bestaat geen auteursrecht. Er bestaat hier niet echt zoiets als intellectueel eigendom.' Hij nam een slok wijn.

'O.'

'En ze schrijven voortdurend over adverteerders. Faris laat hen over vrienden en zo schrijven.'

'Maar dat kunnen ze niet maken!' protesteerde ik. 'Je kunt geen verhalen schrijven over adverteerders. Dan gaat je geloofwaardigheid eraan.'

Theo haalde zijn schouders op. 'Leg dat maar aan Faris uit.'

Sabri, een vriend van Faris, glimlachte veelbetekenend. 'Ik heb ook weleens een foutje in de verhalen ontdekt.'

'Eén foutje?' zei Theo. 'Hoe dan ook, daarom is Jennifer hier gekomen.' Hij keek mij aan. 'Kun jij ze leren hoe ze het internet kunnen gebruiken voor hun research? En hoe ze kunnen weten welke bronnen ze mogen gebruiken? En, weet je, soms weigeren ze zelfs de naam van de schrijver bij een artikel te vermelden. Dat moet je ze ook bijbrengen.'

Ik probeerde niet te wanhopen.

Meer dan tien jaar was ik nu journalist, maar ik had nog nooit lessen journalistiek gegeven, laat staan in een Arabische omgeving. Het maakte me bloednerveus. 'Je moet ze vanaf het allereerste moment laten merken dat jij de leiding in handen hebt,' zei Theo. 'Je moet er op de een of andere manier voor zorgen dat ze elke dag op tijd komen. O ja, vergeet niet te zeggen dat je getrouwd bent. Hier is geen enkele vrouw ongehuwd en als ze erachter komen dat je vrijgezel bent, zullen ze aannemen dat er iets vreselijks met je aan de hand is. Je moet hen geen enkele aanleiding geven om te denken dat er iets aan je mankeert.'

Hij had dit ook gezegd voordat ik uit New York vertrok, daarom droeg ik de trouwring van mijn gescheiden vriendin Ginger aan mijn linker ringvinger. Meestal draag ik geen sierraden en de ring knelde vreselijk.

Sabri was genoeg verwesterd om geen problemen te hebben met mijn ongehuwde staat. Eerder die ochtend had hij gezegd, toen hij erachter kwam dat ik vegetarisch was (op vis na, dat ik recentelijk weer was gaan eten): 'Aha! Dan zou je een erg goedkope echtgenote voor iemand kunnen zijn!'

Toch had ik hem voor de zekerheid verteld dat ik in de Verenigde Staten een vriendje had, om eventuele avances voor te zijn. En het was geeneens een leugen; ik had een verhouding aan de andere kant van de oceaan. Al was het een gecompliceerde zaak, zoals alles in New York.

☪

NA DE LUNCH vertrok Sabri naar zijn werk en liepen Theo en ik over het Tahrir Plein, het grote plein in het centrum van Sana'a, naar de ommuurde Oude Stad, slingerend op weg naar zijn appartement.

Terwijl we liepen, schoten uitgemergelde katten en kinderen voor ons uit. De straten waren zo smal dat ik, als ik mijn armen uitstrekte, de ruwe stenen aan beide zijden kon aanraken. Een gronderige vochtige lucht steeg op van de bodem. We liepen langs mannen die in kruiwagens lagen te slapen, hun benen bungelend over de rand.

Ik was overweldigd door de architectonische schoonheid van de stad. In een droom had ik me nooit zulke eetbaar uitziende gebouwen kunnen voorstellen. Ik had wel een hap uit de muren willen nemen. Het is bijna onmogelijk een blik in de rechthoekige hoge huizen te werpen. Om te voorkomen dat de vrouwen die er wonen door mannen worden begluurd, zitten er maar weinig ramen in de onderste verdiepingen. De bovenste verdiepingen zijn versierd met gebrandschilderde ramen, die vaak worden aangeduid met *qamaria* (al kreeg ik later te horen dat het woord qamaria oorspronkelijk alleen naar albasten ramen verwees, die werden gebruikt om de zonnestralen te dimmen en het binnen koel te houden). Nog nooit had ik zo'n mooie stad gezien.

Al snel bedacht ik me dat een kaart zinloos zou zijn. Terwijl ik achter Theo aan liep op weg naar zijn huis, wist ik dat het niet eenvoudig zou zijn de weg terug te vinden. Hij had me verteld dat er geen adressen in Jemen zijn en dat was ook zo. De Oude Stad is een doolhof bestaande uit zo op het eerste gezicht niet van een naam voorziene straten en adresloze gebouwen. Hoewel elk gebouw een naam heeft, zou ik er na verloop van tijd achter komen dat zelfs inwoners van Sana'a buiten hun eigen buurt zelden een straat kunnen vinden.

Kleine jongens met kleine dolken aan hun riem liepen achter ons aan als we voorbijkwamen, en riepen: 'Hello! *I love you!*' Theo sprak enkele van de jongens in het Arabisch aan, waarna ze begonnen te lachen en zich verspreidden. Een man in een witte jurk passeerde ons met een enorme televisie op zijn schouders.

Er liepen kleine meisjes in roze, satijnen prinsessenjurken met korte pofmouwen. Toen ik Theo vroeg of ze zo gekleed waren omdat het een heilige dag was, zei hij: 'Ze zijn zo gekleed omdat het met sterrenstof strooiende prinsessen zijn.'

Theo's appartement, op de bovenste verdieping van een fraai versierd gebouw, was fantastisch. We klommen minstens tien trappen met ongelijke treden op – in het hele land bestond geen enkele trap met gelijke treden – naar een grote metalen deur met drie sloten. Binnen bevond zich een wirwar van kamers, waaronder een grote ruime *mafraj* vol kussens, verlicht door een stuk of vijf qamaria's. Het woord mafraj betekent letterlijk 'een kamer met uitzicht' en deze bevindt zich meestal op de bovenste verdieping van een Jemenitische woning. Ik vond het interessant te horen dat het woord dezelfde stam heeft als het Arabische woord voor vagina. In deze kamer vinden bijna alle sociale activiteiten plaats, van het nuttigen van maaltijden tot het kauwen van qat. Theo woonde op de bovenste verdieping van het gebouw en had dus de enige woning met een echte mafraj.

We namen plaats op diepblauwe kussens, namen de lessen door die ik zou geven en rondden mijn plannen voor de eerste lesdag af. Hierdoor voelde ik me tegelijkertijd meer op mijn gemak en ongeruster. 'Ze zullen je geweldig vinden,' zei hij. 'Maak je daar maar geen zorgen over.' En even later voegde hij daaraan toe: 'Maar je kunt ze geen enkele zwakte tonen. Je moet geen moment verslappen, omdat ze dan diep teleurgesteld raken en je geen gezag meer zult hebben.'

Na een paar koppen thee klommen we naar zijn dak zodat ik nog voor het donker enkele foto's kon nemen. Op de daken om ons heen lagen overal tapijten te luchten. Ik leunde over de muren en probeerde vergeefs bij de ramen van de andere gebouwen naar binnen te kijken. Ik hoopte iets van die ongrijpbare soort te zien te krijgen, vrouwen. Ik begon ze al hevig te missen.

Bij het vallen van de avond begonnen de gebrandschilderde ramen van deze gebouwen op te lichten als juwelen, de lampen binnen gingen aan en lichtten kleurrijk op in de nacht. Ik kon mijn ogen er niet van afhouden. Het voelde alsof ik een bijzondere vrouw in het oog had gekregen en geboeid was door de trekken van haar gezicht.

'*Allaaaaaaahu Akbar!*' schreeuwde plotseling een mannenstem door luidsprekers, zo hard dat het wel leek of die in Theo's vensterbank stonden opgesteld. Ik schrok van het geluid, al had ik het die middag minstens eenmaal eerder gehoord. En toen gooide Theo me uit het nest.

'Je bent niet echt gearriveerd als je nog niet in de Oud Stad verdwaald bent,' zei Theo. 'Toe maar, raak de weg kwijt.'

Nu ben ik best een onafhankelijk reiziger – ik heb bijna altijd alleen gereisd, meestal zonder concrete plannen – maar ik was bijna zover dat ik hem vroeg me te vergezellen. Ik had geen idee hoe ik in deze middeleeuwse stad de weg kon vinden. Het begon donker te worden. Ik was moe. Ik sprak geen Arabisch. Ik was een beetje bang. Maar was ik in de wildernis van Costa Rica niet de strijd aangegaan met schorpioenen? Was ik niet flauwgevallen in een bordeel in San José en had het overleefd? Had ik niet een vrachtwagen vol decorstukken tijdens een storm door bergpassen in Montana gereden? Was ik niet in Ierland aangekomen met niet meer dan tien dollar bij me en had ik het er niet toch twee weken uitgezongen? Natuurlijk zou ik in staat zijn een wandelingetje door een onbekende stad te maken. Dus ik haalde diep adem, trok de sjaal over mijn hoofd strak en zette mijn eerste zelfstandige schreden in Sana'a.

Lopend door de steeg in de richting van de souq bleef ik op mijn hoede, omdat ik geen idee had waar ik zou uitkomen. Een groep zwarte geesten zweefde voorbij, hun nieuwsgierige ogen op mij gericht. Ik stelde me voor dat ze elkaar toefluisterden: 'Wie is dat?'

'Ik heb geen idee, maar het is duidelijk dat ze niet hiervandaan komt. Haar hijab zit helemaal verkeerd.'

Terwijl ze langs me ritselden, ving ik een zweem op van een muskusachtige geur die opsteeg van hun kleren. Een man haastte zich voorbij, met aan zijn ene hand een zak tomaten en aan zijn andere een jongen. Hoewel ik mijn ogen op de grond gericht hield, staarde iedere voorbijganger me aan alsof ik een uit de dierentuin ontsnapt dier was. Een westerse, blauwogige ocelot met ontbloot gezicht.

Zodra ik een hoek om was geslagen, riep een klein meisje me toe: '*Hello, Bostonian!*' en ik lachte, voelde me een beetje beledigd. Ik ben weliswaar in Boston geboren, maar voel me in hart en nieren New Yorkse. Door het lachen ontspande ik me wat. Een ander klein meisje met een vodderige groene jurk van tafzijde aan, zei: 'Hoe heet je, hoe heet je?' Maar toen ik ten slotte antwoord gaf, zweeg ze en rende weg.

Ik versnelde mijn pas, wilde de markten vinden voordat het te donker werd. Maar ik werd afgeleid door iets groens links van mij. Ik stopte en liep een eindje terug. Aan de rechterkant van de straat was in de stenen muur een raam uitgespaard. Ik ging op mijn tenen staan om erdoorheen te kijken, in... een geheime tuin! Achter de muur bevond zich een weelderige oase met palmbomen en mij onbekende gewassen, in een ruimte zo groot als meerdere huizenblokken. Groen! Helder oplichtend groen! Opgetogen door de aanblik van iets fotosynthetiserends te midden van al het stedelijk bruin vervolgde ik mijn weg.

Toen ik tevoorschijn kwam uit een reeks kronkelige stegen, belandde ik op een groot plein met een moskee. Links van me een restaurantje met enkele tafels ervoor, waaraan een paar mannen uit glazen koppen thee zaten te drinken. Tegenover de moskee lag een apotheek, druk met mannelijke en vrouwelijke klanten. Rechts bevonden zich meerdere woningen van suikerwerk. Een kudde sjofel uitziende geiten drentelde voorbij, gevolgd door een jongen met een staf, gehuld in een vage vuilnisgeur. Kinderen duwden kruiwagens voor zich uit, zo vol met spullen dat ze niet konden zien waar ze heen gingen.

Ik wist niet zeker welke kant ik op moest gaan, maar in de richting van een straat aan de rechterkant liep een gestage stroom mensen, dus sloot ik me daarbij aan.

Verschillende mannen riepen iets naar me: 'Sadeeqa! Sadeeqa! Ik hou van je!' Maar de vrouwen zeiden niets. Ze volgden me slechts met hun donkergekleurde ogen, het enige deel van hun lichaam dat je kon zien.

Tijdens mijn wandeling gebeurde het meerdere keren dat er een hele stoet kinderen met me meeliep, waar zo te zien in de meeste gevallen geen enkele volwassene toezicht op hield. De meisjes droegen nog sierlijke jurkjes, hoewel ze vaak onder het stof zaten, terwijl de jongens colbertjasjes over hun thawbs droegen en gekromde Jemenitische dolken, *jambiya*'s geheten. Ze trippelden achter me aan, vroegen hoe ik heette en waar ik vandaan kwam, en riepen: '*Soura! Soura!*' Pas dagen later begreep ik dat soura Arabisch is voor foto. Ze wilden dat ik een foto van ze nam.

Ten slotte belandde ik in het doolhof van winkeltjes die door de souqs werden gevormd. Er zijn meerdere soorten souqs, geordend naar het soort handelswaar. In de straten van de Zilversouq worden handgemaakte sieraden verkocht. Kruidnagelen, kardemom en komijn vind je in de Specerijensouq. En jambiya's bevinden zich in – u raadt het al – de Jambiyasouq. Sommige souqs zijn ook helemaal gewijd aan sjaals voor vrouwen (voornamelijk uit Kasjmir), eten, qat, en koffie.

De winkels bestonden meestal uit een kleine winkelpui met planken achter de toonbank, waarachter mannen met een hele mond vol qat lagen. Sommigen riepen me na, gebarend naar hun waren, anderen kauwden door en staarden slechts. Ik stopte niet. Het was een verkenningstocht, geen winkeluitje.

De kruidenmarkt werd overweldigd door de geur van kardemom en koriander. Bergen oranje en geel poeder waren in perfecte piramides op op de grond liggende kleden uitgestort. Hoe krijgen ze het voor elkaar om die perfecte bergen specerijen te maken, terwijl ze niet in staat zijn om ook maar een traptrede gelijk aan de ander te bouwen? Wederom een Jemenitisch mysterie. Ook tot piramides opgestapeld, naast bussen pistachenootjes, amandelen en cashewnoten, was een verbazingwekkende hoeveelheid uiteenlopende soorten en maten rozijnen; groene, gele, zwarte, blauwe, geelgroene. Hele kramen waren gewijd aan dadels. Grote, kleffe, warme klonten dadels onder de hitte van lampen. Ik had nog nooit zoveel dadels gezien, of zulke kleverige.

Ik wandelde verder. Langs rijen jambiya's. Er waren kleine jambiya's zo groot als mijn hand en gigantische, even groot als mijn dij. Ze waren gemaakt van zilver, staal, wol en de hoorn van een neushoorn. (Officieel is het verboden om jambiya's met de hoorn van een neushoorn te verkopen, maar daar trekken de handelaren in Oud Sana'a zich niets van aan.) Vooral de verkopers van de jambiya's spanden zich in om mijn aandacht te trekken, gebaarden me naar hun stalletjes. Ik glimlachte, maar vervolgde mijn weg.

Van een afstandje leek iedereen, zelfs in de stedelijke gebieden, hetzelfde gekleed. De vrouwen hulden zich van top tot teen in het zwart en de mannen gingen in het wit. Zo zag de wereld eruit voordat de kleuren hun intrede hadden gedaan, voor de mode, voordat het individu kwam bovendrijven. Voordat God dood werd verklaard. De eenvormigheid van de kleding verhulde de vernietigende armoede van de meeste mensen uit Jemen. Je kon pas iets zeggen over de klasse of de inkomensgroep waartoe iemand behoorde als je dichtbij genoeg kwam om de juwelen om de arm of de halsboord van de zwarte *abaya* van een vrouw te kunnen onderscheiden, of de gravure op de jambiya die aan de versierde gordel van een man bungelde. Natuurlijk zijn Jemenieten zelf in staat om in een oogwenk iemand te plaatsen, omdat ze het verschil zien aan de hand van details die iets te kennen geven over de stam waartoe iemand behoort, klasse en mate van gelovigheid. Aan de manier waarop een hoofddoek wordt gedragen, valt bijvoorbeeld af te lezen hoe gelovig iemand is. En een man toont zijn rijkdom en prestige door te pronken met een dure jambiya met een handvat van de hoorn van een neushoorn.

De mannen zagen er zo stoer en zelfverzekerd uit, zoveel zelfverzekerder dan de vrouwen, die ingepakt waren in donker polyester. Ik wilde liever hun kleren dragen. Die dolken en fraaie schedes stonden me wel aan. Toen ik Sabri eerder die dag vroeg waarom hij geen dolk bij zich had, zei hij: 'Jij bent mijn dolk.' En lachte. Ik had geen idee wat hij bedoelde. Pas weken later zou de betekenis van zijn opmerking tot me doordringen, doordat ik begreep dat mannen elkaar op waarde schatten door het soort dolk dat ze droegen. Een goedkope jambiya met een houten handvat duidde op een lage sociale positie, terwijl een fraai exemplaar met een ivoren handvat wees op het omgekeerde. Als hij door de stad liep in het gezelschap van een westerse vrouw, wilde Sabri zeggen, was dat een andere manier om status te tonen. Alleen de Jemenieten die tot de hoogste klasse behoorden, spraken Engels en waren daardoor in staat zaken te doen en contact te hebben met buitenlanders.

☪

HELE STRATEN waren gevuld met winkels vol felgekleurde polyester baljurken: van kant voorziene tot op de vloer reikende rode creaties, diep ingesneden groen satijnen jurken en zwierige robes vol roze ruches. Dat wekte mijn interesse. Ik vroeg me af of vrouwen deze karige, frivole japonnen misschien onder hun zwarte abaya's droegen. En waar gingen ze heen als ze zo waren gekleed? Daar moest ik achter zien te komen!

Verder wandelend, zonder enig idee te hebben waar ik heen ging, riep een puberjongen: 'Hello heavenly!' Wat enigszins positiever is dan de manier waarop ik in de straten van New York word aangesproken.

Ik liet het drukste deel van de souq achter me en begaf me in rustiger straten. Ik had geen flauw benul waar ik me bevond of in welke richting mijn woning lag. Het werd donkerder. In elke donkere hoek kon iets gebeuren. De kronkelende, vaag verlichte en met keitjes geplaveide straten leken geschapen voor een eerste kus. Toch moest je in deze omgeving niet aan die verleiding toegeven, want een eenvoudig gebaar van genegenheid tussen een man en een vrouw kon levens ruïneren. Zo werd zelfs de meest romantische atmosfeer verpest. Niet dat ik hier was voor romantische avontuurtjes, sprak ik mezelf toe.

Naarmate ik verder en verder naar het centrum van de stad liep, voelde ik mijn pas veranderen. Verdwenen was mijn zelfverzekerde New Yorkse losheid, verdwenen was de flirtende draai van mijn heupen, weg was de uitdagende blik in mijn ogen. In plaats van mijn kin omhoog te houden en voorbijgangers brutaal aan te kijken, zoals ik in New York en op alle andere plaatsen gewend was, keek ik omlaag. Ik werd iemand anders.

TWEE

lezen, schrijven en roven

Acht paar donkere ogen waren op me gericht toen ik met grote groene letters op het schoolbord in het klaslokaal schreef: 'De rol van de pers.' Er waren drie vrouwen, op hun ogen na gehuld in zwarte stof, en vijf mannen, voornamelijk in poloshirts en los vallende gewaden. Ze zaten aan een lange rechthoekige tafel, die het grootste deel van de ruimte in beslag nam. Aan de overkant van de hal lag de redactiekamer, waar deze verslaggevers achter hun computer hadden gezeten toen Theo en ik ze hadden opgehaald.

Tot dan toe was ik erin geslaagd mijn grote vrees dat ik zou worden ontmaskerd als een bedrieger te verhullen. Nog altijd wachtte ik op het moment dat een van deze vreemdelingen vol minachting zou zeggen: 'En wie ben jij dan wel dat je ons kunt vertellen wat we moeten doen? Denk je dat je beter bent dan wij, alleen omdat je een westerling bent?' Wie was ik eigenlijk? Niet meer dan een wat kleine dame uit New York die kleren droeg waarmee ze de dracht van een Arabier kopieerde, die in de verste verte niet wist of ze iets te bieden had waar deze mensen iets aan hadden. Graag had ik meer tijd gehad om het land te zien, de Koran te lezen, Arabisch te studeren, meer tijd om me in deze verbijsterende cultuur te verdiepen, voordat ik zou proberen de mensen hier iets bij te brengen. Ik was nog steeds van slag door de ijle lucht en de onbekende geuren.

Wat enigszins hielp was dat ik er niet als mezelf uitzag. Ik had mijn haar gevlochten en opgestoken, mijn gezicht niet voorzien van make-up en ik droeg een lange zwarte blouse over een zwarte rok, met daaroverheen een zwarte sjaal. Net alsof ik als ouwe vrijster voor de klas stond, seksloos en droog. Het kostuum veranderde mijn gedrag al; als je onder lagen stof bent weggestopt, kun je met geen mogelijkheid geneigd zijn tot flirten.

Ik had mijn altijd zo toegenegen impuls zorgvuldig in toom gehouden en zat stijf in een stoel geklemd. Toch maakte ik me zorgen dat ik misschien per ongeluk een van de mannen een flirtende blik zou toewerpen en mijn reputatie te grabbel zou gooien. Maar er viel niet aan te ontkomen de mannen aan te kijken. Zeker niet hier, waar ik aan hun ogen moest aflezen of ze hadden begrepen wat ik zei.

Het lokaal was eenvoudig maar comfortabel, net als het gebouw waar het deel van uitmaakte. Hoewel het drie verdiepingen hoge kantoorgebouw van de *Yemen Observer* een moderne versie was van de suikerwerkwoningen in de Oude Stad (fabrieksmatig gemaakte qamaria in plaats van handgemaakte ramen, eenvoudige stenen in plaats van lemen blokken), toch slaagde het erin mooi te zijn. Het tiental gewelfde ramen aan de voorkant was afgesloten met witgeverfd ijzeren edelsmeedwerk en de grote zonnige binnenplaats ging schuil onder een bladerdak van wingerd. Drie marmeren traptreden leidden naar een ruime centrale hal, waar Enass, de volslanke secretaresse van de krant, als portier fungeerde. Rechts bevond zich de redactiekamer, links de vergaderruimte die ik gebruikte voor mijn lessen. Boven was het kantoor van de geheimzinnige Faris al-Sanabani, die ik nog niet had ontmoet, evenals het kantoor van *Arabia Felix*, het glossy magazine waarvan hij naast de *Observer* eveneens eigenaar was.

'Dus, waarom bestaat de pers eigenlijk?' vroeg ik en richtte me op de klas. 'Welke rol denken jullie dat de pers in de samenleving moet spelen? Waarom is die rol van belang?' De hand met het krijtje trilde licht en ik liet mijn arm zakken om het te verbergen.

Stilte. Buiten op de binnenplaats kon ik het water horen stromen, waar een grote man met een tuinslang rijen bloemen besproeide. Uiteindelijk ging een kleine zuil kunstzijde omhoog.

'De pers is het geweten van de gemeenschap.'

'Heel goed,' zei ik terwijl ik haar opgelucht aankeek. 'Hoe gaat dat in zijn werk?'

Ze leunde naar voren, liet plotseling een woordenvloed horen, waarbij uit pure haast om haar mond te verlaten het ene woord over het andere heen buitelde: 'Het is als een rechter zonder rechtbank. Het gezag komt van het volk zelf. Daarom moeten mensen antwoord geven aan journalisten, anders verhullen ze de waarheid. De mensen van de pers zijn de woordvoerders van het volk. Mensen begrijpen niet dat wij boodschappers zijn, het is onze missie om de boodschap over te brengen. Als wij de boodschap overbrengen, foutloos, ervoor zorgen dat de boodschap onderweg niet wordt veranderd en het aan de juiste mensen doorgeven op de juiste manier, dan dienen we het volk en degenen aan wie we de boodschap richten zo goed mogelijk.'

Ze ging door, zonder tussentijds ook maar een hap lucht te nemen, zonder om zich heen te kijken, de woorden verlieten haar mond alsof ze jarenlang op iemand had gewacht die haar deze vraag zou stellen. Haar kleine handen hield ze voor zich boven de tafel en ze maakte kleine, vogelachtige gebaren om haar woorden te benadrukken.

'Het leven is een cirkelgang. Ieder van ons speelt daarin een eigen rol. Als we die rol succesvol vervullen, zullen we een succesvol leven hebben. Hoeveel genomineerden voor het presidentschap van de Verenigde Staten struikelen bijvoorbeeld omdat een paar journalisten iets over hen onthullen? Zonder goede journalisten zouden deze mensen wellicht toch op een dergelijke post belanden en een negatieve invloed kunnen hebben op het land. Neem nou het Abu Ghraib-schandaal, als goede journalisten de waarheid niet hadden achterhaald, zou niemand er iets van hebben geweten. Nadat de journalisten de schandalen van die gevangenis hadden onthuld, volgde de rol van NGO's en anderen. Vergelijk het met de sporters tijdens de openingsceremonie van de Olympische Spelen: iedere sporter geeft de fakkel door aan de volgende, totdat de grootste fakkel wordt ontstoken. Als een van de sporters een fout maakt, zal de Olympische vlam niet worden ontstoken.'

Ten slotte haalde ze adem, terwijl haar ogen naarstig houvast zochten in mijn gezicht. Even was ik sprakeloos. Haar klasgenoten staarden haar aan. Twee van de mannen, Farouq en Qasim, begonnen te lachen.

'Hé,' zei Theo, die op de middelbare school met hen zou hebben meegelachen, 'als we iets willen leren, zullen we de mening van iedereen moeten respecteren. Als je wilt dat we naar jou luisteren, zul je ook naar de anderen moeten luisteren.'

'Inderdaad.' Ik voelde me gesterkt nu ik wist dat Theo achter me stond. 'De mening van iedereen is me evenveel waard. Ik wil weten wat iedereen te zeggen heeft.'

De mannen bedaarden.

Ik keek naar de vrouw van wie ik al gauw te weten kwam dat ze Zuhra heette en glimlachte naar haar. Hoewel het niet meeviel de vrouwen uit elkaar te houden, was Zuhra makkelijk te herkennen aan de zilveromrande bril die zich tussen de hijab en de nikab bevond. Bovendien bleef ze maar doorpraten. Ze was de enige aanwezige in de redactiekamer geweest toen ik arriveerde, dus was zij de eerste met wie ik had kennisgemaakt. 'Dit is Zuhra,' had Theo gezegd. 'Zij zou deze tent eigenlijk moeten leiden.'

'Dat was een prachtige definitie. Je hebt gelijk dat we door op een verantwoorde manier ergens over te schrijven, door onze lezers te vertellen over de gruweldaden die in Abu Ghraib en Guantánamo worden begaan, toekomstige misstanden kunnen voorkomen. En ja, de pers is, in zekere zin, het geweten van een volk. Je hebt hier beslist over nagedacht!' Ik schreef enkele van haar opmerkingen op het bord. 'Dankjewel. Wat nog meer?'

'Het kan corruptie aan het licht brengen?' sprak een tot rust gekomen Farouq.

'Jazeker! De pers bestaat voor een groot deel om de regering in de gaten te houden en het volk te laten weten wat de regering doet. Zodat we weten waar de ambtenaren ons geld aan uitgeven.'

Meer mannen besloten aan de discussie deel te nemen. 'De pers kan mensen iets leren over ziekten,' zei Adel, de dunne, ernstige man die over gezondheid en wetenschap schreef.

'En over auto-ongelukken,' vulde Qasim aan. Qasim was beslist geen verslaggever en hield zich bezig met de advertenties in de krant. Hij droeg een pak met krijtstreep en das, en rook naar eau de cologne. Hij zag er net zo uit als de commerciële jongens in de New Yorkse kantoren van *The Week* (waar ik werkte), of eigenlijk net als de commerciële jongens overal elders. Qasim had altijd een glimlach op zijn gezicht en giechelde met een hoog stemgeluid dat overal in het gebouw te horen was. Hij zag er beter doorvoed uit dan de andere mannen, die pijnlijk dun waren.

'Goed. De pers kan er ook voor zorgen dat de wegen worden gerepareerd, scholen worden gebouwd en presidenten worden gekozen. En kan ervoor zorgen dat misdadigers in de gevangenis belanden en politieke veranderingen tot stand komen,' zei ik. 'Het is een machtig instrument. Daardoor hebben jullie veel macht. En als we een dergelijke invloed hebben, moeten we ervoor zorgen dat we daar op een ethisch verantwoorde wijze mee omgaan, zodat mensen in staat zijn op basis van goede informatie beslissingen te nemen over hun leven, hun stemgedrag en hun investeringen.'

De andere vrouwen bleven zwijgen, maar Zuhra leunde weer voorover. 'Sorry dat ik zo vaak het woord neem, maar ik heb u zoveel te vragen. Zou u me alstublieft kunnen vertellen wat een journalist tot een professional maakt?'

Ik kon haar vraag niet meteen beantwoorden. Of beter: er waren verschillende antwoorden mogelijk. Is een professionele journalist iemand die loon krijgt? Is een professionele journalist iemand die zorgvuldig te werk gaat? 'Professionele journalisten,' zei ik uiteindelijk, 'zijn objectief. Dit houdt in dat ze hun emoties buiten hun verhaal houden, hun eigen opvattingen voor zich houden en elke kant van een verhaal belichten.'

'Waar is dat voor nodig?' Weer Zuhra.

'Nou, omdat...' Dit was iets wat we aan de hogeschool als vanzelfsprekend hadden aangenomen als een van de pijlers van de journalistiek. Was het belang van objectiviteit niet zonneklaar? 'Als je slechts een kant van een verhaal belicht, zal de lezer je niet vertrouwen. Hij zal denken dat je een dubbele agenda hebt. Als je een politicus van corruptie beschuldigt, maar de politicus vervolgens niet belt om zijn kant van het verhaal te laten vertellen, dan ben je er niet in geslaagd het hele verhaal te vertellen en ga je niet op een verantwoorde wijze om met de macht die je als journalist hebt. Daar komt bij dat de politicus zal besluiten dat je een slechte journalist bent en in het vervolg liever niet meer met je zal willen spreken. Belangrijker nog is het feit dat je door objectiviteit de waarheid het dichtst benadert.'

'Maar hoe voorkom je dat je eigen opvattingen over een verhaal hebt?' Daar had je Zuhra weer, haar hoofd balancerend boven haar notitieblok. Had ik echt gevreesd dat de vrouwen niets zouden zeggen?

Ik was net met mijn antwoord begonnen – het is geen probleem als je ergens eigen opvattingen over hebt, zolang die je werk maar niet beïnvloeden – toen Theo van zijn stoel opveerde.

'Geef die vijftig dollar terug,' zei hij.

Ik staarde hem aan. 'Welke vijftig dollar?'

'Die je gisteren van me hebt gehad.'

'Nee hoor, die heb ik terugbetaald, weet je nog? Ik heb in de souq geld gewisseld en heb het in rials aan je teruggegeven.'

'Je liegt!'

'Ik lieg nooit! Ik ben een journalist!'

'Je liegt waar je bij staat! Ik heb geen enkele rial van je gehad!'

'Hoe kom je erbij dat je me van zoiets beschuldigt! Ik dacht dat we vrienden waren!'

'Geef het geld terug of ik pak het van je af.'

'Ik ben je geen cent schuldig!' Met mijn handen op mijn heupen keek ik hem aan.

'Je hebt erom gevraagd.' Hij reikte over de tafel en greep mijn lelijke zwarte handtas (die ik speciaal had gekocht om in Jemen niet op te vallen) van de tafel, en rende de kamer uit.

'Ik krijg jou nog wel!' riep ik hem na terwijl ik naar de deur stoof. 'Maar ik ga nu niet achter je aan! Ik wil mijn les niet door jou laten onderbreken!'

Ik richtte me weer tot mijn studenten, die ineens erg aandachtig waren en me met wijd opengesperde ogen aankeken.

'Waarom doet Theo je zoiets aan?' zei een van de vrouwen. Ze hadden in de maanden voordat ik was gearriveerd met Theo kennisgemaakt. Ze mochten hem en vertrouwden hem. Ze waren gechoqueerd dat Theo een gerespecteerde gast zo tegemoet trad, iemand die hij nota bene zelf had uitgenodigd!

Ik opende mijn mond om haar te antwoorden en deed mijn best om niet in lachen uit te barsten, toen Theo, breed lachend, het lokaal weer inkwam en mijn tas op de tafel wierp.

'Controleer maar of alles er nog in zit,' zei een van de mannen.

'Ja,' stemden anderen met hem in, vol verwachting over het drama dat zich zou gaan afspelen. 'Controleer het maar goed!'

Ik keek in de tas. 'Theo, waar is mijn fototoestel?'

Ik kon mijn lachen nauwelijks onderdrukken en de studenten volgden ons kleine toneelstukje vol belangstelling. 'Ja, waar is haar fototoestel, Theo?'

'Wat voor fototoestel?' vroeg Theo.

'Oké,' zei ik. 'Ik wil jullie vragen drie alinea's te schrijven over wat jullie hier zojuist hebben gezien. Wat is er gebeurd? Kun je je precies herinneren wat we hebben gezegd en gedaan? Zorg ervoor dat de tekst voorzien is van een goede inleiding en zorg dat ik de tekst morgenochtend om acht uur heb ontvangen.' Ze maakten als dollen aantekeningen op hun kladblokken.

Aan een eind van de tafel zaten de drie vrouwen bij elkaar, Zuhra, Radia en Arwa. Aan het andere eind zaten de mannen, Qasim, Farouq, Adel, Mohammed al-Matari (bekend als Al-Matari) en Theo. De vrouwen waren allemaal begin twintig, evenals Adel en Farouq. Qasim was ongeveer van mijn leeftijd en Al-Matari was minstens tien jaar ouder. Theo was precies even oud als ik. Ik had Theo gevraagd niet mee te doen, omdat zijn aanwezigheid op mijn zenuwen werkte, maar hij had erop gestaan en me beloofd te helpen en niet in het clowneske gedrag te vervallen dat hem op de middelbare school zo vaak in de problemen had gebracht. Ik vertrouwde hem niet, maar als ik hem had buitengesloten, zou hij eenvoudigweg via het raam naar binnen zijn geklommen. Theo was even gehoorzaam als de gemiddelde huiskat.

Voorafgaand aan de lessen was ik door iedere studentverslaggever met een enthousiaste buiging begroet. 'We hebben zo lang op u moeten wachten,' zeiden ze terwijl ze mijn handen fijnknepen tot mijn botten er pijn van deden. 'Wij zijn zo dankbaar dat u bent gekomen. We zijn zo vereerd.' Waar was het anti-Amerikaanse sentiment waarover ik zoveel had gelezen? Wat was er geworden van de verbitterde tirades tegen de westerse tirannie? Amerikaanse kranten schreven alleen over Jemen als de westerse belangen geweld werd aangedaan. Tot nu toe was iedereen in dit land uiterst gastvrij geweest. Mijn verslaggevers behandelden me alsof ik hen de grootst mogelijke gunst bewees. Ik voelde me alsof ik prinses Diana was. Ik voelde me alsof ik Seymour Hersh was. Ik voelde me behandeld als een sjeik. (Later zou ik zelfs de bijnaam Sjeik Jenny krijgen, bedacht door de huidige redacteur van de krant, Mohammed al-Asaadi, die merkwaardig genoeg gedurende mijn eerste lessen niet aanwezig was.)

Toch maakt het wel uit of je een vereerde gast bent of een baas. In de beginperiode kon ik me met geen mogelijkheid voorstellen dat een van deze lieve, dociele journalisten, die me zo voorkomend behandelden, enkele maanden later een van mijn hoofdartikelen zou willen verscheuren of mijn kantoor uit zou stormen. Net zoals ik me niet kon indenken dat ik mijn stem tegen een van hen zou verheffen of zou dreigen hun salaris in te houden.

IK WAS DE LESSEN BEGONNEN door mezelf te introduceren en in te gaan op enkele hoogtepunten van mijn tienjarige journalistieke loopbaan, om hen ervan te verzekeren dat ze met een professional te maken hadden. Niet dat iemand daarover had getwijfeld. Op aanraden van Theo had ik uitgelegd dat dit een cursus was voor professionals, om daarmee de vrees weg te nemen dat ze een beginnerscursus zouden volgen (hoewel Theo me had verteld dat ze daar juist zoveel behoefte aan hadden).

Ik was van plan geweest te beginnen met de mededeling: 'Ik ben hier niet gekomen om jullie de Amerikaanse manier van journalistiek bedrijven bij te brengen. Ik ben hier om de manier van verslaggeving en de schrijftechnieken over te brengen waar ik de afgelopen tien jaar gebruik van heb gemaakt.' Maar Theo had er zijn veto over uitgesproken. 'Ze willen juist de Amerikaanse werkwijze leren kennen,' zei hij. 'Ze dromen ervan om naar Amerika te gaan!' We begonnen met een gesprek over de rol van kranten, de definitie van nieuws, soorten verhalen en hoe je een primeur moest brengen, maar op een gegeven moment ging ik op een veel bredere reeks onderwerpen in dan ik van plan was geweest, omdat ze zoveel te vragen hadden. Verlegenheid en bescheidenheid gelden als de meest geprezen eigenschappen van Jemenitische vrouwen, en Theo had me dan ook gewaarschuwd dat de meisjes weinig geneigd zouden zijn te spreken. Toch was Zuhra degene die de meeste vragen stelde. 'Wat vind je van anonieme bronnen? Ondertekenen we een verhaal als we vrezen dat het ons leven kost? Wat is het verschil tussen nieuwsonderwerpen en hoofdartikelen?' Er kwam geen einde aan. Ze was, kortom, een echte journalist.

Maar ik wilde geen lessen geven waarin alleen maar werd gepraat, theorie zonder oefening. 'Ik wil jullie allemaal dit kantoor uit hebben, de straat op,' vertelde ik hen. 'In dit gebouw gebeurt geen nieuws.'

'Hoe vind je nieuws op straat?' vroegen ze. Ze vertelden me dat ze het gebouw alleen verlieten om naar persconferenties te gaan. Het kwam niet in hen op dat hun kruidenier op de hoek, een taxichauffeur of de plaatselijke vroedvrouw hen het idee voor een verhaal zou kunnen aanreiken. Alleen woordvoerders en politici waren de moeite waard om geciteerd te worden. Toch wist ik uit ervaring dat voorlichters en degenen die de macht in handen hadden juist niet degenen waren bij wie je voor een goed verhaal moest zijn. Ik moest mijn verslaggevers uitleggen hoe ze een primeur op het spoor konden komen, hoe ze hun bronnen konden onderhouden, en hoe ze mensen ervan konden overtuigen dat ze te vertrouwen waren. Ik voegde dit aan de lijst toe met essentiële zaken die ik hen wilde leren, een lijst die per minuut langer werd. Ik kreeg het er warm van.

Toen vertelden de vrouwen me dat ze mannen op straat niet mochten aanspreken. En dat ze niet in een auto met mannen mochten meerijden. Dit betekende dat als een vrouw erop uitging om een verhaal te verslaan, ze een andere taxi moest nemen dan de fotograaf (die altijd een man was).

'Welke problemen om aan verhalen te komen hebben jullie nog meer?' vroeg ik nieuwsgierig.

'Nou, niemand wil met een verslaggever spreken,' zei Farouq. 'Of zijn naam aan ons zeggen.'

'Dat is inderdaad lastig.' Het was dus niet alleen deze groep verslaggevers die meer moest weten over de vele manieren waarop de pers de samenleving kon dienen, het ging om de hele samenleving. Bijna alle kranten in Jemen waren onbeschaamd partijgebonden, zodat iedereen die werd geïnterviewd aannam dat een verslaggever een ander doel had dan het achterhalen van de waarheid. Ik was van plan om hen verhalen te laten schrijven die in de krant konden worden afgedrukt, en ze daarbij te coachen. Ik wilde dat alles wat ik ze leerde zou bijdragen aan de verbetering van de *Yemen Observer*. Er was veel wat verbetering behoefde, om te beginnen het Engels. Bijvoorbeeld: '*The security source denied any dead incidents happened during the riots.*' Of, van een andere verslaggever: '*Nemah Yahia, an elderly lady, said that they went to a mill in Raid, have an hour takes them, to crash the cereal.*' Ik veronderstel dat *crash the cereal* ['op het graan te botsen'] niet helemaal onjuist omschrijft wat er in een molen gebeurt, maar toch.

Dan was er nog het totale gebrek aan structuur in de verhalen, het gebrek aan geldige bronnen, de drie alinea's durende zinnen en de onzinnige koppen. Een beruchte kop in de *Observer*, voor mijn komst, doelde met het ministerie van Terrorisme op het ministerie van Toerisme. De medewerkers van de ambassade van de Verenigde Staten moesten daar zo om lachen dat ze het verhaal op hun prikbord bevestigden. Het viel niet mee om een begin te maken met de verbeteringen, maar ik bedacht me dat ik me er geen buil aan kon vallen door met het grootste nieuws in het land aan te vangen.

'In september worden de presidentsverkiezingen gehouden,' zei ik. 'Welke rol kan een krant in de maanden voor de verkiezingen spelen? Wat is de krant aan zijn lezers verplicht? Met andere woorden, hoe draagt de pers bij aan de vorming van een echte democratie?'

Ze veerden allemaal op toen ik het woord 'democratie' in de mond nam. De Jemenitische regering is officieel tamelijk enthousiast over de democratie en vaardigt voortdurend verklaringen uit over de glorieuze vooruitgang die wordt geboekt op weg naar een dergelijk politiek systeem. Desondanks is er nog een hele lange weg naar een ware democratie te gaan. Jemen bestaat pas sinds 1990 als een tot een geheel gesmeed land. Na afloop van de Turkse bezetting in 1918 werd het noorden door een reeks politiek-religieuze leiders genaamd imams als een halve monarchie geregeerd. In 1962 werd het imamaat na een oorlog in het noorden omvergeworpen en de Jemenitische Arabische Republiek gesticht.

Zuid-Jemen werd van 1839 tot 1967 door de Britten geregeerd. De laatste Britse strijdkrachten verlieten Aden in 1967 en het land heette vanaf toen de Volksrepubliek Zuid-Jemen (in 1970 hernoemd tot de Democratische Volksrepubliek Jemen), het enige Arabische marxistische land ooit. Nadat de Sovjet-Unie in 1989 ophield te bestaan, begonnen Noord- en Zuid-Jemen serieus over een vereniging te spreken. Officieel gebeurde dat op 22 mei 1990, al brak er in 1994 een burgeroorlog uit tussen de (nog niet samengevoegde) legers van het noorden en zuiden.

Al meer dan dertig jaren wordt Jemen door dezelfde president geregeerd, hoewel president Ali Abdullah Saleh pas sinds de vereniging president van heel Jemen is. Maar voor die tijd had hij Noord-Jemen al twaalf jaren geleid. Het is een nationale sport om op het leiderschap van president Saleh af te geven, maar de ingezetenen van Jemen hebben tijdens hun leven nog geen vredige overdracht van de macht meegemaakt en kunnen zich iets dergelijks daarom moeilijk voorstellen.

Dit jaar heeft Jemen voor het eerst een echte oppositiekandidaat. In 1999, toen het land de eerste echte rechtstreekse presidentsverkiezingen hield, versloeg Saleh met gemak een kandidaat van zijn eigen partij, met een meerderheid van 96 procent van de stemmen. Nu biedt de oppositiekandidaat Faisal bin Shamlan de pers de sensationele gelegenheid om over iemand anders dan Saleh te schrijven en over een andere politieke partij dan de regerende, het Algemene Volkscongres. Mijn verslaggevers waren apetrots dat Jemen door deze overgang eindelijk het respect kon krijgen dat het verdiende. Toch twijfelde niemand erover dat Saleh de verkiezingen zou winnen.

'Maar de pers is verplicht onpartijdig over beide kandidaten te berichten,' zei ik tegen mijn klas. 'En om de stemmers van zo veel mogelijk informatie te voorzien, zodat ze weloverwogen keuzes kunnen maken.' Dat is geen gemakkelijke opgave als het officieel verboden is om in de krant kritiek te leveren op de president en de eigenaar van de krant zelfs in dienst is van die president. Theo had me uitgelegd dat de *Yemen Observer* slechts een van de vele ondernemingen van Faris was. Zijn belangrijkste werk was zijn taak als media-adviseur van de president. Verder bezat hij een beveiligingsbedrijf, voerde hij campagne tegen corruptie, hielp hij bij het organiseren van investeringsconferenties en bemoeide hij zich met vele andere ondernemingen. Hoewel ik het duidelijk onethisch vond dat de eigenaar van een krant voor de president werkte, leek het me beter hier niet over te beginnen. Ik zou hier maar drie weken zijn. Het was mijn taak om te proberen mijn verslaggevers zo openlijk mogelijk te laten schrijven en te hopen dat Faris zich er niet al te veel mee zou bemoeien.

Het idee van onpartijdige verslaggeving leek bij mijn studenten opmerkelijk goed te vallen. Ze wilden dat hun verhalen net zo vlot lazen als die van de *The New York Times*. Het viel nog te bezien in hoeverre ze daar uitvoering aan konden geven. Ze kwamen met meerdere ideeën voor verhalen die ze over de verkiezingen konden schrijven: profielen van kandidaten, onderwerpsgerelateerde verhalen (bijvoorbeeld over het uitroeien van wapens of de bestrijding van corruptie), en reportages over het verloop van de campagnes van de kandidaten. Farouq, de belangrijkste politieke verslaggever van de krant, werkte al aan een verhaal over het dreigement van de oppositiepartij om de verkiezingen te boycotten.

Ik sloot de les af met een opdracht voor iedereen die te maken had met het nieuws, die ze om zes uur 's middags bij mij moesten inleveren. Ze zouden me helpen om meer over Jemen te leren, terwijl ik tegelijkertijd meer te weten zou komen over wat mijn verslaggevers als nieuws zagen.

Zo wilde Arwa een verhaal schrijven over een sportclub voor alleen vrouwen, maar het viel me niet mee om haar te laten aangeven wat daar nu nieuw aan was.

'Er moet een aanleiding zijn om daar vandaag over te schrijven,' zei ik haar. 'Zeg me wat er nieuw aan is. Is die sportclub net begonnen? Is het de eerste club voor vrouwen?'

'Nee...'

'Zijn ze net met een nieuw soort sport begonnen? Of maakt het deel uit van een nieuwe trend? Doen er nu meer vrouwen dan ooit aan sport?'

'Ja!' zei ze na de laatste vraag. 'Steeds meer vrouwen doen aan sport.'

'Uitstekend!' zei ik. 'Dus met die informatie openen we.'

Ik bleef het hebben over een gezondheidsclub, en ze bleef me corrigeren. 'Niet gezondheid! Sport!'

Adel ging verslag doen van de recente zelfmoord in Guantánamo, Radia ging over straatkinderen schrijven en de kleine Zuhra ging bezig met een verhaal over het toegenomen respect voor hairstylisten in Jemen.

Na de cursus wandelde een grote mollige man met groene ogen en een glimmend rond gezicht het lokaal binnen, zichtbaar bang. Hij was halverwege de les aangekomen, net voor mijn toneelstrijd met Theo. 'Het spijt me dat ik zo laat ben,' zei hij. 'Ik moest mijn vrouw naar het ziekenhuis brengen. Ze moest aan haar oog worden geopereerd en nu gaat het niet helemaal goed met haar...' Hij wierp een blik op Theo, die bij ons stond.

'Cornea,' vulde Theo aan.

'Ja, cornea. En ze moet nog een keer worden geopereerd.'

Het was Zaid. Ik drukte mijn medeleven uit en we gingen zitten om alles door te nemen wat hij had gemist. Ik mocht hem meteen. Het was duidelijk een slimme kerel, hij maakte grapjes en vertelde dat hij net een beurs had gekregen om volgend jaar in Engeland te studeren. Hij verheugde zich er geweldig op.

Ik voelde de druk van me afglijden nu de eerste les erop zat zonder dat het op een ramp was uitgelopen, toen Theo me eraan herinnerde dat ik nog een hindernis moest overwinnen (naast de talloze nieuwe uitdagingen die ik net was tegengekomen): ik moest indruk maken op de Baas. Hij gunde me even de tijd om diep adem te halen, mijn papieren te vergaren en leidde me de trap op voor een ontmoeting met Faris.

Faris al-Sanabani was groot, donker en knap, met zo ongeveer de meest ernstige vorm van ADHD die ik ooit had meegemaakt. Hij deed niets in een gewoon tempo. Hij bewoog snel, sprak snel en verlangde een al even snel antwoord. Overleg met Faris was een slopende aangelegenheid.

Faris had een opleiding genoten in de Verenigde Staten, aan de Eastern Michigan University. In Michigan wonen de meeste naar het buitenland vertrokken Jemenieten. Omdat Faris was verkozen tot de eerste buitenlandse *homecoming king* [iemand die een belangrijke rol speelt bij de reünie van afgestudeerden van een universiteit of middelbare school; vert.] werd hij uitgenodigd bij vele evenementen op de campus. Bij een van deze gelegenheden, op een zwarte studentenclub, werd een toespraak gehouden over de noodzaak iets terug te doen voor het getto. De spreker, vertelde Faris, zei ongeveer het volgende: 'Jullie studeren aan een goede universiteit. Jullie hebben een goed leven, een goede opleiding. Ik wil dat jullie je inzetten voor de omgeving waar je vandaan komt. Ik wil dat ze jullie daar terugzien. Niet alleen als basketballer of zanger. Maar als een geslaagde hoogopgeleide in een ander vak.'

En daar zat Faris, terwijl hij nadacht. Hij was van plan geweest na zijn afstuderen een aanbod voor een lucratieve baan aan te nemen. Hij was niet van plan geweest naar Jemen terug te keren. Hij was met een Amerikaanse vrouw getrouwd.

'Maar ik besefte dat Jemen mijn getto is,' vertelde hij. 'Als iedereen het getto verlaat, in keurige kleren, en met een keurige blanke vrouw trouwt, dan blijft er voor het getto niets over. Dan zullen ze in het getto geen hoop meer hebben. Dus zei ik: "Ik keer terug naar Jemen. Ik moet terugkeren naar mijn eigen volk."'

Hij wees het aanbod voor de baan af en verhuisde weer naar Jemen, waar hij als vertaler, ontwikkelingswerker en overheidsmedewerker aan de slag ging, om vervolgens de *Yemen Observer* op te richten.

Tot op dat moment was er slechts een Engelstalige krant, de *Yemen Times*. Maar Faris vond dat deze krant te meedogenloos kritiek op zijn land had. Hoe zou Jemen ooit toeristen kunnen aantrekken als alles wat ze over het land lazen negatief was? Hij besloot dat het oprichten van een eigen krant de beste manier was om aan de ontwikkeling van Jemen bij te dragen. Een Engelstalige krant zou het meest effectieve middel zijn, meende hij, omdat hij wilde dat buitenlanders – vooral Amerikanen, in wiens land hij immers had gewoond – over Jemen konden lezen.

Zijn Amerikaanse vrouw hielp hem op de enige computer die ze bezaten met het schrijven en bewerken van de krant. Het eerste nummer werd in een oplage van duizend exemplaren uitgegeven en door hemzelf te voet en per fiets bezorgd, ook vrienden hielpen mee. Dat was meer dan tien jaar geleden, in 1996. Sindsdien was Faris van zijn Amerikaanse vrouw gescheiden, die niet tegen het leven in Jemen had gekund, en met een Jemenitische vrouw getrouwd.

Tegen de tijd dat Theo me erbij haalde, werd de krant gedrukt in een oplage van vijfduizend exemplaren. Hij draaide nog altijd met verlies, maar was belangrijk genoeg voor Faris om er eigen geld in te blijven steken. Daar kwam bij dat Faris een rijk man was. Met de winst van zijn zakelijke activiteiten – geen overheidsgeld – betaalde hij de *Yemen Observer*, vertelde Faris me al vlug. Op die manier gaf hij aan dat de krant onafhankelijk was, ondanks zijn hoge connecties. Dat hij in dienst was als media-adviseur (en later minister) van de president, was nou niet bepaald ideaal voor iemand die een krant bezat die beoogde een objectief medium te worden. Maar het was een perfecte positie voor een gedreven, gepassioneerde man met talloze ambities voor zijn land.

Toen ik in het kantoor van Faris arriveerde, zat hij achter een enorm bureau met zijn computer te spelen. Hij stond op om mijn hand te schudden. Nadat hij me heel kort had aangekeken, schoten zijn ogen alweer de kamer door, alsof hij zich ervan wilde vergewissen dat ik niemand mee de kamer in had genomen. De ogen van Faris waren altijd onrustig. Ik stelde mezelf voor en legde hem uit wat ik met mijn lessen wilde bereiken. Hij leek er oprecht van onder de indruk en zei me zeer dankbaar te zijn dat ik had willen komen. Ik gaf aan dat ik zeer dankbaar was dat ik de kans kreeg hem bij te staan. Ik gaf hem een exemplaar van *The Week*, het magazine waarin ik over wetenschap, gezondheid, theater, reizen en kunst schrijf. Hij bladerde het zo snel door dat de pagina's er vaag van werden. Plotseling schrok ik, toen tot me doordrong dat ik hem het nummer had gegeven met een homohuwelijk op de omslag. In Jemen staat op homoseksualiteit minimaal de doodstraf. Stamelend probeerde ik het hem uit te leggen, maar Faris leek zich er niet om te bekommeren.

'Daar hebben we uiteraard alle begrip voor,' zei hij. 'Het zit daar nu eenmaal anders in elkaar.'

Voor mijn vertrek overhandigde hij me een stapel van dertig uitgaven van de *Yemen Observer*. 'Lees ze door en zeg me hoe het beter kan,' zei hij. 'Welke onderdelen zijn goed, welke moeten eruit. Lees alsjeblieft ook het interview dat ik heb geschreven en zeg me wat je ervan vindt en hoe ik in de toekomst betere interviews kan schrijven.'

Wankelend onder het gewicht van de stapel kranten, liep ik naar een leeg kantoor een verdieping lager en ging zitten lezen tot mijn ogen er droog van werden. De voorgaande nacht had ik niet meer dan een uur geslapen. Ik kan me niet herinneren ooit zo weinig te hebben geslapen, een combinatie van jetlag, zenuwen over het lesgeven en euforie van de reis. Ik voelde me ontzettend gammel.

Desondanks slaagde ik erin om, gedragen door de opwinding van mijn eerste les, vol te houden. Ik maakte dertig pagina's aantekeningen over de oude nummers van de *Yemen Observer*.

En de verslaggevers bleven langskomen om met me te spreken. 'Wat betreft die ruzie met Theo,' zei Adel. 'Heeft hij je al eens eerder voorgelogen over geld?'

Ik was onder de indruk. Ik had gedacht dat niemand zou overwegen om Theo of mij vragen te stellen. Bravo, Adel! Daarna kwam Al-Matari aanzetten met enkele vragen over zijn verhaal en de journalistiek in het algemeen. Om de zoveel tijd klopten jongetjes aan om me zilveren kopjes water te brengen. Ik had geen flauw idee waar ze vandaan kwamen. Verschillende mannen bleven in de deuropening van mijn kamer staan en staarden me aan.

Tijdens onze ontmoeting had Faris me gevraagd of ik tijdens mijn verblijf nog ergens behoefte aan had, en ik zei hem dat ik indien mogelijk wel wilde zwemmen. Ik ben hopeloos verslaafd aan lichaamsbeweging. Dus nadat ik samen met Theo bij de lunch vlug een falafel naar binnen had gewerkt, had Faris een van zijn chauffeurs gestuurd om me op te halen en naar het Sheraton hotel te brengen, waar een van de weinige zwembaden was waar ook vrouwen baantjes konden trekken. (In alle sportclubs in Jemen zijn mannen en vrouwen gescheiden, maar de grootste hotels – het Sheraton en het Mövenpick – hadden gemengde zwembaden.)

In het water ben ik altijd helemaal op mijn gemak en meteen nadat ik erin was gesprongen voelde ik de ontspanning door mijn lijf trekken. Ontdaan van de Jemenitische lappen stof gaf het water op mijn huid me meteen weer kracht. Ik werd weer Jennifer. Ik herkende mezelf weer. Mijn armen bewogen zich ritmisch op en neer, en de angst van die ochtend verdween via mijn vingertoppen het chloor in, mijn lichaam uit.

Ik zwom een uur lang, ondanks alle pogingen van de jochies in het bad om me te hinderen. Eerst vonden ze het nodig om in mijn baan te zwemmen en pas op het laatste moment uit te wijken, toen begonnen ze mijn slag na te doen en me onhandig achterna te zwemmen. Maar ik hield het langer vol dan zij, en ten slotte trokken ze hun rillende grijsbruine lijfjes uit het water en wikkelden zich in grote badlakens, me ondertussen verwijtend aankijkend terwijl ik op en neer bleef zwemmen.

Toen ik bij de *Observer* terugkeerde, opgefrist en nog nat van het zwembadwater (pas bijna een jaar later vertelde een Jemenitische vriendin me dat men het rondlopen met natte haren afkeurde, omdat dit suggereerde dat je net een stoeipartij tussen de lakens achter de rug had; Jemenieten douchen nadat ze hebben gevreeën), trof ik daar Faris en een nieuwe verslaggever genaamd Hakim, een in Detroit geboren Jemeniet. Hakim was afkomstig van de concurrerende *Yemen Times*, waar hij en de redacteur in gezamenlijk overleg hadden besloten uit elkaar te gaan. Faris zag hem helemaal zitten, want zijn Engels was beter dan de meeste verslaggevers en hij had enige scholing in de journalistiek gehad. Ze bestookten me met vragen over de formule van de krant en ik vertelde hen precies wat er naar mijn mening op elke pagina nodig was. Na tien jaar lang slaafse arbeid voor anderen verricht te hebben, werd ik, nu ze me als deskundige behandelden, vervuld door een bedwelmend gevoel van tevredenheid. Ik verbaasde me erover dat ik zoveel wist en hoe zeker ik was van mijn gelijk.

Om acht uur meende ik dat ik van pure uitputting zou flauwvallen. Maar net toen ik begon te vrezen dat ik daar de hele nacht zou blijven, nodigde Faris mij en drie fotomodellen voor *Arabia Felix* uit voor een diner. Om halfnegen verlieten we, na meer dan twaalf uur werken, het kantoor.

Faris begeleidde ons naar een Chinees restaurant, waar hij voor ons allemaal eten bestelde. Er werden wel dertig schalen gebracht, vol groenten, vis, vlees, rijst en loempia's. Zodra we hadden plaatsgenomen, leunden de drie prachtige Tunesische vrouwen achterover en staken tegelijkertijd een sigaret op. Gedurende het grootste deel van de maaltijd bleven ze roken. Het molligste meisje (nog altijd onwaarschijnlijk mooi) at niet meer dan een paar korrels rijst en stak de ene na de andere sigaret op. Omdat je het niet kunt maken om eten te weigeren dat je door een Jemeniet wordt aangeboden, at ik tweemaal zoveel als anders om haar botheid te compenseren. Maar Faris was ook bot tegen haar.

'Je eet zo weinig terwijl je zo groot bent,' zei hij. 'Eet je soms als wij niet kijken?'

De hele maaltijd lang bleven de meisjes in vele toonaarden klagen over Jemen. In Tunesië hadden ze altijd zoveel lol. In Tunesië hoefden vrouwen hun lichaam niet af te dekken. In Tunesië is het eten beter dan het Chinese eten. Toch zouden ze door hun contract als stewardess nog drie jaar in Jemen moeten blijven. Hopelijk staat Onze Lieve Heer de Jemenieten bij.

'Tunesië is een dictatuur,' vertelde Faris mij. 'Maar de dictator is liberaal. Hij heeft de vrouwen ontdaan van hun hijab en nu zijn ze vrij. Maar als Tunesië weer een democratie wordt, zouden de islamieten een overweldigende overwinning behalen en de vrouwen weer eeuwen worden teruggezet.' Dat fascineerde me. 'Dat is wat er in Algerije is gebeurd,' zei Faris. 'Het was een tamelijk vrij land totdat het een democratie werd en de islamieten de verkiezingen glansrijk wisten te winnen. Er wordt nog altijd gevochten in Algerije.'

Ik vroeg me af of hier hetzelfde kon gebeuren. Jemen bewoog zich in de richting van een democratie. Zou dat uitlopen op een nog conservatievere en meer inperkende cultuur? Faris meende van niet. Het was vrijwel zeker dat Saleh zou worden herkozen en Jemen was al een islamitisch land.

Toen we het restaurant om een uur of tien verlieten, nodigde Faris me uit om samen met zijn vriend Jalal, die zich bij ons had gevoegd, naar het wereldkampioenschap voetbal te kijken, maar ik verontschuldigde me. 'Als ik nu niet naar bed ga, zal ik morgen geen cent waard zijn!'

Dus liet Faris me door Salem naar huis rijden. Drie seconden nadat ik in bed was gekropen, viel ik in slaap, al werd ik om halfvier even wakker toen het *Allaaaaahhhu Akbar*! door de luidsprekers over de stad schalde. Een geluid waaraan ik evenzeer gewend raakte als het gerommel en getoeter van het verkeer in Manhattan.

☾★

ALS IK HAD GEDACHT dat alles na die lange eerste dag rustiger zou verlopen, dan had ik het bij het verkeerde eind. Elke dag opnieuw dienden zich weer nieuwe studenten aan, elke dag opnieuw sleepten mijn verslaggevers me na afloop van de lessen mee om hun verhalen te herschrijven, elke dag opnieuw wilde Faris weer iets anders van me. Bovendien begon ik onder begeleiding van een docent dagelijks een uur Arabisch te leren. Aan slapen kwam ik bijna niet toe.

Maar hoewel ik nog niet eerder zo hard had gewerkt, had ik me nog nooit zo nuttig gevoeld en gemotiveerd om naar het kantoor te gaan. Het was ondenkbaar dat ik deze groep verslaggevers, die zich zo vol vertrouwen aan me had overgegeven, aan zichzelf zou overlaten. Ze waren er echt van overtuigd dat ze door mij professionele journalisten zouden worden. Ik moest hun verwachtingen zien waar te maken. Daar kwam bij, zo spiegelde ik mezelf voor, dat ik wel voluit kon gaan want het was toch maar voor drie weken. Als ik thuiskom, haal ik de slaap wel weer in.

Toch waren er momenten dat ik door de reusachtige taak waar ik voor stond werd overweldigd. Men verwachtte van me dat ik gedurende mijn korte verblijf iets blijvends tot stand zou brengen, maar als ik de verhalen zag die mijn verslaggevers over mijn toneelstrijd met Theo hadden geschreven, leek me dat onmogelijk. In bijna alle gevallen ontbrak er een begrijpelijke openingszin. De meeste feiten klopten niet. En geen van allen schreven ze een taal die ook maar een benadering vormde van correct Engels. Aan dat laatste kon ik niets veranderen. Hoe toegewijd ik ook was, ik kon met geen mogelijkheid in een paar weken tijd het Engels van vijftien verslaggevers perfectioneren. Dus richtte ik me op wat ik wel kon veranderen: de opbouw van de tekst, de verslaggeving en de nauwkeurigheid.

We begonnen onze tweede les met het voorlezen van de teksten. Hieronder staat het verhaal van Zaid, met alles erop en eraan.

We verbaasden ons erg dat we Theo zo zagen doen. Wat de mensen die twee, Theo en Jennifer, hoorden zeggen, begrepen we niet. Theo sprak Jennifer aan oftewel hij, laten we zeggen, ruziede met haar over vijftig dollar die ze hem verschuldigd was of die hij aan haar moest geven, dat weten we niet precies. De ruzie laaide een beetje op en allemaal zagen we Theo de tas van Jennifer pakken en naar buiten rennen nadat hij om haar fototoestel had gevraagd. Wat hij met haar tas buiten deed weten we allemaal niet als hij echt iets uit haar tas deed.

Ikzelf was verbijsterd want ik had Theo nog nooit zo gezien vooral bij een aardige vrouw als Jennifer. We kenden Theo allemaal erg goed. Voor hem is geld geen onderwerp en ruziet er nooit met iemand over vooral niet met iemand uit zijn omgeving. Misschien is Jennifer wel de laatste met wie hij ruzie maakt daarover. Zij is degene die op zijn verzoek reageerde en naar Jemen kwam om ons op te leiden. Ze liet een stervende grootvader achter en haastte zich naar een plaats waar ze niks van wist. Zo mag ze nooit behandeld worden. Het leek wel een grap toen ik er langer over nadacht.

Maar toen ik diep in de ogen van hun beiden keek zag ik chemie. Ik hoorde dat ze in de vijfde en zesde klas iets hadden en erg competitief waren. Dus wat er met die twee gebeurd is Theo denkt weer aan de herinneringen die hij erg miste in die schooltijd in de aanwezigheid van Jennifer. Jennifer bracht alle fijne herinneringen weer terug en dingen waar Theo naar smachtte. Dat kon je zien aan de manier waarop hij praat en aan zijn actieve houding die hij had nadat Jennifer arriveerde.

Theo en ik moesten er zo om lachen dat we niet uit onze woorden konden komen. 'Dus,' wist ik ten slotte uit te brengen. 'Ik begrijp dat je een opiniestuk hebt geschreven. Of was het een nieuwsanalyse?'

Ik had uiteindelijk niet gezegd welk soort stuk ze moesten schrijven. Ik wist niet goed waar ik moest beginnen.

'Ahum, Zaid, eerlijk gezegd was ik niet uit op zoveel interpretatie. Ik wilde zien of jullie allemaal een rechttoe rechtaan nieuwsbericht konden schrijven, met dat wie, wat, waar, wanneer en hoe waarover we hebben gesproken. Geef aan wat er is gebeurd, zonder dat je persoonlijke opvattingen eruit blijken.'

Zaid knikte en schreef iets in zijn met bloempatronen versierde notitieboekje. (Jemenieten droegen zonder problemen notitieboekjes vol bloemen, hartjes of cartoonfiguren bij zich, wat me bekoorde en amuseerde, omdat hun cultuur oppervlakkig gezien zo macho aandoet.) Ik zag een cassetterecorder op de tafel voor hem liggen, met een knipperend rood lichtje.

'Zaid? Neem je op wat ik zeg?'

'Ja!' Hij glimlachte. 'Ik zal alles wat je ons vertelt onthouden. Dat heb ik nodig om naar te verwijzen.'

'Aha.' Ik was gevleid, maar het hield wel in dat ik op mijn woorden moest passen.

'Goed, wie is nu aan de beurt? Laten we het verhaal van Arwa nemen.'

Arwa had een meesterwerk geschreven. 'Tijdens haar eerste les als docent van de *Yemen Observer*, is de camera van Jennifer door Theo Panderos weggenomen die ook als redacteur bij het tijdschrift *Arabia Felix* werk', begon haar verhaal.

Hier kwamen nog enkele zaken naar voren die ik zou moeten aanpakken. Waarmee moest ik bij dit soort teksten beginnen? Met correct taalgebruik? Het belang van het juist spellen van namen? (Theo's achternaam is Padnos.) Het gebruik van de lijdende vorm?

Arwa ging door: 'Het voorval geschiedde na een grappig woordenwisseling tussen ze... Volgens ooggetuigen was Theo in woede uitgebarsten en gooide hij de ramen dicht, pakte haar tas van de vergadertafel en verliet het lokaal, hij negeerde al haar pogingen om het uit te leggen. "Kom niet meer naar mijn lessen, Theo," zei Jennifer.'

Het meeste klopte gewoonweg niet. Dus spraken we even over feitelijke verslaggeving en de onbetrouwbaarheid van ooggetuigen. 'Veel mensen die precies hetzelfde voorval zien, herinneren zich dit voorval op een verschillende manier', zei ik. 'Zoals je hebt gezien. Zelfs mensen die de waarheid denken te spreken, kunnen iets vertellen wat niet echt is gebeurd. Iedereen vertelt zijn of haar versie van het gebeurde. Daar moet je je bewust van zijn.'

Maar ik weet nog niet of Arwa denkt dat ze het echt heeft gezien, of dat het slechts een poging is om het drama van het hele voorval te vergroten. Wat trouwens zo mogelijk moet worden vermeden. Laten we het houden bij de feiten. Oké, wie volgt?'

Arwa boog haar hoofd en ik kon haar ogen niet zien. Ik hoopte dat ik haar niet in verlegenheid had gebracht. Ik wilde hoe dan ook voorkomen dat ik een van de vrouwen zou kwetsen of de mannen iets zou geven waarmee ze hen konden plagen. Ik was nog steeds een beetje bang voor de vrouwen, bang om over hun zo zorgvuldig opgetrokken grenzen heen te stappen.

Hoewel mijn verslaggevers vaak om elkaar moesten lachen en het werk van hun collega's openlijk bekritiseerden, werd mijn gezag nooit betwijfeld. Door mijn status als westerling die in de Verenigde Staten voor nationale tijdschriften en kranten had geschreven, verkreeg ik automatisch respect en had kritiek geen vat op mij. Tot mijn verbazing hadden de mannen vanaf het allereerste moment veel respect voor me. Ik had verwacht dat ze me zouden uitdagen of me niet serieus zouden willen nemen, omdat ik een vrouw was. Maar dat was absoluut niet het geval. De mannen waren bijna slaafs, ze buitelden over elkaar heen om het mij naar de zin te maken. Mijn opleiding, loopbaan en buitenlandse nationaliteit leken mij boven mijn geslacht te plaatsen.

Deze passieve houding in het leslokaal was niet ongebruikelijk. Het Jemenitische onderwijssysteem moedigt kritisch denken niet aan. Kinderen leren bijna alles door uit het hoofd te leren en het is gebruikelijk lichamelijke straffen uit te delen. Nooit wordt het gezag van docenten betwijfeld en scholen zijn voornamelijk nare, vrees aanjagende gebouwen. Nooit heb ik een Jemeniet nostalgische uitspraken horen doen over zijn schooltijd.

Nadat alle verhalen waren gelezen, pakte ik een krijtje en liep naar het bord. 'Ik heb in alle verhalen iets gemist,' zei ik. 'Om te beginnen heeft niemand, op Adel na, mij ondervraagd, en niemand heeft Theo iets gevraagd. Toch was het een verhaal over ons. Hadden jullie niet willen weten of Theo vaker iets van me heeft gestolen, of wij eerder ruzie hadden gehad en of we misschien om iets anders zo kwaad op elkaar waren?'

We namen door wat er nog nodig was om het verhaal kloppend te krijgen; het ondervragen van hun klasgenoten en getuigen, een verzoek om de tas te mogen zien, het correct spellen van onze namen.

Als huiswerk deelde ik een verhaal rond uit een *Wall Street Journal*, met een voorbeeldige, beschrijvende inleiding en een nieuwsbericht van de BBC met een ondubbelzinnige inleiding, zodat we de rest van de les aan inleidingen konden besteden. Mijn verslaggevers wisten niet goed wat ze ermee aan moesten. Elke tekst in de *Yemen Observer* begon met een omstandige toeschrijving. Bijvoorbeeld: 'De woordvoerder van het ministerie van Arabische Absurditeiten zei in al zijn grootse wijsheid dat vandaag 11 juni...' Of: 'Vandaag heeft het ministerie van Bijziendheid op schitterende wijze aangekondigd dat op 17 juni een vergadering zal worden belegd, waarin wordt gesproken over de problemen met de oppositiepartij, die samen met hoogwaardigheidsbekleders van de Partij van de Gebruikelijke Waanzin een contract voor de verkiezingen heeft ondertekend, bevestigde Ali al-Beroerdetali...' En dan overdrijf ik niet.

Dus in onze volgende les leerde ik hen wat ik de 'Hé, Jolyon!'-regel noemde, die ik op *The Week* had ontwikkeld. Jolyon schreef voor de kunstpagina's van *The Week* en zat naast me. Altijd als ik een echt interessant verhaal zag, draaide ik me naar hem om en zei: 'Hé, Jolyon! Moet je horen!'

Ik zei hen dat ze de inleiding van hun verhaal moesten schrijven alsof ze hun verhaal aan hun eigen Jolyons vertelden. 'Kijk niet meer naar je aantekeningen, bronnenmateriaal, lijsten met namen, en vertel eenvoudigweg waarover het verhaal gaat. In een zin. Zodat een Jemenitische man, bijvoorbeeld, als hij de krant leest, zich naar zijn vrouw zal omdraaien en zeggen: 'Hé Arwa! Moet je horen!'

C*

MET HET VERSTRIJKEN VAN DE DAGEN kreeg ik steeds beter contact met de studenten. Toen ik op de derde dag op mijn werk kwam, stond Zaid me bij de deur op te wachten, gekleed in een lange witte *thobe*, met een jambiya, en een memory stick bungelend om zijn nek. 'Kijk, Jennifer!' zei hij, terwijl hij wees op de jambiya en de memory stick. 'Nu ben ik zowel traditioneel als modern!' Waarna hij achter me aan het leslokaal in liep en tot het begin van de les talloze vragen op me afvuurde over woordbetekenissen en hoe het er in het Westen aan toe ging.

Nu we allemaal aan elkaar gewend waren, kostte het me niet langer moeite om iedereen aan het woord te krijgen. In hun enthousiasme om me te vertellen wat ze allemaal wisten, vielen ze elkaar voortdurend in de rede.

De mannen gedroegen zich als schooljongens, verstopten de schoenen van de ander in de prullenmand, stalen de stoelen van elkaar en probeerden de ander de loef af te steken. Ze vroegen me zaken als: 'Maar mijn inleiding was beter dan die van Zaid, toch? Nee, de mijne! Jennifer, zeg eens, welke is de beste?'

Op een ochtend bleven Qasim en Farouq elkaar maar uitdagen. Qasim belde Farouq met zijn mobiele telefoon terwijl hij hem onder de tafel hield, alleen maar om Farouq in problemen te brengen omdat hij zijn telefoon in de klas aan had staan, wat ik strikt had verboden.

'En nu is het genoeg!' zei ik en ik stak mijn hand uit. 'Geef hier die dingen.' Schaapachtig overhandigden beide mannen me hun telefoon, die ik in mijn tas stopte. Vol ontzag keken de vrouwen me aan.

Qasim gaf me ook een afstandsbediening van een televisie die op tafel lag. 'Fantastisch idee,' zei ik. 'Nu kun je alleen maar praten als ik hiermee naar jou wijs!'

Dat hielp enorm.

Tot mijn verrassing bleek Theo een van de meest enthousiaste supporters. Niet alleen steunde hij me door discussies in constructieve richtingen te leiden, hij kookte ook nog eens bijna elke avond voor me en hielp me met het plannen van mijn dagen. Het leven buiten de kantoren van de *Yemen Observer* (hoe weinig dat ook voorstelde) was nauwelijks meer ontspannen dan het leven daarbinnen, zo vreemd bleef alles. Ik moest meermaals per dag in het Arabisch onderhandelen over de prijs van een taxirit, om maar eens iets te noemen. Nog altijd was ik er niet in geslaagd inkopen te doen in een kruidenierszaak en ik zag nooit vrouwen in hun eentje in restaurants eten, dus at ik alleen als of Sabri of Theo me voedde. Ik had geen tijd over om mensen buiten mijn werk te ontmoeten. Ik vroeg me af hoe alleenstaande buitenlanders het klaarblijkelijke gebrek aan romantische vooruitzichten overleefden.

☪

NA DE EERSTE LESDAG toonde Zuhra zich het meest enthousiast van al mijn verslaggevers. Ze vroeg me haar teksten te bekijken en telkens weer regel voor regel door te nemen. Er was veel op aan te merken, maar ze leerde vlug. Ze bleef maar vragen stellen. Ze was als een uitgedroogde kleine plant die dacht dat ik de regen was.

Het kantoor was leeg. Alle anderen waren naar huis voor de lunch en een paar uur qatkauwen. Toen we uiteindelijk klaar waren, tegen een uur of drie (te laat voor mij om nog voor het begin van de avondles naar het zwembad te gaan), greep ze me met haar kleine handen bij mijn arm en keek me met haar felle bruine ogen aan: 'Jennifer, zeg eens eerlijk. Alsjeblieft. Denk je dat ik het kan? Kan ik een journalist zijn? Een echte journalist? Ik wil het weten, want ik heb voor deze loopbaan gekozen en wil nu van je weten of ik het ook kan. Zodat ik weet dat ik mijn tijd niet verdoe. Ik wil mijzelf niet voor de gek houden.'

'Zuhra. Ik twijfel er niet aan dat je het kunt doen. Maar...'

'Maar?' Ze keek me met grote ogen aan.

'Ik weet niet,' zei ik naar waarheid. 'Ik ken je nog niet goed genoeg, ken Jemen nog niet goed genoeg om te kunnen zeggen wat je allemaal moet kunnen. Als vrouw, bedoel ik. Zijn er niet allemaal zaken die je niet mag doen? Mag je bijvoorbeeld een man interviewen?'

'Niet alleen. Daar zou mijn familie zich aan storen. Misschien in een groep?'

'Oké.' Ik dacht na. 'Zou je een man per telefoon kunnen interviewen en per e-mail?'

'Ja,' zei ze zonder aarzeling. 'Maar ik kan er niet 's nachts op uit.'

'Dus je kunt dagdiensten draaien. Dat biedt wel mogelijkheden. Mannen kunnen schrijven over zaken die 's nachts gebeuren. Kun je door de stad lopen en vrouwen interviewen?'

'Ja!'

'Nou, dat is ten slotte de helft van de bevolking,' zei ik. 'Dan heb je wel wat omhanden. Je zult genoeg over vrouwen en kinderen kunnen schrijven.' Ik was al ideeën aan het uitdenken waarover ze zou kunnen schrijven. Ze zou het kunnen hebben over wat er werd gedaan aan het analfabetisme van zeventig procent van de Jemenitische vrouwen. Of over de waanzinnig hoge vrouwensterfte. Of over de polio-epidemie die slachtoffers onder de kinderen bleef maken. Of...

Ze knikte. 'Dus?'

'We kunnen wel een manier vinden om te werken.'

'Maar denk je dat ik het kan? Jennifer, ik wil dit zo graag, ik heb ervoor gekozen. Ik wil dat je me helpt.'

Zeg me dat je in me gelooft.

'Zuhra, als dit echt is wat je wilt, ben je er zonder meer toe in staat. En ik zal je daarbij helpen zoveel als ik kan.'

Ze drukte mijn handen nog steviger samen. 'Ik zal je niet teleurstellen,' zei ze. 'Ik zal ervoor zorgen dat je trots op me bent. Zolang ik maar op je hulp kan rekenen.'

'Dat kun je, dat kun je!' Maar ik kreeg er een knoop van in mijn maag. Ik had geen idee in hoeverre ik haar werkelijk kon bijstaan. Hoe, zo vroeg ik me af, kon ik haar alles wat ze moest weten in drie veel te korte weken bijbrengen? Ik had het kunnen weten. Dat zou niet lukken.

DE VOLGENDE DAG begaf ik me even in het leslokaal om iets te pakken en zag daar de vrouwen die hun lunch aten. Op een of andere manier was me ontgaan dat de vrouwen nooit bij ons zaten als ik samen met de mannen op de binnenplaats ging eten. Faris had me altijd uitgenodigd om bij de mannen te komen eten alsof ik een erelid van de sekse was. We aten staand, doopten Jemenitische broodjes genaamd *roti* in een gemeenschappelijke kom met gekookte bonen genaamd *ful*. Hoe had ik de vrouwen kunnen vergeten? Natuurlijk hadden ze hun sluiers niet kunnen optillen om samen met de mannen te eten!

Nu barstten de vrouwen in lachen uit omdat ze de verbazing op mijn gezicht zagen. Wacht even, ik zag hen lachen. Ze hadden monden, neuzen en witte tanden. Ze hadden hun sluier omhoog gedaan. Het was niet meteen tot me doorgedrongen.

'Je hebt ons nog niet eerder gezien,' riepen ze opgewekt. Het duurde even voor ik doorhad wie wie was. Zonder hun nikabs herkende ik ze niet! Ik moest beginnen met de ogen, het enige deel van hen dat ik kende. De lange wimpers

behoorden aan Arwa, de grote ronde ogen aan Enass en de lachende aman-
delvormige ogen aan Radia.

'Kom, eet met ons mee,' zei Arwa.

'Graag!' zei ik. Ik deed mijn best ze niet al te zeer aan te staren, want ik wilde
ze niet verlegen maken. Ik was nog niet alleen bij de vrouwen geweest, had
nog geen deel uitgemaakt van hun geheime samenleving. Ik wilde me hun
gezichten inprenten voor ze weer verdwenen.

Zonder de mannen waren ze zoveel meer op hun gemak bij mij. Ze lachten
vaker, spraken meer vrijuit en plaagden elkaar. Telkens als er op de deur werd
geklopt, deden ze vlug hun sluiers weer omlaag.

Enass, de secretaresse van de krant, zei dat alle mensen vonden dat ik zo slim
was. Dat ik de slimste vrouw was die ze ooit hadden ontmoet.

'Echt waar?' zei ik, trots.

'Dat zeggen ze,' antwoordde ze.

Een van de andere vrouwen zei iets in het Arabisch en ze discussieerden er
even over. 'O,' zei Enass, waarna ze zich weer tot mij richtte. 'Ik bedoelde niet
slim, maar knap! Ik vergiste me even.'

'O!' Mijn gezicht betrok. 'Ik denk dat ik liever heb dat ze me slim vonden.'

Tot mijn spijt was Zuhra er niet bij. Ik wist niet of ze naar huis was gegaan
voor de lunch of dat ze al klaar was met de maaltijd. Maar net toen ik de deur
opende om te vertrekken, kwam ze binnenvallen. Ze greep mijn arm en nam
me terug de vergaderkamer in.

'Je hebt me nog niet gezien!' zei ze. Ze trok me de deuropening door en sloot
hem stevig. Toen, terwijl we achter de deur tegenover elkaar stonden, sloeg ze
haar nikab achterover. Anders dan de andere vrouwen ontdeed ze zich ook
van haar hijab, waarbij ze haar dikke inktzwarte haar, dat tot aan haar middel
reikte, los liet hangen.

'Wow, wat ben je mooi!' liet ik me onwillekeurig ontglippen. Dat was ze inderdaad, met gevulde bruine wangen, kuiltjes en stralende ogen. Ze gloeide van
trots, lachte en keerde zich naar me toe om zich te laten bewonderen.

Ik kan niet uitleggen hoe opwindend dat was. Ze hadden me binnengelaten in
hun wereld, ze hadden me hun gezicht toevertrouwd.

'De mensen hebben een verkeerd idee over de hijab,' zei Zuhra terwijl ze haar
glimmende haren om zich heen zwaaide. 'Ik draag hem omdat ik mezelf respecteer. En als de schoonheid verborgen is, is er ruimte voor de belangrijkere
zaken.'

'Zodat mensen je om je verstand kunnen waarderen en niet om je schoonheid?' zei ik.

Ze lachte. 'Ja. Maar er is meer. Als je wilt, kan ik uren met je over de hijab
blijven praten.'

'Reken maar!'

'Pas maar op!' zei Arwa. 'Het risico bestaat dat ze nooit meer ophoudt over de hijab te praten.'

'Ze kan overal over blijven praten,' zei Enass.

'Dat vind ik prima,' zei ik. 'Er is zoveel wat ik wil weten.'

DRIE

een uitnodiging

Een paar dagen later ontbood Faris me op zijn kantoor. Hij had me een print van een lang, saai en verwarrend interview gegeven dat hij een man van USAID had afgenomen en wilde mijn commentaar horen. Ik wist niet waar ik moest beginnen, de tekst was zo vaag en zo weinig interessant. Ik zou het nooit publiceren.

Ik sleepte mezelf de trap op. Gebrek aan slaap en een overdosis aan informatie hadden me alle kracht ontnomen. Voortdurend vergat ik kleine beetjes culturele kennis, nieuws en Arabisch, en ik liet overal van alles rondslingeren. Ik was uitgeput van mijn onophoudelijke pogingen om alle restjes weer op te pakken en weer tot me te nemen. Het duurt niet langer dan drie weken, sprak ik mezelf toe. Het is niet voor altijd.

Ik strompelde het kantoor van Faris binnen, waar hij me met een brede grijns onthaalde, en naar een stoel gebaarde. 'Zeg eens,' zei hij zonder inleiding. 'Vertel me wat je van het interview vindt.'

Ik zat op het puntje van mijn stoel en drukte mijn handpalmen tegen zijn desktop. 'Nou, vind je het goed als ik er helemaal eerlijk over ben?' Als ik uitgeput ben, ben ik alleen nog maar in staat de harde waarheid uit te brengen. Ik had de energie niet om hem voorzichtig te behandelen.

Hij spreidde zijn armen weer uit. 'Helemaal eerlijk. Dat is wat ik wil.'

Ik haalde diep adem. Waarom was ik bang? Hij was immers niet eens mijn echte baas of zo. Hij betaalde me niet eens! 'Die inleiding van je...' Ik wees op het artikel dat voor ons op tafel lag. 'Daar staat niets in.' En vanaf daar gingen we verder. Ik had bijna twintig pagina's aantekeningen gemaakt, ontleedde het verhaal stukje bij beetje en zei hem hoe hij het kon verbeteren. Het pleit voor hem dat hij geen enkele keer in de verdediging schoot en zijn diepe dankbaarheid voor mijn hulp uitdrukte, dus ontspande ik gaandeweg.

Het interview bevatte eigenlijk verschillende verhalen, dus hadden we het over hoe de informatie beter kon worden gebracht en opgebouwd. Hij knikte en zei dat hij het begreep, maar elke keer als ik iets aan mijn leerlingen uitlegde, deden die dat eveneens, of ze het nu echt begrepen hadden of niet. Toch was ik dankbaar dat ik in de gelegenheid was om een tijdje bij Faris te zijn, zodat hij een indruk kon krijgen van wat ik zijn personeel vertelde en hierdoor een bijdrage kon leveren aan de voortzetting van mijn ideeën na mijn vertrek.

Terugkijkend was ik ongelofelijk naïef.

☪

THEO VERLOSTE ME die nacht van mijn werk en nam me mee naar de Britse Club, een bar naast de woning van de Britse ambassadeur in de welgestelde buurt Hadda, waar de meeste diplomaten wonen. Ik was nauwelijks ergens anders geweest dan in de burelen van de *Yemen Observer* en alleen al het vooruitzicht van een bierglas en mensen die Engels als moedertaal spraken, maakte me euforisch. Op een lange stoffige weg in de buurt van supermarkten, reisbureaus, meubelzaken, kruidenmarkten en felverlichte etalages met piramides van potten honing, namen we een taxi.

De taxi sloeg linksaf bij een uit de toon vallende ijssalon van Baskin-Robbins en zette ons af bij een met zwart-gele strepen beschilderde betonnen afzetting. Op de straathoeken en bij de poorten van ommuurde woningen stonden mannen in blauwe legerkleding met AK-47-geweren in hun handen. Net achter de Britse Club zag ik de Union Jack op een enorm groen gebouw wapperen. Terwijl we de grote zwarte poorten links van ons naderden, vloog een klein venster open en keek een Jemenitische man naar buiten. Theo haalde zijn lidmaatschapskaart tevoorschijn en de poort zwaaide open en bood toegang tot – o wonder! – een bar.

De warme geur van oud bier en frituur sloeg me in het gezicht toen we naar binnen liepen, en ik ademde diep in. Ik was dol op bars en alles wat erbij hoorde. Hoewel ik geen groot bierdrinker ben, houd ik van het publiek, de kans op onverwachte ontmoetingen, de uiteenlopende mix van mensen. In New York zit ik bijna elke zondagavond in de Ierse pub om de hoek, waar ik de kruiswoordpuzzel van de *The New York Times* maak en met Tommy praat, de beste barkeeper ter wereld. Voor het eerst sinds ik in deze oeroude stad was aangekomen, voelde ik me volledig op mijn gemak, op een plek die ik herkende.

Geleid door de Britse ambassade trekt de Britse Club allerlei expats aan – diplomaten, mensen uit de olie-industrie, ontwikkelingswerkers, docenten en een enkele journalist – die er allemaal naar smachten om even aan de

Jemenitische verboden te ontsnappen. Toen wij aankwamen, was het tamelijk rustig. Op de televisie aan beide kanten van de ruimte werd een wedstrijd van het wereldkampioenschap voetbal vertoond, en her en der zaten Engelsen aan kleine tafeltjes met een verboden pint voor zich. Achter een lange veranda aan de achterzijde, aan het zicht onttrokken door een rij struiken, bevonden zich een tennisbaan en een zwembad.

Theo stelde me voor aan de barkeeper, een kleine, glimlachende Jemenitisch-Vietnamese man die Abdullah heette. Mijn eerste – en waarschijnlijk enige – Jemenitische barkeeper! Theo bestelde twee Carlsberg, die we net achter de kiezen hadden toen zijn Franse vrienden Sebastian en Alain arriveerden. Meteen liet Theo me in de steek om met hen te gaan tennissen.

Ik vond het best. Ik vond het heerlijk om aan mijn bier te nippen en me met de vreemdelingen te vermaken. Ik werd bijna meteen tipsy door het bier, een combinatie van de hoogte en het feit dat ik nog geen tijd had gehad om te eten. Naast me zaten twee mannen aan de bar, dus ik wendde me tot hen en vroeg wat ze in Jemen deden. Ik vond het heerlijk om vreemde mannen aan te kunnen spreken zonder het risico te lopen dat ze me een schaamteloze slet zouden vinden. Nou ja, met een beetje minder risico dat ze me een schaamteloze slet zouden vinden.

'Constructiewerk,' zei de man naast me. 'Specialisten van de ambassade.'

De twee vertelden me over de Britse ambassades die ze overal ter wereld hadden gebouwd. We wisselden ervaringen uit over onze reizen en liefdes. Een van de mannen droeg een trouwring, maar was ongehuwd. De andere was getrouwd, maar droeg geen ring. De ringdrager legde me uit dat hij de ring lang geleden van een Noorse vriendin had gekregen. Toen hij haar had verlaten en naar Amsterdam was verhuisd, had zijn jaloerse Nederlandse vriendin een tweede ring voor hem gekocht. En toen hij weer naar Engeland was teruggekeerd, had zijn Engelse vriendin een derde exemplaar voor hem aangeschaft. En die was hij kwijtgeraakt, waarna zij een nieuwe ring had gekocht, die hij nog steeds droeg, al had hij het net met haar uitgemaakt en haar naar Engeland teruggestuurd. Daarom houd ik zo van bars. Zolang dit soort oases bestonden, was het leven in Jemen misschien niet eens zo ingewikkeld.

Na een tweede biertje ging ik naar Theo en zijn vrienden. Het was een heerlijke koele avond en er waaide een klein briesje. Boven de tennisbaan schitterden de sterren. We bestelden nog een rondje bier en een kerrieschotel met vis. Al pratend schoot me te binnen dat Theo en ik in 1986 voor het laatst Frans met elkaar hadden gesproken, in een kleine schoolklas boven op een heuvel in Vermont. En dat als ik daar in 1986 niet op die berg in Vermont was geweest, ik een jaar of twintig later ook niet in Jemen zou zijn beland. Waar een tienerliefde al niet toe kan leiden. Uiteindelijk vertrokken de Fransen en ik bleef tot ver na het invallen van de duisternis met Theo praten.

Ik verbaasde me erover dat Theo zich regelrecht enthousiast toonde over mijn lessen. 'Ze zijn gek op je, weet je dat,' zei hij. 'Zaid vertelde me: "Jennifer is de beste Amerikaanse die er bestaat".'

'Echt waar?'

'Ik heb hem geïnterviewd voor het artikel dat ik over je heb geschreven en ik wilde een ander onderwerp aansnijden, maar hij zei: "Nee! We moeten nog langer over Jennifer spreken!" Hij vroeg me of hij met je kon trouwen.'

'Is Zaid niet al getrouwd?'

'Ja, maar hij wil ook met jou trouwen.'

'Ik denk niet dat ik me over zijn tanden heen kan zetten.' Net als de tanden van de meeste Jemenitische mannen zitten die van Zaid onder de donkerbruine vlekken door de qat, de thee en de tabak. Veel Jemenieten poetsen hun tanden helemaal niet, al kauwen sommigen om hun tanden te reinigen op een stokje dat ze *miswaak* noemen. Omdat ik mijn gebit fanatiek verzorg, gruwde ik van de afbrokkelende, verpeste tanden en rottende monden.

'Ach, hij houdt van je. Ze houden allemaal van je. En het is grappig om te zien hoe de meisjes je hebben opgenomen. Je bent hun gids geworden.'

'Ik houd ook van hen.'

'Ik kan je niet zeggen hoe blij ze zijn met wat je doet, hoe blij ik ben met wat je doet. Ik kan me niet voorstellen wat ik zal doen als je bent vertrokken.'

Dit was nieuw voor me. Voor zover ik me kon herinneren had Theo zich nooit positief uitgelaten over iets wat ik had gedaan, en zeker niet met zoveel overtuiging. Ik gloeide van trots over wat ik had weten te bereiken, een gevoel dat ver uitsteeg boven de trots die ik had gevoeld bij het schrijven van mijn wetenschapspagina's in *The Week*. Misschien zou ik hier werkelijk iets kunnen betekenen.

☪

DE VOLGENDE OCHTEND ontmoette ik weer een nieuwe leerling. Shaima werkte voor de Wereldbank en had Faris gebeld om haar schrijfvaardigheid te verbeteren. Faris had mijn lessen aanbevolen.

Shaima lachte. Ze was erg knap, met een smal gezicht en lange hindeachtige wimpers en volle lippen. Ze droeg een balto en een hijab, maar liet haar gezicht ontbloot. Ik vond het een enorme opluchting om meer dan enkele seconden achtereen van aangezicht tot aangezicht met een Jemenitische vrouw te kunnen spreken. We zaten beneden in de vergaderruimte en ik nam alles door wat we tot dan toe hadden behandeld. Ze vroeg wat ze nog meer kon doen om haar schrijfvaardigheid te verbeteren en ik zei haar dat ze elke dag iets in het Engels moest lezen. 'Maakt niet uit wat, lees voor je plezier. Maar let er wel op dat het is geschreven door iemand die Engels als moedertaal heeft.' Ik maakte een lijst met kranten en websites voor haar.

Shaima had voor een Jemenitische een ongewoon bevoorrecht leven geleid. Ze had een beurs gekregen aan de Amerikaanse Universiteit in Caïro, hoewel haar moeder druk op haar had uitgeoefend om de beurs niet aan te nemen omdat ze bang was dat Shaima in contact zou komen met drugs en alcohol. Maar Shaima slaagde erin naar de universiteit te gaan en af te studeren in Jordanië. Ondanks dat ze dertig jaar was, woonde ze nog altijd bij haar ouders, in de welgestelde wijk Hadda. 'We blijven bij onze familie tot we getrouwd zijn,' vertelde ze.

Ik vond het leuk om met haar te praten en had de indruk dat ik bevriend met haar kon raken. Omdat ze wereldser en onafhankelijker was dan mijn verslaggevers, had ze meer bewegingsvrijheid. Bovendien was ze de enige Jemenitische vrouw die ik kende met een eigen auto, een Mercedes.

Toen ik de stof met Shaima had doorgenomen, namen de vrouwen me mee naar een van de privékantoren, waar ze op de vloer kranten hadden uitgespreid. Ze deden de deur achter zich dicht en tilden hun sluiers op, terwijl ze me toelachten.

'Denk je dat we hier goed aan doen?' vroeg Enass. 'Dat we op kranten gaan zitten, waar je aan werkt?'

'O, dat is geen probleem,' zei ik. 'We gebruiken ze ook onder in kooien van woestijnratten.'

Drie van de vier meisjes schortten hun abaya's op tot hun middel, zodat ze lekker konden zitten. Allemaal droegen ze een spijkerbroek.

Ze overhandigden me een opgerold Jordaans broodje met augurk en falafel en keken me nieuwsgierig aan toen ik een hap nam. 'Vind je dit niet heerlijk?' vroeg Arwa. Ik verzekerde haar dat dit het geval was.

Waarna Zuhra een van haar in hoog tempo uitgesproken monologen begon en me vertelde over haar zeven broers en zussen, haar toekomstverwachtingen en de eisen waaraan haar echtgenoot moest voldoen.

'Ik denk dat ik nooit zal trouwen,' zei ze me. 'Dat verwacht ik. Want ik wil mijn loopbaan nooit in gevaar brengen. En ik wil alleen maar iemand trouwen die mijn loopbaan steunt. Maar hij moet ook religieus zijn. Er zijn maar heel weinig Jemenieten die aan deze voorwaarden voldoen.'

Zuhra en ik hadden onze broodjes als laatste op. 'Dat komt omdat jullie maar blijven praten!' zei een van de andere meisjes.

☪

DE VOLGENDE OCHTEND lag er een hele berg werk op me te wachten. Faris had me gevraagd of ik het meest recente nummer van de krant van commentaar wilde voorzien en met de hele staf wilde bespreken. Ik spreidde de krant uit op Sabri's eettafel en de volgende drie uur was ik aan het lezen en maakte aantekeningen bij elke pagina, elk artikel en elke zin. Ik raakte geobsedeerd door de verhalen van mijn leerlingen. Als ik in bed lag, dacht ik over ze na. In de taxi corrigeerde ik ze in gedachten. Al zwemmend in het Sheraton merkte ik dat ik peinsde over een cruciale voorzetseluitdrukking waardoor het artikel van Zuhra over de schoonheidssalon helemaal af zou zijn.

Tegen de tijd dat ik mijn commentaar had afgerond en de krant vol stond met cirkels, doorhalingen en blauwe balpenkrabbels, barstte ik van de energie. Het was donderdag en de meeste Jemenieten hebben dan vrij, want donderdag en vrijdag is het weekend. Maar de medewerkers van de *Yemen Observer* werken alle dagen, behalve op vrijdag.

Ik arriveerde al vroeg op het kantoor en wilde voor het begin van de les nog met Hakim spreken. Faris leek veel van hem te verwachten, en meende dat hij kon helpen de krant radicaal te veranderen. Maar tot nu toe had hij weinig gedaan om zichzelf te onderscheiden tijdens de lessen, behalve dat hij met mij in discussie ging, maar zelden op een constructieve manier. Hij meende dat het niet nodig was het woord 'zei' te gebruiken bij citaten, omdat dit ook niet gebeurde in de *Times*. Dit was niet alleen onwaar, maar ook nog eens contraproductief, omdat ik mijn studenten juist wilde leren helder en zonder omhaal van woorden te schrijven. Ze zaten hopeloos vast aan de woorden 'bevestigde' en 'verzekerde,' die ze meestal gebruikten als ze iemand aanhaalden die het gezag ontbeerde om wat dan ook te kunnen bevestigen en verzekeren. Ze hadden behoefte aan het woord 'zei'. Ik wilde Hakim uitleggen hoe nuttig het voor iedereen zou zijn als hij mijn gezag accepteerde en dezelfde regels aannam als alle anderen.

Maar Hakim was laat en ik was niet in de gelegenheid om hem te spreken. In plaats daarvan sprak ik hoofdredacteur Mohammed al-Asaadi aan, die slechts een van de lessen had bijgewoond, en vroeg hem of hij er voor voelde om nog een uurtje mee te doen. Hij was de belangrijkste persoon die ik moest zien te bereiken, maar Theo had me verteld dat hij zich door mijn aanwezigheid bedreigd voelde. Blijkbaar was hij van mening dat zijn journalistieke vaardigheden geen verbetering behoefden, wat teleurstellend was. Ik wilde dat hij de lesstof zou bekrachtigen en na mijn vertrek een deel van mijn werk zou voortzetten.

Zodra Hakim en Al-Asaadi allebei te midden van de anderen hadden plaatsgenomen, begon ik met mijn commentaar. Tot mijn grote vreugde stelden zowel Al-Asaadi als Hakim (en de rest van de klas) zich open voor mijn kritiek. Zonder noemenswaardige onderbrekingen kon ik alles kwijt wat ik wilde zeggen. Ik begon met complimenten voor de opmaak van de voorpagina, enkele van de koppen en de meeste ideeën voor artikelen. Waarmee ik mijn gehoor aan mij wist te binden.

Mijn complimenten gingen vooral uit naar Adel, de gezondheidsverslaggever van de krant, want dit was een van de betere pagina's. 'Arme Adel,' had Theo vaak gezegd. 'Van alle medewerkers heeft hij de laagste functie, al is hij een van de beste journalisten die ze hebben.' Jemen wordt onderverdeeld in meerdere sociale standen, met onder andere *bedouin* (woestijnnomaden), *fellahin* (dorpsbewoners), *hadarrin* (stadsbewoners) en *akhdam* (letterlijk: 'dienaren'), waartoe de familie van Adel behoort. Dus vertelde ik iedereen dat Adel voor zijn pagina prachtige verhalen had bedacht, in de wellicht vergeefse hoop zijn status wat op te waarderen.

Vervolgens besprak ik enkele zaken die consistenter moesten worden aangepakt. Elk verhaal moest een naamsvermelding hebben, zei ik. (Vaak stond bij artikelen niet meer dan: Van de medewerkers van de *Observer*)

'Jullie hebben allemaal hard gewerkt aan deze artikelen,' zei ik. 'Dat is jullie eigen verdienste. Ik wil dat jullie trots zijn op je werk. Als je je naam vermeldt bij een artikel, dan zeg je daarmee tegen je lezers dat je achter je verhaal staat. Het vergroot je geloofwaardigheid. En het maakt jou verantwoordelijk. Als je je ervoor schaamt om je naam onder een artikel te zetten, hoort het niet in de krant.'

Theo stak zijn hand op. 'En als je een artikel schrijft waardoor je het risico loopt om te worden gedood? Als je je naam eraan verbindt, zou iemand achter je aan kunnen gaan.'

'Oké, in dat geval moeten we een uitzondering maken. Ik wil niet dat iemand van jullie wordt gedood. Als je ervan overtuigd bent dat je iemand met een geweer of een ander wapen achter je aan krijgt vanwege een artikel van jouw hand, dan hoef je van mij je naam er niet bij te zetten. Maar elk artikel in dit nummer zou zonder dat er iemand wordt gedood kunnen worden voorzien van een naamregel.'

Vervolgens gingen we in op het belang van de spelling. 'Het woord "vergadering" is in een kop op de voorpagina verkeerd gespeld,' zei ik. 'Als lezer zie ik dat en zeg: "Als ze zoiets kleins als de spelling al verkeerd doen, wat voor andere fouten zullen ze dan wel niet maken?" Je vergroot je geloofwaardigheid als de spelling en de zinsbouw in orde zijn. En je ondergraaft deze als dat niet het geval is.'

Ze knikten en maakten aantekeningen.

Een nieuwe aanwezige sloot zich bij het commentaar aan, een blonde blauwogige Californiër genaamd Luke, die was gevraagd om te helpen bij het redigeren van de teksten. Hij straalde welwillendheid uit en ik was blij dat er nog iemand was die me bij het correcte gebruik van het Engels kon bijstaan.

Toen iedereen uiteindelijk was vertrokken, keek Theo me aan. Ik was tegen het schoolbord in elkaar gezakt. 'Uitgeput?'

'Alsof ik net een marathon heb gelopen. Ik heb last van mijn middenrif.' Als ik praat, word ik zo enthousiast dat ik met mijn armen ga zwaaien en heen en weer beweeg tussen het schoolbord en de tafel. Mijn leerlingen toonden zich bezorgd over mijn gymnastiekoefeningen en boden mij een stoel aan. Maar zij hadden vaak evenveel moeite om stil te blijven zitten.

'Ik besef het pas sinds je hier bent gearriveerd,' zei Theo een paar dagen later. 'Maar alle bewoners van dit land hebben ADHD. Dat is hun grootste probleem. Daarom komt er niks van de grond.'

☪

DE VOLGENDE DAG richtte ik me tijdens de les op de inleiding. Ik moest iets kleins en afgeronds met ze doen, het was te lastig om een heel artikel in een keer onder handen te nemen. Als ze die eerste zin van het verhaal goed zouden krijgen, zou de rest wel volgen, hoopte ik. We behandelden ieders inleiding, gaven er commentaar op en herschreven tot er niets meer aan mankeerde. Nou ja, tot ze konden worden gepubliceerd. De laatste vijftien minuten liet ik me door hen interviewen en gaf aan dat ze op basis van dat interview een inleiding en drie alinea's moesten schrijven. Ze waren erg benieuwd naar me en vonden het geweldig dat ze me allerlei vragen konden stellen. Ze vroegen me waar ik woonde, wat ik van hen dacht, wat ik van Jemen vond en wie ik de beste student vond (dat laatste wilde Zaid weten). Ik waarschuwde hen dat ik zou kunnen liegen en dat ze mijn woorden op het internet konden natrekken, om zeker te weten dat wat ik zei ook klopte en ik ook echt gedaan had wat ik zei dat ik had gedaan.

In dat laatste bleken ze een beetje al te goed. Die avond was ik halverwege mijn avondeten toen Theo me een berichtje stuurde. Hij had ontdekt dat mijn leerlingen via internet foto's hadden gevonden waarop ik in avondjurk gekleed ging, op persfeestjes in New York. Ik had me niet gerealiseerd dat ze iets zouden vinden wat ik liever voor me had gehouden. Ik schrok me een ongeluk en vreesde dat ik in hun achting zou dalen als ze me met lippenstift en in een laag uitgesneden jurk hadden gezien, met een glas wijn in de handen. Meteen na de maaltijd belde ik Theo en hij bezwoer dat ze nog altijd van me zouden houden.

'Om mijn verstand?' vroeg ik kribbig.

'Dat spreekt voor zich,' zei hij. 'Waarom zouden ze dan van je moeten houden?'

☪

TOEN IK DE VOLGENDE OCHTEND de redactiezaal binnenliep, zat Zaid naar een foto van me te staren die hij op zijn bureaublad had geplaatst. Op de foto had ik mijn arm om mijn vriend en fotograaf David geslagen en lachte ik door mijn loshangende haar dat tot aan mijn middel viel. Tot mijn opluchting had alleen David een glas bier in zijn handen. Ik verontschuldigde me onmiddellijk voor mijn schaarse kleding en het feit dat ik mijn arm om een man had geslagen, maar Zaid zei: 'Jennifer, ik heb drie jaar bij een Amerikaanse familie gewoond! Je hoeft me niks uit te leggen. We hebben er alle begrip voor.'

'Ik wil niet dat jullie een verkeerde indruk van me krijgen,' zei ik.

'Nooit! We houden van je! We vinden je prachtig, ze zijn prachtig,' zei hij, gebarend naar de foto's.

De vrouwen, Zuhra en Arwa, zeiden hetzelfde. Ik ontspande een beetje.

☪

LATER DIE MIDDAG bracht ik Faris verslag uit van mijn activiteiten met zijn medewerkers, toen hij me vroeg of ik verslag wilde doen van een congres over democratie in de Arabische wereld in het Mövenpick Hotel aan de andere kant van de stad. Ik zou een verhaal voor *Arabia Felix* kunnen schijven over de vooruitgang van de democratie in de regio. Voordat ik tijd had gehad erover na te denken, of te suggereren dat democratie in de Arabische wereld misschien een al te veelomvattend onderwerp was voor een tijdschriftartikel, arriveerde er een busje dat me naar het hotel zou brengen, samen met Adel, die voor me zou vertalen.

We brachten zes uur door in het hotel, interviewden hoogleraren, schrijvers en politici uit Egypte, Pakistan, Irak, de Verenigde Arabische Emiraten en Saudi-Arabië. Uitgeput van het rennen van de ene gesprekspartner naar de andere en al het vertalen, vroeg Adel om een pauze. 'Niet voordat we genoeg hebben voor een artikel,' zei ik. Tegen het eind van de dag was het zover. Het mooiste vond ik dat ik het Irakese parlementslid Safia al-Souhail had kunnen interviewen, want ik was benieuwd naar haar opvattingen over de situatie in Irak.

'Men denkt dat de Amerikanen de Irakezen ideeën opdringen over de rechten van vrouwen en mensenrechten,' vertelde ze me. 'Dat is niet waar. Irakese vrouwen zetten zich hier al een hele generatie lang voor in. Ik ben altijd zo gekleed.' Ze gebaarde naar haar gele broekpak.

Ze was opvallend optimistisch over de toekomst van Irak. De onrust en het bloedvergieten waren na zoveel jaren onderdrukking te verwachten geweest, zei ze. (Veel andere aanwezigen hadden vergelijkbare opvattingen verkondigd.) 'De mensen weten niet wat ze met de vrijheid aanmoeten,' zei ze. 'Juist nu heeft Irak behoefte aan hulp van de Verenigde Staten en andere landen. Maar zodra Irak onafhankelijk is, zal het land ze het liefst zo snel mogelijk het land uitzetten. Maar zover is het nu nog niet.'

DE VOLGENDE DAG begon ik de les door Adel te vragen om te beschrijven wat wij als verslaggevers in het Mövenpick hadden gedaan. We hadden het erover hoe we mensen hadden opgespoord en over hoeveel efficiënter het was geweest om aantekeningen te maken dan om een opnameapparaat te gebruiken. Mijn studenten wilden hun interviews altijd opnemen, waardoor ze uren kwijt waren aan het transcriberen van hun interviews. Ik heb een hekel aan die apparaten en vind dat ze alleen gebruikt moeten worden als back-up, als we iemand interviewen die een rechtszaak tegen een krant zou kunnen beginnen. Ik beschreef de leerlingen hoe een Egyptische vrouw terugdeinsde toen Adel een opnameapparaat tevoorschijn haalde. 'Mensen kunnen erdoor geïntimideerd raken en weigeren met je te praten.'

En toen toonde ik hen mijn notitieboekjes. Ze waren helemaal volgeschreven, eerst de voorkant van alle blaadjes, vervolgens de achterkant. 'Verslaggevers van dagelijks uitkomende kranten schrijven er een tot drie per dag vol,' vertelde ik. Ze keken me met wijd open ogen aan. Voor zover ik weet, hebben ze vanaf mijn komst dezelfde notitieboekjes gebruikt.

Dit leidde tot een discussie over interviewtechnieken. We spraken over de manier waarop ik mensen tijdens het congres had geïnterviewd en bogen ons over de tips voor het interviewen die ik had uitgereikt. Toen kwam het leuke deel van de les. Ik wilde dat ze elkaar in paren voor de klas gingen interviewen. Zaid en Adel boden aan als eerste te gaan. Ik vroeg de klas om commentaar op hen te leveren. Wat ze vol enthousiasme deden. Ze deden niets liever dan kritiek leveren op elkaar.

Ik wilde ook de vrouwen erbij betrekken, die zich wat meer op de achtergrond hadden gehouden, dus stelde ik voor dat Arwa en Zuhra als volgende aan de beurt kwamen. Arwa voelde er eerst niet veel voor, maar stemde er na enige aanmoedigingen mee in Zuhra te interviewen. Ze was een veel beter interviewer dan de mannen, gerichter en sneller met haar vragen. Ze had bovendien het geluk iemand te interviewen die elke vraag met een overvloed aan woorden beantwoordde.

Die middag, net toen ik bij mijn Arabische les vandaan kwam, belde Faris en nodigde me uit voor het avondeten. Om halfnegen stond hij bij me op de stoep, prachtig gekleed in een donker pak met krijtstreep. Hij dampte van de eau de cologne. We stapten in zijn Mercedes en reden naar Hadda, waar we aten in een Amerikaans aandoend Grieks restaurant genaamd Zorba's. 'Het is een vijfsterrenrestaurant,' zei Faris. 'Een van de beste van Sana'a!'

Dat was het vrijwel zeker niet. Het eten was erg eenvoudig, hamburgers en patat, salades, vis, spaghetti. Maar het zat er stampvol buitenlanders en de bovenlaag van de Jemenieten en het was een van de weinige plekken waar ongeveer evenveel vrouwen als mannen waren. Faris kende de eigenaar, die ons gebaarde aan een van de tafeltjes plaats te nemen met uitzicht op de straat. Onderweg had Faris een vleiend verhaal gehouden over hoe dankbaar hij was voor al het werk dat ik had gedaan. Hij vroeg me of ik enkele van mijn kernachtige adviezen voor mijn studenten wilde opschrijven, zodat hij de woorden kon inlijsten en in de redactiekamer kon ophangen, om de verslaggevers te herinneren aan wat ik ze had geleerd.

'Bedoel je dingen als: "Wij schrijven *nieuws*berichten, geen *oud*berichten, laten we ons op het nieuws richten"?' vroeg ik.

'Ja! Die wil ik erbij hebben. En zoveel mogelijk andere.'

Hij wilde me ook de omgeving laten zien en beloofde me dat hij komende vrijdag een auto voor me zou regelen om een uitstapje te maken naar de dorpjes Kawkaban en Shibam. Hij zou dan ook mijn eten betalen. Maar net als veel andere beloftes van Faris, bleek ook deze even weinig voor te stellen als de lucht van Sana'a.

Faris zei bovendien dat hij op een van de laatste avonden ter ere van mij een etentje wilde organiseren en me wat cadeautjes wilde geven. 'Koop geen sieraden,' zei hij. 'Ik zal je er vele geven.' De kans dat ik sieraden zou kopen, was zo goed als nul. Op Gingers trouwring na droeg ik ze niet.

Vervolgens bood hij me een baan aan. 'Ik betaal je duizend dollar per maand,' – de meeste journalisten van de krant kregen niet meer dan tweehonderd dollar per maand – 'vliegtickets voor een retourtje New York en een paar driedaagse vakanties in Beiroet,' zei hij, 'als je leiding wilt geven aan de *Yemen Observer*.'

'De leiding?' Dat moest een grapje zijn. Ik had geen ervaring als leidinggevende, sprak zo goed als geen Arabisch en Faris had mijn curriculum vitae nog nooit gezien. Theo had erop gezinspeeld dat Faris me een of andere baan zou aanbieden, maar ik had niet verwacht dat hij me de hele krant in handen zou geven. In de Verenigde Staten zou geen enkele krant met een blik op mijn cv denken: 'Ik wil dat deze vrouw mijn krant leidt.'

'Je zult overal over kunnen beslissen,' vervolgde Faris. Echt waar? Zou ik geen positieve verhalen over de president hoeven schrijven? Zou dat mogelijk zijn? 'Word ik de hoofdredacteur?' In een flits zag ik mijn naam boven aan het colofon.

'We zouden je directeur-hoofdredacteur of zo moeten maken. Voor de wet moet de hoofdredacteur een Jemeniet zijn. Maar jij zou de leiding in handen hebben.' Hmm. Ik vroeg me af of de Jemenitische medewerkers mijn leiding wel zouden accepteren als er een Jemenitische naam boven in het colofon stond.

Even stond ik mezelf toe om stil te staan bij de kick die het zou geven als ik de baas zou zijn. Toen, van de weeromstuit, zei ik: 'Ik betaal nog altijd een Amerikaanse lening af. Ik zou niet weten hoe ik moest rondkomen.' In New York verdiende ik 60.000 dollar en slaagde er nauwelijks in rond te komen.

'Denk erover na,' zei hij.

'Ik zal erover nadenken.'

'Ik zou er vijftienhonderd dollar van kunnen maken.'

'Weet je wat ik in New York verdien?'

'Het leven hier is goedkoper.'

Ik keek uit het raam en zag dat de vele minaretten van de stad zich langzaamaan in het duister hulden en de gekleurde glazen qamarias langzaam oplichten. Ik zag de vrouwen zich haasten om voor het donker thuis te zijn, overladen met tassen vol eten, en de mannen, hun wangen vol qat, in hun lange witte jurken voorbij schrijden. Ik dacht aan het grijze kantoor in New York waar ik de afgelopen vijf jaar had doorgebracht.

'Ik zal erover nadenken,' zei ik.

VIER

iets om over na te denken

Een paar dagen voor mijn vertrek werd ik om zes uur helemaal in paniek wakker. Zou ik nog maar zo weinig tijd overhebben? Er was nog zoveel te doen! Ik had mijn verslaggevers nog niet geleerd hoe ze op het internet onderzoek konden verrichten. Ik had hen nog niet genoeg onderzoeksvaardigheden bijgebracht. Ik had nog niks gezegd over vervolgverhalen. Vaak brachten ze nieuws – dat er bijvoorbeeld een nieuw soort irrigatiemethode was geïntroduceerd – maar vervolgens kwamen ze nooit terug op de effecten ervan. De krant stond vol met de lancering van allerlei schitterende nieuwe projecten, maar mijn verslaggevers namen nooit de moeite om uit te zoeken of de doelen van die projecten ook ooit behaald werden. Gezien het grote percentage mislukte ontwikkelingsprojecten overal ter wereld, vond ik het de taak van de pers om deze te volgen, dat was hun verantwoordelijkheid.

Daar kwam bij dat ik mijn verhaal over de democratie voor *Arabia Felix* nog niet had afgerond, net zomin als mijn verslag over de krant als geheel. Maar tijdens de les van die dag gebeurde er iets waardoor ik niet langer dacht aan wat ik allemaal *niet* tot stand had gebracht.

Op het schoolbord schreef ik een reeks feiten: er was een moord gepleegd. Thabbit al-Saadyi, viereennegentig, vermoordde Qasim al-Washari, negenenveertig. (Ik liet de studenten namen bedenken.) De moord vond plaats in een casino. Hij werd gepleegd met een AK-47. Op zaterdag om drie uur 's ochtends werd Qasim aangetroffen met vijf gaten doorzeefd, met drieduizend rials in zijn zak. Naast hem werden een fles wodka en twee rozen gevonden. (Wederom zijn de details afkomstig van mijn studenten.)

Daarna gaf ik ze vijftien minuten om een goede openingszin te schrijven.

En – o wonder – dat deden ze! Farouq las zijn tekst als eerste voor en die was perfect. 'Om drie uur zaterdagochtend schoot Thabbit al-Saadyi (94) Qasim al-Washari (49) met een AK-47 dood.' Het wie, wat, waar, wanneer en hoe zaten er allemaal in. Hij maakte gebruik van een onderwerp, werkwoord en lijdend voorwerp. En hij gaf de leeftijd van de beide mannen op de juiste manier aan! Het klinkt misschien raar, maar ik was er zo door geraakt dat mijn huid ervan tintelde en ik er tranen van in mijn ogen kreeg.

'Dat is zo goed,' zei ik tegen Farouq. 'Dat is precies zoals ik het had willen hebben.'

☪

ER WAS OOK zoveel in Jemen dat ik nog moest zien. Op vrijdag, mijn vrije dag, ging ik op in het Jemenitische leven, dan leefde ik alsof ik daar woonde. Jemenieten nodigen je snel uit voor een gastvrij bezoek en een slanke professorale man die ik op een avond in het Nationaal Museum ontmoette, dr. Mohammed Saleh al-Haj, nodigde me meteen uit voor een lunch met zijn familie. Zo zijn Jemenieten; vijf minuten nadat je hebt kennisgemaakt, nodigen ze je uit. En nadat je eenmaal met ze bent meegegaan, willen ze dat je elke vrijdag bij ze komt eten.

We hadden 's ochtends afgesproken en namen samen een taxi naar de vismarkt om onze lunch uit te zoeken. Een beetje zenuwachtig omdat ik met een volkomen vreemde mee naar huis zou gaan, maar nieuwsgierig naar de manier waarop Jemenieten wonen, wandelde ik wat rond, terwijl ik foto's nam van kinderen. Ik was helemaal weg van die kleine meisjes, die smoezelige straatprinsesjes met hun van tafzijde gemaakte jurkjes die onder het vuil zaten.

De zwager van dr. al-Haj, Khaled, zijn zus Leila en zijn nicht Chulud haalden ons met hun auto van de markt op en we reden naar de woning van dr. al-Haj, een tweekamerappartement bovenaan een trap en tegenover een dak. Nadat we onze schoenen hadden uitgedaan en naar binnen waren gegaan, deden Leila en Chulud meteen hun abaya's af, waarna er twee westers uitziende vrouwen tevoorschijn kwamen. Chulud droeg een strakke blauwe spijkerbroek en een los T-shirt over een zwarte beha, zoals iedere vijftienjarige Amerikaanse draagt, terwijl Leila een geruit shirt droeg boven een wijde broek met Schots patroon. Ze namen de keuken over en dr. al-Haj liet me plaatsnemen in de woon-/eetkamer. Op de vloer lagen oosterse tapijten en langs de muren lagen zitkussens. In een hoek stond een bakbeest van een televisie, waar een vrijdaggebed uit galmde. Khaled kwam binnen in zijn lange witte jurk en zette de televisie op een Amerikaanse zender met een modeshow waar badmode werd getoond. '*Amrikie!*' zei hij lachend. Ik moest me dankbaar tonen voor de Amerikaanse televisie, dus lachte ik, al was het omgekeerde het geval. Ik heb nooit een televisie bezeten, interesseer me niet voor mode en voel me niet op mijn gemak als ik in het bijzijn van Jemenitische mannen naar vrouwen in badpakken kijk. Ik begon zelfs steeds meer sympathie te koesteren voor dat hele eerbaarheidsgedoe. Waarom zou een man die niet mijn geliefde is iets van me mogen zien? Ik begon gewend te raken aan het wegstoppen.

Dr. al-Haj verdween even en kwam terug met een cadeautje voor me, een prachtige, geweven tas met iets zachts erin. Ik opende hem en trof een lange, zijden abaya en een bijpassende sluier, met glimmende bloemen langs de randen. Ik was overweldigd door zijn generositeit.

'Hierdoor zul je veiliger zijn,' zei hij, al was ik al van top tot teen in een loshangend zwart gewaad gehuld, zodat toen dr. al-Haj me die ochtend zag, hij had gezegd: 'Aha, dus je bent Jemenitisch geworden!'

'Als je hem niet mooi vindt, kun je hem wegdoen,' zei hij. 'En als het de verkeerde maat is, koop ik een nieuwe voor je.'

'Ik zou hem nooit wegdoen! Ik vind hem prachtig. Dankjewel. *Shukrahn.*'

De buren hoorden dat ik op bezoek was en kwamen langs om me te bekijken. Eerst arriveerde een klein meisje, dat in haar speelse groene jurk gekleed was als een lid van de koninklijke familie. Eerst was ze verlegen, vervolgens ondeugend toen ze de mobiele telefoon van iemand stal en ermee ging spelen. Daarna kwamen drie jongens naar binnen. Alle drie gaven ze me met een ernstig gezicht een hand en begroetten me, waarna de derde me op de wangen kuste en nogmaals boven op mijn hoofd. Als ik hier een jaar lang zou wonen, zou ik dan nog altijd een bezienswaardigheid zijn? Of zou ik gewoon wennen aan het feit dat iedereen bovenmatig in mij was geïnteresseerd?

Toen de lunch klaar was, bracht Chulud een voor een de borden de kamer in. 'Dit is *salatah*,' zei ze. 'Dit is *roz*. Dit is *chobes*. Dit is *samak.*' Ik knikte bevestigend en herhaalde de Arabische woorden.

Dr. al-Haj bracht me naar de keuken zodat ik mijn handen kon wassen, waarna we aan de maaltijd begonnen. Jemenieten eten in hoog tempo, dus ik moest moeite doen om hen bij te houden. We begonnen met het met yoghurt doordrenkte zachte brood genaamd *shafoot*, terwijl we fijngehakte salade en chilisaus op de hoekjes ervan deden en het hele stuk met blote handen in het midden beetpakten. Daarna volgden gebraden groenten, aardappelen, stukken witte vis (waarvan ik, als eregast, de beste stukken kreeg voorgezet), en *bint al-sahn*, 'de dochter van de schotel'. Deze vond ik het lekkerst. Het leek op een enorme platte pannenkoek, gemaakt van meel en boter en besprenkeld met honing. Ik at tot ik niet meer kon, ondanks dat mijn gastheren bleven aandringen. Dit alles werd weggespoeld met kleine glaasjes kruidige thee. Zo zou ik elke week wel willen eten.

Nu onze magen gevuld waren – een belangrijke voorwaarde voor het eten van qat – zorgden Leila en Chulud voor mijn eerste qatkauwsessie, een sessie alleen voor vrouwen, in het huis van een vriend, niet ver van waar ik logeerde. Hier had ik zeer naar uitgekeken en ik was nieuwsgierig naar het middel en het ritueel dat in het Jemenitische leven zo centraal staat. We liepen door een op de begane grond gelegen binnenhof, waar kinderen speelden, naar de mafraj achterin. Daar werd ik voorgesteld aan de vijf vrouwen die al in dezelfde houding hadden plaatsgenomen op de kussens die in de kamer lagen. Als Jemenieten in een mafraj zitten, hebben ze gewoonlijk hun rechter-knie gebogen, recht omhoog wijzend, en de voet onder zich getrokken, terwijl de linkerknie zijwaarts wegvalt, de voet onder het rechterbeen gestoken. Als ik zo ga zitten, valt mijn linkerbeen telkens in slaap, dus ik verander voortdu-rend van houding, soms trek ik mijn beide knieën op, waarbij ik erop let mijn voetzolen verborgen te houden, want in de Arabische cultuur is het verboden om iemand de onderkant van je voeten te tonen.

Er kwamen steeds meer vrouwen de kamer binnen, en allemaal gingen ze de kring rond om iedereen meermaals op de wang te kussen. Sommigen hadden hun eigen ritme, eerst twee snelle kusjes, een klopje en vervolgens drie snelle kusjes. Allemaal leken ze een kenmerkende manier van begroeten te hebben. De vrouwen spraken in rap Arabisch met elkaar. Zonder dr. al-Haj was er nie-mand die het voor me vertaalde, niemand van de aanwezigen sprak Engels. Ik moest me zien te redden met de paar Arabische woorden die ik kende en met handgebaren. Als ik zou blijven, dacht ik, zou ik snel Arabisch leren, uit pure noodzaak. Leila gaf aan dat ze het over democratie hadden. Dat had ik graag willen horen, vooral omdat ik had begrepen dat Jemenitische vrouwen zelden over iets anders spraken dan over kinderen en huishoudelijke zaken. In deze groep leek dat niet zo te zijn.

Toen iedereen was gearriveerd, bestond de groep uit twaalf of dertien vrou-wen gekleed in uiteenlopende varianten van de abaya. Allemaal hadden ze hun sluier achterovergetrokken, velen hadden hem helemaal afgedaan. Leila zat links van me, rechts zat een dame met geblondeerd haar. De blondine voerde meestal het woord. Ze vroeg me of ik getrouwd was, wees op mijn ring en op de hare. Ik vertelde haar (en alle andere vrouwen, die me de hele tijd dat ik daar zat bleven aanstaren alsof ik van Pluto kwam) dat ik inderdaad getrouwd was.

'Baby's?'

Ik schudde mijn hoofd. 'Nog niet.' En na even nagedacht te hebben, voegde ik daaraan toe: 'Insjallah' ('als God het wil'). Daarop lachte en knikte ieder-een instemmend, en leken ze wat te ontspannen. Ik verschilde blijkbaar niet zoveel van hen als ze hadden gedacht. Ondanks mijn onzekerheid over kin-deren, besefte ik wel dat als ik het aanbod van Faris aannam, ik een van mijn laatste vruchtbare jaren zou doorbrengen in een land waar weinig kans was om verliefd te worden, laat staan een partner te vinden met wie ik een kind zou willen grootbrengen. Als ik zou beslissen dat ik er een zou willen.

Een grote vrouw op leeftijd, die vermoedelijk onze gastvrouw was, liet een dienblad met kopjes zoete thee rondgaan, waarna ze een enorme waterpijp die in de hoek van de kamer stond gereedmaakte door er gloeiend hete brokken tabak bovenop te leggen. Vanaf het apparaat hing een zeven centimeter dikke slang op de vloer, waarvan het mondstuk ook de vrouwen in de meest afgelegen hoek kon bereiken. Het mondstuk werd van de ene vrouw naar de andere doorgegeven, en allemaal hielden ze hem vast tot ze een tiental keren hadden geïnhaleerd. 'Khamsa wa khamsa,' zei Leila. 'Vijf en vijf.' Ik was blij dat ik al in New York alle getallen had geleerd.

Toen de waterpijp bij mij aankwam, toonde Leila me hoe ik hem moest gebruiken; niet helemaal inhaleren, maar een klein beetje. Per ongeluk ademde ik te veel in en begon te kuchen. Ik deed mijn ogen wijd open en legde mijn hand op mijn hart, wat voor de grote vrouw aanleiding was om het apparaat over te pakken en door te geven. Toen ik maar bleef hoesten, haalde de blondine een klein flesje met olie tevoorschijn en wreef dit op mijn handen. Zij en Sheila gebaarden allebei dat ik het moest inademen.

'Zuurstof,' zei Sheila in het Engels. Ik begreep niet hoe mijn zuurstofniveau door een snufje rozenolie op mijn handen zou kunnen stijgen, maar was niet van plan dat ter discussie te stellen.

Een Afrikaans uitziende vrouw haalde in zilverpapier gewikkelde taartvormen uit haar tas en deelde die rond. Ik meende eerst dat het taartjes waren, maar het waren een soort koekjes met een sterke wierookgeur. Jemenieten maken ze vaak. Ze verkocht er een aan Leila (ik zag beelden van een Tupperware party voor me), die er een stuk afbrak en in een kleine keramische brander aanstak. Ze draaide zich naar mij om en hield de geur onder elk van mijn twee opgestoken vlechten, totdat de zoete geur helemaal in mijn haar was getrokken. Daarna liet ze me opstaan en hield de geurbrander onder mijn rokken. De rook voelde heet aan op de blote huid van mijn benen. De blonde vrouw pakte mijn hoofddoek van het kussen achter me en overhandigde hem aan Leila, die hem ook met de geur behandelde. Ik rook nu helemaal naar 1968.

Vervolgens haalden verschillende vrouwen qat uit hun tas en stopten de kleine groene blaadjes in hun mond. Leila legde een handvol van haar qat op mijn schoot. De blondine rechts van mij voegde er een takje bij. We begonnen te kauwen. Het is de bedoeling de blaadjes in je linkerwang te houden, tussen je tandvlees en je wang, terwijl je er op blijft kauwen zodat het sap eruit komt. Het smaakte bitter, alsof ik op iets kauwde wat een klein beetje giftig was.

Aanvankelijk had ik de indruk dat qat een heel milde drug was, zonder het directe effect op het lichaam van een kop koffie. Na bijna een uur kauwen had ik behalve enige misselijkheid nog niks gevoeld. Maar toen begonnen de gordijnen van mijn geest zich te openen. De waas van uitputting verdween en ik voelde me helder en scherp. Mijn gedachten waren glashelder. Plotseling leek het alsof ik een marathon liep, een roman schreef of in het Engelse Kanaal zwom. Als Amerikaanse journalisten ooit qat te pakken krijgen, dan zal de voorraad zo opraken, daar ben ik van overtuigd.

Maar dit is nog maar de eerste fase van de drug. In deze fase plagen de gebruikers elkaar, dagen elkaar uit. In de tweede fase wordt het gesprek meer gefocust, gericht op een onderwerp. Dan volgt het Salomonsuur, genoemd naar de profeet Salomon, die naar wordt gezegd graag mediteerde. In die periode verzinkt iedereen in een nadenkende trance en doet er verder het zwijgen toe. Ik bleef niet lang genoeg bij deze kauwsessie om in dat stadium te belanden. Tegen de tijd dat dr. al-Haj liet vragen hoe het met me ging, wilde ik ervandoor. Ik was niet langer in staat stil te zitten. Wat me het meest verbaast aan die qatsessies, is dat mensen zo lang kunnen blijven zitten terwijl ze een opwekkend middel innemen.

Dr. al-Haj wandelde met me mee naar huis, waar ik blij was weer alleen te zijn. Pas toen ik in mijn kamer stond, drong tot me door hoeveel moeite het me had gekost om tijdens de lunch en het qatkauwen iemand anders te zijn dan mezelf. Het was zonder meer eenvoudig om Jemenitische vrienden te maken, maar hoe lang zou ik kunnen doen alsof ik een keurig getrouwde vrouw was die nooit een vriendje had gehad? Met geen mogelijkheid meende ik dit een jaar lang te kunnen volhouden. Als ik mezelf zozeer zou wegstoppen, zou ik me eenzaam voelen. Ik vond het bovendien niet oprecht. Dit is wat het verblijf onder Jemenieten zo uitputtend maakte, dat ik zoveel van mezelf voor me moest houden. Beperking is niet mijn sterkste eigenschap.

Niet dat ik overwoog om te blijven. Toch?

☾★

WEER OP MIJN WERK rondde ik mijn verhaal over Arabische democratie voor *Arabia Felix* af, dat ik als titel gaf: 'Het cultiveren van de woestijn.' (Faris pikte deze titel vervolgens voor een salontafelboek over de verkiezingen, dat later dat jaar werd uitgebracht.) Mijn leerlingen namen de rest van mijn tijd in beslag en ik propte zoveel als ik kon in mijn laatste lessen. Voor een les over het doen van onderzoek op internet, begeleidde ik mijn verslaggevers naar de computers. We begonnen met het bestuderen van een website die belastingformulieren verzamelde van non-profitorganisaties, een website met beschrijvingen van elk gebied, en Snopes.com, een website waarop broodjes aap werden ontmaskerd, die iedereen prachtig vond. Ze wilden allerlei soorten broodjes aap opzoeken. Opvallend vond ik dat mannen broodjes aap over het huwelijk wilden natrekken, terwijl vrouwen verhalen over de orkaan Katrina en oorlogen wilden controleren. Tot zover de stereotypen over mannen en vrouwen. Ik durf te wedden dat als er in Jemen een *Cosmo*-achtig magazine bestond, de mannen er even enthousiast over zouden zijn als de vrouwen.

Met deze oefening wilde ik mijn leerlingen tonen hoe ze konden nagaan welke websites betrouwbare informatiebronnen vormen en welke slechts ongefundeerde geruchten weergeven. Ze waren opvallend slecht in staat om het onderscheid aan te geven. Ze geloofden alles wat ze op het internet lazen, wat enkele interessante beweringen in hun artikelen opleverde. Ze plaatsten geen vraagtekens bij wat ze te horen kregen. Als ik ze iets zou willen leren, besloot ik, dan is het een kritische houding.

$$\text{C}\star$$

ALLES WAT IK TIJDENS mijn laatste dagen in Jemen deed, was doortrokken van nieuwsgierigheid over wat er zou gebeuren als ik het aanbod van Faris voor een baan zou aannemen. Hoe zou ik het doen als hoofdredacteur? Zou ik het tempo kunnen volhouden dat Faris van me verwachtte? En als ik mijn leven in New York zou opgeven, me hier zou vestigen en het zou mislukken? Wat zou er gebeuren als ik mijn verslaggevers niet zover zou krijgen dat ze hun deadlines haalden? Hoe zou het gaan als ik er niet in zou slagen om tweemaal per week een complete krant uit te geven?

$$\text{C}\star$$

BIJ HET AFSCHEIDSETENTJE dat Faris voor me gaf op de op een na laatste avond, in Shaibani, een visrestaurant, kwamen vijfenveertig mensen opdraven. Niemand had me ooit in zo'n spektakel doen belanden! Bijna iedereen die ik had uitgenodigd, kwam: dr. al-Haj, Shaima, Sabri, alle medewerkers van de *Yemen Observer*, andere vrienden en zelfs een jazzgroep uit New York, die de dag erna op de Amerikaanse ambassade zou spelen. Maar pas toen we allemaal bijeen waren, drong tot me door dat mijn vrouwen ontbraken. Waar waren Zuhra, Arwa, Radia en al die mensen waar ik zo van hield? Ik was diepbedroefd. Ik was vergeten dat zij zo laat op de avond niet het huis uit mochten.

Faris ging staan en hield een toespraak, hij gaf aan hoezeer ik de krant in slechts een paar weken tijd al had veranderd, dat zijn medewerkers hadden gevraagd of ik terugkeerde en dat ze allemaal van me hielden. Hij overlaadde me met geschenken, die als een grote piramide voor me op een tafel werden gestapeld: een hele set zilveren sieraden in een enorme blauwe zijden doos, twee jambiya's met gordels, zeven honkbalpetjes (een exemplaar was door de hele staf ondertekend, met het verzoek niet te vertrekken), en vijf

Jemenitische miniatuurhuisjes die ik thuis kon weggeven. Bovendien over-handigde hij me een enveloppe met drie splinternieuwe biljetten van honderd dollar.

Faris had twee fotografen ingehuurd om de gebeurtenis vast te leggen, die me de hele avond bleven fotograferen. Mijn eigen paparazzi! Ik voelde me net Madonna. We aten Jemenitische vis, brood, salsa en bananen met honing. De honing, waar Jemen bekend om staat, smaakte naar jasmijn en naar God. Zo goed was hij.

Die avond ging ik in mijn eentje naar huis, huilerig en verward, en eenzaam, zoals je bent als je je tussen twee plekken bevindt en nergens thuishoort. Ik moest er niet aan denken weer in mijn New Yorkse routine te vervallen. Maar zou ik ooit in Jemen kunnen aarden?

Op mijn laatste dag in Jemen ging ik nog een keer bij het kantoor langs. Ik werd besprongen door mijn verslaggevers en ze smeekten me om niet weg te gaan. Zuhra nam me apart in de hal en drukte me een paarse krokodillenle-ren portefeuille in de handen.

'Hij is niet nieuw,' verontschuldigde ze zich. 'Maar het is het mooiste ding dat ik heb en ik vind hem prachtig. Ik wil je iets geven waarvan ik houd.'

Ik was hier zo door ontroerd dat ik geen woord wist uit te brengen. Ik nam haar kleine handen in de mijne en drukte ze stevig vast. Als ik terugkeer, dacht ik, dan is het hierom.

VIJF

dat wordt je dood nog!

Het meest ontmoedigende van de terugkeer naar het werk bij *The Week* na afloop van een vakantie was dat niemand er iets over wilde horen. In de vijf jaren dat ik bij het tijdschrift had gewerkt, had ik heel wat afgereisd en elke keer opnieuw had ik me eraan gestoord dat niemand meer vroeg dan een beleefd: 'Goeie vakantie gehad?' Misschien was dit te begrijpen als ik naar de bekende veelbezochte plaatsen was geweest, zoals Parijs, Barcelona en Dublin. Maar ik had een bezoek gebracht aan Jemen! Voordat ik ernaartoe was gegaan, hadden maar weinig mensen op het werk het op de kaart kunnen aanwijzen, dus ik had gedacht dat het exotische van de bestemming wel enige nieuwsgierigheid zou wekken. Tenslotte waren mijn collega's journalisten, die nieuwsgierig zijn van beroep. Ze zouden zich vast en zeker interesseren voor landen die voorbij de kustlijn van Manhattan lagen.

Niet dus. Niemand wilde iets weten over de *Yemen Observer*, mijn leerlingen of het dagelijkse leven in Arabië. Een paar mensen vroegen me wat voor kleren ik gedurende mijn verblijf had gedragen, maar daar hield hun interesse wel mee op. Dit bracht mij van mijn stuk en deed me pijn. Ik ontkwam er niet aan om me dit gebrek aan interesse persoonlijk aan te trekken. Altijd al stoor ik me de eerste dagen na een vakantie aan de wereld om me heen. Ik wilde mijn ervaringen delen met de mensen met wie ik acht uur per dag optrek. Ik wilde interessant gevonden worden. In plaats daarvan staarde ik naar mijn grijze computerscherm en begon met tegenzin weer aan mijn dagelijkse routine.

Nadat ik nog geen week terug was in New York had ik bijna overal schoon genoeg van. Ik was zat van mijn ochtendrituelen, zat van het lopen door alsmaar dezelfde parken, zat van het zwemmen in hetzelfde zwembad, zat van de acht uur die ik elke dag weer in een smoezelig kantoor in de binnenstad doorbracht, zat van de Verenigde Staten en onze gênante president. Ik was er zat van dat mijn baas me onderschatte en mijn werkelijke capaciteiten niet voor het tijdschrift benutte. Ik was zat van het deprimerende cynisme van mijn collega's. Ik was zat van de cocktailparty's van de media. Ik was zelfs zat van mijn favoriete fruitkraampje op de hoek van 40th Street en Broadway, waar de Afghaanse fruithandelaar die mijn kersen en druiven afwoog meer belangstelling voor mijn Jemenitische avonturen toonde dan de mensen op mijn werk.

In New York was ik altijd sociaal op het maniakale af en bracht het grootste deel van mijn avonden door op openingen van exposities, feestjes, in het theater, bij lezingen, of eenvoudigweg drinkend met vrienden. Maar nu begon ik steeds onrustiger en ontevredener te worden. Ik smachtte naar iets nieuws en de gelegenheid om mijn energie aan iets te besteden dat meer voor mij betekende dan *The Week*. Jarenlang had ik het heerlijk gevonden om voor *The Week* te werken. Ik was een van de eersten die door de krant in dienst was genomen en was er voor de lancering al als redactieassistent begonnen. Het was fascinerend geweest om mee te maken hoe het tijdschrift stap voor stap steeds volwassener werd.

Maar toch, nog nooit had ik ergens vijfenhalf jaar gewerkt en mijn baan voor *The Week* kostte me alle energie die ik voor andere projecten had gereserveerd; enkele korte verhalen, een roman en mijn tot stilstand gekomen loopbaan als actrice.

Terug in New York drong tot me door hoe snel de jaren verstreken, en hoe weinig ik voortbracht, behalve een paar wekelijkse pagina's in een tijdschrift. Er moest iets veranderen, nog voordat ik een dag ouder zou zijn. Er had zich nog nooit een betere gelegenheid voorgedaan. Ik was alleenstaand, had geen kinderen en had bijna al mijn studieschulden van mijn twee studies afbetaald. Als ik een jaar in Jemen nodig had om de dagelijkse routine van mijn leven te doorbreken, dan moest dat er maar van komen.

Het was deze combinatie van paniek en behoefte aan iets nieuws die me er uiteindelijk toe bracht om het aanbod van Faris te accepteren. Dit was mijn kans om een plek in te nemen in de frontlinie van de strijd voor democratie in de Arabische wereld! Zonder vrije pers kan een democratie tenslotte niet van de grond komen. Misschien zou ik kunnen helpen om Jemen een vrijer land te maken, een klein beetje maar, door de boeien van mijn timide verslaggevers wat losser te maken.

Mijn leven zou beslist betekenisvoller zijn als ik mijn Jemenitische journalisten kon leren wat ze zo graag wilden leren. Ik stelde me voor een revolutie in de krant te ontketenen, met nieuwsberichten die een corrupte overheid, verkiezingsfraude en schendingen van mensenrechten aan het licht brachten. Ik stelde me voor artikelen te schrijven die het beleid zouden wijzigen, het terrorisme verminderen en de rol van de vrouw in de samenleving zouden veranderen. Ik stelde me voor dat het kader van de *Yemen Observer* zou veranderen in een goedlopende machine die nauwelijks bijgestuurd hoefde te worden en waarvan ik de teksten nauwelijks meer hoefde te corrigeren. Onderdrukte volkeren overal ter wereld zouden me vragen ook bij hen te komen om hun eigen pers te veranderen! (Het valt niet mee om dit nu, jaren later, zo op te schrijven, zonder in hysterisch gelach over mijn naïviteit uit te barsten.) Ik stelde me ook voor hoe Zuhra zou uitkijken naar mijn terugkeer.

☪

DE EERSTE DIE ik ervan vertelde was Bill, mijn redacteur bij *The Week*. De hele ochtend van de dertiende juli 2006 had ik in de rats gezeten, wachtend op een moment waarop ik hem kon spreken. Ik had nog nooit ergens zo lang gewerkt als bij *The Week* en nog nooit een baan eraan gegeven voor een zo onzekere toekomst. Ik gaf het hoogste salaris op dat ik ooit had verdiend. Ik nam afscheid van een fantastische ziektekostenverzekering. Ik keerde de zekerheid de rug toe.

'Nou, wat heb je op je hart, Nif?' zei Bill, terwijl hij zijn stoel achterover liet wippen. Hij was de enige op het werk die gebruikmaakte van deze koosnaam, die gereserveerd was voor mijn beste vrienden.

Ik haalde diep adem. 'Ik heb zojuist een andere baan aangenomen.'

De voorpoten van zijn stoel kwamen met een klap op de grond neer. Eindelijk had ik hem eens van zijn stuk gebracht. 'Wat ben je van plan? Ga je ervandoor en in Jemen aan de slag?' grapte hij.

'Nu je dat zo zegt... ja. Ik word hoofdredacteur van de *Yemen Observer*. Er is me een jaarcontract aangeboden.'

Zijn reactie had me nauwelijks meer tevredenheid kunnen schenken: 'Godallejezus, hou je me voor de gek? Ben je helemaal dol geworden? Je bent niet goed bij je hoofd! Dat wordt je dood nog! Ik kan me niet voorstellen dat je dit in alle ernst van plan bent! Waarom?'

Dit was een heel wat opwindender reactie dan ik had verwacht. Ik had nog nooit meegemaakt dat Bill zijn kalme houding zo liet varen. Hij stak een tirade af over mijn gebrekkige verstandelijke vermogens, maar toen ik hem eindelijk tot kalmte had gemaand en uitgelegd waarmee ik bezig was, leek hij het te begrijpen. Hij zei me dat het vijf voortreffelijke jaren waren geweest en dat het tijdschrift me zou missen. 'We zullen iemand in dienst nemen die jouw werk gaat doen,' zei hij. 'Maar we zullen je niet vervangen.'

De rest van de medewerkers van *The Week* en het grootste deel van mijn vrienden was al even verbaasd, hoewel ze dat wat minder dramatisch tot uitdrukking brachten. Meteen kreeg ik van verschillende kanten de namen van bedrijven aangereikt die een verzekering tegen ontvoering aanboden. Mijn ouders, die me behoorlijk goed kennen, lieten het bij een berustend: 'We hadden wel gedacht dat zoiets zou gebeuren.' Een vriend van me, een journalist van *The Wall Street Journal*, mailde me een waarschuwend berichtje van een vrouw die voor Buitenlandse Zaken werkte.

Jemen is zo gek nog niet (prachtig land), zolang je in Sana'a blijft. Ik raad niet aan je buiten de stad te begeven, want in sommige delen van het land kunnen mensen in het wilde weg op je gaan schieten (meestal echter met wapens van klein kaliber). Daar komt bij dat in Jemen nog weleens buitenlanders worden ontvoerd, voor losgeld; het meest recent gebeurde dat twee maanden geleden, dus je moet ongelooflijk goed opletten. Ook bevindt zich in die omgeving veel onfris volk, op doortocht.

Aan de andere kant is het er schitterend en heeft het land de grootste wapenmarkt in de open lucht, wat best wel cool is. En het heeft een heel rijke geschiedenis... [Maar] waarom Jemen? Er zijn talloze Engelstalige kranten die een redacteur kunnen gebruiken.

Al was dit niet echt bemoedigend, op de website van de *Yemen Observer*, die ik nog niet eerder had ontdekt, vond ik het volgende artikel:

Professionele journalist verhoogt kwaliteit van de Yemen Observer
Door Zuhra al-Ammari

4 juli 2006

De Amerikaanse journalist die bij de *Yemen Observer* heeft lesgegeven, Jennifer Steil, had zondagavond bij een afscheidsdiner in het Al-Shaibani restaurant een jambiya, een ketting en meerdere geschenken gekregen.

'We nemen afscheid van een vriendin en een lerares,' zei Faris al-Sanabani, de uitgever van de *Yemen Observer*, toen hij mevrouw Steil de jambiya overhandigde. Hij bedankte haar voor de veranderingen die ze bij de krant in de teksten en aan het uiterlijk heeft doorgevoerd.

Jennifer: 'Dit is voor het eerst dat ik in Jemen en het Midden-Oosten ben, het is heel bijzonder geweest, jullie zijn het meest open en aardige volk ooit, ik houd van jullie en ik hoop terug te komen en weer bij jullie te zijn. Nogmaals hartelijk dank jullie.' Iedereen voelt tevredenheid over de aantoonbare vooruitgang van hun prestaties.

Maar ze zijn wel bedroefd over het 'afscheidnemen' en hopen dat ze terugkomt. Adel, een journalist, zei: 'Ik vind deze lerares leuk omdat ze het met veel energie en als vrijwilliger doet, ze is een geduldige lerares geweest. Ik heb veel gehad aan haar ervaring. Ik leerde hoe ik mijn schrijven kan verbeteren. Het is echt een koningin.' Hassan, een journalist, zei: 'Het is echt een slimme journalist. Ik hoef alleen maar naar haar ervaring op het vakgebied van de journalistiek te luisteren. Ze heeft ons moderne principes van het schrijven van nieuwsberichten geleerd en hoe je zijn of haar nieuws professioneel kunt doen.'

Arwa, een journalist, zei: 'Het waren mijn eerste lessen in Engels. Ik heb geleerd hoe ik moet schrijven. Ze is een van de beste journalisten die ik heb gezien. Ik zorgde ervoor bij alle lessen te zijn. Ik heb ontzettend geprofiteerd.' Radia, een secretaresse, zei: 'Het is een ideale vrouw. Ze is net een kaars, ze brandt en geeft licht aan anderen. Ik had veel aan haar.' Jennifer Steil is uit de Verenigde Staten gekomen om de journalisten enkele vaardigheden van de pers te leren.

Ze nam de vooruitgang van alle journalisten waar. Ze gaf hen adviezen over hoe ze hun beroep konden verbeteren.

Het grappige is dat Zuhra mijn afscheidsdiner niet mocht bijwonen. Toch was ze er op een of andere manier in geslaagd een kloppende beschrijving van de avond te geven, met zelfs een tamelijk goed citaat van mij. Had ze ter plekke een correspondent in de arm genomen om aantekeningen voor haar te maken? Uiteraard was ik blijer geweest als er niet zoveel fouten in de zinsbouw hadden gezeten, maar dat was een reden te meer om terug te keren.

In de wetenschap dat ik op het punt stond om te vertrekken, werd ik weer helemaal dol op mijn stad. Ik vond mijn met boeken overladen appartement weer geweldig, met mijn buikdansende buurvrouw een verdieping lager, met mijn kroeg om de hoek, de Piper's Kilt. Ik vond de *A-train* weer helemaal te gek, de Harlem YMCA, Inwood Hill Park. Met al mijn vrienden kon ik het weer helemaal vinden en elke avond dat ik niet aan het inpakken was, ging ik eropuit om hen in me op te nemen. Ik bezocht galerieën en het theater. Ik ging voor de laatste keer naar een extatische honkbalwedstrijd in het Yankee Stadium, waar ik euforisch bier, popcorn, Cracker Jacks, pinda's en al het andere dat er werd verkocht achteroversloeg, omdat ik niet wist wanneer het er weer van zou komen. De Yankees maakten de avond af door zo vriendelijk te zijn om te winnen.

De laatste zondag dat ik in de stad was, kwamen mijn vrienden uit de buurt in de Piper's Kilt bijeen, waar voor het eerst een karaokeavond werd gehouden. Mijn vriend Tommy stond achter de bar en schudde zijn hoofd. 'Jemen,' zei hij, terwijl hij een gin voor me neerzette en bij de bar langsliep. 'De volgende keer dat ik je zie is op de video over je ontvoering.'

Ik droeg een kort rood jurkje en had rode lippenstift op. Wie weet wanneer ik me weer zo kon kleden? Wat me van die avond vooral is bijgebleven (behalve dat ik in mijn eentje blootsvoets op de bar *Leaving on a Jet Plane* stond te zingen), is dat toen ik Tommy zei dat ik naar huis zou gaan, hij me vroeg even te wachten en achter de bar vandaan kwam. Tommy was nog nooit achter de bar vandaan gekomen om afscheid van me te nemen, bij geen enkele reis van me. Hij omhelsde me en zoende me op mijn wang. 'Mijn God,' zei ik, zijn bedroefde gezicht aanschouwend terwijl ik me uit zijn omarming losmaakte: 'Je denkt werkelijk dat ik niet meer terugkom.'

Op de laatste ochtend ging ik in een enorme hoosbui een eind hardlopen door de parken van Inwood Hill en Fort Tryon. Na vijf minuten plakten mijn broek en mijn shirt op mijn lijf en mijn vlechten zaten aan mijn armen vastgekleefd. Spetterend door het water bleef ik doorlopen. Ik werd overspoeld door herinneringen aan de talloze ochtenden dat ik langs deze lelies, deze druipende bomen, deze grijze rivier had gelopen. Jennifer Steil, dacht ik, dit is jouw leven. Dit was jouw leven.

ZES

wanneer is insjallah eigenlijk?

Op 2 september 2006 arriveer ik op het kantoor van de *Yemen Observer*, waar ik door niemand blijk te worden opgewacht. Faris is weg, ik neem aan dat hij bij de president is, die als een waanzinnige campagne voert voor zijn herverkiezing, ondanks het feit dat er weinig twijfel over bestaat dat hij zal winnen. Redacteur Mohammed al-Asaadi zit niet op zijn plek in de hoek van de kamer en van de rest van de medewerkers is geen spoor te bekennen. De moed zinkt me in de schoenen. Ze zullen me toch niet vergeten zijn? Ik heb nog geen telefoon, zodat ik niemand kan bellen met de mededeling dat ik ben aangekomen.

Mijn voetstappen echoën op de marmeren vloer terwijl ik door het lege kantoorgebouw loop. Tot mijn stomme verbazing zie ik overal in het gebouw mijn uitspraken hangen. Het is een beetje verontrustend om je eigen woorden terug te zien, ingelijst, op bijna elke muur, zowel in het Engels, als in het Arabisch.

'Wij schrijven *nieuws*berichten, geen *oud*berichten! Laten we ons op het nieuws richten!'

'Als je denkt dat het verhaal perfect is, lees het dan nogmaals door.'

'Begin een nieuwsbericht nooit met een bronvermelding.'

'Een openingszin moet een onderwerp, werkwoord en lijdend voorwerp hebben!'

Ik voel me een beetje als Grote Roerganger Mao. In elk geval ben ik niet helemaal vergeten.

Vanochtend ben ik in Sabri's woning door de wekker heen geslapen. Ik heb er tijdelijk onderdak gevonden in de studentenafdeling en schrok wakker. Op mijn eerste dag als baas mocht ik niet te laat komen! Ik sloeg de koffie over, besloot niet naar mijn werk te wandelen en sprong na een korte douche een taxi in, helemaal buiten adem, om er vervolgens achter te komen dat ze me blijkbaar niet hadden gemist.

Maar, wacht! Uit de achterkamer klinkt geluid. De deur gaat open en voor de foyer verschijnt een kleine zuil van zwarte kunstzijde en werpt zich in mijn armen. 'Ik kan niet geloven dat je hier voor me staat!' zegt Zuhra, die achteruitstapt om naar me te kijken, terwijl ze mijn handen blijft vasthouden. Haar donkere ogen schitteren: 'Wat heb ik hier lang naar uitgekeken. Ik houd zoveel van je! En nu zullen we voor het eerst meemaken dat een vrouw de leiding in handen heeft. Ik ben zo blij!'

'Ik ben ook hartstikke blij!' zeg ik, al gaat me dat iets minder eenvoudig af. 'Waar is iedereen?'

Ze vertelt me dat Faris inderdaad bij de president is, dat Al-Asaadi zelden zo vroeg op zijn werk komt, en dat Farouq afwezig is omdat zijn anderhalf jaar oude dochtertje net aan een geheimzinnige ziekte is overleden. Hij is niet in staat om te werken. Hij is helemaal kapot van het verdriet. Ik kan me daar iets bij voorstellen. Ik heb geen idee hoe iemand het verlies van een kind te boven kan komen. 'En Arwa heeft ontslag genomen,' vervolgt Zuhra. 'Ze heeft een andere baan genomen. En Zaid is uiteraard net naar Londen vertrokken. Hassan en Adel werken allebei tot de verkiezingen voorbij zijn voor de waarnemers van de Europese Unie.' Theo, die nog altijd in Jemen woont, is bij de krant vertrokken en heeft daarmee blijkbaar enige schepen achter zich verbrand. Ik had zelf ruzie met hem gemaakt nadat hij me een reeks uitzonderlijk ontmoedigende e-mails over mijn terugkeer had gestuurd. Ik vermoed dat hij liever niet had dat ik terugkwam naar wat hij beschouwde als zijn eigen terrein.

'Is er nog iemand overgebleven?' Ik begin in paniek te raken. Hoe kan ik een krant zonder personeel veranderen?

'Radia is er nog! En er zijn enkele nieuwe mensen aangenomen,' zei ze. 'Kom, dan zal ik je voorstellen.'

Radia, die officieel de receptionist van Faris is en geen verslaggever, komt uit de achterkamer tevoorschijn, waar de vrouwen hadden zitten ontbijten, en zegt me hoezeer ze me heeft gemist en hoe blij ze is met mijn komst.

Ze nemen me mee naar de redactiekamer, waar twee vrouwen en twee mannen over hun computer gebogen zitten. Zuhra trekt me aan de hand achter zich aan.

'Dit is Noor. Ze schrijft de cultuurpagina.' Noor heeft dikke, lange wimpers en lachrimpels rond haar ogen. Net als Zuhra draagt ze een bril, maar anders dan Zuhra knoopt ze haar hijab achterop haar hoofd vast. Ik prent dit in mijn hoofd, zodat ik haar later kan herkennen.

Najma, vertelt Zuhra, heeft de gezondheidspagina geschreven. Verlegen schudt Najma me de hand en zegt me dat ze blij is me te ontmoeten. Haar ogen staan wijder en angstiger dan die van Noor.

De mannen, een grote brildragende man genaamd Talha en een steviger, jongensachtig aantrekkelijke man genaamd Bashir, zijn even beleefd en onthalen me vriendelijk.

'Hoe lang zijn jullie hier al?' vraag ik hen. Ze waren nog niet in dienst toen ik twee maanden geleden vertrok.

'Ongeveer een maand.'

Alle vier de nieuwelingen zijn kortgeleden aan de universiteit afgestudeerd. Geen van allen heeft enige ervaring in de journalistiek. Ik ben verbijsterd. Zoveel mensen die ik al iets had bijgebracht zijn vertrokken. Ik moet weer helemaal opnieuw beginnen.

☪

ZUHRA NEEMT ME MEE naar het kantoor aan de achterkant van de eerste verdieping, waar ik ga zitten en aantekeningen maak over recente uitgaven van de krant, tot het bijna twaalf uur is en Al-Asaadi arriveert. Ik ben vergeten hoe klein hij is. Hij komt net boven mijn schouders uit (en ik ben 1,67 meter). Hij is knap, heeft een popperig gezicht en Bambi-achtige wimpers. Ik schat dat hij een kilo of vijfenveertig weegt. Hij draagt een colbertjasje en een lange broek.

'*Ahlan wa sahlan!*' (Welkom!) zegt hij, pakt mijn hand en lacht vriendelijk.

'Ahlan wa sahlan! Sorry dat ik in je kamer ben gaan zitten. Ik wist niet waar ik anders terecht kon.'

'Mijn kamer is de jouwe.'

Theo had me gewaarschuwd dat als ik in Jemen zou zijn Al-Asaadi het grootste struikelblok zou vormen. Hij zou de touwtjes niet uit handen willen geven, had hij gezegd. Hij is gewend de scepter te zwaaien.

Dus ben ik op mijn hoede. Ik wil hem niet krenken en onze relatie belasten door me voor te laten staan op mijn positie en me als een lelijke, imperialistische Amerikaan te gedragen. Ik zeg hem hoeveel zin ik heb om van hem te leren en dat ik hoop dat we kunnen samenwerken.

'Ik ben het die van jou een hoop heeft te leren,' zegt hij. 'Volgens Faris – en ik denk er net zo over – moet jij de krant gaan leiden. Jij moet de hele zaak gaan aanvoeren.'

Mijn knieën beginnen te trillen. 'Shukrahn,' zeg ik. 'Maar zou je me kunnen helpen daar een begin mee te maken? Kunnen we het hebben over hoe het er hier aan toegaat, wat de deadlines zijn?' Ik heb geen idee waar ik moet beginnen.

'Dat spreekt voor zich.'

Samen met Zuhra nemen we plaats in de vergaderruimte aan de voorkant van het pand en bedenken een voorlopig plan van aanpak. Al-Asaadi licht toe wat de deadlines zijn (die, zo bekent hij, meestal worden overschreden), en Zuhra geeft me een printje waarop staat welke verslaggevers voor welke pagina's verantwoordelijk zijn. Ik geef aan dat ik de redactie graag aan het begin van elke publicatiecyclus bijeen wil roepen, een bijeenkomst om negen uur zondagochtend en een om negen uur op woensdagochtend, zodat alle verslaggevers me kunnen zeggen waarover ze schrijven, wat hun bronnen zijn en wanneer ze de tekst aanleveren. Ik wil de aflevering van de teksten wat stroomlijnen, zodat niet alle pagina's op het allerlaatste moment allemaal tegelijk binnenkomen. Er zal een wonder nodig zijn om het zover te laten komen.

Na onze bijeenkomst loopt Zuhra met me mee naar de supermarkt (Ik was vergeten dat de toiletten op de *Observer* geen toiletpapier hebben. Jemenieten gebruiken water om zich schoon te maken, met als gevolg dat de vloeren van de toiletten bijna altijd blank staan van wat mijn bureauredacteur vaak omschrijft als 'strontsap'.), en vervolgens naar de broodjeswinkel voor een van die opgerolde kruidige groentenbroodjes waar ik zo dol op ben. Ik heb de hele dag nog niks gegeten, al heeft Zuhra me meerdere kopjes mierzoete zwarte thee gebracht. 'Jij bent de enige voor wie ik thee maak,' zegt ze. 'Voor niemand anders.' Net als ik kookt Zuhra niet zelf. Thee is een van de weinige dingen die ze kan maken.

Na de lunch overhandigt ze me een verhaal dat Talha heeft geschreven. Voor het volgende nummer is nog geen andere kopij ingeleverd. Ik besteed bijna een uur aan dit artikel en bewerk de tekst. Het heeft geen samenhangende structuur, geen duidelijke openingszin en te weinig bronnen. Ik slaak een zucht. Ik zal hem alles moeten bijbrengen.

In de kamer van Al-Asaadi is een bureau voor me geplaatst, al kan ik de laden nog niet gebruiken omdat ze op slot zitten. Het is een sobere kamer, met witte muren, een grijze vloerbedekking en er hangt niks aan de wanden, op een kaart van Jeruzalem naast de deur na. Door ramen aan twee zijden valt licht naar binnen. Buiten in de tuin hoor ik zwerfkatten janken.

Ik lijk wel verdoofd. Alle paniek, angst en verdriet van de laatste paar dagen in New York zijn van me afgevallen, maar er is nog niets voor in de plaats gekomen. Misschien had ik hier door de schrik bevangen moeten worden door al het werk wat me in deze baan staat te wachten, maar om een of andere reden voel ik me ontzettend kalm.

☪

LATER DIE MIDDAG, nadat ik heb gezwommen, loop ik gelukkig Qasim tegen het lijf, met zijn onweerstaanbare levendigheid had ik in juni al kennisgemaakt. Hij was de kwajongen die altijd schoenen stal en zich achter vuilnisbakken verstopte, degene die kattenkwaad uithaalde met de telefoon, degene die je op kantoor meestal zingend aantrof. Maar hij regelt de advertenties en is geen verslaggever, en maakt dus in wezen geen deel uit van de medewerkers aan wie ik leiding geef.

Ook tref ik mijn bureauredacteur Luke, de blonde Californische surfer. Ik heb geen idee of hij werkelijk surft, maar zo ziet hij er wel uit. Hij weet niet precies wat hij hier in Jemen doet, vertelt hij me. Samen met een vriend overweegt hij een bedrijf te beginnen. 'Het is fantastisch om in Jemen te zijn, want hier is helemaal niks,' zegt hij. 'Alles is nieuw voor ze. Je kunt alles doen. En je bereikt hier heel eenvoudig de top.'

Toch klaagt hij erover dat Jemen slecht is voor zijn gezondheid. Sinds hij hier is aangekomen, heeft hij nog niet gesport en veel te veel gerookt.

'En drinken? Drink je ook?'

'Niet meer!'

'Wat dat betreft ben je in het goede land terechtgekomen.'

'Eerlijk gezegd ben ik hier niet om van de drank af te blijven,' zegt hij. 'Mij ging het meer om nader met qat in aanraking te komen.'

In de redactiekamer tref ik Talha en neem hem even apart om het te hebben over zijn verhaal over de gevaren van het op recept kopen van geneesmiddelen in Jemen. De medicijnen die in Jemen worden verkocht, zijn vaak vervuild met giftige bestanddelen of het zijn niet-werkende suikerpillen. Talha hoort me zwijgend en ernstig aan, en is benieuwd naar mijn suggesties. Ik leg hem alles uit over openingszinnen en de opbouw van het artikel, en waarom we een zin nooit met een bronvermelding beginnen.

Mohammed al-Asaadi geeft me de laatste tien uitgaven van de krant zodat ik ze na mijn werk kan lezen, waarna hij me naar Salem stuurt, die mij en Radia na negenen naar huis brengt. Ze dringen erop aan dat ik voor in de auto plaatsneem, terwijl Radia met een stapel *Yemen Observers* achter in de vrachtwagen gaat zitten. Ik bied haar mijn stoel aan, maar ze wijst hem af.

Bij het naderen van Radia's woning buigt ze voorover en raakt mijn arm aan. 'Kom mee,' zegt ze. 'Kom naar mijn huis.' Ik kijk haar aan. Wil ze dat ik nu meekom?

'Kom naar mijn huis,' zegt ze nogmaals. 'Kom je bij me slapen?'

Dit is niet zo'n provocerende uitnodiging als het in New York zou zijn. Op mijn vorige reis had ik geleerd dat meisjes vaak iemand uitnodigen om bij hen thuis te komen slapen. Toch was ik erdoor overrompeld.

'Nou zeg, dat lijkt me hartstikke leuk!' zeg ik. 'Maar vannacht niet. Ik moet nog allerlei zaken thuis zien te krijgen. Boeken en zo. Cadeautjes die ik morgen mee naar het werk wil nemen.'

Ze knikte. Maar als ze uitstapt, begint ze er weer over: 'Maar je komt toch wel, hè, een andere keer?'

'Jazeker.'

Onderweg naar huis leert Salem me enkele nieuwe Arabische woorden. Tegen de tijd dat ik arriveer, tegen tien uur, ben ik uitgehongerd en werk haastig wat yoghurt en een boterham met pindakaas en rozijnen naar binnen. Had ik al verteld dat ik niet kook? Ik lees nog een paar nummers van de *Observer*, probeer niet te wanhopen, en val in slaap.

☪

HET IS HEERLIJK om eindelijk aan de slag te kunnen. Alle verwachtingen die ik had en alle angsten die ik heb uitgestaan, vielen me zwaarder dan het werk zelf. Ik kan niet goed overweg met vrije tijd en stilte. Ik was pas anderhalve dag gearriveerd toen ik aan mijn eerste werkdag begon, meer dan genoeg verloren tijd. Ik ben niet actief en onrustig, maar hyperactief en altijd gehaast.

Op mijn tweede werkdag arriveer ik uren voor mijn medewerkers. (Ik heb personeel! Oké, ik ben een beetje opgefokt.) Alleen Qasim is aanwezig, dus geef ik hem een van de chocoladerepen van Jacques Torres, die ik had gekocht om cadeau te geven (in Jemen kun je nergens goede chocola krijgen) en drie Hershey-repen voor zijn drie kinderen (die nog niet zo kieskeurig zijn als het op chocola aankomt). Als Radia en Zuhra binnenkomen, geef ik hen geborduurde Chinese handtasjes vol zeep, chocola en handgeweven portemonneetjes. Accessoires zijn van belang in Jemen, waar de basisuitrusting van dag tot dag maar weinig verandert. Radia wordt er een beetje verlegen van, terwijl Zuhra haar cadeautjes aan iedereen laat zien.

Die ochtend houd ik de eerste bijeenkomst met de staf. Iedereen vertelt me met welke artikelen ze bezig zijn en wanneer ze die aan me geven. Het valt niet mee om de precieze deadlines vast te leggen, want als ik aan bijvoorbeeld Bashir vraag of hij het verhaal om één uur kan aanleveren, antwoordt hij: 'Insjallah,' als God het wil. In het hele jaar in Jemen ben ik er nooit in geslaagd om een verslaggever te laten antwoorden: 'Ja, ik zal het verhaal om één uur af hebben.' In Jemen gebeurt pas iets als Allah het wil. En Allah blijkt weinig te geven om de deadline van een krant.

'Insjallah' wordt ook gemompeld bij alles wat in de toekomende tijd wordt gezegd. Jemenieten worden zenuwachtig als ze het weglaten. Als je bijvoorbeeld tegen een Jemenitische man zou zeggen: 'Volgende week reis ik naar Frankrijk, maar donderdag keer ik weer terug naar Jemen,' dan voegt hij daar automatisch 'insjallah' aan toe.

Ibrahim, die vanaf zijn werkplek thuis artikelen voor elke voorpagina schrijft, komt binnen en zegt hoe blij hij is dat ik ben gearriveerd. Hij nodigt me uit om te komen qatkauwen, wat me verbaast, want ik wist niet dat vrouwen samen met mannen qat konden kauwen. Maar westerse vrouwen worden in Jemen blijkbaar als de derde sekse beschouwd, zodat ze tussen de mannelijke en vrouwelijke werelden heen en weer kunnen lopen. Westerse mannen hebben dit voordeel overigens niet.

Dit verklaart waarom mijn mannelijke stafleden meteen respect voor me tonen. Voor hen ben ik niet echt een vrouw, ik ben een giraffe. Iets buitenaards en dus niet onder te brengen in de bekende man-vrouwpatronen. Als een Jemenitische vrouw een krant zou overnemen, zouden de meeste mannen uit protest ontslag nemen. Ze behandelen hun vrouwelijke collega's in de verste verte niet met het zelfde respect als waarmee ze mij behandelen, en ze gaan liever ter plekke dood dan dat ze een Jemenitische vrouw zouden vragen hen bij een artikel te helpen. Maar vreemd genoeg hebben ze er geen moeite mee om mij te eerbiedigen.

De enige uitzondering hierop vormt Al-Asaadi. Ik heb al snel in de gaten dat hij het wel lastig vindt mij te respecteren, al probeert hij zijn tegenzin aanvankelijk te verhullen. Hij glimlacht altijd en is beleefd, maar hij komt nooit 's ochtends op kantoor, als alle andere verslaggevers arriveren. Vaak negeert hij deadlines en stuurt de artikelen pas als het hem uitkomt. Uit dit soort signalen maak ik op dat ik weliswaar zijn plek heb ingenomen, maar dat hij nog altijd zijn eigen baas is. Gelukkig komt hij wel opdraven op de redactiebijeenkomst die ik op mijn tweede dag heb belegd, en toont hij zich behulpzaam door aan te geven welke reporters aan welke artikelen kunnen werken.

Nadat ik iedereen eropuit heb gestuurd om aan hun artikelen te beginnen, besteed ik het grootste deel van de dag aan het bewerken van een artikel dat Najma heeft geschreven over de psychologische impact van het eten van verschillende soorten voedsel. In het hele stuk wordt geen enkele bron opgevoerd. Als ik naar de redactiezaal ga om haar te vragen even te overleggen, gaan haar ogen wijd open van angst.

'Wees maar niet bang!' zeg ik, mijn lachen onderdrukkend. 'Ik probeer je alleen maar te helpen.'

Zuhra komt haar meteen geruststellen: 'Wees niet bang,' zegt ze terwijl ik Najma naar de vergaderzaal leid. 'Je wordt alleen maar geholpen.'

Ik leg de trillende Najma uit dat we moeten weten waar de informatie uit haar verhaal vandaan komt, zodat de lezers kunnen inschatten hoe betrouwbaar de informatie is. Als we aanvoeren dat paranoten een positieve uitwerking hebben op de gemoedstoestand, moeten we in staat zijn een wetenschappelijk onderzoek of een ziekenhuis te citeren waaruit iets dergelijks blijkt.

Dit is helemaal nieuw voor haar. Ze leek te denken dat alleen al het feit dat de woorden in een krant worden afgedrukt er gezag aan zou verlenen. Zo werd wel vaker gedacht. Een van mijn grootste uitdagingen bij het werken met Jemenitische journalisten is dat ze te goed van vertrouwen zijn, te zeer geneigd te geloven wat hen wordt gezegd. In een diepreligieuze samenleving als deze wordt kinderen aangeleerd alles aan te nemen wat hen wordt verteld, zonder er vraagtekens bij te plaatsen. De keerzijde daarvan is dat ze vaak niet geneigd zijn hun beweringen te onderbouwen. Ik moest een jarenlang ingesleten gewoonte zien te veranderen.

De rest van de dag besteed ik aan het bewerken van andere verhalen over de gezondheid en beschrijvingen van de verkiezingen, en aan een gebrek aan artikelen voor op de voorpagina. Farouq is nog altijd op pad en hij is onze belangrijkste politieke verslaggever. Er is niemand die hem kan vervangen. De nieuwelingen hebben geen van allen contacten in de politiek en weten niet wie ze moeten bellen om citaten of ideeën te verzamelen, en de vrouwen zijn druk bezig met hun stukken over cultuur en gezondheid.

Pas later op de middag, nadat ik door een hoosbui was gerend om een expositie met batikkunst in de buurt van het Duitse Huis te verslaan, kom ik uiteindelijk Faris voor het eerst tegen. Dat verheugt me, want ik heb hem ondertussen heel wat te vragen, zo wil ik het hebben over het terugbetalen van mijn vliegticket. Ik geef hem het flossdraad uit de VS waar hij om had gevraagd, en hij verheugt zich eveneens. Hij onthaalt me met een paar hartelijke welkomstwoorden, dat hij me nu als familie beschouwt en dat ik als ik iets nodig heb, geld of wat dan ook, bij hem langs moet komen. Hij heeft vippasjes voor me om de verkiezingen te verslaan, en kan voor hotelkamers zorgen, zegt hij, wat naar ik hoop betekent dat ik op reis kan om de opiniepeilingen te verslaan (wat er allemaal nooit van zal komen). Ook heeft hij een telefoon voor me, maar die wordt nog opgeladen, en niemand weet welk nummer hij heeft, dus dat komt morgen op het werk wel. Insjallah.

☪

NA DEZE ONTMOETING keer ik terug naar het werk om een onleesbaar verhaal van Hassan aan te passen. Ondanks het feit dat Hassan mijn eerste lessen had bijgewoond, begon elke alinea van zijn verhaal met een bronvermelding. Met de telefoon van Luke bel ik hem en zeg dat het zo niet langer kan. 'Voordat je me weer een tekst geeft, moet je ervoor zorgen dat je niet al je zinnen begint met "volgens" of "hij zei". Hassan, een lieve en respectvolle man, bedankt me hartelijk en zegt dat hij hoopt dat we het vaker over dit probleem kunnen hebben.

Mijn dag begon om acht uur en ik vertrok die avond niet voor elf uur. Salem rijdt me naar huis, waar ik in de kleine suite in de studentenwoning van Sabri nog enkele artikelen afrond en ondertussen wat wortels met hummus opeet, de eerste echte maaltijd die ik die dag zie. Ik was een gegarandeerd afslank-programma op het spoor gekomen: neem een krant over in een arm, matig onderlegd, islamitisch land en de ponden vliegen eraf.

$$☪$$

DE VOLGENDE DAG, mijn derde werkdag, voltooien we mijn eerste nummer. Dat kost me negentien uur. Toch zit ik daar niet mee, zelfs niet met die over-weldigende hoeveelheid werk. Als je boven in de boom zit, kun je met geen mogelijkheid eerder vertrekken of iets niet oplossen. Er hangt iets zeer bevre-digends aan deze volledige overgave, het sluit alle andere keuzes uit. Ik zal deze krant verbeteren of anders erbij neerstorten. Er is niets wat me afleidt. Ik heb geen vriendje, want ik heb zojuist een turbulente knipperlichtrelatie in New York beëindigd. Het ontbreekt me aan tijd om buiten mijn werk om sociale contacten te onderhouden en er zijn geen andere deadlines. Ik kan mij met alle ziel en zaligheid aan de krant wijden. En dat is nodig ook.

Om zes uur word ik wakker en wandel naar het werk. Mannen staren me aan als ik voorbij wandel – het is niet gebruikelijk dat vrouwen alleen lopen, vooral niet met blauwe ogen en onbedekt haar – maar meestal reageren ze vriende-lijk. Overal waar ik me begeef, roepen de mensen: '*Welcome to Yemen!*' en '*I love you!*'. Ik ben ermee opgehouden mijn haar af te dekken nadat ik besefte dat het voor de hoeveelheid aandacht die ik trok niet uitmaakte en omdat Jemenieten me bleven vragen: 'Waarom dek je je haar af? Je bent een wester-ling!' De ochtend is heerlijk koel en fris. De mensen in Sana'a staan niet echt vroeg op, dus voor een uur of elf is het niet druk op straat.

Als de vrouwen binnenkomen, raadpleeg ik Zuhra, die meer en meer mijn rechterhand wordt, en stuur Najma en Noor eropuit om een demonstratie van Japans bloemschikken te verslaan. Dat is geen echt nieuws, maar het is een goede manier om hen eraan te laten wennen buiten het kantoor verslag uit te brengen. Ik heb hen er met hun tweeën op uitgestuurd, zodat ze zich niet alleen met een man in een auto hoeven te verplaatsen. De reputatie van een vrouw kan schade oplopen als ze in haar eentje met een mannelijke taxi-chauffeur wordt gezien. Er is geen chauffeur van de *Yemen Observer* beschik-baar, dus moet ik het geld voor de taxi met veel gevlei bij de dokter zien los te peuteren, die zich heel standvastig verzet tegen alle pogingen om de toegewe-zen hoeveelheid rials af te geven.

De dokter. Iedereen is doodsbenauwd voor deze grote brildragende man, die geen dokter is, maar degene die de administratie en de financiën regelt. Hij verstrekt met mondjesmaat de salarissen, is elke ochtend aanwezig en fun-geert als de ijzeren vuist voor Faris. De dokter praat niet, hij schreeuwt. Hij schreeuwt naar Enass de secretaresse, hij schreeuwt naar mijn verslaggevers, en hij schreeuwt, daar valt niet aan te ontkomen, naar mij. Geschreeuw in de redactiekamer wijst overigens niet altijd op ongenoegen. Veel van de mannen schreeuwen uit gewoonte. Vaak loop ik door het kantoor en meen een dikke ruzie te horen, terwijl de mannen niks anders tegen elkaar zeggen dan: 'Wat heb jij een prachtige nieuwe auto! Waar heb je die vandaan! Hé, wil je nog wat van deze qat? Hij is heerlijk!' Maar als de dokter schreeuwt is er wel iets aan de hand.

Tot nu toe probeert hij aardig tegen me te zijn, dus krijg ik het geld voor de taxi voor de vrouwen. Ik moet Faris maar eens aan zijn mouw trekken om het vervoer van de verslaggevers te regelen. Daar hebben ze zelf niet genoeg geld voor. Ik verbaas me erover dat Faris zijn medewerkers vaak niet voorziet van de meest belangrijke zaken. Mijn reporters krijgen geen visitekaartje, telefoon of perskaart en ze moeten zelfs hun eigen notitieblokken en pennen kopen. Al kunnen ze zich dit soort zaken met hun salaris van honderd tot tweehonderd dollar per maand niet veroorloven. Geen wonder dat ze twee weken met een notitieblok doen. Ik koop een stapel van die boekjes voor ze. Ik zou ook telefoons voor ze gekocht hebben, ware het niet dat ik daar niet genoeg salaris voor heb.

Ik ben de hele ochtend bezig met het bewerken van de panoramapagina, een verzameling hoofdartikelen uit andere Jemenitische kranten, en met Najma's artikel over een cursus waarin vrouwen leren omgaan met geld. Het is een interessant verhaal, maar ze heeft met geen enkele deelneemster van de workshop gesproken, alleen met de docent. 'Je had minstens met vijftien vrouwen moeten spreken,' zeg ik. 'Met hun eigen verhalen zou het een interessant artikel worden.' Te laat voor dit nummer, ik moet in dit nummer een heleboel laten lopen. Maar Najma lijkt het te begrijpen. Dus. Je moet ergens beginnen. De hele dag schrijf ik en bewerk ik teksten, zonder onderbreking, behalve dan die twintig minuten dat ik samen met Zuhra naar de Jordaanse broodjeswinkel loop. 'Je moet er even uit,' zegt ze. Terug op het werk helpt Zuhra uit te zoeken op welke pagina's nog artikelen ontbreken. Farouq is nog altijd niet opgedoken, dus hebben we nog niets voor op de voorpagina of de pagina met plaatselijk nieuws. Ik probeer het hoofd koel te houden. Ik bel Ibrahim op zijn werkplek thuis en vraag hoe het met de verkiezingspagina staat, waarna hij me twee artikelen mailt en belooft tegen de avond een derde te sturen. Al-Asaadi zegt minstens een verhaal voor de voorpagina te schrijven. We hebben duidelijk meer medewerkers nodig.

Tegen lunchtijd komt Luke de deurpost binnenzwaaien, de opwinding valt van zijn hoofd af te lezen. 'Heb je het al gehoord?' zegt hij. 'De Crocodile Hunter is overleden.'

'Nee! Steve Irwin?'

'Ja.'

'Waaraan is hij doodgegaan, een krokodil?'

'Een pijlstaartrog. Recht door zijn hart.'

'Jezus.'

'Dus: voorpagina?'

'Heel goed. Iets anders hebben we niet.'

'Het is beslist wereldnieuws.'

Luke komt vaak mijn kantoor binnenvallen, om wat te praten of nieuws uit te wisselen. Een halfuur later komt hij binnenlopen met een enorme pot met een geelbruine vloeistof. 'Ik heb per ongeluk voor dertig dollar honing gekocht,' zegt hij.

'Per ongeluk?'

'Nou, ik was samen met Al-Asaadi en toen waren we bij die vent waar hij zijn honing meestal haalt, dus bestelde ik ook wat, maar ik wist niet dat het zoveel zou zijn! Of dat het dertig dollar zou kosten.' Hij kijkt wanhopig naar de enorme pot in zijn hand. 'Het is genoeg voor minstens een jaar.'

'Tja,' zeg ik, 'dan zul je toch moeten leren bakken.'

'Honing uit Jemen moet je niet gebruiken om te bakken! Daar is het veel te bijzonder voor.'

'Het kan geen echt goede honing uit Jemen zijn,' zegt Zuhra, die net komt binnenwandelen. 'Als het echt goede honing was, zou je er tachtig dollar voor hebben moeten betalen. Minstens.'

Later die middag steekt Al-Asaadi zijn hoofd om de hoek van de deur. 'Wat dacht je ervan als we deze keer zonder voorpagina verschenen?'

Ik haal mijn schouders op. 'Voor mij hoeft het niet per se.'

Maar achter al dit soort praatjes gaat een toenemende paniek schuil. Hoe later het wordt, hoe meer we artikelen van de ene pagina naar de andere verschuiven. We hebben onvoldoende plaatselijk nieuws, dus stel ik voor om een verhaal van de achterpagina naar de pagina met plaatselijk nieuws te verschuiven en dat ik vlug een stuk over de batikexpositie schrijf dat het verhaal op de achterpagina vervangt. Het is eindeloos veel makkelijker om zelf een verhaal te schrijven, dan een van hun verhalen aan te passen. Ik voel me hier ietwat schuldig over, maar niet al te veel. Het is maar een enkele tekst.

☪

OM EEN UUR OF DRIE vertrekt Zuhra, want zij en de andere meisjes moeten voor het donker thuis zijn. Ze baalt dat ze me alleen moet laten en vreest dat ik het zonder haar niet zal redden.

'Het is al goed,' zeg ik zonder enige overtuiging. 'We zouden ook zonder voorpagina kunnen uitkomen.'

Ze kijkt me bezorgd aan.

'Misschien moet je even gaan zwemmen,' zegt ze.

Ik lach. 'Vandaag niet,' zeg ik, gebarend naar de stapel pagina's die ik nog moet redigeren. 'Morgen.'

☪

OM EEN UUR OF VIER keert Al-Asaadi na een lange lunchpauze terug en gooit een handvol qat naast mijn computer. 'Dat zal helpen,' zegt hij. Nu ik dreig in te zakken, doe ik wat hij zegt. De qat smaakt extra bitter en de glimmende blaadjes zijn moeilijk te kauwen. Maar ik stel me voor dat Al-Asaadi weet waar hij de beste qat kan kopen en neem aan dat het uitstekend spul is. Dat moet het wel zijn, want ik knap meteen op. Met hernieuwde moed schrijf ik in nog geen uur een verhaal van 955 woorden over de batikexpositie. Geen wonder dat iedereen zoveel van deze drug houdt.

Ik sla het verhaal op en ren naar boven om samen met Mas, de vroegrijpe, negentienjarige fotograaf van de krant, de foto's uit te zoeken. Als ik terugkeer, ligt er weer een nieuwe stapel te bewerken artikelen op mijn bureau. Ibrahims verkiezingsverhalen houden niet over, na het redigeren zijn ze half zo lang. Mijn verslaggevers herhalen zichzelf tot vervelens toe.

Rond tien uur 's avonds, als ik eindelijk begin in te storten van de qat, komt het avondeten. We eten allemaal buiten op de binnenplaats, waar we rond een tafel staan vol roti en borden *fasooleah* (bonen), eieren, ful, kaas en thee. Als wolven vallen we op het eten aan. Ik ben de laatste die de tafel verlaat, opgelucht, met een handvol brood bij me.

Ik heb weer energie. Dat komt goed uit, want er is nog veel te doen. Het tempo waarin Luke en ik bestanden uitwisselen neemt toe. Ik redigeer artikelen, waarna hij ze nog eens controleert, ik ze weer op de pagina doorlees en hij ze nog een laatste keer onder ogen krijgt. Vanaf het moment dat ik er ben gearriveerd, om halfnegen 's ochtends, totdat ik er vertrek, vroeg in de volgende ochtend, heb ik geen voet buiten het gebouw gezet. Toch heb ik het zo druk dat de dag voorbij is voor ik het weet. In die eerste weken schoot vaak door mijn hoofd, elke keer als mijn verslaggevers met een vraag bij me kwamen, dat iemand anders er ook nog naar moest kijken. Een hogergeplaatste. Maar langzaamaan begint tot me door te dringen dat ikzelf de enige ben die verantwoordelijk is.

☪

OM DRIE UUR hebben we, o wonder, ineens een voorpagina. En een pagina met plaatselijk nieuws. En een verkiezingspagina, een gezondheidspagina, een pagina met rapportages, een panorama en een Midden-Oostenpagina en opiniepagina. Ineens ligt er zowaar een complete krant! Allemaal geven we elkaar een high five en zeggen: '*Mabrouk!*' (gefeliciteerd!). Na een korte euforie dringt de verschrikkelijke waarheid tot me door: we zullen het hele proces weer opnieuw moeten beginnen. Over zes uur klinkt het startschot al.

ZEVEN

mijn jemenitische schaduw

Zuhra heeft me geadopteerd. Ook al is ze drieëntwintig en ben ik in principe oud genoeg om haar moeder te kunnen zijn. Als ze er niet opuit is voor een artikel, wijkt Zuhra geen seconde van mijn zijde en vraagt me wat ik nodig heb. Een verhaal voor op de achterpagina? Het telefoonnummer van de minister van Buitenlandse Zaken? Een lunch? Ze zorgt ervoor dat ik het krijg. Als ik naar de kleine supermarkt aan het eind van ons blok loop, op zoek naar lucifers, melk en pinda's, laat ze me niet vertrekken voordat ze in het Arabisch een boodschappenlijstje voor me heeft geschreven, ook al ben ik al aardig in staat om in het Arabisch te vragen wat ik wil hebben.

'Zuhra, ik heb al een moeder!' protesteer ik. 'Echt, ik red me wel.'

'Het moederschap is een gevoel,' zegt ze. 'Met leeftijd heeft het niks te maken.'

Als anderen een kopje thee voor me proberen te zetten of met me mee willen lopen naar de broodjeswinkel, reageert ze pinnig: 'Je bent van mij, Jennifer. Ik ben degene die voor je zorgt.'

Alle vrouwen moeten voor het donker thuis zijn, zodat hun werkdag vroeger eindigt dan die van de mannen, om een uur. Maar in de loop van het jaar valt dat einde steeds later, totdat de vrouwen om drie uur vertrekken, soms zelfs tot vijf uur blijven. Zuhra laat me 's avonds met angst en beven achter, vooral als ik een nummer afrond. Ze wil er zijn om me te kunnen helpen. Als ik na de eindeloze sluiting van de eerste krant op het werk verschijn, staat Zuhra me op te wachten. 'Ik kan tot drie uur bij je blijven!' kondigt ze aan met de opwinding van iemand die net een Nobelprijs heeft gekregen.

Er gaat veel tijd overheen voordat ik goed begrijp hoeveel het voor Zuhra betekent om überhaupt in de burelen van de *Yemen Observer* aanwezig te zijn, en nog veel later begrijp ik pas wat haar onwaarschijnlijke reis naar mij betekent.

De andere verslaggevers pesten haar om haar positiviteit en noemen haar de Schaduw van Jennifer. Ze draagt beslist de juiste kleren voor haar rol. Ook haar zusters, zegt ze me naderhand, plagen haar met haar pas aangeboorde passie voor haar werk. 'Wanneer ga je met Jennifer trouwen?' vragen ze. Zuhra vertelt me dit pas maanden later, omdat ze vreest dat ze erop zinspelen dat ik lesbisch ben en ik me daardoor beledigd zou voelen.

Ze zit even enthousiast achter verhalen aan als ze achter mij aan zit. Terwijl Noor en Najma zich slechts schoorvoetend buiten het kantoor begeven en steun zoeken bij elkaar, trippelt Zuhra er in haar eentje vandoor. Ze neemt de *dabaabs* (kleine bussen) die door de hele stad rijden, loopt, of krijgt een vriendin zover om haar een lift te geven. Als ik me geen raad weet voor een verhaal voor op de achterpagina, weet Zuhra er altijd wel een te vinden. Scharrelend in de kleine straatjes van Oud Sana'a komt ze met een verhaal over, bijvoorbeeld, de verdwijning van de Jemenitische lantaarns genaamd *fanous*, die worden vervangen door elektrische lampen. Zuhra's zoektocht naar verhalen in de souqs van Oud Sana'a resulteert ook in artikeltjes over sieraden en modegrillen, de voortdurende illegale handel in jambiya's met de hoorn van de neushoorn en de toenemende voorkeur voor Indiase boven Jemenitische waren.

Nog beter is ze in het opsporen van verhalen voor op de voorpagina. Ik wil graag minimaal vijf artikelen per voorpagina, wat altijd op het laatste moment een heel gedoe is. Als ik hard nieuws nodig heb, gaat Zuhra naar de rechtbank. Of de straat op. Of waar ze ook maar nieuws kan vinden waarmee ze triomfantelijk bij me kan komen aanzetten.

☾★

STUKJE BIJ BEETJE kom ik achter het eigen verhaal van Zuhra. Pas laat in de herfst, als Zuhra en ik in mijn mafraj over haar teksten liggen gebogen waarmee ze tot een hogeschool hoopt te worden toegelaten, slaag ik er ten slotte in de puzzelstukjes van haar leven tot een overzichtelijk geheel samen te voegen. Dit is een andere Zuhra dan de kleine zwarte schaduw die me in het kantoor achtervolgt. In een lichtblauw joggingpak en met het haar in een paardenstaart ziet ze eruit als een westers meisje dat zich op een zaterdagmiddag ontspant. Ik probeer niet te staren. Hoewel ik haar een aantal keren zonder abaya en sluier heb gezien, ben ik er nog steeds niet aan gewend de contouren van haar lichaam te aanschouwen, de slierten haar die voor haar donkere ogen vallen.

We zitten zij aan zij op mijn rood en goud gekleurde kussens, terwijl de lage namiddagzon door de gebrandschilderde vensters naar binnen valt, waardoor de kamer vrolijk oplicht. Voor ons staat mijn laptop en langzaam nemen we haar aanmelding door. In het verhaaltje over zichzelf beschrijft ze de lange strijd met haar familie om een opleiding te krijgen en een loopbaan. Haar Engels is nog steeds warrig, dus nemen we de tekst regel voor regel door. Ondertussen legt ze uit hoe ze bij de *Observer* is terechtgekomen.

'Mijn vader is gestorven toen ik tien was.' Hierom draait het hele verhaal. Daarmee begint alle leed, haar worsteling en het biedt de verklaring voor haar eenzaamheid. 'Ik word gedeprimeerd omdat mijn leven onevenwichtig is,' zegt ze. 'Er zijn geen mannen in mijn leven.'

Haar vader, Sultan, verloor zijn eigen vader toen hij twaalf was en vertrok in zijn eentje naar de havenstad Aden, die toen deel uitmaakte van Zuid-Jemen. Hij was een socialist, een opstandeling tegen de Britten en een voorstander van de eenwording. In Aden, vertelde Zuhra, belegde hij vele geheime vergaderingen. Toch is Zuhra over dit deel van zijn leven weinig te weten gekomen. Nadat hij trouwde en scheidde van een nicht, ontmoette Sultan de moeder van Zuhra, Sadira, een tienermeisje dat bekend stond om haar schoonheid, afkomstig uit het dorpje waar hij was opgegroeid, Ammar in het gouvernement Ibb. Ze trouwden. Maar ze begon zich steeds meer zorgen te maken over de politieke activiteiten van haar man en de veiligheid van haar gezin. Nadat de eerste drie kinderen waren geboren, verhuisde het gezin naar het noordelijker gelegen Sana'a en kreeg Sultan een baan bij het waterbedrijf van de regering.

Zuhra is de vijfde van acht kinderen, waarvan er twee zijn overleden. Een was een miskraam en de ander stierf een paar jaar na de geboorte. De overgebleven zes hebben goed contact met elkaar. Zuhra aanbidt haar oudste broer, Fahmi, van vijfendertig, die in Brooklyn woont, en haar zussen zijn haar beste vriendinnen. Hun vroege jeugd was idyllisch, zegt Zuhra. 'Mijn vader behandelde de jongens en meisjes als gelijken. Hij benadrukte dat de jongeren respect voor de ouderen hadden, niet dat de meisjes respect moesten tonen voor de jongens. Misschien dat we het daarom soms moeilijk hebben in ons leven, vanwege de opvoeding van onze vader. Daarom hebben we moeite met de beperkingen die de samenleving ons oplegt. Hij baalt ervan dat we een sluier dragen.'

Omdat Sultan nooit in de gelegenheid is geweest zijn eigen opleiding te voltooien, vond hij het uiterst belangrijk dat zijn kinderen een opleiding kregen. 'Hij probeerde wanhopig om ons allemaal te laten studeren,' zegt Zuhra. 'Hij wilde dat Fahmi dokter zou worden. Hij was heel bijzonder. Hij heeft echt voor ons gevochten. Het was een erg moderne man.'

Bijna alle broers en zussen van Zuhra hebben een universitaire opleiding gevolgd, behalve Ghazal, die nog op school zit, en Shetha, die jong is getrouwd. Maar Shetha mocht alleen trouwen op voorwaarde dat ze haar studie kon voltooien. Sultan wees veel huwelijkskandidaten af die om de hand van zijn dochters kwamen vragen. 'Hij schreeuwde naar ze en zei: "Ben je wel goed bij je hoofd? Ze zijn te jong! Ze moeten eerst hun school afmaken!",' zegt Zuhra. 'Hij beschermde ons, zonder autoritair te zijn.'

Alles stortte ineen toen Sultan tijdens een bezoek aan zijn geboorteplaats aan een hartaanval overleed.

'Hij bezocht een begrafenis van een jonge nicht van me. Waarna hij stierf, alleen,' zegt Zuhra. 'Hij ging er in zijn eentje heen en omdat hij nauwelijks werd behandeld – zijn broers hebben hem niet naar een ziekenhuis gebracht – is hij gestorven. Ze logen en zeiden dat onze tante was overleden en dat we naar het dorp moesten komen. Toen we daar aankwamen, wisten we allemaal dat onze vader was overleden. Hij stierf zonder iemand aan zijn zij, zelfs zijn broers waren er niet. Het was echt verschrikkelijk.

Gedurende twintig dagen sprak mijn moeder geen woord. Ze huilde dag en nacht. Ze sliep niet. We waren allemaal bang dat ze dood zou gaan. Dat wist ze. Ze hield het vol omdat ze meende dat de ooms haar de kinderen anders zouden afnemen, dus vermande ze zich. Zij en Fahmi.'

Als Jemenitische vrouwen en meisjes geen vader of echtgenoot hebben, zijn ze overgeleverd aan hun ooms of broers. Vrouwen mogen de teugels van hun eigen leven niet in de handen hebben. Deze Jemenitische nadruk op het beheersen en verdedigen van vrouwen is het gevolg van het belang dat er in de samenleving aan de *sharaf* (eer) wordt gehecht. Voor een Jemenitisch stamlid is niets zo belangrijk als zijn eer. Eer is een gemeenschappelijke zaak, maar ook een zaak van het individu. Als een man te schande wordt gemaakt, dan wordt zijn hele stam te schande gemaakt. Een belediging van de eer wordt *ayb* genoemd, wat schande of eerverlies betekent. Eer is een kwetsbare zaak, de eer van een man hangt sterk af van zijn vrouwen en dochters. Als een dochter zich misdraagt, beschadigt ze de eer van haar vader, vooral als het seksueel wangedrag betreft. Daarom doen mannen er goed aan hun vrouwen nauwkeurig in de gaten te houden.

Dus zonder Sultan en zonder haar oudste broer, Fahmi, die werk had gevonden in de Verenigde Staten, was Zuhra overgeleverd aan haar ooms. Toen ze zeventien werd, zei ze hen dat ze medicijnen wilde studeren. Onmogelijk, zeiden ze haar botweg. Ze overtuigden haar op een na oudste broer, Aziz, om Zuhra te verbieden de opleiding te volgen. Volgens Zuhra waren haar ooms jaloers op haar omdat ze zo slim was en zo goed presteerde op school en hun zoons niet even goed presteerden. Zelfs haar moeder, Sadira, die achter de opleiding van haar dochter had gestaan, legde zich erbij neer.

De ooms verhinderden niet alleen dat Zuhra medicijnen ging studeren, maar ze wilden haar naar geen enkele universitaire opleiding laten vertrekken.

'Volgens hen zou een hoogopgeleide vrouw geen man kunnen krijgen en opstandig worden. Dat vrezen de meeste Jemenitische mannen,' zegt ze. 'Ze zeggen dat meisjes door colleges verdorven raken en daardoor niet kunnen trouwen.'

Dus studeerde ze in het geniep en verborg haar schoolboeken in tijdschriften, zodat haar familie niet zou zien dat ze medische boeken las. Op de dag van het toelatingsexamen, hulde ze zich in een sluier en sloop stiekem naar buiten. Ze rondde het examen met een bonkend hart af, bang als ze was om ontdekt te worden. 'Ik herinner me nog dat ik tijdens het examen op mijn horloge keek en me net Assepoester voelde, omdat ik vreesde dat ze zouden merken dat ik daar zat.' Een paar dagen later hoorde ze dat ze een van de negenentwintig mensen was die tot de medische studie was toegelaten.

Haar familie was woest. Onmiddellijk verboden haar broers en ooms van vaderskant haar om te gaan. Zuhra was zo wanhopig dat ze overwoog om de colleges stiekem bij te wonen. Maar ze wist dat ze uiteindelijk gepakt zou worden en de smoezen voor haar uitjes zouden makkelijk kunnen worden doorzien.

En zo begon de meest trieste periode van haar leven. Ze was zo boos op haar familie dat ze besloot geen woord meer te zeggen. 'Een heel jaar lang werd ik in huis opgesloten. Door te zwijgen, verzette ik me tegen hen. Ik werd ziek en balanceerde op het randje van de dood, waardoor meer mensen me gingen steunen. Deze mensen wisten dat als mijn vader nog had geleefd, hij achter me had gestaan.'

'In deze periode heb ik over veel dingen nagedacht en veel ontwikkeld. En veel verloren. Een van de dingen die ik heb geleerd, is dat ik weet hoe ik sterk moet zijn. En dat je er soms alleen voorstaat,' zegt ze. 'En ik merkte hoe erg het was dat mijn vader dood was, want als hij nog had geleefd, was dit niet gebeurd. Dus ik leerde hoe ik sterk kon zijn en emotioneel van niemand afhankelijk.'

Een van de dingen die Zuhra in deze periode van haar leven kwijtraakte, was het geloof en vertrouwen in haarzelf. Tot op de dag van vandaag wordt ze door onzekerheid gekweld.

'Ik heb het gevoel dat ik een tweederangs mens ben, dat ik er niet toe doe. Omdat niemand zich om mij heeft bekommerd, wat echt pijn doet,' zegt ze. 'Ik weet dat het niet aan mij ligt dat ik niet kan studeren, maar ik begon het mezelf te verwijten.'

Al snel gaf Zuhra al haar gewone activiteiten op. Ze mocht niet werken. Ze begon te denken dat ze een vreselijk mens was.

'Het leek wel een gevangenis. Als je een actief mens bent, slim en van alles met je leven wil doen, en je wordt vervolgens keihard tegengehouden...'

'Ik kan me nog herinneren dat ik op een dag wat vuilnis naar buiten bracht. Ik had gezien hoe mijn vrienden die dag naar hun college gingen en merkte hoe erg het is als je het gevoel hebt niks waard te zijn. Ik wist dat ik slimmer was dan zij, maar daar liep ik, beladen met vuilnis.'

Ze voelde zich niet meer in staat zich onder de mensen te begeven, vreesde dat anderen haar waardeloos zouden vinden en hulpeloos. Daarom loog ze soms zelfs en zei dat ze geen colleges wilde volgen, alleen maar omdat niemand dan zou denken dat andere mensen zeggenschap over haar hadden.

Op het dieptepunt, ontmoedigd en verlaten door haar vrienden, werd ze gelovig, op een andere manier dan voordien.

'Ik kreeg een nieuwe relatie met God. Ik bad in mijn eentje. Ik ontdekte dat er iemand naast me stond, waardoor ik me sterk voelde. Ik begon te beseffen dat ik er niet alleen voor stond, ik voelde dat er tenminste iemand was die om me gaf en merkte hoe belangrijk het was om te geloven. Op een dag was het donker in de kamer en ik had zoveel pijn dat ik bijna was ingestort, waarna ik begon te bidden en gewaarwerd dat er iets stond te gebeuren. Ik herinner me dat ik eerst bad dat iedereen die me pijn had gedaan naar de hel zou gaan. Toen drong tot me door dat ik dat niet wilde. Ik vergaf het iedereen. Dat heb ik ook tegen God gezegd. Ik wilde alleen maar mijn opleiding voltooien, de rest maakte me niet uit. Ik werd me ervan bewust dat het me er niet om ging tegen deze mensen te bidden. Toen ik dat deed, voelde ik me sterker worden.'

Omdat hij zag dat Zuhra zo achteruit ging, overtuigde een van de ooms van moederskant haar andere ooms ervan dat ze samen een poging moesten ondernemen om met Aziz te praten, zodat hij Zuhra naar school wilde laten gaan. Een van deze ooms had een religieuze geleerde geraadpleegd, die had gezegd dat het verboden was om haar ervan te weerhouden een opleiding te volgen als ze dat wilde.

Eerst had Aziz geweigerd. Hij wilde niet toegeven dat hij het bij het verkeerde eind had. Tegen die tijd ging het erg slecht met de gezondheid van Zuhra. Ze was vermagerd, voelde zich vaak zwak, had oogproblemen gekregen en last van allergieën. Haar familie vreesde het ergste voor haar.

Uit angst gaf Aziz toe. 'Hij zei dat ik leek te sterven en dat hij niet wilde dat mij iets zou overkomen.'

Zuhra wilde nog altijd medicijnen studeren, maar haar broer zei dat daar geen sprake van kon zijn. Als ze toch zo graag een universitaire opleiding wilde volgen, zou ze een lerarenopleiding moeten doen, wat passender was voor meisjes.

Nauwelijks gelovend dat ze mocht gaan, begon Zuhra college te lopen, met Engels als hoofdvak. Toch bleef ze worstelen, want ze vond dat ze gedwongen was een studie te doen waarvoor ze niet vrijwillig had gekozen. Het enige waar ze voor koos was het Engels. 'Ik koos dit vakgebied omdat ik wist dat ik me daarmee mondiger zou maken,' zegt ze. 'Mijn meeste dagboeken zijn in het Engels, want dan kan ik vrijuit spreken. En via het Engels kreeg ik toegang tot een andere cultuur waar ik benieuwd naar was.'

In sociaal opzicht had ze het moeilijk tijdens haar studie. Veel van haar medeleerlingen waren conservatiever dan zij en hadden starre ideeën over hoe ze zich moesten kleden, hoe ze moesten studeren en een mening moesten verkondigen. Maar Zuhra weigerde zich te laten intimideren. Tijdens de lessen voerde ze vaak het woord en durfde ze de discussie aan te gaan met de hoogleraar. Ze werkte koortsachtig, vreesde voortdurend dat haar broer van gedachten zou veranderen en haar van school zou halen.

Ondanks het feit dat ze een opleiding volgde om leraar te worden, had Zuhra nachtmerries over dat beroep. 'Ik herinner me dat ik na het afstuderen dag en nacht bad om geen leraar te hoeven zijn. Maar het viel niet mee om ander werk te vinden.'

Toen haar een plek als onderwijzer op een school werd aangeboden, raakte ze in paniek en bekende haar angsten aan haar broer Fahmi. De school stond onder leiding van religieuze fanatiekelingen van de Islah (Hervormde) Party, zegt ze. 'Ze dringen hun opvattingen aan anderen op en ik vertelde Fahmi dat ik daar een geweldige hekel aan had.'

Volgens haar helpende oudere broer moest ze doen wat haar hart haar ingaf. Maar ze kende geen alternatief voor het lerarenvak. Haar loopbaankeuzes werden ingeperkt door het feit dat haar familie niet wilde dat ze met mannen werkte.

Omdat ze niet wist wat ze moest doen, stelde Zuhra een zo goed mogelijk curriculum vitae samen en voegde daar de volgende opmerking aan toe: 'Ik weet dat ik er niet de opleiding voor heb, maar ik heb alles in me om te slagen.' Waarna ze op zoek ging.

Met dit papier in de hand stapte Zuhra het kantoor van de *Yemen Observer* binnen. Dat was de eerste plek waar ze een poging waagde.

Bij de receptie nam Enass haar curriculum aan en zei dat ze hem aan Al-Asaadi zou laten zien. 'Ik wachtte. Al-Asaadi kwam binnen. Je kent hem, hij probeert graag indruk te maken. Maar ik herinner me nog goed dat ik erg brutaal was en hij zei tegen me: wat wil je worden? En ik zei dat ik aan de slag wilde als journalist, zo niet dan wilde ik vertaler worden.'

Al-Asaadi zei dat hij met Faris zou overleggen. Zuhra had er weinig vertrouwen in. Niet alleen ontbrak het haar aan ervaring, maar ze was ervan overtuigd dat haar familie haar niet zou toestaan journalist te worden. 'Ik was doodsbenauwd. Net als toen ik colleges ging volgen. Het was net zo belangrijk voor me.'

Ze was zich er niet van bewust hoeveel indruk ze op Al-Asaadi had gemaakt, die onmiddellijk inzag hoeveel mogelijkheden ze had. 'Journalistiek is niet zozeer een baan, het is een passie,' zei hij. 'Zuhra had die passie. Al meteen die eerste keer dat ik haar ontmoette, zag ik hoe graag ze wilde werken. Bovendien was ze niet bang toe te geven dat ze veel zaken nog niet wist, wat bij mannelijke verslaggevers zelden voorkomt. Zuhra kon je helemaal overstelpen met vragen, maar daardoor kreeg ze haar werk sneller onder de knie dan anderen.'

Toen Al-Asaadi haar vertelde dat ze aangenomen was, maar dat ze zowel 's avonds als 's ochtends moest werken, schrok ze zich een ongeluk. Ze vertelde hem dat ze 's avonds niet kon werken. 'Volgens hem kon ik dan geen goede journalist zijn. En ik vond dat hij gelijk had. Ik kan niet werken als ik niet de hele tijd beschikbaar ben.'

Maar een week later gebeurden er twee dingen. Al-Asaadi besloot dat hij Zuhra toestond alleen 's ochtends te werken en Aziz besefte hoeveel deze baan voor Zuhra betekende. 'Mijn broer zei: "Ik vertrouw als een blinde op je".'

Ze ging aan de slag. De eerste horde was dat ze haar angst om met mannen te praten moest overwinnen. Niet omdat ze verlegen was – Zuhra niet! – maar omdat ze vreesde dat mannen haar niet meer zouden respecteren als ze zagen dat ze met andere mannen sprak. Zuhra had zich niet eerder buiten haar familie onder mannen begeven. 'Vanaf het begin van mijn loopbaan werd ik achtervolgd door de nachtmerrie dat ik een vrouw was. Mannen zeggen niet openlijk dat we het werk niet aankunnen, dat doen ze achter onze rug om en onder mekaar.' Ik knik. Ik heb dat zien gebeuren.

'Toen ik met mijn werk begon, voelde ik me net een gehandicapte, want dat wordt van een Jemenitische vrouw verwacht. Nog moeilijker was het om in zo'n conservatieve samenleving mannen te interviewen. Het was een lastige tijd voor me. Ik verzette me tegen de vele ideeën over de rol van een vrouw die ik bleek te hebben overgenomen.'

Toen Zuhra bij de *Observer* arriveerde, hoorde ze geruchten over de vrouwen die er in dienst zijn. 'Ze verpesten hun reputatie door met mannen te werken,' werd er gefluisterd. Een vrouw ging zelfs zo ver dat ze met mannen sprak en lachte. 'Volgens de mannen was dat geen goede vrouw en had ze buiten haar werk verhoudingen met mannen. Daar ben ik bang voor,' zegt Zuhra. Ze bedacht strikte regels voor zichzelf om roddels te voorkomen. Nooit lachte ze met mannen. Nooit gaf ze haar telefoonnummer. Nooit stapte ze bij mannen in de auto. 'Ik wilde dat niemand iets negatiefs over me zou zeggen,' zegt ze. 'Ik stond doodsangsten uit in die periode.'

Haar nervositeit nam slechts langzaam af. 'Ik weet niet wat me overkwam toen jij arriveerde, maar je neemt een deel van mijn angst weg,' zegt ze. 'Ik vroeg je naar objectiviteit. Als je gelooft in wat je doet, ontleen je daar veel kracht aan. Want ik weet wat journalistiek teweeg kan brengen en welke functie het heeft.' Ze kwam erachter dat niet zij het was die zich moest schamen, maar alle anderen die het haar moeilijk maakten om haar prachtige roeping te volgen.

Tegelijkertijd worstelde Zuhra met de beginselen van de journalistiek. 'Ik had geen echt rolmodel. Ik wist niet wat goede journalistiek inhield,' vertelt ze me. 'Daar kwam ik achter toen jij hier arriveerde. Weet je nog wat ik je eerst heb verteld? Het was een echte eyeopener toen je me zei dat we objectief moesten zijn. Ik nam het aan toen je zei dat mensen je dan [als je objectief rapporteert] zullen geloven.'

Zuhra heeft een instinctief wantrouwen voor partijdige media, want ze haat het wanneer andere mensen haar zeggen wat ze moet doen. Ze krijgt liever alle feiten zo afgewogen mogelijk onder ogen, zodat ze haar eigen mening kan vormen, dan dat ze een redactioneel commentaar leest.

Dus toen ik voor haar begon te definiëren wat objectieve journalistiek was, voelde ze zich meteen tot dat idee aangetrokken. 'Het lijkt me de hoogst mogelijke vorm van denken,' zegt ze. 'Nadat ik jou ontmoette, begon ik te overwegen om naar de Columbia University Graduate School of Journalism te gaan, en begon mijn droom vorm te krijgen.'

ACHT

ontvoering, wilde vlucht en zelfmoordbomaanvallen

Op een zondagnamiddag krijgen we bericht over de ontvoering van Franse toeristen in het gouvernement Shabwa. Eerst horen we dat er vijf mensen zijn ontvoerd, later vier. Vervolgens horen we dat het om maar twee Fransen gaat. Dan dat het drie Fransen zijn en een Duitser. Zo staat het ervoor met de verslaggeving in Jemen.

We weten in elk geval wel wie de ontvoerders zijn: de Al-Abdullahstam. De ontvoering is het gevolg van een langlopende onenigheid met de naburige Riyadstam. De Al-Abdullahstam heeft afgelopen december ook al vijf Duitsers ontvoerd. Blijkbaar heeft de regering zich niet aan de beloften gehouden die ze had gedaan om die Duitsers vrij te krijgen, zodat de stamleden enkele Fransen te pakken namen om hun teleurstelling te benadrukken. Voordat ik naar Jemen kwam, heb ik veel over de ontvoeringen gehoord, want het was een van de weinige zaken die westerlingen over de omgeving leken te weten. 'Ben je niet bang dat je zult worden ontvoerd?' was een van de eerste vragen die mensen me stelden. Als ze tenminste al van Jemen hadden gehoord.

Ik was niet bang dat ze me zouden kidnappen. De meeste ontvoeringen hebben niets te maken met vijandigheid tegenover buitenlanders. Stamleden zien toeristen slechts als handig wisselgeld in hun geschillen met de overheid. Dus nemen ze soms een stuk of twee konvooien gevangen om de overheid onder druk te zetten om bijvoorbeeld een school te bouwen, of de drinkwatervoorziening te verbeteren. (Mijn ouders, want zo zijn ouders, vreesden dat ik zou worden ontvoerd. Toen ik uitlegde dat mijn ontvoerders in ruil voor mij misschien alleen maar een moskee of school wilden hebben, waren ze bang dat ze zich niet een heel gebouw konden veroorloven. 'We kunnen een stopbord betalen,' zeiden ze. 'Vertel ze dat maar.') Vrijwel alle van de ongeveer tweehonderd toeristen die de afgelopen vijftien jaar in Jemen zijn gekidnapt zijn vriendelijk door hun ontvoerders behandeld en ongedeerd vrijgelaten, al zijn er enkele uitzonderingen. In 1998 werden zestien westerlingen ontvoerd door een groep genaamd de Aden-Abyan Islamic Army. Tijdens een mislukte reddingsactie van de Jemenitische overheid sneuvelden vier van hen. In 2000 kwam een andere toerist om het leven, eveneens ten gevolge van een schietpartij tussen overheid en ontvoerders. 'Als ik ooit word ontvoerd', zei ik tegen Al-Asaadi, 'zorg er dan voor dat de overheid geen pogingen onderneemt me te redden.'

Een andere reden waarom ik me weinig zorgen maak over ontvoeringen, is dat ze zelden voorkomen bij buitenlanders die zich in Sana'a bevinden. De meeste aanvallen vinden plaats op toeristen die in opvallende konvooien door verafgelegen delen van het land trekken, regio's met stammenconflicten.

Nu de Al-Abdullahstam de aandacht van de overheid heeft, vragen ze in ruil voor de Franse toeristen, om de vrijlating van enkele opgesloten stamleden. Om me op gang te helpen, geeft Al-Asaadi me tien artikelen die hij het afgelopen jaar over het onderwerp heeft geschreven. Ook tekent hij een kaart van de gebieden van de stammen en hun geschillen, die jaren geleden begonnen met de moord op een aantal leden van de Al-Abdullahstam. Het duizelt me.

In Jemen leven honderden stammen, die een wezenlijk deel uitmaken van de Jemenitische politiek en het Jemenitische leven. De stammen worden voornamelijk van elkaar onderscheiden op basis van het gebied waarin ze wonen. Voor 1990, toen Jemen in Noord- en Zuid-Jemen was onderverdeeld, hebben zowel de Britten als de communisten, in een poging een meer samenhangende samenleving te scheppen, geprobeerd de stamverbanden in het zuiden te verzwakken. Maar in het noorden bleven de stamverbanden sterk. President Saleh behoort tot de Sanhan, een Hashidische stam uit de buurt van Sana'a. De stamverbanden van de Hashid en Bakilstammen behoren tot de sterkste van het land. Maar hoe groter de afstand tot Sana'a, hoe minder de invloed van Saleh op de stamleden. Bij het oplossen van conflicten over land, klachten of ruzie over natuurlijke hulpbronnen, is de plattelandsbevolking veel meer geneigd om naar de eigen stamoudsten te luisteren, sjeiks genaamd, dan naar de regering. Sjeiks fungeren als woordvoerders van hun stam, ze bemiddelen in conflicten, zorgen ervoor dat partijen elkaar op passende wijze schadeloos stellen en oefenen politieke invloed uit. Zo moeten oliemaatschappijen in Jemen vaak zowel afspraken maken met de overheid, als met de sjeiks van de stammen die het land bezitten waarop ze werken. Doen ze dat niet, dan kan het gebeuren dat hun gebouwen plotseling worden omringd door woedende, met AK-47's uitgeruste stamleden.

De meeste Jemenieten voelen zich meer verbonden met hun stam en familie dan met hun land. Elke keer als ik met mijn verslaggevers in een taxi plaatsneem, is het eerste waar ze achter proberen te komen bij welke stam onze chauffeur behoort. Het handigst hierin is Mohammed al-Matari, mijn meest ervaren verslaggever. In nog geen drie minuten nadat hij in een taxi zit, kent hij de stam, de geboorteplaats en de familie van de chauffeur. Voordat het gesprek kan worden voortgezet, moet dit alles bekend zijn.

☪

IK KAN NIEMAND VINDEN die tijd heeft voor de ontvoeringszaak, dus als Farouq – de belangrijkste politieke verslaggever van de krant – voor het eerst sinds mijn aankomst het kantoor komt binnenlopen, barst ik bijna in huilen uit van vreugde. Ik moet me inhouden hem niet te knuffelen, zijn gezicht ziet bleek van het verdriet over zijn overleden dochter. Zijn huid zit strak op zijn schedel gespannen. Farouq is zo mager als een skelet en elke keer als ik hem zie, ben ik geneigd hem een boterham aan te reiken. 'Het spijt me voor je, Farouq,' zeg ik. 'Ik vind het heel erg wat je hebt meegemaakt.'
De tranen staan hem in de ogen. 'Ja, er is me iets vreselijks overkomen,' zegt hij, niet in staat me aan te kijken.
'O, wat spijt het me voor je.'
Op zijn mobiele telefoon laat hij me foto's zien van zijn pasgestorven dochtertje en kust het kleine scherm. Ik vraag hem of hij langer vrij wil hebben, maar hij zegt dat hij aan het werk wil. We bespreken de verhalen die ik nodig heb en hij zegt: 'Maak je geen zorgen over de voorpagina. Ik zorg voor de voorpagina. Dat is mijn specialiteit.'
Uiteraard zit er een addertje onder het gras. Farouq schrijft alleen in het Arabisch en al zijn verhalen moeten worden vertaald. En goede vertalers hebben we niet. Bashir en Talha doen hun best wel, maar vaak begrijp ik niets van het resultaat van hun inspanning. Ik zal in elk geval een vertaler in dienst moeten nemen. Als Faris dat tenminste goed vindt.
Farouq vraagt me om de Franse ambassade te bellen, want ik ben de enige in het gebouw die Frans spreekt. Ik spreek zowel de ambassadeur als de perswoordvoerder, maar ze hebben geen nieuwe informatie. Dus neemt Farouq contact op met zijn bronnen bij de veiligheidsdiensten in het gebied zelf en het grootste deel van het verhaal krijgen we van hen.
Uiteindelijk ben ik degene die het verhaal schrijft, waarbij ik me baseer op de aantekeningen van Farouq en de achtergrondinformatie van Al-Asaadi en slaag erin om het diezelfde dag om kwart over tien 's avonds op de website te plaatsen. Heel opwindend allemaal, maar liever was ik naar het zuiden afgereisd om echt verslag uit te brengen vanuit het gebied waar de ontvoering heeft plaatsgevonden. Het valt niet mee om aan het kantoor gebonden

te zijn en de berichtgeving te organiseren. Geen enkele andere verslaggever kan eropaf. Niemand heeft een auto, genoeg geld om er te komen, of – en dat is het belangrijkst – de drive om er persoonlijk verslag van te doen. Geen enkele verslaggever heeft aangegeven graag een poging te willen ondernemen om de mensen daar persoonlijk te interviewen. Maar hoe zouden we anders de waarheid over de ontwikkelingen boven water kunnen krijgen?

Ik kom erachter dat de waarheid in Jemen lastig te achterhalen is. Twee dagen na de ontvoering komen in Ibb, een stad op enkele uren rijden van Sana'a, in een op hol geslagen menigte bij een van de verkiezingsbijeenkomsten van Saleh, 51 Jemenieten om het leven. Zoals gebruikelijk fluctueert het aantal slachtoffers waarover wordt gesproken in de loop van de dag sterk, van honderden tot enkele tientallen. Zowel de *Yemen Observer* als de *Yemen Times* hebben het over meer dan zestig doden, totdat de persdienst van de regering officieel verkondigt dat er 51 slachtoffers zijn.

Wat er precies is gebeurd, hangt af van de krant die je leest. Wij melden dat de paniek wordt veroorzaakt door het te grote aantal mensen dat in het stadion bijeen was, want er waren honderdduizend mensen in een ruimte bedoeld voor half zoveel mensen. De uitgangen stonden slecht aangegeven en toen de mensen zich na afloop van de toespraak van Saleh naar buiten spoedden, hebben ze elkaar onder de voet gelopen. De *Yemen Times* schrijft dat er tweehonderdduizend mensen in een ruimte zaten die bedoeld is voor tienduizend. De mensen zouden zijn platgedrukt toen de hekken die waren geplaatst om de menigte in bedwang te houden het begaven, waarna mensen zouden zijn vertrapt toen de menigte over de gevallenen heen liep. Terwijl er volgens andere verslagen honderdvijftigduizend mensen in het stadion zaten. De waarheid is moeilijk te vatten.

Als Farouq aan de ambtenaar in Ibb die belast is met de veiligheid vraagt hoe dergelijke voorvallen in de toekomst zijn te voorkomen, haalt de man zijn schouders op. 'Er zal geen verkiezingsbijeenkomst meer worden gehouden,' zegt hij. 'Dus daar hoeven we ons niet druk over te maken.'

Ik verbaas me over de nonchalante fatalistische houding van de Jemenieten over de ramp. Van op hol geslagen menigten, auto-ongelukken, ontvoeringen en terroristische aanvallen lijkt zelden iemand wakker te liggen en ze vormen geen aanleiding om de samenleving eens kritisch onder de loep te nemen. In New York zou paniek in een stadion tot grote openbare verontwaardiging leiden, een roep om strengere veiligheidsmaatregelen en manieren om menigten in bedwang te houden, maar niets van dit alles in Jemen. Misschien gaan ze er eenvoudigweg vanuit dat alle rampen de wil zijn van Allah. Jemenieten dragen bijvoorbeeld zelden een veiligheidsgordel. Als het volgens Allah tijd is om te gaan, dan is het zover.

President Saleh geeft een officiële verklaring uit waarin hij zijn condoleances overbrengt en de getroffen families geld toezegt. De overledenen noemt hij 'martelaren van de democraties'. De oppositiepartijen proberen meteen te profiteren van de gebeurtenis en schuiven Saleh de schuld in de schoenen. Volgens hen had hij de veiligheid uit het oog verloren en bovendien groepen studenten per bus vanuit scholen naar de bijeenkomst laten vervoeren om hem te steunen, wat de drukte had vergroot en waardoor hij jonge mensen in gevaar had gebracht.

De ramp volgde op een kleinere, maar vergelijkbare paanieksituatie in Ta'iz, dat op tweehonderdveertig kilometer ten zuiden van Sana'a ligt, waar vier of vijf mensen om het leven waren gekomen. Verschillende kranten maakten melding van een derde voorval, in Zinjibar in het gouvernement Abyan in het zuiden, waar volgens de geruchten vijf of zes mensen zouden zijn gestorven, maar dit werd door woordvoerders van de regering ten stelligste ontkend. Er waren mensen omgekomen bij een auto-ongeluk, niet door paniek in een menigte.

De ontvoeringen en de op hol geslagen menigten, gebeurtenissen die vlak na elkaar plaatsvonden, wezen er nog eens op dat het bijna onmogelijk was om feiten aan de Jemenitische overheid of andere bronnen te ontfutselen, al hoeft dit misschien geen verbazing te wekken in een cultuur waarin men meer op het geloof afgaat dan op empirische bewijzen.

Farouq bleef bezig om beide tragedies uit te zoeken. Uit eigen ervaring weet ik dat dit soort grote verhalen goed helpen bij het van je afzetten van verdriet. In elk geval tot de deadline.

☪

DE ONTVOERINGEN leveren voor ons in elk geval iets goeds op: Karim, een Belgisch-Tunesische fotograaf die een freelance opdracht voor *Paris Match* heeft. Als ik met een lange lijst met verzoeken – een verblijfsvergunning, meer medewerkers, visitekaartjes, wc-papier – bij het kantoor van Faris aanklop, tref ik Karim daar aan. Hij is groot, heeft donker krullend haar en ondeugende ogen, het is misschien wel de meest aantrekkelijke persoon die ik sinds mijn aankomst in Jemen heb ontmoet. Plotseling ben ik me hevig bewust van mijn slordige vlechten en de kleren van een oude vrijster die ik draag.

Karim hoopt de ontvoerde toeristen op de foto te kunnen zetten, dus blijft hij in Jemen tot ze worden vrijgelaten. Ik wil onmiddellijk met hem meegaan, maar Faris vertelt me in bewoordingen die niets aan onduidelijkheid overlaten dat ik mezelf niet in gevaar moet brengen. 'Misschien kun jij voor ons verslag uitbrengen,' zeg ik tegen Karim. Niemand lijkt zich zorgen te maken over de mogelijkheid dat de ontvoerden iets overkomt. Volgens de bron van

Farouq krijgen ze goed te eten. Jemen zal geen militair geweld gebruiken om ze vrij te krijgen en een nieuwe sjeik is begonnen met de onderhandelingen.

Ik blijf in het kantoor hangen tot Faris me uitnodigt om samen met hen te dineren. 'Volgens Faris neemt hij me mee naar een of ander vijfsterrenrestaurant,' zegt Karim.

Ik lach. 'Dat kan alleen maar Zorba's zijn.'

☾★

WE KIEZEN EEN TAFEL bij het raam, waarbij we uitkijken over de drukke Hadda-straat. Ik kom erachter dat Karim overal is geweest. Hij is als *embedded* fotograaf meegereisd met Amerikaanse soldaten in Afghanistan, is op pad geweest met de taliban, heeft foto's gemaakt van de oorlog in Irak, en heeft hoofdartikelen geschreven over het nachtleven van Beiroet. Van alle landen die hij heeft bezocht, is Jemen het mooist, zegt hij. Tot het imponerende curriculum vitae van Karim behoren freelanceklussen voor de *The New York Times, Time, Newsweek,* de *International Herald Tribune, Geo* en verschillende Duitse tijdschriften. Hij is van plan volgende maand terug te keren naar Afghanistan als embedded fotograaf, om daar mee te gaan bij een nachtelijke aanval op de taliban.

'Je bent niet goed bij je hoofd,' zegt Faris.

'Dat is wat je noemt verantwoordelijke journalistiek,' zegt Karim.

Ik zou hem wel als medewerker kunnen gebruiken. Hij vertelt me verhalen over hoe hij in de bergen opium rookte met de taliban. Op een ochtend werd hij wakker en ontdekte dat hij geen sokken meer aanhad, waarna hij te weten kwam dat de talibanstrijders ze voor hem aan het wassen waren. Ik ben onder de indruk van zijn gebrek aan angst en met enige spijt vrees ik dat mijn sokken waarschijnlijk nooit door de taliban gewassen zullen worden.

Vervolgens gaat het gesprek over de ontvoeringen in het zuiden. Hoewel Faris niet zozeer inzit over mijn persoonlijke veiligheid in Jemen, maakt hij zich wel zorgen over het geweld dat er bij de komende verkiezingen zou kunnen uitbreken, waar westerlingen weleens het doelwit van zouden kunnen zijn. Jemen biedt onderdak aan talloze extremistische groeperingen, waaronder Al Qaida, die de afgelopen jaren sterker zijn geworden.

'Jennifer,' zegt Faris. 'Zou je je woning voortaan alsjeblieft niet elke ochtend op hetzelfde tijdstip willen verlaten?' Voorspelbaarheid maakt je kwetsbaar voor terroristische aanslagen. Ook op de website van het ministerie van Buitenlandse Zaken van de VS wordt dit geadviseerd. Maar als ik alles wat op die website staat ter harte had genomen, zou ik nooit zijn vertrokken.

Toch heb ik weinig aansporingen nodig om mijn route te variëren, om me niet te vervelen loop ik geen twee dagen achter elkaar door dezelfde straten.

Hierdoor raak ik vaak de weg kwijt en doe ik er een halfuur langer over, alleen maar om te proberen een hoofdweg te bereiken. Maar ik ben in elk geval niet voorspelbaar.

'Faris,' zeg ik terwijl we opstaan om te vertrekken, 'ben je bang dat Al Qaida me zal komen halen als ze erachter komen dat de krant door een New Yorkse wordt geredigeerd?'

Hij aarzelt. 'Ik vermoed van niet.'

☪

AL QAIDA HEEFT BLIJKBAAR strategisch belangrijker doelen op het oog dan mij. Het is vrijdag, onze enige vrije dag, als er nieuws is. Verschillende olie-installaties zijn door leden van Al Qaida aangevallen en Faris wil dat het verhaal meteen op de website komt. In het zuiden, bij een fabriek in Al Dhaba, reden twee terroristen met een auto vol explosieven op volle snelheid op een olieopslagtank af, behorend bij de belangrijkste exportterminal voor de Golf van Aden. Voordat ze hun doel hadden bereikt, waren bewakers erin geslaagd om de bommen tot ontploffing te brengen, waarbij een van de beveiligingsmedewerkers het leven liet. Nog geen uur later reden twee wagens vol explosieven af op het olie-inzamelingspunt en de olie- en gasscheidingsinstallatie in het gouvernement Ma'rib. Bewakers schoten op de mannen en toen de autobommen explodeerden, kwamen alleen de aanvallers om het leven. Bij geen van de aanvallen werden de installaties beschadigd, maar ze vormen er een dramatisch bewijs van dat Al Qaida weer overeind gekrabbeld is.

Al Qaida in Jemen was ontstaan na islamitische militaire operaties in andere landen. In de jaren tachtig overspoelden Jemenieten Afghanistan om daar de Sovjet-Unie te bestrijden en in de jaren negentig bleven velen van hen daar hangen om te trainen. Anderen keerden terug naar Jemen, waar ze in 1994 een burgeroorlog uitvochten tegen de 'goddeloze socialisten' in het zuiden. Osama bin Laden, wiens vader in Jemen was geboren, rekruteerde Jemenieten om in Afghaanse trainingskampen te worden opgeleid. Na de Amerikaanse invasie in Irak, in 2003, reisden grote aantallen Jemenieten naar dat land om er tegen de Amerikaanse troepen te vechten.

Tot ver in de jaren negentig hielden terroristen vast aan een afspraak die ze met de overheid hadden gemaakt dat ze naar Jemen konden uitwijken en zich in Jemen vrij konden bewegen, op voorwaarde dat ze zich binnen dat land zouden onthouden van aanvallen. Maar tegen het eind van het decennium begonnen militante groepen, gefrustreerd door de onderhandelingen van de overheid met de Verenigde Staten over het recht om in Jemen militaire bases in te richten, in het zuiden opleidingskampen op te zetten en overheidsgebouwen aan te vallen. En in oktober 2000 voerde een groep Al Qaida-veteranen in de haven van Aden een aanval uit op de USS *Cole*, waarbij ze zeventien Amerikaanse zeelieden om het leven brachten. Twee jaar later vormde de MV *Limburg*, een Frans schip, het doelwit. Deze twee aanvallen zetten de Jemenitische regering ertoe aan om, met steun van de Verenigde Staten, tegen de terroristen op te treden. In 2003 was bijna honderd man gearresteerd.

Maar Al Qaida bleef groeien, binnen en buiten Jemen. De aanvallen van 11 september 2001 op de Verenigde Staten brachten Al Qaida onder de aandacht van het publiek. Voor die tijd was de terroristische organisatie verhoudingsgewijs onbekend. Maar door de massale aandacht na de aanvallen werd het een wereldwijd bekende naam. Waarna elke zichzelf respecterende terroristische groepering met islamitische banden en met het streven het Westen op de knieën te dwingen claimde deel uit te maken van Al Qaida.

In de hoofdgevangenis van de Politieke Beveiligingsorganisatie (een van de binnenlandse inlichtingendiensten van Jemen) in Sana'a bleven enkele belangrijke Al Qaida-leiders plannen uitbroeden. Op 3 februari 2006 ontsnapten 23 gevangenen, waaronder enkele die hadden deelgenomen aan de aanvallen op de *Cole* en de *Limburg*, door een tunnel naar de Al-Awqaf Moskee. Sinds die ontsnapping heeft Al Qaida in Jemen verschillende terroristische aanslagen gepleegd op westerse en Jemenitische overheidsdoelen, als laatste de aanslag van vandaag op de olie-installaties. Al-Asaadi doet verslag van het verhaal en we halen de deadline van die avond.

Het is pas mijn tweede week bij de krant en we hebben al ontvoeringen, op hol geslagen menigtes en zelfmoordaanslagen meegemaakt. Dit is het paradijs voor een nieuwsjunkie.

NEGEN

de frontlinie van de democratie

Ik moet nog wennen aan mijn nieuwe rol. Op een avond op een feest om het Ethiopische Nieuwjaar te vieren zegt iemand dat ik de nieuwe vriendin van Luke ben. Vlug corrigeert Luke hem. 'Ze is niet mijn vriendin,' zegt hij. 'Ze is mijn baas.'

Dat hoor ik graag. Ik ben nooit de baas van iemand geweest. Tenminste, ik vind dat goed klinken tot we die avond terugkeren en ik me weer aan het werk moet zetten, dat ik eerder die dag op mijn bureau heb laten liggen.

Zelfs zonder de recente rampen is er geen gebrek aan nieuws. Ik heb nauwelijks de tijd om me te verdiepen in de complexiteit van de Jemenitische politiek of ik word ondergedompeld in de verslaggeving van de presidentiele verkiezingen van 20 september. De verkiezingen vormen een uitstekende gelegenheid om mijn verslaggevers het belang van eerlijke en onpartijdige verslaggeving bij te brengen. Bijna even belangrijk is mijn poging om de lezers van de *Yemen Observer* duidelijk te maken dat de krant geen instrument van het regime is. Vanwege het werk van Faris voor de president nemen veel Jemenieten aan dat de krant eenvoudigweg de spreekbuis van de regering is.

Dus let ik er in de aanloop naar de verkiezingen zorgvuldig op dat alle kandidaten aan bod komen. We besteden op de voorpagina twee even grote stukken aan Saleh en Bin Shamlan, de belangrijkste kandidaten, maar voegen ook minstens een verhaal toe over een van de andere kandidaten.

Hoewel het ons aan nieuws dus niet ontbreekt, hebben we wel een tekort aan mensen om erover te schrijven. Ik heb niet genoeg medewerkers om de verkiezingen te verslaan, terwijl tegelijkertijd de gebruikelijke cultuur-, business-, gezondheids- en wetenschapspagina's gevuld moeten worden. Alleen Ibrahim en Farouq lijken in staat politieke verhalen te schrijven, maar ze kunnen niet slechts de voorpagina vullen. Hoe kan ik een revolutie doorvoeren zonder over een leger te beschikken? Als ik hier met een volle redactiekamer had gezeten, had het al een enorm verschil uitgemaakt! Maar Faris schijnt van plan te zijn de krant met zo weinig mogelijk mensen vol te schrijven. Dit stelt me teleur, want het salaris van de verslaggevers kan toch niet het grootste deel van zijn kosten uitmaken. Mijn journalisten verdienen tussen de honderd en tweehonderd dollar per maand en hebben geen ziektekostenverzekering of andere uitkeringen. Hoe kan iemand die in een Porsche rijdt en in een huis woont met albasten ramen om financiële redenen weigeren voldoende medewerkers in dienst te nemen?

Samen met Luke en Zuhra denk ik na over een manier om het tekort aan medewerkers te ondervangen. We besluiten een advertentie in de krant te plaatsen en folders te verspreiden bij de school voor journalistiek aan de universiteit. Al-Asaadi is ertegen, maar waarschuwt me tegen beter weten in. 'Het probleem met het in dienst nemen van medewerkers is dat niemand die afstudeert in de journalistiek Engels kan schrijven,' zegt hij. 'En we kunnen niet voor iedereen vertalers in dienst nemen. Maar als we mensen in dienst nemen die Engels kunnen schrijven, hebben ze geen ervaring in de journalistiek.' Ik heb echt geen keus en zal studenten Engels moeten opleiden. Ik baal ervan dat Jemenieten menen dat als je Engels kunt schrijven, je meteen ook gekwalificeerd bent als verslaggever. Het lijkt niet in ze op te komen dat je voor dit werk ook nog andere vaardigheden nodig hebt.

Daarnaast hebben we problemen met de aanlevering van de kopij. Ik wil dat de verslaggevers hun kopij op de eerste dag van de driedaagse cyclus aanleveren, zodat niet alles op de laatste dag voor de deadline aankomt. Idealiter worden de themapagina's op zaterdag gevuld, de businesspagina's en het nieuwsoverzicht uit de andere kranten en de achterpagina op zondag en alleen de voorpagina, de pagina met plaatselijk nieuws en de verkiezingspagina's – die allemaal het laatste nieuws moeten bevatten – op maandag, de dag dat de krant sluit. Maar dit lijkt niet haalbaar. Ik mag blij zijn als ik halverwege de tweede dag van de cyclus iets ontvang. Dit betekent dat ik me hele dagen zit op te vreten omdat ik niet zeker weet of we genoeg tekst hebben om de krant te vullen.

Ik word er gek van dat Al-Asaadi zich niet bekommert om het gebrek aan orde. Hij lijkt er totaal niet mee te zitten dat alles op het laatste moment arriveert en elke keer als de krant sluit de hele nacht op te moeten blijven. Hij komt zelfs zelden voor acht uur 's avonds binnen, zodat hij er daarmee voor zorgt dat we pas laat zullen sluiten. Op sluitingsdagen werken we nog altijd van acht uur 's ochtends tot drie of vier uur de volgende ochtend. Dan zit ik er helemaal doorheen, en door de onregelmatigheid van het werk val ik vaak niet in slaap. Mijn lichaam heeft geen idee in welke tijdzone het zich bevindt. Mijn mannelijke medewerkers lijken geen enkel probleem te hebben met de onregelmatige werktijden, maar wat wil je, ze werken allemaal op drugs. Elke dag kauwen ze qat. Net als Al-Asaadi haasten ze zich nooit naar huis en hebben ze er geen enkele moeite mee de hele nacht kauwend met hun vrienden op kantoor door te brengen.

'Het pleit niet echt voor hun vrouwen dat ze niet naar huis willen,' zeg ik tegen Luke.

'Nou, als je vrouw geen enkele opleiding heeft genoten, niet kan lezen, zich niet interesseert voor politiek en het alleen heeft over de kinderen en de volgende maaltijd, zou jij je dan naar huis spoeden?' zegt hij.

☪

OP VRIJDAG doet zich een gelegenheid voor om aan mijn broze verhouding met Al-Asaadi te werken en iets meer te weten te komen over de Jemenitische politiek, want hij nodigt me uit voor een qatkauwsessie voor journalisten. De bijeenkomst richt zich op de democratie en de op handen zijnde verkiezingen. Deze groep journalisten komt elke week, op wisselende plekken, bij elkaar om qat te kauwen. Deze week vindt het plaats in de met een tent overdekte mafraj op het dak van het gebouw van de *Yemen Observer*, tot mijn teleurstelling, want ik zit er niet op te wachten nog meer tijd op mijn werk door te brengen. Al-Asaadi pikt me op bij Sabri en als we op het kantoor arriveren, zien we de auto van Faris buiten staan.

'Fantastisch,' zeg ik. 'Hij zal ons aan het werk zetten.'

Ik klim het dak op en neem plaats naast Al-Asaadi. Er zitten tien journalisten in de tent, allemaal mannen. Ze werken voor verschillende mediakanalen, waaronder Al-Jazeera, enkele in het Arabisch verschijnende kranten, een Saudische krant en de *Yemen Observer*. Onderweg heb ik Al-Asaadi gevraagd of de mannen er geen bezwaar tegen hebben dat er een vrouw bij komt zitten. 'Ze hebben er maar al te graag een vrouw bij!' zei hij. Ibrahim, die ik meer en meer als Meneer Voorpagina ga beschouwen, omdat hij heel betrouwbaar bijdraagt aan het volschrijven van de eerste pagina, zit aan de andere kant van me. Geen enkele andere journalist spreekt Engels, maar Al-Asaadi en Ibrahim vertalen het als ik het niet begrijp.

Al-Asaadi heeft qat voor me meegebracht en laat zien hoe ik alleen de meest malse en mooiste blaadjes eruit kan kiezen om op te kauwen. De grote glimmende blaadjes zijn te taai en beschadigen het tandvlees.

Voordat we beginnen, loop ik Faris tegen het lijf, die me apart neemt: 'Jennifer, kauw niet te veel qat,' zegt hij bars. 'Het is niet goed voor je. Er zitten bestrijdingsmiddelen in en het is slecht voor je tanden.'

'Maak je maar geen zorgen,' verzeker ik hem. 'Ik neem nergens te veel van.'

Na wat grappenmakerij gaan de mannen over op serieuze, gerichte gesprekken over de verkiezingen, de *fatwa's* en de democratie.

Volgens de grondwet is Jemen een democratie, met uitvoerende, wetgevende en gerechtelijke organen van de overheid. De president is het staatshoofd en de premier zit de regering voor. Een gekozen parlement met 301 leden en een uit 111-leden bestaande *Shura*, een door de president benoemd raadgevend parlement, vormen de wetgevende macht. In principe is er in Jemen sprake van een scheiding der machten. Er worden regelmatig verkiezingen gehouden voor het presidentschap, het parlement en het plaatselijk bestuur. Er is echt sprake van pluralisme. Voor elke constitutionele verandering is een referendum nodig. Het land is democratischer dan elk ander land op het Arabische schiereiland.

Maar het zit vaak anders in elkaar dan je op het eerste gezicht zou denken.

Hoewel de overheid van Jemen oppervlakkig gezien veel van de middelen heeft om het evenwicht van de drie machten te bewaren, zoals die zijn ontwikkeld in westerse democratieën, is het parlement in de praktijk nauwelijks meer dan een uitvoeringsorgaan. De partij van Saleh, het Algemeen Volkscongres of de Al-Mu'tamarpartij, heeft vrijwel alle macht in handen. Saleh gebruikt het parlement om wetten die hem niet bevallen tegen te houden. De gerechtelijke macht is corrupt en wordt voor politieke doeleinden gemanipuleerd door het regime. Grote beslissingen worden door de president genomen en niet door de ministers. Een kleine leidende elite voorkomt dat beslissingen genomen worden die in het belang zijn van het land, om daarmee hun gevestigde belangen te beschermen. Dure subsidies moedigen bijvoorbeeld de smokkel van olie aan, waarvan corrupte bondgenoten van de president profiteren. De oliesubsidies zijn ook in het voordeel van de grote qatproducenten, waarvan een deel bevriend is met de president, want er worden dieselpompen gebruikt om de oogst te bevloeien.

Er wordt niet aan getwijfeld dat Saleh de verkiezingen zal winnen, maar hij voert campagne met het fanatisme van een underdog. Ik verbaas me over de verbittering en de hatelijkheid waarmee hij zijn opponent bestrijdt. Meent hij werkelijk dat een negatieve campagne nodig is, terwijl de verkiezingen al nagenoeg beklonken zijn?

Toch staat het er tegenwoordig iets minder rooskleurig voor dan bij de verkiezingen van 1999. De op een na belangrijkste partij, Islah, de islamitische hervormingspartij, heeft zich aangesloten bij de Jemenitische Socialistische Partij en andere oppositiepartijen, en vormt nu samen de Partij van de Verenigde Vergadering. De kandidaat voor de presidentsverkiezingen van deze partij is Faisal bin Shamlan, een voormalige olieminister die als centraal campagnethema de bestrijding van de corruptie heeft. Hoewel niemand Shamlan enige kans toedicht, zou het al een hoopvol teken voor de Jemenitische democratie zijn als hij bijvoorbeeld dertig procent van de stemmen krijgt.

De op hun qat kauwende journalisten zijn pessimistisch over de kans dat de verkiezingen helemaal eerlijk verlopen. Saleh heeft bijna een monopolie op de tijd die de media aan de verkiezingen besteden en op financiële bronnen. Alle radio- en televisie-uitzendingen worden door de overheid gecontroleerd en zenden non-stop verslagen uit over Salehs verkiezingscampagne in het land. Zelfs sjeik Abdullah bin Hussein al-Ahmar, de leider van de Hashiden en voorzitter van de Islah Partij steunt op het laatst Saleh: 'Jaag een hond weg, je krijgt een rekel terug,' zegt hij tegen de verslaggevers.

Sommige salafistische geestelijken gaan zover te beweren dat de democratie on-islamitisch is. De ultrabehoudende salafisten vinden dat de islam sinds de dagen van de profeet Mohammed het contact met de oorspronkelijke islam is verloren en willen terugkeren naar een meer zuivere versie van het geloof. 'Het is een onrechtmatige daad om de strijd aan te gaan met de heerser, dat is on-islamitisch,' zegt de geleerde Abu al-Hasan al-Maribi op een verkiezingsbijeenkomst. Uiteraard zendt de regering zijn toespraak uit.

In deze laatste maand voor de verkiezingen is er bijna geen ondergrond meer te vinden waarop het strenge besnorde gezicht van Saleh niet te zien is. Er hangen posters op de muren van de Oude Stad, de etalageruiten, de ramen van auto's en aan de bruggen. Ik begin zo langzamerhand het idee te krijgen dat ik die kerel persoonlijk ken. Volgens mijn verslaggevers zijn de winkeliers die het gezicht van Saleh achter de ramen hangen niet per se fans van Saleh, maar ze willen geen problemen krijgen met de regerende partij.

Ten slotte eindigen de gesprekken over de politiek, waarna het onvermijdelijke Salomonsuurtje met zen-achtige stilte volgt. Ik ben tamelijk terneergeslagen als ik naar het tapijt zit te staren en er verder het zwijgen toe doe. Ik vraag me af of Jemen wel klaar is voor een democratie. Ik vraag me af hoe een grotendeels analfabetische bevolking zonder toegang tot onafhankelijke radio- en televisie-uitzendingen goed geïnformeerde keuzes voor de toekomst kan maken.

☪

ALS ONDERDEEL VAN MIJN INSPANNINGEN om onpartijdige journalistiek te bedrijven, probeer ik te voorkomen dat de advertentieafdeling mijn verslaggevers vertelt waarover ze moeten schrijven. Als ik de advertentieafdeling zeg, doel ik op Qasim, die ik aanvankelijk zo aardig vond. Hij legt voortdurend beslag op een of twee van mijn verslaggevers en stuurt ze eropuit om over een van zijn adverteerders te schrijven, of hij staat in de redactiekamer om een positief verhaal over Saleh erdoor te drukken. Hij snapt niet dat de redactie en de advertentieafdeling van een krant los van elkaar staan. Ik leg hem uit dat hij onethisch te werk gaat, dat er een stevige muur moet zijn tussen de redactie en de commerciële afdeling. 'We verliezen alle geloofwaardigheid als onze lezers denken dat we ergens over schrijven omdat onze adverteerders willen dat we dat doen,' zeg ik. 'Bovendien probeer ik mijn verslaggevers te leren hoe ze te werk moeten gaan en jij brengt ze in verwarring.'

Hij knikt en glimlacht en gaat vervolgens rustig zijn gang en stuurt een van mijn verslaggevers naar een bijeenkomst voor het werven van fondsen voor een van de goede doelen van president Saleh, om er een stuk over te schrijven.

☪

GEDURENDE DEZE INTENSE DAGEN doen zich onvoorspelbare momenten van grote helderheid voor. Op een avond worstel ik me net voor sluitingstijd door enkele verkiezingsverhalen wanneer Luke plotseling mijn kantoor komt binnenrennen. Luke wandelt nooit. 'Jennifer,' zegt hij. 'Kom naar buiten, je moet de maan zien!'

Ik volg hem naar buiten en we staan midden op straat en staren omhoog terwijl de donkere schaduw van de zon over de maan schuift. Een maansverduistering! Farouq sluit zich bij ons aan en daar staan we met open mond en onze blik naar boven. Ik ga naar binnen om Al-Asaadi te halen. We staan op de binnenplaats, ademen de geur van jasmijn in en verbazen ons.

'Bel Mas,' zegt Al-Asaadi. 'Zeg hem dat hij foto's moet maken.'

'Mas is niet thuis,' merk ik op. 'Hij is onderweg met de president.'

'Jennifer,' zegt Al-Asaadi. 'Denk je dat op de plek waar Mas is, geen maan te zien zal zijn?'

☪

OP 11 SEPTEMBER ontwaak ik met betraand gezicht. Ik had niet verwacht dat de verjaardag van de aanvallen op mijn stad alle afschuw en verdriet weer naar boven zou brengen. Overweldigd blijf ik tijdens het douchen, het drinken van een kop koffie en de wandeling naar het werk huilen. Ter ere van het Ethiopische Nieuwjaar (dat op dezelfde dag valt) ben ik helemaal in het wit gekleed, bovendien ben ik de donkere kleuren zat en wil ik mezelf opvrolijken. Ik draag een tot de vloer reikende rok, een wit Indisch shirt, een witte sjaal en, wat in deze stoffige stad erg gewaagd is, witte sokken.

'Je lijkt wel een engel!' zegt Zuhra als ze me ziet. Iedereen becommentarieert mijn kleding, zelfs Al-Asaadi, die me zegt dat wit me goed staat. Al-Asaadi deelt zelden complimenten uit. Zuhra en ik trekken de aandacht als we tijdens de lunch over straat lopen, we zijn volledig tegenovergesteld gekleed. 'Samen zijn we net een pinguïn,' zeg ik. 'Of een non.'

'Of ik ben je schaduw!'

'Dat wisten we al.'

11 september valt op een maandag, de dag dat de krant sluit, dus leidt mijn werk me af van mijn persoonlijke zorgen. Ik erger me een beetje aan de drieenhalfuur durende lunchpauze van mijn verslaggevers. Als ze de pauze zouden inkorten tot een uur of twee, dan zouden we veel eerder klaar zijn. Maar ik weet dat ik dit waanzinnige Amerikaanse idee niet zonder muiterij kan voorstellen.

In een poging om me met de verslaggeving van de verkiezingen bij te staan, bezorgt Al-Asaadi me een nieuwe assistent, een grote, breedgeschouderde jongeman genaamd Jabr. Jabr heeft zijn haar achterovergekamd en droomt ervan om filmster te worden. Tot het zover is, volstaat de *Yemen Observer* ook wel. Hij heeft geen ervaring, maar ik kan het me niet veroorloven om nuttige krachten af te wijzen.

Ik stuur Jabr eropuit om de mening van de mensen te peilen voor de opiniecolumn, waarin vier gewone mensen een vraag beantwoorden zoals: 'Kan er in Jemen een werkende democratie komen?' 'Wat zou u willen dat de president als eerste aanpakt?' of: 'Denkt u dat de nieuwste video die Bin Laden heeft vrijgegeven echt is?' Dit moet niet meer dan een halfuurtje kosten.

Jabr verdwijnt voor lunchtijd en is zes uur lang verdwenen. Ik vraag me net af of hij misschien heeft besloten ontslag te nemen, als hij terugkeert en vertelt dat hij slechts aan drie mensen een citaat heeft weten te ontfutselen en dat het alle drie mannen zijn. Ik had hem expliciet gevraagd altijd twee mannen en twee vrouwen te interviewen.

'Jabr,' zeg ik, 'je bent zes uur weggeweest, en nu zeg je me dat je geen vier mensen hebt kunnen vinden voor een paar vragen? In al die tijd?'

'Sommigen wilden niks zeggen.'

'Dan vraag je het aan anderen.'

'Waar moet ik dan naartoe?' Met zijn grote lijf straalt hij een en al hulpeloosheid uit.

'Loop naar de Algiersstraat. Daar wandelen elke minuut honderden mensen voorbij. Daar zit vast wel iemand bij die zijn mond opendoet. En we hebben vrouwen nodig. Die maken de helft van de bevolking uit. En ik zou graag willen weten wat beide helften van de bevolking te zeggen hebben.' Hier begint representatieve politiek.

Hij knikt en druipt af.

Twee uur later komt hij terug en zegt dat hij niemand heeft kunnen vinden.

Op zich zou Jabr iemand kunnen zijn die traag op gang komt. Luke en ik raken zo gefrustreerd over het feit dat hij zelfs de eenvoudigste opdracht niet kan uitvoeren dat we hem *The Missing Link* gaan noemen. Maar ik kan hem niet ontslaan, we betalen hem al bijna niks, en ik vermoed (al denk ik soms dat het tegen beter weten in is) dat we hem er beter bij kunnen hebben, dan dat er niemand rondloopt.

Een ander probleem is dat de internetverbinding regelmatig uitvalt, meestal op sluitingsdagen, als we hem juist het meest nodig hebben. Op sluitingsdagen mailt Ibrahim me zijn verkiezingsverhalen en alle stukken voor de opiniepagina's. Het nieuws uit het Midden-Oosten krijgen we via internet binnen. Als de verbinding wegvalt, kunnen we de krant niet afronden. Niemand lijkt te weten wat er moet gebeuren. Iedereen lummelt maar wat en klaagt, maar niemand doet iets. Het is de taak van de dokter om het op te lossen, maar hij is ofwel bezig met zijn vier uur durende lunch, of hij komt er niet uit. Hij scheldt wat om zich heen en komt me vervolgens melden dat het probleem is opgelost, wat in de meeste gevallen niet zo is. Alleen een technicus kan ons met het internet helpen, zegt Enass. Maar vaak als we die nodig hebben is hij telefonisch onbereikbaar.

Faris heeft me een leraar Arabisch toegezegd, maar die is nog niet komen opdraven. Ik heb mezelf genoeg van de taal aangeleerd, maar ik heb veel behoefte om de volgende zinnen te leren:

'Geen enkel stopcontact in mijn kamer werkt. Kan iemand ze komen repareren?'

'Kun je me zeggen wanneer de toiletten het weer zullen doen?'

'Nergens in het gebouw komt water uit de kraan.'

'De krant komt niet uit als er niks aan de internetverbinding gebeurt.'

'Wanneer krijg ik nu eindelijk de sleutel van mijn bureaula?'

☪

OP DE VOLGENDE SLUITINGSDAG rondt Zuhra haar artikel voor drie uur 's middags af en verlaat met tegenzin het pand. Het lijkt me dat zij degene moet zijn die ik moet opleiden om na mijn vertrek de krant over te nemen. Dat is een van mijn voornaamste doelen: een opvolger instrueren die mijn werk kan voortzetten als ik afscheid neem. Maar Zuhra is een vrouw en kan niet tot laat in het kantoor aanwezig blijven (en kan waarschijnlijk ook bij de mannen geen respect afdwingen). Ik ben er vroeg bij om over een opvolger na te denken, maar het kan de rest van het jaar kosten om iemand voldoende op te leiden. Om drie uur 's nachts zijn we nog altijd aan het werk, ook al kan ik de woorden op de pagina nauwelijks meer onderscheiden. Ik geef het laatste artikel voor de voorpagina aan Samir, onze opmaker, en ik sta op het punt om mijn spullen te pakken en ervandoor te gaan als ik Al-Asaadi de pagina's die ik al heb afgerond, zie bewerken. 'Ik verplaats alleen maar een paar pagina's,' zegt hij. Hij blijkt enkele essentiële krantenkoppen over de verkiezingen te hebben gewijzigd, geen enkele zonder fouten. Ik ben ervan overtuigd dat zijn reden om deze veranderingen aan te brengen dezelfde is als die van een hond om tegen een lantaarnpaal aan te plassen. Maar ik moet nu wel blijven tot hij ermee klaar is, ik ben degene die de laatste blik op de krant werpt voordat hij wordt gedrukt. Zuchtend zet ik mijn tassen weer op de grond en pak de pagina's die hij heeft bewerkt erbij voor nog een bewerking.

☪

DE DAGEN VOORAFGAAND aan de verkiezingen loopt de krant vlug vol met nieuws. Het begint nu tot me door te dringen welke risico's het met zich mee-brengt om alles tegelijk te willen veranderen. Ik heb geprobeerd de krant op tijd de deur uit te krijgen, medewerkers aan te nemen, verslaggevers op te leiden, de hele krant te bewerken, zelf enkele stukken te schrijven en tegelij-kertijd het respect van alle medewerkers te verdienen. Maar hoewel ik meer en meer merk dat mijn doelen niet haalbaar zijn, ben ik er nog niet achter hoe ik aan een ding tegelijk bezig kan zijn of wat er als eerste moet gebeuren.

Ik heb onvoldoende tijd om bij mijn verslaggevers te zitten als ik hun artike-len herschrijf en uitleg hoe ze het beter kunnen doen. Dus ben ik erg blij dat ik alle drie de teksten over gezondheidszaken vroeg genoeg binnenkrijg om met Najma, Bashir en Talha door te nemen wat eraan ontbreekt. Om te begin-nen met Bashir, die over de toenemende snelheid waarmee het poolijs smelt heeft geschreven, zonder melding te maken van twee grote onderzoeken die zojuist door NASA zijn verricht. Ik wil voor elkaar krijgen dat mijn verslagge-vers alle belangrijke achtergrondverhalen lezen voordat ze erover gaan schrij-ven. Maar ze willen het niet en lijken het belang ervan niet in te zien. Farouq heeft het regelrecht geweigerd, omdat hij vindt dat als hij er zelf verslag van doet, het niet nodig is om te weten wat alle anderen erover zeggen. Als ik hem uitleg dat hij een beter artikel kan schrijven als hij op de hoogte is van de hele achtergrond, zegt hij me eenvoudigweg dat ik die achtergrondverhalen dan maar moet lezen en de tekst zelf moet aanvullen.

De productie verloopt traag deze week, omdat alle medewerkers wel even vrij hebben genomen om voor een ziek familielid te zorgen. De moeder van Al-Asaadi is door een slang in haar voet gebeten, waardoor een cyste is ont-staan die niet wil genezen. De moeder van Bashir is ziek. De broer van Farouq ligt in het ziekenhuis. Net als de vrouw van Hakim, die maagproblemen heeft. We hebben voor ons laatste nummer voor de verkiezingen ook problemen met een liefdesverklaring die de minister van gezondheid aan president Saleh heeft geschreven. Faris staat erop dat wij hem in de krant opnemen, omdat dit volgens hem tot gevolg zal hebben dat ambtenaren met ons willen spreken en voor ons willen schrijven. Hij staat er bovendien op dat hij op de achterpagina verschijnt, die hij als de belangrijkste pagina beschouwt. Dit alles krijg ik via Al-Asaadi te horen.

'Geen denken aan,' zeg ik. 'De achterpagina is niet bedoeld voor opiniestukken.'

'Dan moet jij hem dat maar uitleggen.' Al-Asaadi is niet bereid om met Faris ergens over in discussie te gaan.

Ik ren naar boven en leg Faris uit waarom een opiniestuk op de opiniepagina thuishoort, die over het algemeen als de meest invloedrijke pagina wordt beschouwd.

'Dat is hier anders,' zegt Faris. 'Hier is de achterpagina de meest belangrijke.'

'Echt waar?'

'Arabieren lezen van rechts naar links. Dus Arabieren zullen als vanzelf eerst de pagina die voor jou de achterpagina is gaan lezen.'

Daar had ik nog niet aan gedacht. 'Maar het is een in het Engels geschreven krant. En zelfs als het zo is, gaat het ten koste van onze geloofwaardigheid als we opiniestukken op andere pagina's plaatsen,' zeg ik. 'Opinies en nieuwsberichten horen apart te worden gehouden.'

Ten slotte stelt Faris een compromis voor. 'Je mag het artikel op de opiniepagina plaatsen,' zegt hij, 'als je er op de voorpagina met een kleine foto naar doorverwijst.'

'Afgesproken!' zeg ik, zeer in mijn nopjes.

Ik ren weer naar beneden. 'Hij komt op de opiniepagina,' zeg ik tegen Al-Asaadi, die me vol verbazing aankijkt.

Het stuk van de minister, zo blijkt, is niks waard. Al-Asaadi loopt vast bij het vertalen ervan en zit kreunend achter zijn computer. 'Jennifer,' zegt hij, 'weet je hoe het voelt als je gedwongen bent om iets te eten waarvan je moet kokhalzen? Dat ben ik nu aan het doen.' De zwaar bewerkte tekst wordt vervolgens aan Luke doorgegeven, die er eveneens mee worstelt. En daarna moet ik er nog het nodige aan veranderen. Allemaal hebben we het er moeilijk mee.

Tegen het eind van de middag komt Faris langs met zijn vriend Jalal. Ze hebben lange witte jurken aangedaan en zijn onderweg naar een qatkauwsessie.

'Faris,' zeg ik met gespeelde ernst, 'je moet niet te veel qat kauwen. Er zitten bestrijdingsmiddelen in en het is slecht voor je tanden.'

'Maar ik ben een Jemeniet!' zegt hij ter verdediging. 'Terwijl jij zwak en teder bent.'

'Zwak?' zeg ik en toon mijn biceps.

Faris knijpt in mijn arm en is het met me eens dat er niks zwak aan is. 'Maar als ik je gezicht zie, moet ik denken aan meditatie en rust,' zegt hij. 'Alsof je een vredige engel ziet.'

Luke lacht zo hard dat hij zich bijna verslikt. 'Kom om twee uur 's nachts maar eens terug en kijk dan nog eens.'

☪

OP DE DAG VAN DE VERKIEZINGEN wandel ik naar mijn werk, ondanks alle waarschuwingen dat het voor westerlingen niet veilig is om de straat op te gaan. Zonder een beetje lichaamsbeweging kom ik zo'n drukke dag eenvoudigweg niet door. Als ik niet een beetje energie verbrand, kun je me rond het middaguur van het plafond peuteren. De straten zijn leeg. Alle winkels zijn donker en met stalen hekken afgesloten, op een paar plekken na waar je drinken kunt kopen. Om niet op te vallen, heb ik zwarte kleren aangedaan en draag een zonnebril om mijn blauwe ogen te verbergen, maar wat ik ook doe, ik val toch op. Dat wordt duidelijk als ik op een paar huizenblokken van het kantoor door een man die ik op het trottoir passeer, word uitgenodigd om hem af te zuigen. Wie heeft hem dat in het Engels leren zeggen?

Als ik op het werk arriveer, blijken de poorten dicht en is er niemand aanwezig. Ik klop op de deuren om de bewaker te wekken, maar vergeefs. Mijn God, denkt iedereen dat het vandaag een vrije dag is? Op de dag met het belangrijkste nieuws van het jaar? Het is dan wel een vrije dag voor de rest van het land, maar we werken voor een krant! Mijn medewerkers weten toch wel dat ze moeten komen? Het is niet eens bij me opgekomen dat ik het hen had moeten zeggen.

Wanhopig bel ik Al-Asaadi. Hij heeft geen sleutels, maar pleegt een paar telefoontjes om iemand te pakken te krijgen die me kan binnenlaten. Zonder succes. 'Je moet daar niet voor het gebouw van de krant blijven staan,' zegt hij. 'Dat is niet veilig.'

'Al-Asaadi, ik kan nergens heen!' Ik baal er zo van dat ik tegen het hek schop en tot mijn verbazing zwaait het open. Nu ben ik op de binnenplaats, maar kan nog altijd niet het gebouw in. De welkomstmat waar de sleutel meestal onder ligt, is verdwenen. Dus tik ik op de deur van de hut van de bewaker tot ik hem uiteindelijk weet te wekken. Hij wrijft zich in de ogen, stommelt naar buiten en opent het gebouw.

Ik vrees dat niemand komt opdagen. Normaal zijn de vrouwelijke verslaggevers op dit tijdstip allang gearriveerd. Ook Enass zit nog niet op haar plek achter de balie van de receptie, en de Somalische schoonmaakster is evenmin ergens te bekennen. Dus ben ik geweldig opgelucht als ik Zuhra de binnenplaats op zie komen. 'Zou je iedereen willen opbellen en zeggen dat ze als de gesmeerde bliksem op het werk moeten komen?' zeg ik.

Volgens Noor en Najma mogen ze van hun familie niet naar buiten. 'Het is te gevaarlijk.' De meestal zo betrouwbare Hassan brengt de dag door in dienst van de waarnemers van de verkiezingen voor de Europese Unie. Talha, die geen telefoon heeft, is *missing in action*. We hebben geen secretariaat, dokter of chauffeurs.

Ik probeer niet in paniek te raken en stuur Zuhra eropuit naar de stembureaus. Zodra ze de deur uit is, duikt Farouq op. Hij gaat meteen door naar de Hoge Raad voor Verkiezingen en Referenda en zal vervolgens twee andere stembureaus bezoeken. Er zijn nu twee verslaggevers aan het werk!

Jabr, The Missing Link, komt een uur later aanwaaien, en ik stuur ook hem naar een stembureau. Ik geef hem een notitieblok. 'Kom niet terug voordat je hem hebt volgeschreven,' zeg ik. Hij kijkt me doodsbenauwd aan. Ik bind een beetje in. 'Hier, ik zal enkele vragen opschrijven die je aan de mensen kunt stellen.'

Daarna arriveert Luke, gevolgd door Qasim, die met zijn donkerpaarse duim zwaait, als bewijs dat hij heeft gestemd. Ik vraag hem of hij me naar de stembussen kan brengen. Ik wil niet op het kantoor zitten en alle actie mislopen. Hij dringt erop aan om Faris te bellen om toestemming te vragen om me mee naar buiten te nemen en uiteindelijk gaan we naar de Hoge Raad voor Verkiezingen en Referenda. De raad is gevestigd in een reusachtig gebouw met tientallen bedrijvige Jemenitische beambten en plaatselijke en internationale verslaggevers die gewichtig lopen te doen en in een computerkamer artikelen aan het schrijven zijn. Op de eerste verdieping lopen vele verslaggevers een stijf van de rook staand restaurant in en uit, terwijl ze een glas *shaay haleeb* in de hand hebben; thee met melk.

We gaan naar het ministerie van Informatie om een perskaart te krijgen. Dat is geen eenvoudige klus. Qasim wil dat ik lieg en zeg dat ik een verslaggever voor *The Week* in de Verenigde Staten ben, omdat een perskaart voor internationale pers blijkbaar een grotere bewegingsvrijheid garandeert. Toch wil ik niet liegen. Maar het is verboden dat een Jemenitische krant door een buitenlander wordt geleid, werpt Qasim tegen. We sluiten een compromis en schrijven zowel de *Observer* als de *The Week* op mijn roze kaartje, dat staat voor: 'internationale verslaggever'.

We horen geruchten over aan de verkiezingen gerelateerde uitbraken van geweld en moorden in Ta'iz en andere gouvernementen, maar de meeste worden niet bevestigd. Het is grappig om te merken hoe snel het nieuws van deze mogelijke incidenten zich verspreidt. Van verschillende kanten hoor ik zelfs over een man met explosieven in het bezit, die is gearresteerd op Tahrir Plein, vlak bij mijn huis. Onjuiste informatie lijkt zich sneller te verspreiden dan feiten.

Met mijn roze kaart om mijn nek klim ik in Qasims auto en we begeven ons naar de dichtstbijzijnde stembus. Op de binnenplaats van de Al-Qud

Meisjesschool aan de Bagdadstraat strekt zich van de hal tot aan het stemlokaal een lange zwarte rij vrouwen uit. Hoewel het nu rond het middaguur is, hebben velen er al sinds het openen van de stembus gestaan.

Aan de andere kant van de binnenplaats hoeven mannen niet te wachten. Ze lopen af en aan, stemmen binnen een minuut of vijf.

'Het duurt langer voor de vrouwen om te stemmen omdat ze geen opleiding hebben,' legt de plaatselijke toezichthouder voor de verkiezingen, Ameen Amer, uit. 'Velen van hen kunnen niet lezen.'

Om de analfabeten te helpen, staan er foto's van iedere kandidaat op het stembiljet voor de presidentsverkiezingen, evenals een embleem van de partij. Een steigerend paard symboliseert Saleh, terwijl het teken voor de Islah Party een rijzende zon is.

'De meeste van deze vrouwen hebben zich dit jaar pas geregistreerd en hebben niet eerder gestemd,' zegt een andere toezichthouder voor de verkiezingen. 'Het is een kwestie van scholing, en nu de democratie voortschrijdt, dag in dag uit, wordt het beter en beter.'

Anderen die we op de zonnige binnenplaats spreken, stellen voor om de mannen later op de dag te laten stemmen, na afloop van hun werk, terwijl de meeste vrouwen 's ochtends hun stem uitbrengen. Het is frustrerend voor de vrouwen om in de hete zon te moeten wachten, ze worden onrustig en klagen luidkeels. 'Er is iets aan de hand!' gilt een vrouw. 'We komen geen stap vooruit!' Toch blijven ze het op een bewonderenswaardige manier volhouden en de meesten wachten geduldig tot ze het stemhokje binnen mogen.

Terwijl de stemmers in elke ruimte in een rij staan opgesteld, krijgen ze een stembiljet uitgereikt, eentje voor de presidentiële verkiezingen, twee voor de gouvernementsraden en twee voor de districtsraden. Vervolgens zonderen ze zich af achter een grijs gordijn in een klein stemhokje, waar ze aankruisen op welke kandidaten ze stemmen. Nadat ze weer tevoorschijn komen, stoppen ze de stemformulieren in de plastic stembussen, en dopen hun duim in een pot met paarse inkt zodat duidelijk is dat ze hebben gestemd.

Op het stemmen wordt toezicht gehouden door een rij op stoelen gezeten afgevaardigden van elke partij, die vaak in discussies uitbarsten, maar nooit tot geweld overgaan.

'Niemand speelt vals,' zegt waarnemer Hana Al-Jahrani, afgevaardigde van het Algemeen Volkscongres (de regerende partij waar president Saleh bij hoort). 'We hebben geen problemen gehad.'

Het hele proces verloopt grotendeels soepel, valt Amer bij. Maar minstens vijftien mensen zijn komen stemmen met T-shirts en petjes met daarop de afbeelding van hun voorkeurskandidaat, wat de kieswet verbiedt.

Een zakenman zegt dat de kiesprocedure is verbeterd. 'We hebben gezien dat de competitie sterker wordt. Dit jaar is elke partij zenuwachtiger dan anders, wat betekent dat het steeds meer op een democratie gaat lijken. Als de stemmers dit merken, zullen ze ook meer geneigd zijn hun stem uit te brengen.'

Buiten elk stemlokaal staan twee gewapende mannen in groene camouflagekleren en met een rode baret op. Ondanks de dreiging van geweld, zie ik geen aanleiding me niet op mijn gemak te voelen. Het lijkt min of meer gladjes te verlopen en gelukkig worden de geweren niet gebruikt.

Terug in het kantoor werk ik mijn aantekeningen uit. Zuhra en Jabr brengen me hun verhalen van de andere stembureaus en ik verwerk ze in mijn reportage. De hele dag loopt Farouq heen en weer tussen de stembureaus en de Hoge Raad voor Verkiezingen en Referenda, dus krijg ik hem niet te zien. Al-Asaadi doet vermoedelijk iets vergelijkbaars.

De verkiezingsuitslagen zullen pas de volgende ochtend bekend worden, dus kan ik om halfnegen van mijn werk vertrekken. Morgen zal een lange dag worden, dus nu het nog mogelijk is, moet ik maken dat ik wegkom.

De hele volgende dag druppelen de resultaten binnen, waarbij het geen verrassing is dat Saleh met 77,2 procent van de stemmen wint. Na de gekte van de afgelopen dagen is het een teleurstellende anticlimax. Er wordt geen melding gemaakt van ernstig geweld rond de verkiezingen, geen rellen, geen grote problemen bij de stembureaus. En persoonlijk hadden we allemaal gehoopt dat Shamlan het beter zou doen.

Daarentegen is het een waanzinnig rustige dag. Ik beschrijf de inhoud van het nummer op het schoolbord en krijg instemming van Al-Asaadi. Hij heeft nog geen ontbijt gehad, dus bied ik hem wat van mijn koekjes aan. Hij neemt er vier. 'Mijn eten is het jouwe,' zeg ik.

'Mijn kantoor is het jouwe,' zegt hij met zijn mond vol haver.

Ik ben blij dat hij zo opgewekt is en nog blijer als hij zijn pagina's op tijd bij me inlevert. Net als alle anderen. Het is geen perfect nummer, maar ik kan niet al mijn ambities tegelijk ten uitvoer brengen. Als Al-Asaadi vertrekt om mij in mijn eentje het nummer te laten afronden, ben ik regelrecht verbaasd. Zonder zijn op het laatste moment aangebrachte veranderingen en wijzigingen in de opmaak, hebben we alle pagina's rond middernacht af en ben ik om een uur vertrokken. Sommige nachten is het goed om de baas te zijn.

TIEN

huiselijkheid in de heilige maand

Na een maand op mijn kleine kamers bij Sabri had ik nog altijd mijn koffers niet uitgepakt. Mijn twee kamers voldoen zeker, maar ik voel me er nog altijd niet thuis. Ik heb geen poging ondernomen de muren te verven, foto's op te hangen of mijn keuken te bevoorraden. Omdat ik weet dat ik weer vertrek, lijkt het verspilde moeite. Dat ik in een studentenwoning woon, samen met de Arabische studenten van Sabri, heeft zo z'n voordelen, maar ik heb toch liever een eigen plek. Zodra ik een huis heb, kan ik alles in orde maken. Dan kan ik de boel uitpakken, verfraaien en mensen voor een kop thee uitnodigen. Dan kan mijn Jemenitische leven pas echt beginnen.

Tot nu toe heb ik geen tijd gehad om op zoek te gaan. Faris vond een huis dat hem wel geschikt leek, maar het lag te ver bij alles uit de buurt; ver bij de Oude Stad vandaan, bij de winkels en mijn kantoor. Ik wil lopend naar het werk kunnen. Karim geeft me het nummer van een Jemenitische man die hij kent, Sami, die een huis voor me kan vinden in Oud Sana'a. Ik stop het in mijn tas en ben van plan hem te bellen zodra ik ook maar even de tijd heb.

Het werk begint volgens een min of meer vast patroon te verlopen, totdat het ineens ramadan is. Ik eet bij Zorba's, met Shaima, mijn wereldse vriendin van de Wereldbank, tot ze een sms'je krijgt van een vriendin die zegt dat de ramadan de volgende ochtend begint. Meteen stuurt ze het bericht door om het nieuws te verspreiden. Ik vraag me af hoe dit gebeurde voordat mobiele telefoons bestonden.

Wanneer de ramadan begint, is pas de avond van tevoren bekend, als de maansikkel van de nieuwe maan te zien is. De islamitische kalender is gebaseerd op de maan en duurt korter dan onze zonnekalender. Islamitische maanden wisselen dus per seizoen, waarbij de ramadan elk jaar ongeveer elf dagen eerder valt. Tijdens deze heilige maand staat heel Jemen op z'n kop.

Een van de vijf zuilen van de islam is dat moslims tijdens de ramadan van zonsopgang tot zonsondergang moeten vasten om hun zonden weg te branden. Maar in Jemen blijft iedereen als het vasten na zonsondergang is afgelopen tot vier uur 's nachts op om zich te buiten te gaan aan eten en vervolgens een gat in de dag te slapen. Het lijkt me toch een beetje vals spelen om tot drie uur 's middags door te slapen, als er nog maar drie uren vasten over zijn voordat de zon ondergaat en het tijd is voor *iftar*, de maaltijd die een einde aan het vasten maakt. Maar wie ben ik om hierover te oordelen?

Bij de *Yemen Observer* schakelen we niet over op volledig nachtelijke werktijden, al werken we op totaal andere tijdstippen. Ik ben nog maar net begonnen onze deadline een klein beetje naar voren te halen als de ramadan alles weer in de war stuurt. Tijdens de heilige maand werken we officieel van tien uur 's ochtends tot drie uur 's middags en vervolgens van negen uur 's avonds tot een uur 's nachts (behalve als de krant sluit en we vaak tot vijf uur 's nachts doorwerken). Maar in werkelijkheid komen de mannen nooit voor elf uur binnenstrompelen en hebben ze er moeite mee om om negen uur terug te komen, ondanks de zes uur durende pauze voor de iftar.

Het zal niet verbazen dat iedereen 's avonds veel productiever is. In de loop van de dag zijn ze gammel van de honger en de dorst. Aanvankelijk was ik geneigd met de medewerkers mee te vasten. Dat leek me wel zo eerlijk. Ik wil zo veel mogelijk opgaan in het Jemenitische leven. Maar op dit moment kan ik met geen mogelijkheid vasten. Ik ben al aan het afvallen en voortdurend zo afgepeigerd dat ik nauwelijks overeind kan blijven. Hele dagen krijg ik geen hap naar binnen – ik heb de tijd niet om te koken of uit eten te gaan – maar zonder water door het leven gaan, lijkt me gewoon niet gezond. Als ik tijdens de ramadan zou vasten, zou ik zonder meer te veel verzwakken om de krant nog te kunnen leiden.

Al-Asaadi verzekert me meteen dat niemand me erop zal aankijken. 'Wij zijn tolerant,' zegt hij. 'We begrijpen dat je je eigen cultuur trouw wilt blijven.'

Maar ik zorg er wel voor om niet te eten of te drinken met een van de medewerkers in de buurt. Alleen als mijn kantoor stevig dicht zit, spreek ik mijn geheime voorraad gedroogd fruit, noten en haverkoeken aan die ik voor noodgevallen in mijn bureaula bewaar. Luke vast evenmin en komt in mijn kantoor om wat eten weg te werken. Een heel enkele keer stuift een verslaggever naar binnen terwijl we de mond vol hebben en onze handen onder de kruimels zitten. Als betrapte kinderen verstoppen we onze handen onder het bureaublad en slikken het eten in een keer door. Maar onze verslaggevers lijken zich er niet druk om te maken. Wij zijn geen moslims en hebben onze eigen regels.

Luke en ik zijn naar elkaar toe gegroeid na een vertrouwelijk uurtje dat we op mijn kantoor hebben doorgebracht terwijl we het verkiezingsnummer afrondden. Bij die gelegenheid bekende hij eindelijk dat hij op mannen valt, wat ik altijd al vermoedde (de video's van *Will and Grace* op zijn laptop, zijn enthousiasme voor *Project Runway*, enzovoort). Ik ben benieuwd hoe het voor hem is om in een land te leven waar de doodstraf staat op homoseksualiteit.

Toch doen homoseksuele mannen het in Jemen niet zelden met elkaar, vertelt hij me. Een hoog percentage van de mannelijke bevolking heeft seks met mannen. Zo krijgt Luke regelmatig aanzoeken. Dat verbaast me niks, hij is blond, heeft blauwe ogen, is aantrekkelijk en spreekt een charmant soort Arabisch.

'Maar hoe gaat dat in z'n werk?' vraag ik hem. 'Ik bedoel, hoe weet je of het veilig is om erop in te gaan?'

'Nou, ik was een keer in Aden waar een jongen me in een ijscowinkel probeerde te versieren. Toen ik vertrok, achtervolgde hij me en kreeg ik zijn telefoonnummer en kwam hij later die avond bij me langs. Makkelijk zat.'

'Heel interessant.'

'Het spreekt voor zich dat dit hier onder ons blijft.'

'Van mij zal niemand iets horen.'

In ruil voor zijn bekentenis vertel ik over vroegere avontuurtjes met zowel mannen als vrouwen. Dit betekent een enorme opluchting voor me. Ik had niet door hoezeer ik mezelf tekort deed en niet in staat was hier bij iemand helemaal mezelf te zijn. Plotseling kan ik iemand de waarheid over mijn seksualiteit bekennen zonder daarvoor veroordeeld te worden, of gestraft. Ik ben Luke zo dankbaar dat ik hem even knuffel. Ik voel me lichter dan ik me in weken heb gevoeld.

☾★

EEN VOORDEEL van ons ramadanrooster is dat ik 's avonds nota bene vrije tijd heb. Op de eerste dag ga ik enkele uren nadat mijn medewerkers ervandoor zijn gegaan huiswaarts en kook voor het eerst sinds ik bijna een maand geleden in Jemen ben aangekomen een maaltijd. Ik kook water en maak volkorenpasta. Dat geeft me een geweldige voldoening. Ik neem mijn kom pasta mee naar mijn slaapkamer en bekijk een dvd op mijn computer. Dit is het eerste, werkelijk ontspannen, niet-productieve, kalme moment dat ik me van de afgelopen weken kan herinneren.

Maar het zou me meer bevrediging schenken als ik dit in een echte woning kon doen. Als ik wat kruiden en meel kocht, zou ik misschien wel kunnen koken. Ook zou ik in een hoek van mijn keuken een voorraadje waterflessen kunnen aanleggen, zodat ik er niet elke dag op uit hoef om water te kopen. Ik zou vriendschap kunnen sluiten met de buren. Ik moet echt een keertje contact opnemen met Karims vriend Sami. Ik heb er genoeg van om rond te zwerven, ik wil *hier* zijn.

Om halfnegen komt Salem langs om me terug te brengen naar mijn werk. Mijn verslaggevers zijn in opperbeste stemming na hun omvangrijke iftars. Traditiegetrouw wordt het vasten voor de ramadan gebroken met dadels, waarmee de profeet Mohammed zijn vasten brak. Daarna volgen een soort doorgebakken samosa-achtige aardappelballetjes genaamd *sambosas*, yoghurt-drankjes, vruchtensap, een bleke meelpap en vervolgens vlees, rijst en brood. Voor zonsopgang eet iedereen nog een keer, om genoeg op te slaan voor de dag. Ironisch genoeg klagen veel mensen dat ze tijdens de ramadan aankomen. Op de eerste dag van de ramadan worden de definitieve uitslagen van de ver-kiezingen bekendgemaakt. Die kenden we al, maar nu worden ze officieel bevestigd. In de stad barst een festijn los. De hele avond wordt er vuurwerk afgeschoten en vanaf naburige daken schieten mannen met geweren in de lucht. Het land is een riskante machtswisseling bespaard gebleven, met alle onvoorspelbaarheden van dien.

Ik loop naar buiten om wat kauwgom en snoep te kopen voor op het kantoor, omdat ik de medewerkers wil trakteren na een dag gevast te hebben. Bij de deur houdt Farouq me staande. 'Waarom stuur je niet iemand naar de win-kel?' zegt hij. 'Jij bent de baas, je hoeft er niet zelf op uit.'

'Maar het is vlak om de hoek,' zeg ik, en wijs richting de straat. 'Ik loop er zo heen.'

'Maar dat hoef je niet te doen.'

'Maar ik wil graag lopen.'

'Stuur toch iemand! Iemand anders kan het voor je doen.'

'Farouq! Ik vind het heerlijk als ik even de benen kan strekken!'

We beginnen allebei te lachen en uiteindelijk stapt hij aan de kant en gebaart me dat ik de trap af kan lopen. Elke dag maak ik dit soort kleine aangename voorvallen met mijn medewerkers mee, genoeg om dol op ze te blijven, ook al trekken ze zich niks aan van mijn deadlines of keren ze pas laat terug van hun lunch.

☪

EEN VAN DE OPVALLENDSTE DINGEN van de ramadan is dat deze zo duide-lijk toont hoeveel samenhang de samenleving heeft. Ik heb nog nooit ergens gewoond waar iedereen tot dezelfde religie behoort (al is Jemen onderver-deeld in soennitische en sjiitische moslims, en bestaan er talloze subgroepen binnen deze groepen). Ik heb nog nooit in een land gewoond waar iedereen op hetzelfde moment precies hetzelfde doet. Zo eet iedereen tijdens de rama-dan bij zonsondergang een dadel. Alleen dit al is bijzonder. Rond dit tijdstip is er niemand, echt geen mens, op straat. Iedere Jemenitische man, vrouw en ieder kind breekt thuis het vasten. Geen enkele winkel is open en er rijdt geen enkele taxi.

Ik kom hier pas op de tweede dag van de ramadan achter, als ik 's middags naar het Sheraton ga en vlak voor zessen bij het hotel aankom, net op tijd om de over de stad neerdalende spectaculaire zonsondergang te zien. Het Sheraton ligt op een berghelling naast het in een kom gelegen Sana'a. Vanuit de totaal verlaten straten bewonder ik het adembenemende schouwspel van paarse en roze kleuren die neerdalen op de bergen boven me en het dal onder me. Geen auto te zien. Geen taxi's, geen dabaabs, geen vrachtwagens, niets. Hoe kom ik thuis?

Maar gelukkig rijdt er, net op het moment dat de wanhoop lijkt toe te slaan, een taxichauffeur van het Sheraton voorbij die zich mij van afgelopen juni nog herinnerde en me met verwilderde blik op de verlaten straat ziet staan. Hij gebaart dat iedereen aan het eten is en brengt me vliegensvlug naar huis. Van het Sheraton naar Sabri's woning duurt slechts drie minuten – zonder ook maar een keer te stoppen – een wonder! Sana'a is een spookstad. We komen geen auto of mens tegen. Zodra hij me heeft afgezet, scheurt mijn chauffeur er weer vandoor, want hij is zonder twijfel te laat voor zijn eigen feestmaal.

☪

OP 25 SEPTEMBER worden de ontvoerde Franse toeristen ten slotte vrijgelaten. Karim weet ze te fotograferen als ze op het vliegveld van Sana'a uitstappen, en we schrijven erover op de voorpagina. Ik ben opgelucht, al hebben alle Jemenieten deze afloop voorspeld en zich geen zorgen gemaakt. Terwijl ik boven ben met Karim, komt Faris langs. Ik zeg hem hoezeer ik behoefte heb aan meer medewerkers en dat ik de krant niet kan leiden als ik onvoldoende verslaggevers heb. Ik zeg hem hoeveel uren ik werk.

'Jennifer,' zegt hij, en hij kijkt me bezorgd aan, 'ik vraag niet van je om een maximaal resultaat neer te zetten. Ga stap voor stap te werk. Mik op een verbetering van 40 procent, of van 60 procent. Ik ben bang dat je je over de kop werkt als je te zeer je best doet.'

Mooi, denk ik. Het is goed te weten dat hij niet al te veel van me verwacht. Maar hoe ga ik daarmee om? Ik zou niet weten hoe ik me voor minder dan het maximale moet inzetten.

Omdat ik tijdens de ramadan meestal tot iftar werk, ga ik voor de avondmaaltijd lopend naar huis want het is te moeilijk om een taxi te vinden. Bovendien is het heerlijk om naar huis te wandelen als de straten uitgestorven zijn. Als ik langs de restaurants in de Zubairastraat loop, zie ik mannen op het punt staan het vasten te breken. Sommigen hebben borden eten voor zich staan, waar ze, wachtend op het kanonschot om te kunnen eten, hongerig in prikken. De verwachting die in de lucht hangt als de iftar nadert, doet altijd feestelijk aan. Als ik hen zo zie, verlang ik ernaar een eigen keuken te hebben, waar een iftar-maaltijd op me staat te wachten. Als ik maar een vrouw had!

Op een van deze eenzame avonden, bel ik uiteindelijk Karims vriend Sami, om het over een appartement te hebben. Sami is een tengere knappe vierentwintigjarige, die Engels studeert en als manusje-van-alles voor buitenlanders werkt die in de Oude Stad wonen. Hij klust in de toeristenindustrie, regelt chauffeurs om mensen door de omgeving te vervoeren, vindt onderkomens voor expats, doet boodschappen en is een van de meest behulpzame personen die ik ooit ben tegengekomen. Hij is blij me te ontmoeten en wil zich graag inzetten voor het vinden van een woning. Dat kost hem weinig tijd. In de laatste paar dagen van september, bij de derde gelegenheid dat we elkaar zien (nadat we een te groot en een te klein huis hebben bekeken) vinden we mijn suikerwerkwoning in Oud Sana'a.

☪

HET HUIS DAT SAMI voor me vindt, is niet zomaar een huis, maar mijn droomhuis. Het is een drie verdiepingen hoge rechthoekige woning voor mezelf, weggestopt achter een bleekblauw hek overgroeid met roze bloemen. Zodra ik de keuken heb gezien, weet ik dat ik de woning wil. Hij is enorm, met een lang aanrecht, een kleine eettafel, een fornuis, een koelkast en een antieke Jemenitische broodbakoven (voor als ik het echt op mijn heupen krijg). Op dezelfde verdieping bevinden zich een slaapkamer en een kleine wasinrichting annex badkamer. Een verdieping hoger, te bereiken via een trap met ongelijke stenen treden, ligt een tweede kleine kamer, met de afmetingen van een kantoor. De volgende verdieping heeft een grote slaapkamer, met davidsster-qamaria en een stuk of wat ronde albasten qamaria (de verhuurder vertelt me dat het huis driehonderdvijftig jaar geleden door Joden is gebouwd). Ik besluit meteen dat ik hier wil slapen. Op dezelfde verdieping bevinden zich een grote, frisse mafraj met rode kussens langs de wanden en gedecoreerd met meerdere halvemaanvormige qamaria, een logeerkamer en een westers ingerichte badkamer, met bad!

En daar blijft het niet bij! De bovenste verdieping bevat ook nog een kleine kamer met uitzicht over heel Sana'a, een bergruimte en een deur naar een groot dak.

Een heel huis! Zoveel ruimte heb ik mijn hele volwassen leven niet gehad. Mohammed en zijn hele gezin volgen me terwijl ik het huis bewonder, waarna we allemaal onze schoenen uitdoen en in de mafraj van de woning ernaast gaan zitten om het huurcontract te tekenen. De huur is 300 dollar per maand. Duur voor Sana'a, maar ik heb het er graag voor over. Sami en Shaima vertalen elke zin van het contract. Vanaf de dag dat ik hier ben ingetrokken, is Shaima mijn meest trouwe vriendin geweest. Ongeveer een keer per week eten we samen. Ze helpt me met de boodschappen en stelt me voor aan haar familie en vrienden.

Verschillende westerlingen hebben me gewaarschuwd om me niet in de Oude Stad te begeven, het meest conservatieve deel van de stad. Hier houden de mensen hun buren bijzonder nauwlettend in het oog. Men zal mij in de gaten houden en hetzelfde geldt voor iedereen die me bezoekt. Maar wat is daar nu op tegen? Ik heb geen tijd om me te misdragen. Bovendien kan ik me niet voorstellen ergens anders in Sana'a te wonen. Ik kan me niets heerlijkers voorstellen dan tussen deze prachtig versierde dikke muren te leven, in de knusse wirwar van met keitjes bestrate steegjes. Eerlijk gezegd heb ik behoefte aan nieuwsgierige buren. Ik ben zo ongelooflijk eenzaam dat ik al van een beetje vriendelijkheid tranen in de ogen krijg. Sami woont even verderop in de straat en zegt bereid te zijn me overal mee te helpen, wanneer dan ook.

Ik onderteken het huurcontract, zowel in het Arabisch als in het Engels. Ik heb een huis.

Op de ochtend dat ik mijn nieuwe woning zal betrekken, moet ik met een gebarsten cyste in mijn eierstokken naar het ziekenhuis. Ik heb dagenlang gebloed, was koortsig en wist niet wat me overkwam. Een vrouwelijke dokter verzekert me dat ik het zal overleven en stuurt me met antibiotica naar huis. Ik ben te zwak om iets te tillen, dus zijn de bewakers van Sabri zo vriendelijk om al mijn bezittingen naar de Oude Stad te vervoeren.

Maar uitrusten kan ik nog niet. Ik heb nog geen bed! Ik ben zo moe dat ik nauwelijks op mijn benen kan staan, toch ga ik samen met Sami inkopen doen. Drommen mensen bevolken de straten van de Oude Stad, het is vlak voor iftar en iedereen koopt eten. In de buurt van Baab al-Jemen, de belangrijkste toegangspoort tot de Oude Stad, zitten overal handelaren op de grond. In kleermakerszit verkopen ze stapels stoffige plastic sandalen, piramides rozijnen en helderrode pistachenootjes. In kartonnen dozen zitten kreupele kinderen met grote wanhopig kijkende ogen, dwergen steken hun hand uit voor een aalmoes, en misvormde kinderen worden door hun ouders aangezet om geld te bedelen. Overal is te zien dat er in Jemen veel kinderen misvormd ter wereld komen. Meteen heb ik heel wat minder medelijden met mezelf.

Sami slingert tussen de groepjes mannen door en ik probeer in zijn voetspoor te blijven, ondertussen een walm van mannenzweet, komijnzaad en uitlaatgassen inademend. Ik doe mijn best hem bij te houden, tot ik ruw door een man word beetgepakt, die me hard in mijn linkerzij en mijn borst knijpt. Luid schalt mijn gegil door de straat. Wel honderdvijftig mensen keren zich naar me om. In een beweging is Sami bij me en stapt op de man af, hij wil hem slaan.

Maar de man is duidelijk niet goed bij zijn hoofd. Hij is half gekleed, in wat wel een grote witte luier lijkt, zonder shirt. Zijn armen en benen zijn krom en pezig, zijn tot op zijn schouders reikende haren zijn smerig en verwilderd, staan alle kanten op, en zijn grijns toont een tandeloze mond. Uit zijn glazige ogen spreekt de waanzin. Als Sami dat inziet, brengt hij zijn arm omlaag.

'Ik zou hem wel willen slaan,' zegt hij. 'Maar dat heeft geen zin, want hij is niet goed bij zijn hoofd.'

Ik ben het met hem eens, maar ben zo van slag door de aanval dat ik in tranen uitbarst. Sami probeert me te troosten, maar heeft daar duidelijk geen ervaring mee. Omdat tot me doordringt hoezeer ik hem in verlegenheid breng, verman ik mezelf. Tegen de tijd dat we bij de matrassenwinkel zijn aangekomen, huil ik niet meer. We kiezen de spullen die ik nodig heb en Sami onderhandelt over de prijs. Eindelijk heb ik een plek om te liggen.

☪

SAMI HELPT ME met het inrichten van mijn huis, lost problemen met elektriciteit en sanitair op en doet boodschappen. Voortdurend proberen zowel hij als Shaima me eten te geven. Op een avond woon ik in het huis van Sami een overvloedige iftar bij en de volgende dag ben ik welkom bij Shaima.

Shaima en haar zus Nada wonen in Hadda, het elegante deel van de stad, in een grote, twee verdiepingen hoge woning met enorme, van tapijten voorziene kamers en een keuken zo groot dat er wel twaalf mensen kunnen zitten eten. Het huis is omringd met bloemen.

Shaima's vader, die in Duitsland verblijft om behandeld te worden voor lymfklierkanker, was diplomaat. Toen hij naar Algerije was uitgezonden, werd hij verliefd op een Algerijnse dame en nam haar als tweede vrouw, tot groot verdriet van Shaima's moeder, die een paar jaar geweigerd heeft met hem te praten. Shaima's stiefmoeder (aan wie ze een hekel heeft) heeft kinderen van Shaima's vader, maar weet niet dat hij lymfklierkanker heeft.

Nada is met een Italiaanse man getrouwd, Desi, die ook op een andere vrouw verliefd is geworden. Toen hij Nada vertelde dat hij deze vrouw als tweede vrouw wilde hebben, was zij hevig gekwetst. Daarom woont ze nu bij Shaima. Desi bezoekt zijn dochters Ola en Mumina, maar wil de andere vrouw niet opgeven. Een vreselijke en pijnlijke situatie. Shaima zegt dat als haar man zo had gedaan, ze hem het huis uit zou hebben gejaagd en gevierendeeld. In de loop van het jaar heb ik veel van dit soort verhalen gehoord. Het trouwen met meerdere vrouwen gaat gepaard met enorm veel leed. Jemenieten lijken bijna even trouweloos als Amerikaanse mannen, alleen houden ze hun maîtresse niet geheim, maar trouwen ermee. De islam staat hen toe met vier vrouwen te trouwen, zolang de man ze allemaal maar gelijk behandelt. Maar dat is niet te doen. Zelfs de meest perfecte mens kan niet evenveel houden van vier vrouwen. In de praktijk blijkt het ook niet zo uit te pakken. En altijd zijn de vrouwen het slachtoffer.

Shaima zelf is ooit korte tijd verloofd geweest met een man die in Aden een eerste vrouw had. Maar na drie dagen zag ze ervan af. 'Ik ben gewoon te jaloers aangelegd om een andere vrouw naast me te dulden,' zegt ze.

Toen ze in Jordanië aan de universiteit studeerde, heeft Shaima verschillende huwelijksaanzoeken gekregen, die ze allemaal afwees omdat ze met een Jemeniet wilde trouwen. Maar toen ze in Jemen was teruggekeerd, merkte ze dat Jemenitische mannen niet aan haar eisen voldeden. 'Ze zijn niet beleefd tegen vrouwen,' zegt ze. 'Ze houden geen deuren open, willen niet samen met hun vrouw qat kauwen en willen de tijd niet samen met hun vrouwen doorbrengen.' Nu hoopt ze met een islamitische buitenlander te trouwen, net zoals haar zus. 'Jennifer, voor Jemen ben ik een atoombom,' zegt ze verbitterd. 'Ik ben een hoogopgeleide vrouw. Ik wil niet thuis blijven zitten. Ik werk samen met mannen.'

Ik vraag haar of mannen en vrouwen voor het huwelijk echt geen contact met elkaar hebben. 'Ach, iedereen hier heeft wel een verhouding,' zegt ze. 'Daar komen ze alleen niet voor uit. Net als overal elders kruipt het bloed waar het niet gaan kan.'

'Wat voor soort relatie hebben ze?'

'Ze sturen elkaar sms'jes. Mensen hebben verhoudingen met elkaar via sms-berichten of e-mails. Of ze bluetoothen elkaar.'

Dat intrigeert me. Ik vraag of Shaima zo'n relatie heeft, maar ze verzekert me dat dit niet het geval is.

☪

WE BEGINNEN de iftar natuurlijk met dadels. Dan volgt shafoot met salade, en sambosas gevuld met groenten en kaas. Speciaal voor mij heeft ze de hele maaltijd vegetarisch gemaakt, wat me ontroert. Niemand lijkt er een punt van te maken, er is zo'n enorme hoeveelheid eten. Na de shafoot, en voordat we verder eten, gaan ze een voor een bidden.

Shaima dient kommen met ramadansoep op, die gemaakt is van grofgemalen tarwe, melk en uien. 'Met veel vezels,' zegt Nada.

Ik raak al aardig verzadigd. Maar er zijn nog geroosterde groenten met kaas, couscous, en yoghurt en verschillende broden. Ik protesteer en zeg alsmaar dat ze me te veel geven. Maar op een of andere manier slaag ik er ook nog in om de crème karamel die Shaima brengt op te eten.

Desi ondervraagt me op een vriendelijke manier. Hij is zeer geïnteresseerd in mijn leven en mijn werk. Ik ben nieuwsgierig naar hem, vanwege die andere vrouw. Na het diner maakt hij Italiaanse koffie voor ons, en hij en Nada willen zien welke koffie het lekkerst is, de Jemenitische koffie of zijn Italiaanse. Uit solidariteit kies ik voor die van Nada.

Na de maaltijd gaat hij naar zijn werk, als leraar Engels. Met de rest zitten we net lekker in de woonkamer als de stroom uitvalt. Tijdens de ramadan gebeurt dit elke dag, vaak uren achtereen. Nada schiet meteen overeind. 'Ola zal gaan huilen,' zegt ze. 'Ze haat dit.'

En inderdaad, een seconde later horen we boven, waar de meisjes spelen, gegil. Uit mijn tas haal ik een zaklamp voor Nada tevoorschijn, die naar boven sprint om de meisjes te halen. Zodra ze bij ons zijn, begint Mumina te dansen. Ze draagt een lang roze prinsessenjurkje met dunne schouderbandjes. Ola, die met haar anderhalf jaar nog heel klein is, danst met haar mee, zodat ik ze allebei wel mee naar huis zou willen nemen.

☪

IK BEN AL EEN WEEK niet in mijn nieuwe huis geweest wanneer ik struikel op de ongelijke stenen trap en twee ribben breek. Ik heb mijn computer in mijn handen en al vallend denk ik die te kunnen beschermen. Met mijn ribben beland ik zo hard op de rand van de stenen trap dat ik me een halfuur lang niet kan bewegen. Ik lig languit tussen mijn keuken en de eerste verdieping, overweldigd door de pijn en denkend dat ik beter samen met iemand anders in huis had kunnen wonen. Iemand die de ambulance zou kunnen bellen. Als er ambulances waren. Na enige tijd slaag ik erin om op handen en voeten te komen en over de trap naar mijn bed te kruipen. Aan een rib kun je sowieso niks doen, al is hij gebroken. Ik neem vier Ibuprofen en probeer op mijn linkerzijde te slapen.

Door de val ben ik maandenlang niet in staat om te zwemmen. Elke keer als ik het probeer – wat ik gezien mijn bewegingsobsessie vaak doe – trekt er zo'n gemene pijn door mijn ribben dat ik in huilen uitbarst. Hoe kan ik me hier in godsnaam redden als ik niet kan zwemmen tegen de stress? Elke ochtend wandel ik naar mijn werk, maar dat volstaat niet om de wurgende druk die zich elke dag in me opbouwt van me af te laten glijden.

Net zomin als het griepachtige Jemenitische virus daaraan bijdraagt, waar ik twee weken last van heb. Al-Asaadi en ik hebben zoveel geniet dat we uiteindelijk concludeerden dat we allergisch voor elkaar zijn. Ik ben al een keer in het ziekenhuis beland, en wil voorkomen dat me dat nogmaals overkomt. Ik blijf denken dat ik op mijn vrije dagen eropuit moet trekken, iemand moet bellen, of nieuwe mensen moet zien te ontmoeten, maar daarvoor ben ik eenvoudigweg te moe of te ziek. Ik begin er moedeloos van te worden. Ik vrees dat ik nooit meer gezond zal zijn, nooit meer zonder pijn zal leven, de krant nooit op tijd af zal krijgen en mijn verslaggevers nooit iets zal bijbrengen. Het werk is een gevecht zonder einde. Voortdurend zijn er verslaggevers weg, elke paar minuten valt de internetverbinding uit en als ik er eentje nodig heb, kan ik nergens een fotograaf te pakken krijgen.

Ik wil graag geloven dat er enige vooruitgang is geboekt, dat er iets goeds uit voortvloeit. Ik heb mijn eisen flink naar beneden bijgesteld. Ik zorg dat er tenminste een correcte krantenkop in staat en rond tenminste een uitgave af voor middernacht. Op een dag zullen mijn verslaggevers hun werk op tijd inleveren. Maar ik moet nog altijd alle zeilen bijzetten om alle pagina's te vullen, laat staan dat ik ze kan vullen met journalistiek verantwoorde en goedgeschreven stukken. Er is nog steeds niemand aan wie ik mijn werk kan uitbesteden en niemand die Luke kan vervangen als hij met Kerst een maand weg is. Talha is verdwenen nadat ik erachter kwam dat hij een heel verhaal had overgeschreven van de Irin Nieuwsdienst, waarna hij niet meer is komen opdagen. Zuhra zit ziek thuis tot na *Eid al-Fitr*, de feestelijke vakantie ter gelegenheid van het eind van de ramadan. Volgens haar dokter is ze uitgeput en moet ze uitrusten. Bij wie kan ik nu terecht om op het laatste moment verhalen op te duikelen? Wie brengt me aan het lachen als ik chagrijnig ben? Wie wandelt met me mee naar de broodjeswinkel? Ik mis mijn kleine schaduw.

Opgeven is geen optie. Ik heb tenslotte geen alternatief plan. Maar ik voel me zo leeg dat ik niet weet wat me te doen staat. Er schiet me te binnen dat Faris de volgende dag terugkeert van een trip naar Washington en besluit met hem te spreken. Misschien weet hij waar ik goede verslaggevers kan vinden. Ik verbaas me over het aantal in het Engels opgestelde sollicitatiebrieven van mensen met masterdiploma's die nauwelijks kunnen schrijven. De curricula vitae en de begeleidende brieven barsten van de fouten, verhaspelde woorden en foute zinsconstructies.

Toch maak ik, net als ik mijn dieptepunt heb bereikt, mijn beste sluitingsdag mee. Al-Asaadi is afwezig, dus stel ik het hele nummer zelf samen en het overgebleven restje medewerkers sleept me erdoorheen. Thilo, een Duitse freelancer die ik uit pure wanhoop heb aangenomen zonder dat ik een letter van hem gelezen had, levert een prachtig stuk in over het smokkelen van antieke voorwerpen. Hassan schrijft meerdere nieuwsberichten. Ibrahim stuurt me vanuit zijn kantoor thuis berichten voor de voorpagina. Dan dringt het tot me door dat er genoeg teksten zijn om de hele krant mee te vullen.

In een kwartier knal ik mijn redactioneel commentaar eruit en beleef zelfs plezier aan het schrijven ervan. Als er geen belangrijke onderwerpen aan de orde zijn, haal ik mijn hart op aan een van mijn gekoesterde verdrietjes.

Overdreven en oorverdovend toeteren is een alomtegenwoordig probleem in Sana'a, maar misschien is het tijdens de ramadan nog wel het allerergst. Gedurende de hele heilige vastenmaand spoedt iedereen zich op hetzelfde moment naar huis om de iftar te halen en de vasten te breken. De daaruit voortvloeiende verkeersblokkade levert een hoop frustratie op voor de chauffeurs, die uit pure ontevredenheid over de situatie gaan toeteren.

Maar het zijn slechts vergeefse gebaren. Ondanks al dat getoeter leg je het af tegen zwaardere voertuigen. Door de kakofonie van geluiden die de passagiers, voetgangers en omstanders pijn doet aan de oren, schiet u geen seconde sneller op. Evenmin zullen andere chauffeurs zich vriendelijker tegenover u gedragen...

Uit talloze medische onderzoeken is gebleken dat mensen die worden blootgesteld aan harde geluiden, zoals het getoeter van auto's, last kunnen krijgen van een hele reeks lichamelijke en geestelijke problemen, waaronder: verlies van gehoor, hoge bloeddruk, stress, hartproblemen, toename van agressiviteit, evenals vaatvernauwing, wat kan leiden tot erectieproblemen. Voordat u weer gaat toeteren, doet u er goed aan stil te staan bij de invloed die dit op uw reproductieve vermogens kan hebben.

(Wat me een e-mail van mijn moeder oplevert, die me erop wijst dat het van mij uit gezien niet zo slim is om af te geven op mannelijke voortplantingscapaciteiten. 'Maar mama,' protesteer ik, 'alleen op deze manier weet ik me van hun aandacht verzekerd.')

Met veel vleierij en heen en weer gestrompel op de trap, slaag ik erin om alle foto's die ik nodig heb aan de vaak ongrijpbare Mas te onttrekken. Hij klaagt, maar op een opgeruimde manier. Noor verrast me met een vlot verhaal over *Eid al-Fitr*, waar ze binnen een dag de informatie voor verzamelt en over schrijft. Het is in alle opzichten een bijzondere avond. Misschien is het beter er helemaal niet meer op te vertrouwen dat Al-Asaadi iets voor me doet. Om twintig voor drie 's nachts ronden we de opmaak van de laatste pagina af, zo snel zijn we tijdens de ramadan nog niet geweest! Ik ben in een juichstemming. Luke kijkt me achterdochtig aan. 'Gezien het feit dat het drie uur 's nachts is, gaat het ongewoon goed met je,' zegt hij. 'Wat voor soort pil heb je geslikt?'

Ik rond de laatste paar krantenkoppen af en kijk Farouq aan. 'Wat is er?' zegt hij, gealarmeerd. 'Wat moet je van me hebben?'

Ik glimlach en vorm een nul met mijn vingers. 'Niets.'

Farouq kijkt omhoog en heft zijn armen ten hemel. '*Al-hamdulillah!*' fluistert hij dankbaar. Allah zij geprezen.

De buurt waarin ik woon, is stil als ik, bijgelicht door de maan, de poort ontsluit en op mijn tenen over de binnenplaats trippel. Een kat springt voor mijn voeten weg en verdwijnt onder de watertank. Ik vraag me af of ik door iemand word gadegeslagen die zich verbaast over mijn werktijden. Ik loop de trap op, doe mijn schoenen uit en doe het licht in de keuken aan. Op het aanrecht staan doosjes thee en muesli, naast een enorme schaal met sinaasappelen, appels en druiven. Ik schakel mijn elektrische waterkoker aan en loop naar boven (langzaam!) om mijn pyjama aan te doen. Tien minuten later lig ik opgerold in mijn bed, met een kop muntthee naast me en een boek over de geschiedenis van de islam in mijn handen. Ik ben thuis.

☪

EVEN PLOTSELING als hij is begonnen, eindigt de ramadan. Gedurende de laatste paar dagen loopt het verkeer volledig vast, want iedereen in de stad trekt er elke avond op uit om zich voor te bereiden voor het Suikerfeest. In Oud Sana'a verblijven meer dan vijfmaal zoveel mensen als anders en de markten blijven open tot het alweer bijna licht wordt.

Nog nooit ben ik zo blij geweest met een vakantie. Voor het eerst heb ik meer dan een enkele dag vrij! Voor de eerste keer in bijna twee maanden is de dag niet op voorhand ingevuld! De eerste ochtend slaap ik uit. Het Suikerfeest heeft me letterlijk het leven gered. Het geeft me zo'n feestelijk gevoel dat de kerst- en paasdagen wel samen lijken te vallen. De kleine meisjes trekken de straten door, terwijl ze hun splinternieuwe jurken vies maken, mannen rusten zich uit met versierde jambiya's en vrouwen bakken zoete koekjes om aan bezoekende familieleden en vrienden uit te delen ter voorbereiding van vier dagen feest. Elk verhaaltje in mijn dagboek uit die periode begint met: 'Het Suikerfeest is de mooiste vakantie die er is!'

Nu heb ik eindelijk de tijd om van mijn woning te genieten. Na al die dagen tussen mijn medewerkers vind ik het heerlijk om alleen te zijn. Ik vind het fijn om tijdens het eten te lezen. Ik vind het fijn om mijn kleren uit te doen en in de kamers rond te dansen op de muziek van *Fountains of Wayne* en *XTC*. Ik vind het fijn om op bed in mijn dagboek te liggen schrijven. Ik vind het fijn om in mijn mafraj te hangen met een stuk pure chocolade en een stapel boeken en tijdschriften. Nog steeds verlang ik naar meer gezelschap, maar vertrouw erop dat dat wel komt.

Mijn Jemenitische vrienden vinden het onbegrijpelijk dat iemand ervoor kiest om alleen te wonen. Als Shaima me bijvoorbeeld een keer naar de supermarkt rijdt, zeg ik haar dat ik op zoek ben naar een klein koffiezetapparaat. Ik zou graag eens echte koffie drinken; sinds ik hier ben ingetrokken, heb ik de alomtegenwoordige Nescafé gedronken. Maar alles wat ik tegenkom, zijn reusachtige op hele families afgestemde apparaten. Zelfs ik kan zoveel koffie ·

niet op. 'Maar niemand woont hier ook op zichzelf,' legt Shaima uit. 'Iedereen woont bij een grote familie. Niemand heeft behoefte aan een klein koffiezet-apparaat.' Daar had ik nog niet bij stilgestaan. En het klopt, niemand woont alleen. Jemenitische mensen wonen bij hun ouders tot ze trouwen, en vaak blijven getrouwde mensen bij hun ouders in wonen. Het concept 'alleen' bestaat niet. Als ik mijn Jemenitische vrienden vertel dat ik graag wat meer tijd voor mezelf heb, zijn ze stomverbaasd. 'Waarom,' zeggen ze. 'Waarom zou je ook maar een seconde in je eentje willen zijn?'

☪

OP DE EERSTE OCHTEND van het Suikerfeest nodigt mijn oudere overbuur-man me uit om bij hem op bezoek te komen. Hij belt me op de telefoon thuis en wekt me. Ik heb geen idee hoe hij aan mijn nummer is gekomen, maar hij zegt me dat hij heeft gezien dat ik de poort opende en vraagt zich af of ik ervoor voel om hem voor het Suikerfeest te komen bezoeken. Dus kleed ik me vlug aan en loop naar de overkant van de straat. Iedereen in de Oude Stad is zo aardig voor me dat ik geen seconde bang voor vreemdelingen ben. Mohammed begeleidt me door gangen vol olieverfschilderijen met land-schappen naar een helemaal blauwgekleurde mafraj, met witte zijde over de kussens gedrapeerd. Op het tapijt staan verschillende zilveren tafeltjes met bordjes pistaches, rozijnen, gebakjes en chocolaatjes. Mohammed zet een van de tafeltjes voor me neer en zegt me dat ik moet eten. Ik knabbel op de rozij-nen en amandelen, terwijl hij zijn vrouw en dochter roept. 'Ik ben in Arizona geweest,' zegt hij. Daar is hij duidelijk apetrots op.

Zijn vrouw, een bolle dame met brede heupen, een haakneus en een brede lach op haar gezicht, komt binnen en gaat naast me zitten. Hun dochter zet een glas citroensap voor me neer en gaat aan de andere kant van haar moeder zitten. Ze is een jaar of twintig en tamelijk ongekunsteld. Beide vrouwen, zo bezweert Mohammed, spreken Engels, maar zijn te verlegen om het met mij in de buurt te spreken. Mohammed voert meestal het woord, en zegt hoezeer hij van Amerika en de Amerikanen houdt.

'Houd je van Kenny Rogers?' zegt Mohammed. 'Ik ben weg van Kenny Rogers.' Hij staat op en zet een cassetterecorder aan. Op een of andere manier had ik me nooit voorgesteld dat de viering van het Suikerfeest te maken zou kunnen hebben met het verplicht luisteren naar *Coward of the Country*. Elke keer als zijn vrouw de kamer verlaat, zet hij het geluid luider. Als ze terugkeert zet zij het weer zachter. Uiteindelijk, als kant A van de cassette eindigt, komt ze over-eind en vervangt hem door een bandje met Jemenitische *oud* muziek.

'Ze houdt nu eenmaal van dit soort muziek,' zegt Mohammed afkeurend. 'Het is mooi,' zeg ik. 'Ik houd van de oud.'

Ze blijven erop aandringen dat ik blijf eten en vragen hoe ik leef. Mohammed overhandigt me een groot geïllustreerd boek over Jemen en zegt me waar ik allemaal heen moet gaan.

'Je moet vooral naar Soqotra gaan,' zegt hij. 'Anders heb je maar half geleefd.' Ze vragen of ik getrouwd ben en ik lieg. Ze vragen of ik kinderen heb en ik zeg de waarheid. 'Maar misschien zou ik ze wel willen hebben,' zeg ik. Hierdoor begint Mohammeds vrouw wat te lachen. 'Misschien!' zegt ze. 'Misschien!' Ik vraag me af of ze meent dat iemand die zo oud is als ik – sinds ik hier ben, is mijn haar zoveel grijzer geworden – overweegt kinderen te krijgen of dat ze het grappig vindt dat ik het niet zeker weet.

Later die dag doet zich in het huis van Sami een vergelijkbare scène voor. Er worden snoepjes opgediend, er wordt thee geserveerd en ik word gedwongen uit te leggen waarom ik geen kinderen heb, terwijl mijn tanden ondertussen pijn doen van alle suiker. Maar ik ben dankbaar. Voor het eerst voel ik me opgenomen door de mensen. Ik hoor bij de buurt.

HET SUIKERFEEST levert me ook het cadeau op van Anne-Christine. Zij is een Duitse vrouw van mijn leeftijd die meerdere jaren als ziekenhuismanager in Sana'a heeft gewerkt, en in een klein appartement woont onder het huis waar ik ben ingetrokken. Maar als de eigenaar in oktober plotseling uit Denemarken terugkeert, heeft ze ineens geen dak meer boven haar hoofd. Op een avond ontdek ik dat ze in tranen op mijn trap zit. Hoewel ik haar nauwelijks ken, nodig ik haar uit om bij mij in huis te komen wonen. Ik heb zoveel ruimte en ze is zo in paniek.

Voor ons allebei pakt het uitstekend uit. Anne-Christine is niet alleen vegetarisch, maar heeft dezelfde eetgewoonten als ik en is ook nog eens een getalenteerd kokkin. Ze vindt het heerlijk om voor iemand te koken en ik ben helemaal verrukt over het feit dat ik iets anders te eten krijg dan salade en brood, wat de enige gerechten zijn waar ik de energie voor kan opbrengen om te maken. Gedurende de twee maanden dat ze bij me woont, kookt Anne-Christine elke avond het eten. Zelfs als ze bij vrienden eet, maakt ze een auberginecurry voor me of gesmoorde linzen en zet het bord klaar, met een briefje erbij. Alsof ik mezelf anders niet zou kunnen redden.

Op een avond slaag ik er vanwege mijn werk niet in op tijd thuis te komen voor het diner en is Anne-Christine helemaal ongerust. 'O, wist ik maar wanneer je thuiskwam!' zegt ze op een avond tegen me. Ik voel me net een echtgenoot in de vijftiger jaren en begin eerder van mijn werk naar huis te gaan. Al-Asaadi lacht zich rot. 'Nu heb je een vrouw!'

'Ja,' zeg ik en sluit mijn computer af. 'Het is het beste wat me is overkomen.

Nu begrijp ik waarom al die kerels er vier willen.'

Als ze een paar weken bij me heeft gewoond, kan ik me niet meer voorstellen hoe ik het ooit zonder Anne-Christine heb gered. Het maakt zoveel uit als je naar huis gaat en er iemand thuis is. Ik ben ook gaan inzien dat het hebben van enkele niet-Jemenitische vrienden, aan wie ik alles kan vertellen, een kwestie is van overleven. Het houdt me geestelijk gezond en zorgt ervoor dat ik mensen uit een cultuur die ik niet volledig begrijp niet al te zeer in vertrouwen neem als ik iets moet beslissen. Ik tast nog altijd de grenzen af van wat ik kan vertellen en wat ik voor me moet houden.

Anne-Christine is zo opgenomen in het Jemenitische systeem dat ze een Jemenitische vriend heeft, Yahya. Ik kan mijn verbazing niet voor me houden als ze bekent dat hij getrouwd is. Ik vraag me af of ze haar leven niet in de waagschaal stelt in een cultuur waar overspel met de dood kan worden bestraft. Als ik Yahya op een avond voor de eerste keer ontmoet, is hij ontzettend verlegen en bang dat ik hem zal veroordelen, maar Anne-Christine verzekert hem dat het in Duitsland en de Verenigde Staten de gewoonste zaak van de wereld is om een vrouw thuis te bezoeken. Als hij belt om te zeggen dat hij onderweg is, begint ze als een schoolmeisje wuft door het huis te rennen, terwijl ze haar haar doet en telkens andere jurken aantrekt. Zo heb ik de nuchtere Anne-Christine nog nooit gezien. Haar gezicht kleurt knalrood en ze ziet er knap en als een zestienjarige uit.

Yahya is groot voor een Jemeniet, hij is aantrekkelijk en heeft een bijzonder zachte stem. Hij spreekt Engels, maar traag. Ik spreek te snel voor hem en Anne-Christine zegt me dat ik langzamer moet praten. Hij lijkt aardig en helemaal niet het soort man voor het risico dat hij neemt. Maar de mensen hier, zo merk ik, zijn zelden wat ze lijken.

☾★

NIET ALLEEN heb ik nu iemand die voor me kookt en enkele nieuwe vrienden die ik kan vertrouwen, ook heb ik wat ik als de ultieme luxe beschouw: een schoonmaakster. Zo iemand heb ik nog niet eerder gehad. Niemand heeft ooit mijn badkamer schoongemaakt of mijn afwas gedaan. In New York was het zo duur om iemand in dienst te nemen dat ik niemand kende die zich een schoonmaakster kon veroorloven. Maar Shaima drong erop aan dat ik er eentje in dienst zou nemen. 'Ik ken geen mens die geen hulp in de huishouding heeft,' zegt ze. Ze stuurt Aisha naar me toe, een Somalische vrouw die wanhopig op zoek is naar werk.

In Jemen wonen ongeveer 150.000 Somaliërs, de meeste omdat ze hun eigen land vanwege het geweld daar zijn ontvlucht. Ze worden in Jemen automatisch als vluchteling erkend, voor zover ze het land levend weten te bereiken.

Duizenden Somaliërs sparen geld om een overtocht op een klein smokke-laarsbootje over de Golf van Aden te kunnen betalen. Velen overleven de tocht niet. Ze worden vaak het slachtoffer van geweld aan boord en veel smok-kelaars die de Somaliërs vervoeren, gooien ze zo ver van de Jemenitische kust overboord dat ze verdrinken. Maar Aisha heeft het overleefd. Ze spreekt geen woord Engels, dus kom ik slechts stukje bij beetje, naarmate mijn Arabisch verbetert, achter haar verhaal. Samen met vijf kinderen en een echtgenoot woont ze in Sana'a. Ze is een grote, dikke vrouw en draagt wel een hijab maar geen gezichtssluier. Als ze lacht, toont ze een mond vol enorme tanden. Eerst vraag ik Aisha eenmaal per week te komen schoonmaken; omdat ik zelden thuis ben, maak ik weinig rommel. Maar ze is zo wanhopig op zoek naar werk, dat ik me laat vermurwen en haar tweemaal per week laat komen. Ik betaal haar 10 dollar per bezoek, wat volgens Shaima het gebruikelijke tarief in Jemen is. Dit lijkt me onthutsend weinig, maar Aisha accepteert het zonder morren. Ze laat mijn woning glimmend achter, de geur van bleekmiddel slaat me van de stenen vloer tegemoet.

Na de eerste paar weken begin ik haar dingen te geven die ze mee naar huis kan nemen, meestal eten. Ik geef haar hele cakes, dozen met koekjes, cho-colaatjes en zelfs enkele sieraden en kleren, meestal geschenken die ik heb gekregen en waaraan ik geen behoefte heb. Een paar weken later geef ik haar de sleutel van mijn huis. Ik vertrouw haar.

☪

ONDANKS DE RUST en de gezonde maaltijden, willen mijn ribben maar niet genezen. Ik kan nog steeds niet lachen zonder pijn, dus neemt onze fotograaf Mas me uiteindelijk mee naar het ziekenhuis om foto's te laten maken. Ik weet niet zozeer met welk doel, want als ze gebroken zijn, is rust het enige wat helpt. Maar het kan geen kwaad om eens een dokter te raadplegen.

We lopen een kamer van de eerstehulpafdeling van het Jemenitisch-Duitse Ziekenhuis binnen waar drie mannen wat met papieren zitten te rommelen. Degene in het midden is blijkbaar de dokter. Ik leg mijn probleem uit en hij schrijft een opdracht uit om een röntgenfoto te maken. We zoeken de radio-logie-afdeling, trap op, trap af en vele deuren door. De technicus gebaart ons dat we meteen kunnen doorlopen en laat me ziekenhuiskleren aantrekken (nog bescheidener dan de onze). Ik kan me in een afgesloten ruimte omkle-den, maar tijdens het maken van de opnamen, staat hij Mas toe in de ruimte te blijven. Weet de technicus dan niet dat Mas aan straling wordt blootgesteld? Of maakt het hem gewoon niet uit? Niemand lijkt me te vragen of ik zwanger ben. Weten ze wel dat zwangere vrouwen niet aan röntgenstraling blootgesteld moe-ten worden? Misschien denken ze wel dat ik te oud ben om zwanger te worden.

Voor de betaling moeten we ergens anders naartoe. Het kost maar liefst 400 Jemenitische rial, of ongeveer vier dollar. We keren terug naar de dokter, die me meeneemt naar een ruimte waar een vrouw naast een klein kindje staat dat aan een infuus ligt. Het kind gilt alles bij elkaar.

De dokter laat me op een ander bed plaatsnemen en trekt een scherm om ons heen. Mijn hart bonkt van de zenuwen. In geen tien jaar heb ik een mannelijke arts gehad. Deze man duwt en port in mijn ribbenkast en beweegt zijn hand vervolgens omhoog. Geschrokken veer ik op. 'Dat is niet mijn rib.' Ik ben te verbaasd om op te staan en weg te lopen.

'Ik denk dat u pijn hebt in uw galblaas en uw lever,' zegt hij. 'U heeft misschien een leverziekte.'

Ik staar hem aan. 'Ik ben van een trap af gevallen en op mijn ribben terechtgekomen. Er mankeert niets aan mijn lever!' Ik sjor mijn shirt omlaag en kom overeind.

Hij dringt erop aan dat ik mijn lever laat onderzoeken en vraagt me of ik ziek ben geweest. Ja, bijna drie weken lang, zeg ik, wanhopig op zoek naar een goed moment om weg te gaan. Hij kucht en aarzelt en geeft me over aan iemand die bloed afneemt. Het kan vermoedelijk geen kwaad om mijn bloed te laten onderzoeken, dus laat ik een zonder handschoenen werkende vrouw enkele buisjes bloed afnemen. Ze overhandigt ze aan Mas en zegt dat we naar het lab moeten gaan. Er is dus geen interne dienst voor het vervoer van bloedmonsters. Ik zou onderweg naar het lab allerlei stoffen in mijn bloedmonsters kunnen stoppen, of ze zelfs voor het bloed van iemand anders kunnen verwisselen. Maar ik ben in een derde wereldland, spreek ik mezelf toe. Ik moet hier niet dezelfde medische zorg verwachten als in de eerste wereld.

Het laboratorium bevindt zich in een ander gebouw. We overhandigen de ongelabelde buisjes aan een man achter een glazen raam, die moeite heeft om mijn naam erop te schrijven. Hij zegt me dat ze de volgende dag klaar zijn en dat de test 4300 rial kost, bijna 25 dollar, een fortuin hier. Zoveel heb ik niet over, dus zal ik overal in huis op zoek moeten naar geld. Ik krijg pas volgende week weer loon.

Een paar dagen later zijn Mas en ik weer in het ziekenhuis, dat bij daglicht heel wat chaotischer is. We willen zowel de röntgenfoto ophalen, als de testresultaten, maar de foto is nergens te vinden. De mannen van de eerstehulpafdeling lopen naar hun kantoor en kijken onder stapels papier. Waarna een van hen een stapel stoffige röntgenfoto's vindt die onbeschermd op een stalen archiefkast ligt.

'Hier,' zegt hij, terwijl hij me de stapel overhandigt. 'Kijk maar of je er eentje met ribben kunt vinden.'

Vol ongeloof kijk ik hem aan, maar blader de transparanten door. Er zijn benen, armen en sleutelbenen. Ten slotte vind ik een ribbenkast en houd hem omhoog. De dokter kijkt ernaar. 'Die zou van u kunnen zijn,' zegt hij. Er staat geen naam op.

We geven de röntgenfoto op en gaan de testresultaten halen, waar uiteraard blijkt dat mijn lever uiterst gezond is. Dit hele gedoe is een en al tijdverspilling. Als ik na het Suikerfeest terugkeer naar mijn werk, hoor ik dat Hadi onze ontwerper Samir zal vervangen. Samir verhuist naar *Arabia Felix*. Ondanks mijn verdriet over het verliezen van Samir, merk ik al snel dat Hadi een grote verbetering is. Samir is een uitstekende ontwerper, maar hij werkt erg traag. Net als iedere andere redacteur vind ik een prachtige voorpagina van belang, maar kranten zijn vluchtige media, en het is van groter belang dat het nieuws op tijd wordt gedrukt. Nu Hadi onze pagina's opmaakt, sluiten we vroeger dan ooit. Tegen elf uur 's avonds zijn alle pagina's afgerond en zitten wij in een busje op weg naar huis, de mannen stomverbaasd dat we zo vroeg al weg kunnen.

Alle gastvrijheid die ik tijdens de ramadan en het Suikerfeest heb ondervonden, heeft me toch nieuwsgierig gemaakt. Ik word door totaal onbekende mensen uitgenodigd om mee te komen eten en qat te kauwen, maar door mijn medewerkers word ik niet uitgenodigd. Eerst trek ik me dit aan. Ik vermoed dat ze liever niet met me optrekken. Ten slotte hebben Al-Asaadi en Qasim me meermaals uitgenodigd. Maar ik word nooit bij hen thuis gevraagd. Vreemder nog is dat Faris me geen enkele keer bij hem thuis heeft willen onthalen.

Op een avond tijdens het eten vraag ik Anne-Christine ernaar. Ze heeft veel langer dan ik in Jemen gewoond en weet er veel meer van. 'Het lijkt me zo on-Jemenitisch,' zeg ik, 'gezien de gastvrijheid van alle mensen die ik buiten de werkvloer heb ontmoet.'

'Maar ze durven je niet thuis uit te nodigen,' zegt Anne-Christine. 'Ze zijn bang voor hun vrouwen. Ze kunnen je niet aan hen voorstellen.'

'Omdat ik een westerse vrouw ben?'

'Omdat je een prachtige vrouw bent. En vrouwen zijn bijzonder jaloers. Ze zouden hun mannen niet naar hun werk laten gaan – tot zo laat in de nacht nog wel! – met een vrouw zoals jij.'

Een vrouw zoals ik. Ik weet niet goed meer wat ik daaronder moet verstaan.

ELF

De rechtszaken van mohammed al-asaadi

De fanatiekelingen willen onze koppen laten rollen. Dat roepen ze sinds afgelopen februari, toen de *Yemen Observer* de controversiële Deense cartoon publiceerde waarop de profeet Mohammed staat, op een ervan met een bom in zijn tulband. De krant publiceerde de drie cartoons op de opiniepagina, naast een redactioneel artikel waarin ze werden veroordeeld. Over de cartoons stond een grote X afgedrukt, maar dat hielp niet de razernij die erdoor oplaaide te temperen. In de islam is zelfs een respectvolle afbeelding van de profeet blasfemie. De rechtszaak tegen de *Yemen Observer* en Mohammed al-Asaadi heeft bijna tien maanden geduurd.

De twaalf cartoons die oorspronkelijk in september 2005 in de *Jyllands-Posten* stonden afgebeeld en in talloze westerse publicaties zijn herdrukt, hebben woede opgewekt. In Azië, Afrika en het Midden-Oosten zijn gewelddadige demonstraties georganiseerd, waarbij minstens vijftig mensen werden gedood. De cartoonisten werden met de dood bedreigd, redacteurs doken onder en Deense goederen werden geboycot.

Ondanks de expliciete veroordeling door de *Yemen Observer* van de cartoons, hield de Jemenitische overheid vol dat alleen al het publiceren ervan een onvergeeflijke belediging van de islam was. Fanatiekelingen riepen dat Al-Asaadi moest worden geëxecuteerd en de rechtbank sloot de krant gedurende drie maanden. Al-Asaadi bracht twaalf dagen achter slot en grendel door, waarna hij op borgtocht werd vrijgelaten. Jemenitische gevangenissen verstrekken geen eten en drinken aan hun gevangenen, dus zorgden verslaggevers en familieleden ervoor dat Al-Asaadi tijdens zijn gevangenschap te eten kreeg.

Keer op keer leverde de zitting van het gerechtshof geen definitieve uitspraak op. Als we worden veroordeeld, zou de krant er misschien mee moeten ophouden. Dan zouden we allemaal onze baan kwijt zijn. Maar de rechters blijven het oordeel voor zich uit schuiven. Voor Al-Asaadi eist het wachten zijn tol. In november ziet hij er afgepeigerd uit.

Al-Asaadi heeft sinds 1999 voor de *Yemen Observer* gewerkt, toen Faris hem uit een internetwinkel in Ta'iz oppikte. 'Ik heb er altijd van gedroomd journalist te worden,' zei Al-Asaadi. 'Al vanaf de zesde klas. Journalist of diplomaat.' Maar hij kon voor geen van beide vakken een opleiding volgen. Al-Asaadi groeide op in het dorpje Ramadi in het gouvernement Ibb, het groenste en meest vruchtbare deel van Jemen. Hij ging in het nabijgelegen Ta'iz naar de universiteit, waar geen opleidingen in de communicatie en internationale betrekkingen op het programma stonden. In Sana'a werd wel een communicatieopleiding aangeboden, maar Al-Asaadi had het geld niet om te reizen, dus studeerde hij Engels.

Een paar maanden nadat hij was afgestudeerd, werkte Al-Asaadi in een internetcafé in Ta'iz, toen Faris er naar binnen wandelde om zijn e-mail te checken. Hij zat er net de *Yemen Times* te lezen en Faris vroeg of hij ooit de *Yemen Observer* las. Al-Asaadi zei dat hij dat weleens deed. Vervolgens vroeg Faris hem naar zijn mening over een recent nummer en naar wat hij vond van de verschillende artikelen, waaronder het artikel dat hij zelf had geschreven. Al-Asaadi gaf zijn mening, zonder te weten dat hij met de uitgever zelf stond te praten. Faris zei: 'Ik ben Hessam, de broer van Faris. Als je een baan wilt bij de *Yemen Observer*, zou ik met hem kunnen praten.'

'Jazeker!' gilde Al-Asaadi uit, die vond dat hij geweldig bofte. De twee mannen gaven elkaar hun telefoonnummer en Faris vervolgde waar hij mee bezig was.

Twee dagen later belde Al-Asaadi met Faris op de *Observer*. 'Ik heb je broer ontmoet,' zei hij. 'En volgens hem heeft u misschien een baan voor me.' Waarna Faris zijn ware identiteit onthulde. 'Ik wilde zien of je er werkelijk in geïnteresseerd was,' zei hij.

Al-Asaadi begon als kantoorhulpje. Faris hielp hem met zijn opleiding en Al-Asaadi kreeg verschillende beurzen om in het buitenland journalistiek te studeren. Tegen de tijd dat ik bij de krant kwam, was Al-Asaadi al naar de hoogste positie van de krant opgeklommen.

Begin november heb ik hem voor het eerst vergezeld naar het gerechtshof. 'Ik wil gewoon een uitspraak,' zegt hij. 'Maar ik weet dat ze het weer gaan verdagen.' Faris meent dat de vertraging voordelig uitpakt, omdat de fanatiekelingen hierdoor de tijd krijgen om tot rust te komen en hun belangstelling in de zaak verliezen. Ik geef dit door aan Al-Asaadi, maar het lijkt niets af te doen aan zijn angst. Hoewel Al-Asaadi en ik meer en meer onenigheid hebben over de manier waarop de krant geleid moet worden, leggen we onze verschillen bij als de rechtszaak eraan zit te komen. We willen geen van beiden onze baan kwijt en ik wil beslist niet dat Al-Asaadi in de gevangenis belandt, of erger nog, tot de dood wordt veroordeeld.

Een van de eerste artikelen in de *Yemen Observer* over de zaak (de krant bleef op internet verschijnen nadat hij was gesloten) maakte er melding van dat eenentwintig advocaten van de openbare aanklager de doodstraf voor Al-Asaadi hadden geëist, een permanent verbod op het uitgeven van de krant en een beslaglegging op alle bezittingen. De advocaten beriepen zich volgens het artikel op: 'Een verhaal waarin tijdens het leven van de profeet een vrouw werd gedood nadat ze hem had beledigd, en dat de profeet de moordenaar had geprezen. Ze zeiden dat ze dezelfde straf wilden opleggen aan "degenen die de profeet onteren" (VZMH).' Dit maakt mij duidelijk welk risico mijn verslaggevers lopen bij hun pogingen te beschrijven wat er in de wereld gebeurt. Mijn verslaggevers laten op de naam van de profeet in hun teksten altijd 'VZMH' volgen, wat staat voor: 'Vrede Zij Met Hem.' Ik weet niet goed wat ik hiervan moet vinden. Voor mij zijn kranten seculier en geven ze objectief verslag over alle onderwerpen, waaronder religie. Dus als de krant de profeet vrede toewenst, denk ik in eerste instantie dat dit een mening betreft. De artikelen over de cartoons bevatten uiteraard talloze malen een 'VZMH', in een poging om aan te geven hoezeer het niet de bedoeling van de krant is om de profeet te beledigen.

De eerste keer dat ik 'VZMH' tegenkom, haal ik het uit de tekst, zonder dat iemand erover klaagt. Maar na verloop van tijd, vind ik het zelf al te muggenzifterig aandoen. Ik woon in een volledig islamitisch land. Heeft iemand er last van als dat 'VZMH' blijft staan? Zal deze krant daardoor op het scheve en glibberige vlak van het promoten van een religie belanden? Mijn angst voor een krant die zijn oren laat hangen naar religie doet in een volledig religieuze samenleving een beetje dwaas aan. Ik besluit me over mijn reflexmatige secularisme heen te zetten. Bovendien wil ik tot de rechtszaak is afgelopen geen onnodige risico's lopen.

Volgens de *Observer* eisen de advocaten van de openbare aanklager een 'persoonlijke financiële compensatie voor het psychische trauma dat ze door de handelingen van de krant hebben opgelopen, waardoor ze volgens hen minder goed in staat waren hun werk te verrichten en hun dagelijkse leven te leiden.'

Dat is een lachertje. De extremisten zouden psychische schade hebben opgelopen door het herdrukken van de cartoons? Wat is de staat van hun psychische gezondheid als ze al door een eenvoudige cartoon van slag raken? Ik betwijfel zeer of er in de Arabische wereld ooit sprake zal zijn van persvrijheid.

De verdediging wees erop dat de krant de cartoons had veroordeeld, de islam en de profeet had verdedigd en de verschillende reacties uit allerlei delen van de Arabische en islamitische wereld had weergegeven. Maar de openbare aanklager zei dat hun zaak alleen gericht was tegen de cartoons en dat de begeleidende artikelen er niet toe deden.

Aanvankelijk trok het ministerie van Informatie op 8 februari 2006 de vergunning van de krant in. Tegelijkertijd mocht ook *Al-Rai al-'Aam*, een tijdschrift dat de cartoons eveneens had gepubliceerd, niet meer verschijnen. En het tijdschrift *Al-Hurriyah* raakte niet alleen de vergunning kwijt, maar de redacteur ervan werd samen met zijn assistent gevangengezet.

De gevangenis maakte een enorme indruk op Al-Asaadi. Het onderstaande maakt deel uit van een persoonlijk verslag dat hij over zijn opsluiting schreef, dat we een jaar na zijn arrestatie publiceerden.

Ik hield mijn adem in toen ik in een donkere ruimte in de kelder van hetzelfde gebouw werd opgesloten waar ik was ondervraagd... Er zaten vijftien mensen in het duistere en vieze vertrek. Sommige mensen, die nog sliepen, ook al was het midden op de dag, werden wakker van het lawaai. De kamergenoten merkten, door het protest dat ze via het enige raam in de kelder konden zien, dat de nieuwkomer iemand was die in de schijnwerpers stond. 'Wie ben je en waarom zit je hier?' werd me door mijn kamergenoten gevraagd. Ik zei wat voor werk ik deed, maar hield mijn naam en de reden van mijn opsluiting voor me. Ik durfde niet te zeggen dat ik de cartoons weer had gepubliceerd. Wat de context van dat verhaal ook was geweest, het zou niet in goede aarde vallen. Ik was heel bang... dat ik door de gevangenen zou worden aangevallen. De volgende dag werd die angst bewaarheid toen er twee bedoeïenen uit Ma'rib werden opgesloten. Ze wilden alles over alle aanwezigen weten. Ik deed alsof ik sliep. Ze vroegen naar mij en mijn kamergenoten zeiden dat ik de journalist was die de Deense cartoons opnieuw had gepubliceerd. Ze sprongen overeind en zeiden: 'Dan is dit dus die hond.' Ze werden door de anderen, die zeiden dat ik de profeet juist had verdedigd, gekalmeerd...

Er werd me gevraagd om 200 rial te betalen voor het toiletwater, net zoals alle andere nieuwkomers in de cel dat moesten. Waarna mijn familie me een matras, een deken en een kussen stuurde. Mijn collega's van de krant en andere vrienden overstelpten me met eten, fruit en lekkernijen. Ik gaf mijn medegevangenen eten en andere spullen. Ze waardeerden mijn aanbod en begonnen me serieuze vragen over mijn zaak te stellen. Ik was zo slim ze te zeggen dat ik er na het gebed op in zou gaan. Ik wilde hen ervan overtuigen dat ik net als alle goede moslims bid. Dat pakte goed uit en ze vertrouwden me...

We werden zwaar aangevallen door predikanten in de moskeeën en religieuze fanatiekelingen. Veel van onze familie en vrienden hebben ons geboycot, want ze meenden dat we echt zondaars waren. Het was duidelijk dat ik in deze zware beproeving niet alleen de overheid tegen me had, maar ook invloedrijke islamitische hardliners. De laatsten, die het meest onbuigzaam bleken, zamelden miljoenen rial in om ons aan te klagen...

Na twaalf lange dagen, even pijnlijk als twaalf afschuwelijke jaren, werd ik op borgtocht vrijgelaten. Iedereen verheugde zich erover, behalve mijn medegevangenen... Ze zeiden me dat ze het eten, de verhandelingen en het schoonhouden van de cel zouden missen. Ik werd vrijgelaten, maar de rechtszaak ging door en de krant mocht nog altijd niet verschijnen, al bleef de interneteditie uitkomen. De medewerkers en de leidinggevenden waren vastbesloten online te blijven, wat fantastisch was. Hun inzet tijdens mijn verblijf in de gevangenis droeg sterk bij aan het internationaal onder de aandacht brengen van het proces en droeg bij aan mijn zaak.

Als Al-Asaadi tijdens ons bezoek aan de zitting in november zijn wagen in de buurt van het gerechtshof parkeert, ben ik me er eerst niet van bewust dat we al zijn gearriveerd. Het gebouw, dat in een stoffige met rotsen bezaaide binnenplaats staat, lijkt in de verste verte niet op de gerechtshoven die ik ken. Het is gespeend van alle grandeur en het uiterlijk vertoon van de gewone Jemenitische woningen. Rond de ingang staat een hele horde mensen, die we opzij moeten duwen om naar binnen te kunnen. Alle bewakers begroeten Al-Asaadi met een kus. Zelfs de aanklagers onthalen hem met een kus als we bij de poort aankomen. De aanklager zegt Al-Asaadi dat de uitspraak weer is verdaagd, tot december. Daar was Al-Asaadi al bang voor geweest. Om er helemaal zeker van te zijn dat er geen uitspraak wordt gedaan, gaan we verder het gebouw in. De aanklager vertelt dat er drie vergelijkbare zaken aan de gang zijn, waarbij andere persmensen betrokken zijn. 'Geen enkele rechter wil als eerste een oordeel vellen,' zegt hij. Ze zijn bang voor de reactie van de fanatiekelingen.

Als Al-Asaadi me niet op sleeptouw had genomen het gebouw in, was ik er misschien niet eens in geslaagd door de mensenmassa heen te komen. Het is er veel te druk. Er zijn te veel mannen. Bij de ingang van het gebouw worden mannen door bewakers beklopt, maar er zijn geen vrouwelijke bewakers en dus word ik niet gefouilleerd, ondanks het feit dat ik een enorme tas met me meesleep. Ik zie geen andere vrouwen.

We lopen door een smoezelige smalle gang en klimmen achter in het gebouw een smerige trap op. Boven gaan we van de ene kleine vierkante kamer naar de andere kleine vierkante kamer, waar we mensen begroeten en weer doorgaan. Ik heb moeite om Al-Asaadi bij te houden, die klein genoeg is om zonder problemen tussen alle mensen door te glippen. Bovendien ben ik druk bezig te voorkomen dat ik tegen allerlei mannen aanschuur, wat niet meevalt. Als we ten slotte een kleine witte kamer bereiken met een rechter, slaagt Al-Asaadi er niet in om hem ervan te overtuigen uitspraak te doen en vertrekken we weer. Onderweg naar buiten stopt Al-Asaadi voortdurend om nog een paar honderd man te kussen.

'Wil je de cel zien waarin ik heb gezeten?' vraagt hij.

Dat wil ik.

Al-Asaadi begroet (en kust) een van de bewakers en overreedt hem de gevangenis onder het gerechtshof te openen. De ruimte met een laag plafond zit propvol mannen. Ze zaten op hun dunne slaapmat, maar de meesten springen op als ze ons zien. Ze staren me aan.

'*Salaam aleikum*,' zegt Al-Asaadi.

'*Aleikum salaam*,' reageren ze in koor.

Ik kijk om me heen. De smerige gele muren zitten vol graffiti. De hoek rechts van me ligt vol lege waterflessen. Er vlak naast is het toilet. Het ruikt niet eens zo smerig, maar ik ben weer verkouden, dus ik ruik sowieso niet zoveel.

'Daar sliep ik,' zegt Al-Asaadi, wijzend op een hoek achterin.

De mannen blijven ons aanstaren, in stilte, tot we ons omdraaien en weer vertrekken.

'Ze laten hier nooit iemand binnen,' zegt Al-Asaadi als we buiten de zon in stappen en de bewaker de deur achter ons afsluit. 'Maar ik heb een goede band gekregen met de bewakers.'

'Dat kan ik zien.' We stappen zijn auto weer in en keren terug naar het kantoor om aan het werk te gaan. En om te wachten.

Als halverwege december de datum van de volgende zitting nadert, is iedereen ervan overtuigd dat het ditmaal uiteindelijk tot een uitspraak zal komen. Een dag eerder houdt de Belangengroepering voor Jemenitische Journalisten, een groep die opkomt voor de rechten van journalisten, een demonstratie om Al-Asaadi en de krant te steunen. Vroeg in de ochtend ontmoet ik Al-Asaadi en Farouq op de binnenplaats van de Belangengroepering voor Jemenitische Journalisten, en we mengen ons onder de journalisten die komen binnendruppelen.

De demonstratie wordt buiten gehouden, onder het dak van een blauw-wit gestreepte tent. Op witte lappen papier die aan de muren van de binnenplaats zijn opgehangen, staan slogans voor de pers afgedrukt, waarin gevraagd wordt de journalisten te bevrijden. De menigte van zo'n zestig journalisten bestaat vrijwel volledig uit mannen, terwijl twee Jemenitische vrouwen rustig op de achtergrond hebben plaatsgenomen. Omdat de seksen in Jemen bijna volledig van elkaar zijn gescheiden, is het niet gebruikelijk dat vrouwen naast mannen zitten. Maar ik neem plaats op een van de voorste rijen. Ik ben de hoofdredacteur van de krant verdomme. Een uur lang houdt een hele reeks journalisten vurige toespraken in het Arabisch (Ibrahim vertaalt). Het is natuurlijk allemaal preken voor eigen parochie, alle aanwezigen staan aan dezelfde kant. Ik vraag me af of de demonstratie niet effectiever zou zijn als hij, bijvoorbeeld, voor het gerechtshof zou plaatsvinden. Maar dit lijkt bij niemand te zijn opgekomen.

Kamil al-Samawi, de advocaat die ons in de rechtszaal vertegenwoordigt, houdt een toespraak waarin hij de persvrijheid verdedigt. Hij werkt samen met HOOD, een non-profit en los van de overheid opererende mensenrechtenorganisatie. HOOD maakt melding van schendingen van mensenrechten, komt op voor slachtoffers en biedt gratis juridische bijstand. Bij overheden is de organisatie weinig geliefd, want overheden willen niet graag herinnerd worden aan een twijfelachtige reputatie op het gebied van mensenrechten. Kamil, een kleine gedrongen man met een brede lach, is een enthousiast spreker en de menigte hoort hem instemmend murmelend aan.

Ik ben vooral dol op Kamil vanwege zijn hulp aan Zuhra, om haar angst te overwinnen om journalist te worden. Ze heeft hem voor het eerst ontmoet op de rechtbank, bij aanvang van de rechtszaak tegen de *Observer*, en ze raken bevriend. Hij had goede banden met haar oudste broer, Fahmi, dus voelde Zuhra zich bij hem op haar gemak. 'Ik vind het mooi zoals hij over mensenrechten spreekt. Hij is erg ruimdenkend,' zegt ze. 'Hij vindt het belangrijk om op te komen voor de slachtoffers. Ik heb nog nooit iemand ontmoet met zoveel respect voor mensen als Kamil.'

Ze had altijd gedacht dat ze 'een laffe journalist' was omdat ze controversiële verhalen uit de weg ging. 'Dat was voordat jij kwam,' zegt ze. Ze vreesde dat ze aangevallen zou worden als ze over uitdagende onderwerpen schreef. 'Ik weet nog goed hoe de reputatie van Rahma Hugaira [een Jemenitische journaliste] werd aangetast omdat ze de overheid had aangevallen.' Rahma werd een hoer genoemd en erger, alleen maar omdat ze zo dapper was geweest voor haar mening uit te komen. Zuhra was als de dood dat haar hetzelfde zou overkomen. Maar toen Kamil haar meenam naar het gerechtshof om Anisa al-Shuaibi te ontmoeten, wist Zuhra dat ze over de zaak moest schrijven.

Anisa werd in 2003 beschuldigd van het ombrengen van haar voormalige echtgenoot, maar de beschuldiging werd ingetrokken toen er geen bewijs werd gevonden, en haar ex nog bleek te leven. Ze was bij haar nachtelijke arrestatie met bruut geweld uit haar woning gesleept en in de gevangenis opgesloten, waar ze was verkracht. Toen ze werd vrijgelaten, meer dan een maand later, beschuldigde ze het hoofd van de rechercheafdeling, Rizq al-Jawfi, en het hoofd van het departement van de recherche, Saleh al-Salhi, ervan haar ten onrechte te hebben opgesloten en verantwoordelijk te zijn voor de verkrachting en de marteling in de gevangenis.

Zuhra interviewde haar, evenals haar twee kleine kinderen, en was gechoqueerd door het verhaal. 'De zaak van Anisa vertegenwoordigt in alle opzichten wat wij hier als vrouwen te lijden hebben,' zegt Zuhra. De mannen die haar in de gevangenis stopten, wisten dat niemand Anisa zou helpen, vervolgde ze haar verhaal. 'Als je wordt verkracht en daar in Jemen over spreekt, wordt er kwaad over je gesproken en wil niemand meer contact met je hebben.' Spreken over verkrachting wordt niet geaccepteerd en iedere vrouw die zegt dat ze is verkracht, wordt ervan beschuldigd dat ze het zelf heeft uitgelokt en vervolgens verbannen. Zuhra bewondert de moed van Anisa en hoopt dat ze andere vrouwen zal inspireren om zich eveneens uit te spreken. Sinds het protest van Anisa, zegt Zuhra, zijn er minder vrouwen in de gevangenis gezet, omdat de beambten niet van misbruik willen worden beschuldigd.

Zuhra's verhalen over Anisa leverden haar dreigbrieven op van lezers. Hoewel ze hier wel van is geschrokken, is ze niet van plan te stoppen met schrijven. 'Ik durfde er niet over te berichten, maar het voelt wel goed dat ik het gedaan heb,' zegt ze. Trouw als een hond is ze het verhaal blijven volgen, nooit heeft ze een zitting overgeslagen en ze heeft meerdere voorpagina's gevuld over de benarde toestand van Anisa. 'Ik ben met mijn strijd begonnen en ben niet van plan ermee op te houden.'

☪

OP 6 DECEMBER is het zover voor Al-Asaadi en de *Yemen Observer*. Ik ben om halfnegen op het kantoor om me bij mijn medewerkers te melden, voordat ik naar de rechtbank ga. Najma en Noor zijn laat met de cultuurpagina, dus zeg ik hen dat ze moeten blijven en hun werk moeten afronden. Maar als Mohammed al-Matari zegt dat hij met Faris heeft gesproken en dat die wil dat iedereen meekomt, laat ik me vermurwen. Al-Matari verft zijn grijzende haren zwart en draagt pakken die hem van geen kant staan. Zijn revers zitten vaak onder de vlekken, van thee of opgedroogde bonen. Hij heeft iets van een ouderwetse heer over zich, iets ridderlijks.

Dat Al-Matari volhoudt dat iedereen naar de rechtszaak moet, wekt enige schaamte bij me op; op zo'n belangrijke dag had ik niet moeten proberen de vrouwen door te laten werken. Uiteraard moeten ze met ons meekomen. We moeten de rechtbank vullen en de fanatiekelingen verdringen, die eropuit zullen zijn om Al-Asaadi te vernietigen. Tot mijn verbazing komt Faris zelf niet opdagen. Omdat het lot van zijn krant van dit proces afhangt, zou je toch denken dat hij erbij wil zijn. Als hij om negen uur nog niet is verschenen, proppen we ons met ons allen in het busje van de *Yemen Observer*.

Bij het gerechtsgebouw wijkt Zuhra niet van mijn zijde. We duwen ons tussen het gepeupel bij de poort, de ingang van het gebouw en de trap door en begeven ons de rechtszaal in.

'Ik heb geen enkele zitting van dit proces gemist,' zegt Zuhra. 'Zelfs Al-Asaadi was een keertje afwezig, toen hij ziek was, maar dat is mij niet overkomen!'

Zuhra ruilt van zitplaats zodat ze naast mij op de houten bank vol gebarsten chocoladekleurige kussens kan plaatsnemen. De krappe rechtszaal vult zich al snel, voornamelijk met medejournalisten. Mijn vrouwen zijn de enige vrouwen in de zaal. Ik neem verschillende foto's van de aanwezigen.

Faris is in geen velden of wegen te bekennen.

☪

AL-ASAADI IS LAAT. Hij had me eerder per telefoon laten weten dat zijn advocaat hem had geadviseerd iets te laat te komen, om op dramatische wijze te kunnen arriveren, denk ik. Maar hij is zo laat dat zijn advocaat hem uiteindelijk opbelt en zegt: 'Waar ben je? Wil je rechtstreeks in de gevangenis belanden?' (De advocaat staat vlak voor ons en Zuhra vertaalt wat hij zegt.) Hij, Qasim en verschillende andere mannen voor ons moeten erom grinniken. Er klinkt veel zenuwachtig gelach en gepraat, maar de angst in de rechtszaal is tastbaar. We zijn allemaal journalisten, we hebben er allemaal belang bij. Als de *Yemen Observer* moet ophouden, zullen mijn medewerkers en ik werkeloos zijn. Ik heb geen idee wat ik zal doen als dat gebeurt. Ik veronderstel dat ik zal blijven en me ervoor zal inzetten tot de krant weer mag uitkomen. Ik zou nu met geen mogelijkheid weer naar New York kunnen terugkeren. Dat zou betekenen dat ik heb verloren. Daar komt bij dat ik gehecht ben geraakt aan mijn verslaggevers. Ik kan me niet voorstellen dat ik hen zal verlaten.

Er klinkt gejuich op in de rechtszaal. Al-Asaadi is gearriveerd. Hij maakt, aan de kant waar de rechters zitten, een grootse entree. Vele mannen lopen voor de banken langs op hem af, kussen hem en schudden hem de hand. In zijn zwarte pak en met zijn gestreepte das ziet hij er erg sterk uit. Ik voel de behoefte om hem te omarmen, maar dat is natuurlijk onmogelijk, dus zwaai ik maar wat en geef hem een bemoedigend knikje.

Tegen de tijd dat de rechters arriveren, is de zaal overvol. Achter in de zaal is het zo vol dat de bewakers moeten duwen om te voorkomen dat de mensen naar voren dringen. We worden zorgvuldig in het oog gehouden door een tiental in het legergroen geklede mannen met rode baretten en hun handen aan de trekker van machinegeweren en pistolen. Hun aanwezigheid herinnert me eraan dat men verwacht dat het op geweld kan uitlopen. Als Al-Asaadi en de krant niet worden veroordeeld, zouden de fanatiekelingen woest kunnen worden. Gelukkig is er in de zaal weinig ruimte voor de fanatiekelingen, bijna alle banken worden bezet door journalisten. Ik draai me om en probeer te zien waar ze zitten. Volgens Zuhra zitten ze achterin, maar ze kan ze niet aanwijzen.

Voor de rechter uit komen nog meer bewakers binnenlopen. De rechter neemt plaats.

Ik ben zo bezorgd dat ik ervan moet kokhalzen. Mijn hart bonkt zo hevig, dat ik Zuhra met moeite kan verstaan en mijn handen trillen bij het maken van de aantekeningen.

Al-Asaadi staat bij een kleine en lage katheder rechts van ons. Zijn medestanders naderen hem, omringen hem beschermend, houden elkaar bij de handen. Ik vind het ontroerend om te zien dat de Jemenitische wet het toestaat iemand die op het punt staat te worden veroordeeld met tientallen van zijn beste vrienden te omringen.

Met een doodernstig gezicht begint de rechter – grijs haar, bril, groene sjerp – van het papier voor te lezen. Terwijl ze als een dolle aantekeningen maakt, fluistert Zuhra me een vertaling toe. Hij begint de standpunten van zowel de openbare aanklager als de verdediging te herhalen. Het enige geluid in de zaal dat er naast zijn woorden valt te horen, is het incidentele 'O, mijn God!' van Zuhra.

Ik durf nauwelijks adem te halen. Omdat ik niet precies weet wanneer het vonnis wordt uitgesproken, probeer ik het aan de gezichten van de toehoorders af te lezen. De mannen kijken met een strak en angstig gezicht voor zich uit. Al-Asaadi hangt tegen zijn katheder aan, alsof hij niet in staat is zich overeind te houden.

Op het laatst stijgt er gemompel op uit de zaal, en ik hoor de woorden '500.000 rial'. 'Is dat een boete?' fluister ik richting Zuhra. 'Krijgen we een boete?'

Ze knikt en zegt dat Al-Asaadi is veroordeeld. Ik adem diep in.

'Voor het beledigen van de islam?'

'Ja, voor het opnieuw publiceren van de cartoons. De rechter heeft zojuist bevestigd dat het een misdaad was.'

Maar Al-Asaadi zal niet de gevangenis in hoeven, zegt ze. En mooier nog, de krant mag blijven uitkomen!

Er gaat een zucht van verlichting door de zaal. Mannen beginnen met elkaar te fluisteren en schuifelen met hun voeten.

Als de rechter klaar is met voorlezen, klinkt her en der applaus. Maar behalve de opluchting voor Al-Asaadi, dringt het besef door dat zijn veroordeling hem kwetsbaar maakt voor aanvallen van extremisten. Een veroordeling voor het beledigen van de islam is een serieuze zaak en nu de misdaad is bevestigd, zouden de fanatiekelingen de gelegenheid kunnen aangrijpen hem te straffen. Vlug wordt Al-Asaadi door bewakers weggevoerd en in een cel gestopt, tot er een borg kan worden gestort. We lopen hem snel achterna, de trappen af, naar buiten, het zonlicht in.

Ik word in de rechtszaal door een televisieverslaggever van Reuters aangeklampt en hij vraagt of hij me kan interviewen, dus volg ik hem naar een rustig plekje, weg van de meute. Hij vraagt mijn mening over het vonnis en het Jemenitische hof, terwijl Al-Matari vertaalt. Er verzamelt zich een hele groep mensen om toe te kijken.

'Ik ben erg blij dat de krant mag blijven publiceren,' zeg ik, met mijn ogen knipperend tegen het felle zonlicht. 'Dat is een overwinning voor de persvrijheid. Maar ik ben erg teleurgesteld over de veroordeling. Ik vrees dat onze collega hierdoor in gevaar komt.'

De mannen om me heen mompelen tegen elkaar en vragen Al-Matari wat ik heb gezegd. Verschillende mannen lijken instemmend te knikken. Als ik klaar ben, draai ik me om en probeer tussen alle mensen Zuhra te vinden. Ze is druk bezig mensen te interviewen, stuitert van de ene naar de andere man. Ze is eenvoudig te vinden, als snelst bewegende object op de binnenplaats.

Al-Asaadi verschijnt voor een raam van het gerechtsgebouw en maakt er samen met de menigte het beste van, houdt zich vast aan de raamstijlen en poseert voor foto's. Hij schreeuwt naar me.

Ik klim op de verhoging onder zijn raam.

'Mohammed! Wat ben je daar aan het doen?'

Voor een veroordeeld man ziet hij er bijzonder opgewekt uit. 'Ik zit in de gevangenis!' zegt hij met een hoog stemgeluid.

'Hoe kan ik je eruit krijgen?' Dat is een serieuze vraag. Ik vraag me af of ik de borg zelf zou moeten betalen, zodat we hem mee terug kunnen nemen naar de krant. Maar ik heb niet genoeg rials bij me. Waar is Faris in godsnaam?

'Ik zal binnenkort wel worden vrijgelaten, nadat we de borg hebben gestort. Ga terug naar de krant en zet het verhaal op internet.'

'Uiteraard. Zuhra is al bezig. Heb je geld nodig?'

'Nee, nu niet.'

'Als je het nodig hebt, kan ik er wel aankomen.'

'Dankjewel.'

Ik vind Zuhra en probeer haar naar het busje mee te nemen, maar ze blijft nieuwe bronnen zien om vragen aan te stellen. We staan op het punt om de poort door te gaan als ze een van de mannen ziet die ons liever dood dan levend ziet.

'Dat is een van de fanatiekelingen!' gilt ze, terwijl ze de man herkent die ze eerder in de rechtszaal heeft ontmoet. 'Daar moet ik een quote van hebben!'

Ik kijk haar na als ze weg fladdert, barstend van de trots.

Uiteindelijk proppen we ons weer in het busje om terug te rijden naar de krant. Zuhra en ik besluiten dat we het verhaal het snelst samen kunnen schrijven. Zij heeft alle citaten van de rechter en andere bronnen, ik de beschrijving van de gang van zaken en de citaten van Al-Asaadi. We rennen naar mijn kantoor en Zuhra trekt een stoel naar mijn bureau. We sturen iemand eropuit om een kop thee te halen.

'Heb je al ontbeten?' vraag ik.

'Nee.'

'Eet dit dan maar. We hebben er niks aan als je voor de deadline onderuit gaat.' Ik geef haar een energiereep, een zakje pinda's en een stukje geroosterd brood uit mijn geheime voedsellade.

We vormen een goed team, werken snel en efficiënt, terwijl ik typ, Zuhra voorleest en haar aantekeningen vertaalt. Binnen een uur staat ons verhaal online, en we zijn de eersten die het nieuws brengen, sneller dan Reuters, Agence-France Presse en de BBC.

Ik ben zeer tevreden en stroom over van de opgewonden energie. Zuhra en ik geven elkaar een high five en trakteren onszelf op een kop zoete thee.

Die avond belt Ibrahim me om me te feliciteren. 'Het was zo goed, zo professioneel, en er stond zelfs een citaat van een fanatiekeling in!' zegt hij.

'Dat is allemaal het werk van Zuhra,' zeg ik. 'Zij heeft het echte verslaggevers-werk gedaan.'

'Ik heb Al-Asaadi gebeld en hem gezegd wat voor uitstekend werk je hebt gedaan.'

'Echt waar?'

'Ik zei: "Ze heeft zelfs je das genoemd!"'

'Nou, het was ook een mooie das!'

Later stuurt Al-Asaadi me een briefje waarin hij me dankt voor de steun en het verslag. Ik glim van blijdschap.

☪

UITERAARD betekent de drukke ochtend dat we voor de rest van de krant ach-terlopen. Dus, terwijl ik het gevoel heb Sisyphus te zijn, zet ik mijn schouder onder de steen en begin hem, langzaamaan, weer de berg op te duwen.

TWAALF

krachtmeting

Helaas is de solidariteit van die dag tussen Al-Asaadi en mij van korte duur. Nu we respijt hebben gekregen, zetten we onze langzaam escalerende machtsstrijd voort. Ik heb mijn uiterste best gedaan om een botsing te vermijden, maar dat is niet te doen als Al-Asaadi zich niks van deadlines blijft aantrekken. Ik heb me ondertussen gerealiseerd dat ik eerst een goed planningsrooster moet maken. Pas als ik de krant op ordentelijke wijze tot stand kan laten komen, met pagina's die op een voorspelbaar moment binnenkomen, en de nummers op tijd kan sluiten, zal ik mij kunnen richten op de journalistieke vaardigheden van mijn medewerkers.

In december is Al-Asaadi het enige wat een geregelde planning nog in de weg staat. De rest van mijn verslaggevers levert de stukken op tijd in, dus zouden we elke krant om acht uur 's avonds kunnen sluiten. Maar Al-Asaadi houdt zijn verhalen opzettelijk achter tot het allerlaatste moment en stelt het sluiten uren uit. Om hem dat duidelijk te maken, ronden Luke en ik alle pagina's helemaal af, sturen alle anderen naar huis en bellen Al-Asaadi met de mededeling dat we zitten te duimendraaien tot hij zijn verhalen inlevert en dat dat het enige is wat we nog nodig hebben om het nummer te sluiten. Het heeft geen effect. Op de sluitingsdag weigert Al-Asaadi voor acht uur 's avonds binnen te komen. Het lijkt hem niet uit te maken dat hij ons daarmee allemaal gijzelt. Vooral op donderdagen is het vreselijk, omdat hij dan de hele middag samen met vrienden qat zit te kauwen en sowieso weinig zin heeft om naar het kantoor te komen. En als hij dan komt, is hij zo stoned dat hij met alle liefde de hele nacht opblijft – en ons aan zich bindt – om de krant af te ronden.

Tijdens de conferentie in Londen van de Consultative Group voor donoren van Jemen, gehouden om buitenlandse hulp aan Jemen te bevorderen, wordt de zaak op de spits gedreven. Jemen is het armste land in het Midden-Oosten, maar ontvangt opvallend weinig ontwikkelingshulp. Nu komen westerse en Arabische landen bijeen om de uitdagingen waar Jemen voor staat te bespreken en te pleiten voor meer financiële steun. Daarmee moet Jemen de economie van het land bevorderen, de infrastructuur verbeteren en armoede en analfabetisme bestrijden. Maar voor wat hoort wat. De donoren staan erop dat Jemen vorderingen maakt bij het bestrijden van corruptie, de democratie verstevigt, de rechtspraak onafhankelijker maakt en de transparantie van de overheid vergroot. Jemen heeft plechtig beloofd dat het hiermee bezig zal gaan, maar of het land in staat is deze hervormingen door te voeren, is nog maar de vraag.

Samen met Faris is Al-Asaadi naar Londen afgereisd om de conferentie bij te wonen en hij heeft ons een verhaal voor op de voorpagina beloofd. Het belangrijkste nieuws, dat er 4,7 miljard dollar is toegezegd, komt op de sluitingsdag binnen. Het is een veel hoger bedrag dan op eerdere donorconferenties werd toegezegd. De afgevaardigden van Jemen (en Faris) zijn dolblij.

Maar we horen niets van Al-Asaadi. De hele dag bewerk ik de rest van de krant en wacht op zijn nieuws. Zonder zijn bijdrage kunnen we niet uitkomen, want de donorconferentie is groot nieuws in het land. Om zeven uur 's avonds hebben we alle andere berichten klaar. De spanning neemt toe. Ik geef Al-Matari de opdracht om op basis van informatie van het internet een verslag te maken en vraag per telefoon plaatselijke functionarissen om commentaar.

We wachten nog altijd als Luke begint over te geven. Hij vermoedt dat het door de bestrijdingsmiddelen in zijn qat komt. Op een of andere manier belanden bestrijdingsmiddelen die overal ter wereld verboden zijn in Jemen, waar ze op qatplanten worden gespoten. Luke kauwt hele ladingen qat en tegen de tijd dat de deadline is bereikt, kan hij nauwelijks nog een woord uitbrengen, zo vol zitten zijn wangen. 'Hij is meer Jemeniet dan de andere Jemenieten,' zegt Zuhra.

Ik stuur hem naar huis. Manel, een vierentwintigjarige Senegalese Amerikaan, die ik kortgeleden in dienst heb genomen om mee te helpen met het redigeren van de teksten, blijft om me bij te staan. Manel spreekt vloeiend Arabisch, Frans en Engels en heeft een aanstekelijk goed humeur. Zijn redigeerwerk is minder goed dan dat van Luke, maar hij is zo opgewekt dat iedereen alleen al door zijn aanwezigheid wordt geïnspireerd. Met zijn knappe uiterlijk, zijn slanke pezige lichaam en keurig gevlochten haar, inspireert Manel vooral de vrouwen op het werk. Iedereen is gek op Manel, die niet eens zou weten hoe hij gestrest moest raken. Ik hoop dat er iets van zijn zen op mij afstraalt.

Ik heb al verschillende e-mails aan Al-Asaadi geschreven en hem gevraagd hoe de conferentie verliep en wanneer ik zijn tekst kan verwachten. Geen reactie. Als de rest van het nummer klaar is, schrijf ik hem weer en zeg dat als ik binnen een halfuur niks van hem hoor, we een verhaal dat op andere informatie is gebaseerd moeten publiceren.

Hij reageert per telefoon. 'Over een paar uur sturen Zaid en ik je het verhaal,' zegt hij.

'Een paar uur? Al-Asaadi, de rest van de krant is al helemaal af! Stuur het me over een uur.'

Meteen daarna wordt het gesprek afgebroken, en ik krijg een e-mail van hem waarin hij zegt: 'Ik ben de hoofdredacteur en als ik je zeg dat je de krant open moet houden dan moet je de krant open houden. Ik ben je geen verantwoording schuldig.'

In feite, wil ik hem zeggen, ben je me wel verantwoording schuldig. In mijn contract staat dat de volledige redactionele leiding van de krant in mijn handen is. Tot nu toe heb ik vermeden dit expliciet te zeggen. Ik ben nooit tegenover hem op mijn strepen gaan staan, want ik wilde hem niet in zijn eer aantasten en het leek me diplomatieker daarvan af te zien.

Zelfs Faris heeft me voor Al-Asaadi gewaarschuwd. 'Hij houdt er niet van als iemand anders te goed wordt,' had hij me gezegd. De reden dat Al-Asaadi, aldus Faris, elk nummer heeft gesaboteerd, is dat hij het niet kan uitstaan dat ik de krant wel op tijd af kan krijgen. Dat ik slaag waar hij faalde.

Ik beantwoord zijn mail niet. Ik ga mezelf zitten opwinden, terwijl Manel mijn hand vasthoudt en probeert te voorkomen dat ik ontplof. Als duidelijk wordt waarom we zo lang op kantoor moeten blijven, worden mijn medewerkers ook ongeduldig. Het is middernacht als we het verhaal en de foto's van Al-Asaadi binnenkrijgen. Hij geeft niet aan wie de foto's heeft gemaakt en als ik hem er per e-mail om vraag, reageert hij niet. Ik ben gedwongen de foto's zonder bronvermelding af te drukken en stuur iedereen naar huis. Ik zit nu twintig uur onafgebroken op mijn werk.

De hele weg naar huis zin ik op wraak. Ik stel me voor dat ik Al-Asaadi opbel en zeg: 'Waarom denk je dat ze me in de arm hebben genomen? Omdat jij zo goed leiding gaf aan de krant?' Maar zoiets doe ik niet. Met pijn in mijn maag kruip ik tussen de lakens en droom dat Al-Asaadi woest op me is omdat ik niet de hele nacht op mijn werk op de bronvermelding van de foto's heb zitten wachten.

☾★

NADAT HIJ UIT LONDEN TERUGKEERT, blijft het op dezelfde voet doorgaan. Voor het eerstvolgende nummer wil hij het redactioneel commentaar schrijven, mailt hij me. Dus houd ik de ruimte voor hem vrij. Rond halfacht 's avonds hebben Luke en ik alle andere pagina's af en Al-Asaadi banjert om kwart voor acht het kantoor binnen. Hij is nog niet eens met zijn commentaar begonnen en stelt voor de pagina's met plaatselijk nieuws te wijzigen. Ik doe mijn uiterste best mijn stem onder controle te houden.

'Om vier uur vanmiddag had ik met alle liefde van je aanwijzingen gebruik willen maken,' zeg ik. 'Dan hadden we nog alle tijd gehad om een en ander voor de deadline aan te passen.'

'Om vier uur kan ik niet aanwezig zijn,' zegt hij.

'Waarom niet? Alle anderen doen dat wel. Dat zijn onze normale werktijden.'

We worden onderbroken door zijn telefoon. Al-Asaadi heeft twee mobiele telefoons, die allebei voortdurend overgaan. Met bolle wangen praat hij minutenlang door. Terwijl alle andere medewerkers hard aan het werk waren, heeft hij qat zitten kauwen met zijn vrienden.

Al-Asaadi lijkt te denken dat het feit dat hij de titel hoofdredacteur heeft hem het recht geeft minder werk te verrichten dan de andere medewerkers. Zijn verblijf in de gevangenis heeft hem min of meer tot een bekende Jemeniet gemaakt, wat hij zozeer uitmelkt dat Manel hem 'wonderboy' of 'ster van de achterbuurt' is gaan noemen. Hij gaat graag naar feestjes van ambassades, waar hij hoogwaardigheidsbekleders ontmoet, maar het dagelijkse handwerk voor de krant interesseert hem niet meer. Hij besteedt geen seconde meer aan het opleiden van zijn medewerkers om hun vaardigheden bij te spijkeren, hoezeer ze zijn hulp ook kunnen gebruiken, en hij is ongeduldig als ze fouten maken.

Nadat we na elf uur 's avonds eindelijk vertrekken, hebben Luke, Manel en ik een onderhoud over de onwilligheid van Al-Asaadi. Vergeleken met de eerste twee maanden hier, valt de sluitingstijd nog mee en heb ik niet langer dan veertien uur achtereen gewerkt, in plaats van twintig. Luke, die een aantal maanden op de krant heeft gewerkt voordat ik arriveerde, zegt dat er voor mijn komst geen enkele orde heerste en dat ze vaak de hele nacht op waren. 'Dan zaten we hier tot vijf, zes uur 's ochtends,' zegt hij. 'Je hebt fantastisch werk gedaan.'

Luke biedt aan met Faris te overleggen om mijn klachten over Al-Asaadi te steunen. 'Hij heeft je de laatste drie nummers schaamteloos gesaboteerd,' zegt hij. 'Zonder hem zouden alle drie de nummers om halfacht klaar zijn geweest.' Maar zoals zo vaak is Faris niet in de stad. Dus wachten we.

Het gekke is dat Al-Asaadi me ondanks alles wel mag. En ik mag hem ook wel. Zo bracht hij uit Londen een bak met snoep voor me mee en op dagen dat we de krant niet hoeven af te ronden, spreken we met elkaar en lachen heel wat af. Maar in de loop van de herfst neemt de spanning toe. Als hij op het kantoor is, ontvangt hij een voortdurende stroom bezoekers, die op een, twee meter afstand van mijn bureau zitten te praten en thee slurpen. De doorlopende herrie is een aanslag op mijn geduld en funest voor mijn redigeerwerk. Als Al-Asaadi niet in het gezelschap is van een gast, zit hij aan de telefoon te schreeuwen.

In Jemen maakt niemand ooit een afspraak. Zodra ze de behoefte hebben om langs te gaan, komen ze op bezoek, deadline of niet. Maar je kunt het niet maken om iemand weg te sturen. Op een dag bega ik die vergissing en stuur een Jemenitische lezer die me wil spreken weg omdat ik op sluitingsdag enkele artikelen aan het redigeren ben. 'Kijk, het spijt me zeer, maar op dit moment heb ik echt geen tijd voor je,' zeg ik hem. 'Ik probeer de krant op tijd af te krijgen. Zou je de volgende keer een afspraak willen maken?'

Zodra hij het kantoor verlaat, stapt Al-Asaadi op me af: 'Dat kun je echt niet maken,' zegt hij. 'Je moet iemand altijd een stoel aanbieden en minstens een glas thee. Zo doen we dat hier nu eenmaal.'

Ik voel me erg schuldig dat ik me zo cultureel ongevoelig heb gedragen. Maar ik baal er ook van. Als er van me verwacht wordt dat ik een eindeloze reeks bezoekers vermaak, zoals Al-Asaadi doet, hoe krijg ik mijn werk dan af?

Toch vormen mijn bezoekers soms een bron van vreugde. Op een middag ben ik druk aan het redigeren als een grote blauwogige cowboy mijn kantoor binnenwandelt. Een echte cowboy. Uit Arizona. Het is Marvin. Aarzelend stapt hij mijn drempel over en ziet eruit alsof hij net uit een Marlbororeclame is gestapt. Zijn grijze haar is kortgeknipt, hij heeft een grote snor, een spijkerbroek en O-benen.

Ik had al van Marvin gehoord. Hij werkt bij een veeprogramma op Soqotra en brengt een deel van zijn tijd door op het eiland en een ander deel in Sana'a. In de veronderstelling dat hij een interessant verhaal te vertellen heeft, nodig ik hem uit om plaats te nemen.

Op het ongerepte eiland Soqotra lopen geiten los rond, vertelt hij me, en stukje bij beetje vernielen ze het delicate ecosysteem. Marvin is van plan om de plaatselijke bevolking bij te brengen hoe ze hun dieren gezond kunnen houden, van voedsel kunnen voorzien, een hygiënisch slachthuis kunnen openen en vlees kunnen verkopen aan het vasteland.

We beklagen ons erover hoe moeilijk het is om hier iets gedaan te krijgen, het lijntrekken van onze medewerkers en de wanorde in het land. Marvin vertelt me dat een van zijn medewerkers een keer weigerde op zijn werk te komen omdat hij niet ontbeten had en last had van zijn maag, terwijl een ander niet kwam opdagen omdat hij zijn linkerpink aan een vel papier had gesneden.

'Ken je het Spaanse woord *mañana*?' zegt Marvin.

'Uiteraard,' zeg ik. 'Morgen.'

'Het betekent niet echt "morgen",' zegt hij. 'Het betekent: "beslist niet vandaag".'

Ik begon in te zien waar hij op aanstuurde.

'En hier heb je hetzelfde met: "insjallah".'

'Inderdaad! Het is overal het gebruikelijke excuus voor. Als mijn verslaggevers hun verhaal niet op tijd af krijgen, nou, dan was het niet de bedoeling dat het op tijd kwam.' Ik maak me zorgen over het gebrek aan persoonlijke verantwoordelijkheid. Over het algemeen gedroegen mijn mannelijke verslaggevers zich als volgt: 'Waarom zou ik me er druk over maken, als ik het gewoon aan God kan overlaten?' Terwijl mijn vrouwen zichzelf over de kop werken en weigeren te eten tot hun artikel af is, zijn mijn mannen het grootste deel van de tijd bezig met het verzinnen van smoezen voor hun lage productiviteit. Dit is het gevolg van de bevoorrechte positie van de helft van de bevolking, denk ik. De mannen vinden dat de wereld in hun levensonderhoud moet voorzien en werken alleen om genoeg geld voor qat te verdienen, terwijl de vrouwen driemaal zo hard werken om aan te tonen dat ze in staat zijn datgene te doen waarvan iedereen zegt dat ze het niet kunnen.

Toch worden de vrouwen door de mannen neerbuigend behandeld. Op een avond komt Al-Matari, de neef van Noor, het kantoor binnen om me te zeggen dat Noor huilend is thuisgekomen. 'Het komt door Farouq,' zegt Al-Matari. 'Hij heeft haar uitgescholden.'

Het is niet voor het eerst dat dit is gebeurd. Kortgeleden kwam Zuhra trillend mijn kantoor binnenrennen. 'Kan ik met je spreken?' zei ze, en trok de deur achter zich dicht en deed haar sluier af. Ze barstte in tranen uit. Farouq had haar bespot, zei ze, en haar ervan beschuldigd dat ze te lang met westerlingen sprak, alsof ze daarmee haar eigen mensen verried. Met 'westerlingen' bedoelde hij westerse mannen, dus Luke en Manel. Zuhra beschouwt Luke als een broer en heeft een bijna even goed contact met hem als met mij. Omdat Luke een westerling is, weet ze dat hij haar vriendelijkheid niet meteen ziet als een teken van losse moraal. Na verloop van tijd begon ze net zo tegenover de sympathieke Manel te staan. Het is vreselijk om te zien hoe deze relaties verkeerd worden geïnterpreteerd.

Vandaag is het de beurt aan Noor om slachtoffer te zijn van Farouq. Omdat ze al is vertrokken, stuur ik haar een e-mail waarin ik zeg dat het me spijt dat Farouq haar overstuur heeft gemaakt en dat ze niet moet aarzelen om met me te praten als hij haar op het werk lastigvalt.

De volgende middag trek ik Farouq mee mijn kamer in. Hij beweert dat Noor als eerste op hem begon te schelden (wat ik betwijfel). 'Farouq, je bent een volwassen man. Wat Noor ook tegen je zegt, ik wil dat je hier op het kantoor aardig tegen haar bent. Als je problemen met haar hebt, kun je bij mij terecht en zal ik het er met haar over hebben. Maar het is niet voor het eerst dat je iemand op het kantoor op stang hebt gejaagd en ik wil niet dat mijn

verslaggevers dit gebouw in tranen verlaten.'
'Ik wil niets te maken hebben met die vrouwen!' zegt hij boos. 'Ik zal nooit meer met ze spreken!'
'Nou, dat zul je toch moeten, voor je werk. Daarom wil ik dat je een beetje aardig bent. En professioneel. Kom nou maar gewoon bij mij als je ergens mee zit. Oké?'
Hij knikt me stug toe en verlaat mijn kamer.
Ik vertel Marvin erover, die me begrijpend toeknikt. 'Nou, als je er even tussenuit wilt, kom dan bij ons langs, op Soqotra,' zegt hij. 'Daar is meer dan genoeg om over te schrijven.'

C☪

IK HOUD MARVINS UITNODIGING in gedachten, terwijl ik mij met dubbele inzet op de samenwerking met Al-Asaadi stort. De spanning is niet constant en hij is soms ook heel aardig. Tegen het eind van november krijgt onze relatie een oppepper door een uitstapje buiten de stad. Vanaf de dag dat ik hier aankwam, ben ik, op een lang weekend naar Istanbul na, niet weggeweest en ik kijk reikhalzend uit naar het platteland. Al-Asaadi zegt dat hij me ter gelegenheid van mijn verjaardag ergens mee naartoe wil nemen, en volgens mij had hij geen mooier geschenk kunnen bedenken. Dus op een vrijdag in november komen hij en zijn twee oudste dochters me in de Oude Stad oppikken om me mee te nemen naar Wadi Dhar, een dal op ongeveer een halfuur rijden van Sana'a.
Hulud en Asma, van vier en zes jaar, allebei klein en verlegen en beide met dezelfde vlechten in het haar en lange gekrulde wimpers, staan de hele rit achterin de auto en kijken me zwijgend aan. Ik kan er maar niet aan wennen dat ouders hun kinderen in auto's niet veilig in gordels vastzetten. Er zijn geen veiligheidszitjes en oudere kinderen dragen nooit veiligheidsgordels.
Het is een heldere, zonnige ochtend als we Sana'a uitrijden, langs talloze fruit- en groentenmarkten aan de rand van de stad en langs steeds gammeler uitziende woningen, de bergen in. We rijden richting Dar al-Hajar, het paleis van de imam dat gebouwd is op een rots in Wadi Dhar.
Onderweg rijdt Al-Asaadi langs een prachtig uitzichtpunt, waar honderden toeristen, zowel westerlingen als Jemenieten, bij de rand van een over de vallei uitkijkende, steile rots samendrommen. Met ons vieren wandelen we naar de rand en kijken neer op de lapjes grond waar qat groeit en de huisjes beneden ons. Aan de horizon zijn bergen te zien. Jemenitische mannen verkopen schalen felroze gesponnen suiker, fruit en pindarotsjes. Een man met een valk aan een touw laat buitenlanders tegen betaling foto's nemen. We zetten elkaar op de foto en spreken met een Duits gezin dat vlak bij ons staat. Al-Asaadi is

blij dat hij toeristen in ons land ziet. 'Als er iets ergs gebeurt, met terroristen en zo, zie ik de toekomst weleens somber in,' zegt hij terwijl hij zijn meisjes op hun hoofden tikt.

Ik ben geneigd hem te zeggen dat een van de beste dingen die hij voor hun toekomst kan doen, is ze gordels in de auto te laten dragen, maar ik slik mijn woorden in.

Het is heet en stoffig als we bij het paleis aankomen. Buiten het paleis dansen mannen met getrokken jambiya's in het rond. Zelfs jongetjes die niet hoger reiken dan mijn knieën zwaaien met hun dolken door de lucht als ze de mannen nadoen. Niemand lijkt zich er druk om te maken dat deze kleuters met dodelijke wapens rondlopen. Ik herinner me de afschuw van mijn zus toen ik na mijn eerste reis naar Jemen mijn vier jaar oude neefje Noah een kleine jambiya gaf. 'Hij mag geen wapen hebben,' riep ze naar me.

We wandelen naar de ingang, lopen de trappen op en banen ons een weg tussen de horden mensen door. Het vijf verdiepingen hoge middeleeuwse Dar al-Har (Rotspaleis) is in de dertiger jaren van de twintigste eeuw uitgebreid tot een zomerpaleis voor Imam Yahya, die Jemen van 1918 tot 1948 regeerde. Het bestaat uit een doolhof van met gips bepleisterde muren vol qamaria en vele hoeken en gaten waar kinderen in weg kunnen kruipen. We hangen uit vensters naar buiten om de vallei beneden ons te zien. Hulud en Asma vinden alles even interessant, betasten de muren en kijken met grote ogen om zich heen, maar ze zijn bijna voortdurend stil. Ze kletsen zelfs niet met elkaar.

Als we uitgekeken zijn, moet Al-Asaadi zich haasten om voor het middaggebed thuis te komen. Langs de ongeplaveide weg die naar de hoofdweg leidt, staan vele fruitverkopers die piramides pruimen en peren aanbieden. Ik koop een kilo paarse en van een dikke schil voorziene pruimen en we eten ze op de terugweg op, onze armen en kinnen komen onder het zoete sap te zitten. Als Al-Asaadi me bij mijn huis afzet, loopt hij naar de Qubat al-Mahdi moskee aan de overkant van de straat, want hij kan zijn eigen moskee niet meer op tijd bereiken. Ik vraag hem of hij de meisjes meeneemt, maar hij zegt van niet. Ze moeten in de auto op hem blijven wachten. In de namiddag is het drukkend warm en in de auto is het smoorheet. Ik probeer mijn afschuw voor me te houden en vraag: 'Zal ik ze mee naar huis nemen tot je klaar bent?'

'O, nee hoor,' zegt hij. 'Ze zijn eraan gewend.' Hij opent een raam en sluit ze op in de auto.

Ik sta even naast de auto terwijl Al-Asaadi vlug oversteekt om te kunnen bidden. De meisjes zitten rustig te wachten. Het lijkt gewetenloos om weg te lopen en ze daar te laten zitten, maar ik heb geen keus. Ik stap op mijn huis af en hoop dat Al-Asaadi snel bidt.

☪

TEGEN HET EIND van november komen twee mannen van de Zuid-Afrikaanse ambassade bij me op bezoek. Ze hadden nota bene een afspraak gemaakt, maar ik was hen helemaal vergeten. Als ze arriveren, ben ik hard aan het werk, maar ik leg mijn redigeerwerk opzij om het over de recente verkiezingen en de persvrijheid in Jemen te hebben. Het gebeurt vaak dat ambassadeurs langskomen en vragen stellen over de Jemenitische pers. Ze willen weten 'hoever ze kunnen gaan', welke grenzen aan de vrijheid van meningsuiting er zijn. Gewoonlijk vind ik deze contacten met de ambassades wel leuk, maar ik zit zo tot over mijn oren in het werk dat ik bijna in paniek raak door hun bezoek. Om het nog erger te maken, tref ik als ik terugkeer naar mijn kamer een groep vrouwelijke studenten aan die op Al-Asaadi zitten te wachten. Ik probeer beleefd te blijven en sta hen nog even te woord voordat Al-Asaadi komt.

Nu ben ik nog verder achterop geraakt, dus vraag ik Al-Asaadi of hij de studenten alsjeblieft naar de vergaderzaal wil brengen, zodat ik mijn redigeerwerk kan afmaken.

'Nee,' zegt hij met enige opstandigheid in zijn stem.

Verbijsterd kijk ik op van mijn computer. 'Waarom niet? Beide vergaderruimtes zijn leeg en ik moet hier achter mijn bureau aan de slag met redigeren en ik moet per e-mail nog vragen van Hakim over zijn artikel beantwoorden.'

'Nee. Ga jij maar ergens anders zitten.'

Ik ben stomverbaasd, niet alleen vanwege zijn irritante dwarsheid, maar ook omdat hij de strijd aangaat in het bijzijn van een kamer vol vrouwen.

'Mohammed, ik moet hier in deze kamer zijn en jij weet dat. Wat doe je hier met deze vrouwen? Daarom hebben we juist die vergaderruimtes! Voor dit soort bijeenkomsten!'

Hij weigert te vertrekken. Ik probeer te werken, maar dat is niet mogelijk als hij pal naast me hardop zit te praten. Voor de verandering zit Faris op zijn kamer en ik ren naar boven om hem om steun te vragen. Ik onderbreek zijn gesprek met Jelena, de temperamentvolle coördinatrice van de advertentieafdeling van *Arabia Felix*, die zojuist zo'n knallende ruzie met Karim heeft gehad dat zij overweegt ontslag te nemen.

'Wat is er?' zegt Faris en kijkt me verstoord aan.

Ik leg de situatie uit en Faris belt onmiddellijk naar beneden en zegt Al-Asaadi dat hij met de meisjes naar de vergaderruimte moet vertrekken. Ik ben me er zeer goed van bewust dat klikken bij Faris over Al-Asaadi het eind van onze relatie betekent, maar ik zou niet weten hoe ik het anders moest aanpakken. Ik moet nog vijf pagina's redigeren en de dag is al bijna afgelopen.

Ik ren weer naar beneden, maar ondanks de orders van Faris, weigert

Al-Asaadi nog altijd plaats te maken. Om zijn woorden kracht bij te zetten, zet Faris de dokter in. Samen met Luke trek ik me wijselijk terug in de redactiezaal terwijl hij Al-Asaadi en de meisjes uit onze kamer stuurt.

Als ze uiteindelijk zijn vertrokken, ga ik meteen weer aan de slag. Meteen is Al-Asaadi weer teruggekeerd en begint op me te schelden. Ik scheld terug. 'Waarom ben je zo eigenwijs?' zeg ik. 'Je weet toch dat ik hier moet zijn om te werken. Waarom moet jij hier zo nodig zitten, als beide vergaderruimtes leeg zijn?'

'Omdat het mijn kamer is!'

'Dat is geen goed argument! Er is geen enkele reden waarom je niet in de vergaderruimte met die vrouwen kunt praten!'

Al-Asaadi pakt een paar spullen van zijn bureau en gooit ze weer neer. 'Je kunt het geen kantoor meer noemen,' zegt hij. 'Het ziet eruit als een groentewinkel!' Hij gebaart kwaad naar de sinaasappel op mijn bureau.

'Je weet dat ik het meeste eten in mijn bureaula bewaar,' zeg ik en mijn stem begint te trillen. 'En dat is nodig ook, omdat ik geen vrouw thuis heb die mijn lunch verzorgt.' (Anne-Christine is naar Syrië verhuisd en ik leef weer op een dieet van muesli en salades.) 'Ik eet mijn lunch hier op. Ik heb te veel werk omhanden om naar huis te gaan. Wat wil je dat ik doe, ophouden met eten?' Stilte.

'Al-Asaadi, als je wilt dat ik ergens anders heen ga, dan verhuis ik naar een andere kamer. Dan kun je doen wat je wilt. Het is tenslotte jouw kamer.'

'Nee,' zegt hij enigszins aarzelend. 'Het is ook jouw kamer. Het spijt me. Ik wil dat je hier blijft.'

'Het spijt me ook. Ik wilde hier echt niet zo'n punt van maken, maar je zult moeten begrijpen dat ik dat werk nu eenmaal moet doen!'

Ik richt me weer op mijn computer, en Al-Asaadi begint op zijn toetsenbord te tikken, in stilte nu.

Eindelijk schiet het redigeerwerk weer op en slaag ik erin om, nadat ik mijn training en mijn lunch heb overgeslagen, de krant op het niet onredelijke tijdstip van halfelf af te krijgen. Ik ben behoorlijk tevreden over de voorpagina, maar vind het spannend wat Faris ervan zal denken, omdat het vol staat met wat in zijn ogen negatieve verhalen zijn. Er staan onder andere de volgende koppen op: 'Qatkauwen betekent ondergang Jemenitische voetbalploeg,' 'Pistooldragende Jemenieten ontmoedigen investeringen' en 'Aanvallen op journalisten gaan door.'

Nog zenuwachtiger ben ik over het redactionele commentaar dat ik heb geschreven, waarin ik president Saleh aanval omdat hij niet voor journalisten is opgekomen. Hij heeft niets gezegd om de opsluiting en het lastigvallen van journalisten te veroordelen, wat ik schandelijk vind, vooral omdat hij zo hoog opgaf over de voortreffelijke democratie in Jemen.

Maar het valt Faris niet op. Ik begin te vermoeden dat hij de krant niet eens leest, behalve als iemand er bij hem over klaagt. Ik hoor nooit een reactie van hem over wat we publiceren.

Qasim levert me al bijna evenveel problemen op als Al-Asaadi. Op een ochtend komt Noor bij me langs met de mededeling dat ze voor de cultuurpagina een verhaal wil schrijven over een groot concert. Dat lijkt me prima, dus schrijf ik een brief waarin staat dat ze een journalist is. Faris weigert nog altijd om perskaarten voor zijn medewerkers te regelen, waardoor ze voortdurend uit overheidsgebouwen en ziekenhuizen worden gestuurd omdat ze zich onvoldoende kunnen identificeren. Volgens hem moeten mijn verslaggevers eerst bewijzen dat ze te vertrouwen zijn, voordat ze hun perskaart verdienen, ondanks dat ik hem uitleg dat ze hun werk bijna niet kunnen doen zonder zo'n bewijs.

Net als ik Noor toestemming geef om naar het concert te gaan, komt Qasim mijn kamer binnenstormen. 'Je kunt Noor niet naar dat concert laten gaan!'

Dat verbaast me zeer. 'Ik wil dat er op de cultuurpagina over wordt geschreven,' zeg ik. 'Waarom zou dat niet kunnen?'

'*Arabia Felix* schrijft er al over.'

'*Arabia Felix* is een tijdschrift, en dat tijdschrift komt maar tweemaal per jaar uit. Als wij er ook over schrijven, zit dat elkaar echt niet in de weg.'

'Nou, Noor kan er niet heen. Ik heb maar twee pasjes.'

'Dan zorg ik dat ze een perspas krijgt. Wie is de contactpersoon voor de pers?'

'Hij spreekt alleen Arabisch.'

'Prima. Dan vind ik wel iemand die hem belt.'

Qasim is buiten zichzelf. 'Nee! Dit concert moet door een professioneel journalist worden beschreven.'

'Noor is een professioneel journalist,' zeg ik onderkoeld. 'En ik stuur haar en Najma naar het concert. Al moet ik de kaartjes van mijn eigen geld kopen.'

En dat moet ik uiteindelijk ook. Qasim blijft weigeren de vrouwen te helpen, dus geef ik Noor en Najma voldoende geld mee om zowel de reis als de kaartjes te kunnen betalen, evenals een brief waarin staat dat ze voor me werken. Ze zijn in de zevende hemel, zijn me zeer dankbaar, en schrijven een kleurrijk verslag van het optreden. Ik vraag me soms af wat we allemaal wel niet hadden kunnen doen als de mannen ons niet voortdurend in de weg stonden.

☪

IK WERK DRIE MAANDEN bij de krant als het ministerie van Informatie belt en vraagt naar de rol die ik heb bij de krant en naar mijn visumnummer. Enass komt mijn kamer in om mijn paspoort te halen, waardoor ik in paniek raak. 'Word ik het land uitgezet?'

Ze lacht en schudt haar hoofd.

Al-Asaadi vertelt dat ik een brief aan het ministerie moet schrijven waarin staat dat ik hier alleen een erebaantje heb en helemaal geen redactionele beslissingen neem. Ik stem ermee in, omdat het voor een buitenlander verboden is om leiding te geven aan een Jemenitische krant. Maar de plotselinge interesse van het ministerie maakt me achterdochtig. Waarom nu, nadat ik al drie maanden de leiding van de krant in handen te heb? Hebben ze gewoon niet opgelet, of zijn ze door iemand ingelicht? Even vraag ik me af of het misschien komt door mijn redactioneel commentaar waarin ik kritiek lever op de overheid, maar de commentaren zijn niet ondertekend.

De brief helpt echter en het ministerie laat ons verder met rust. Maar mijn titel is wel lager uitgevallen en wordt nu omschreven als adviserend redacteur. Waarschijnlijk tot grote vreugde van Al-Asaadi. Maar dat maakt me niet uit. Wat mij betreft noemen ze me conciërge, zolang ik mijn werk maar kan doen.

☾★

MIJN VOLGENDE ZET in mijn streven om iedereen, inclusief Al-Asaadi, zich aan de deadlines te laten houden, is een uitgewerkt rooster. Tegen het eind van december deel ik het uit, samen met een stijlgids die ik heb samengesteld vanaf het moment dat ik hier ben gearriveerd. Langzaamaan krijgen we het voor elkaar om de pagina's op vaste tijdstippen te sluiten, al worden mijn verslaggevers nog vaak genoeg door de deadline overvallen. Nu ze die deadline op papier voor zich hebben, kunnen ze niet meer zeggen dat ze niet wisten wanneer ze hun tekst hadden moeten inleveren. Ik let erop dat de pagina's van Al-Asaadi op de sluitingsdag voor de lunch binnenkomen, want het is niet vertrouwd om hem na de lunch te laten werken. Ik hoop dat de zaken hierdoor goed blijven lopen als ik rond de jaarwisseling voor een tiendaagse vakantie naar Caïro vertrek.

Op kerstavond besluit ik vroeg van mijn werk naar huis te gaan, want ik heb vakantie en ik heb een gast van buiten de stad. Ik redigeer in een waanzinnig tempo, in de hoop om acht uur klaar te zijn. Ik heb Al-Asaadi al gezegd dat ik met Kerstmis, op de dag dat de krant sluit, niet aanwezig zal zijn. Voor deze ene keer zal ik het christendom als argument gebruiken en zeggen dat ik nu zelf een religieuze dag vrij heb.

Maar als Al-Asaadi op kerstavond vlak voor acht uur 's avonds komt opdraven, zegt hij me dat hij de krant die nacht wil afronden, een dag eerder.

'Waarom?' vraag ik verbaasd. 'Daar is geen enkele reden voor.'

'Het is morgen Kerstmis!' zegt Al-Asaadi.

Ik staar hem aan. 'Mohammed. Dit is een islamitisch land. Waarom zou je met Kerstmis niet willen werken?'

'Uit solidariteit met jou nemen we allemaal een dag vrij.'

'Waarom?' vraag ik hem opnieuw. 'Denk je dat je het morgen zonder mij niet redt?'

Hij staat erop en houdt Manel bij zich in zijn kamer tot het nummer is afgerond. Dit is ongelofelijk oneerlijk ten opzichte van Manel en de rest van de medewerkers, maar ik kan er niets aan doen. Ik kan niet langer aanwezig blijven, want iemand heeft een lange reis gemaakt om bij mij op bezoek te komen. Net als ik op het punt sta te gaan, geeft Al-Asaadi me enkele artikelen om te redigeren.

'Al-Asaadi, het is kerstavond, en ik wil nu graag naar huis om de rest van de avond met mijn gast door te brengen,' zeg ik.

'Maar je moet dit nog redigeren voor je gaat.'

'Waarom bewaar je ze niet tot morgen en laat ze dan door Manel redigeren?'

'We ronden dit nummer vannacht af!'

'Luister goed, ik ben nooit afwezig. Alleen deze ene keer. En ik wil naar huis gaan om de avond door te brengen met iemand die voor niet meer dan tien dagen helemaal naar dit land is gereisd en die ik vervolgens vele maanden niet meer zal zien.'

Waarna Al-Asaadi me vertelt dat hij niet alleen heeft besloten dit nummer een dag eerder af te ronden, maar ook dat we voor *Eid al-Adha*, dat dit jaar net na Kerstmis valt, nog een extra nummer uitbrengen. Terwijl we al samen hadden besloten dat we voor de vakantie niet nog een nummer zouden maken. Nu moet iedereen nog op dinsdag en woensdag aan de slag om dat extra nummer te produceren, terwijl ze er al op hadden gerekend vrij te zijn. Het wordt nog erger als blijkt dat de reden voor het uitbrengen van het extra nummer is dat Qasim er al advertentieruimte voor heeft verkocht. Tijdens Eid al-Fitr had Qasim hetzelfde geflikt en ik heb hem toen laten beloven dat hij nooit weer advertenties zou verkopen voor een nummer dat tijdens een vakantie uitkomt.

Schuimbekkend redigeer ik de artikelen die Al-Asaadi me heeft gegeven en ik loop net de deur uit als hij zegt: 'Tot dinsdag dan maar!'

Ik draai me om. 'Mohammed, ik heb je een maand geleden gezegd dat ik deze week vrij neem. Ook hebben we al tijden geleden besloten dat we deze week allemaal vakantie zouden hebben. Dus ik ben helemaal niet van plan te komen, behalve om mijn salaris op te halen. Het is negen uur op kerstavond en pas nu hoor ik voor het eerst dat de planning is veranderd. Als je nog een nummer voor Eid wilt uitbrengen, dan red je je daar maar mooi zelf mee. Zonder mij.'

En met die woorden trek ik de deur achter me dicht. Ik vind het onvoorstelbaar dat Al-Asaadi zich zo afschuwelijk gedraagt op wat voor mij – voor zover hij weet – een heilige dag is. Hij heeft nauwelijks een poot uitgestoken sinds ik in zijn land ben aangekomen en nu haalt hij het in zijn hoofd om te suggereren dat ik er de kantjes van afloop omdat ik enkele dagen vrij neem? De hele weg naar huis ben ik ziedend, en ondanks een aangename maaltijd, lukt het me niet om in de kerststemming te komen.

Voor de vrienden van me die gedurende de kerstdagen niet westwaarts trekken, geef ik op tweede kerstdag een feestje. Als eerste arriveert de waarnemend ambassadeur van de Verenigde Staten, Nabeel Khoury, die een goede vriend van me is geworden. Hij heeft wijn en bloemen meegenomen. Net als we in de mafraj hebben plaatsgenomen, komt Karim, met enkele Franse vrienden, gevolgd door de altijd even charmante Manel, een Britse journalist genaamd Ginny en verschillende anderen. Het is een rustige avond, maar het eenvoudige feit dat ik omgeven met vrienden wijn kan drinken en kaas kan eten, doet buitengewoon luxe aan.

C★

ALS IK NA MIJN KORTE VAKANTIE in Egypte in Jemen terugkeer, duurt het niet lang of ik word weer door de bekende angsten bevangen, en enkele nieuwe. Ik kom net na de tweede Eid-vakantie terug en na de executie van Saddam Hussein is het hele land in rouw. Meer dan de helft van de bevolking van Jemen is soennitisch en ze houden van Saddam.

Jemen was een van de weinige Arabische landen die weigerden de Irakese invasie van Koeweit in 1990 te veroordelen. Elke andere Golfstaat – Saudi-Arabië, Bahrein, Qatar, de Verenigde Arabische Emiraten en Oman – veroordeelde de invasie. Jemen, de PLO, Jordanië en de Maghreb, gebieden waarvan een flink deel van de bevolking Palestijns is, onthielden zich van een veroordeling.

Ik heb gemerkt dat er meerdere overeenkomsten bestaan tussen Saddam en Saleh. Net als Saddam heeft Saleh een militaire achtergrond en is hij nauw omgeven door een groep adviseurs met eveneens een militaire achtergrond. Op belangrijke machtsposities stelt hij stamgenoten aan, waardoor hij controle houdt over het veiligheidsapparaat van het land. In sommige opzichten verschillen de Sanhani's van Saleh niet zoveel van de Tikriti's van Saddam. Maar daar houdt de vergelijking mee op. Saleh heeft niet geprobeerd zijn macht te consolideren door familieleden die het niet met hem eens waren dood te schieten, hele etnische groepen uit te roeien of de economie van de Jemenieten te verwoesten die niet instemden met zijn politieke of religieuze denkbeelden.

De steun van Saleh voor Saddam tijdens de bezetting van Koeweit wekte grote woede op van de buren van Jemen. Elke Arabische Golfstaat wees het grootste deel van de Jemenitische emigranten uit die binnen hun grenzen werkte. Ongeveer twee miljoen loontrekkers werden gedwongen om naar Jemen terug te keren, zonder baan en niet in staat hun gezin te onderhouden, wat enorme negatieve gevolgen heeft gehad voor de Jemenitische economie, gevolgen die vandaag de dag nog altijd voelbaar zijn. Jemenieten komen in de Golf nog steeds moeilijk aan werk. Koeweit heeft het Saleh nooit echt vergeven en de pogingen van Jemen geblokkeerd om zich aan te sluiten bij de Raad voor Samenwerking van Arabische Golfstaten, het regionale economische verbond.

Op zijn beurt drukte Saddam zijn waardering voor de solidariteit van Jemen uit door grote sommen geld aan het land te schenken, zowel rechtstreeks aan Saleh als aan de stammen. Leden van Saddams familie hebben toevlucht gezocht in Jemen, waar naar schatting honderdduizend Irakezen wonen. Dat waren niet allemaal sympathisanten van Saddam, velen van hen waren naar Jemen gekomen om aan Irakese represailles te ontkomen.

'Iedereen in Jemen houdt van hem [Saddam] omdat de officiële media zeiden dat ze van hem moesten houden,' hoor ik van een diplomaat. 'En in een erg moeilijke periode was hij een belangrijke inkomstenbron voor Jemen.'

De Jemenieten houden er verschillende opvattingen op na. 'Hij was goed voor Irak omdat de Irakezen een sterke man nodig hebben om hen in bedwang te houden,' zegt een Jemenitische leraar Arabisch. 'Anders zijn het woeste en moeilijke mensen.' In etalages, huizen en op de achterramen van auto's zijn posters van de dictator te zien. Arabische kranten loven hem. Straatverkopers verkopen sigarettenaanstekers met afbeeldingen van hem.

Op de krant lopen mijn mannen rond met lange, bezorgde gezichten.

'Je kunt er beter niet over beginnen,' waarschuwt Manel me. 'Het zit ze erg hoog. Iedereen heeft dagenlang om hem gehuild.' Hij was zo lomp geweest om te suggereren dat Saddam een brute tiran was en had meteen de wind van voren gekregen. 'Volgens hen is hij een martelaar.' Voor deze ene keer houd ik mijn lippen stijf op elkaar.

De video van de executie van Saddam is akelig populair en telkens weer zie ik mannen er op de schermpjes van hun mobiele telefoons naar kijken. Ik weiger hem te zien. Blijkbaar denken ouders in Jemen dat het geen kwaad kan als hun kinderen naar dit soort zaken kijken en begin januari brengen twee jongens zichzelf om het leven als ze hun held naspelen. De ene hangt zich op en de ander schiet zichzelf neer. In de pers worden hun ouders opgevoerd, die zeggen dat hun jongens Saddam vereerden.

Kwaad gooi ik er een redactioneel commentaar uit waarin de omroepen die de video in omloop brengen, en ouders die hun kinderen ernaar laten kijken, worden veroordeeld. We hebben het nummer net afgesloten als Al-Asaadi vraagt of hij mijn stuk mag lezen. Ik ben er niet gerust op als ik hem de tekst overhandig. Onder het lezen zie ik hoe hij zijn ogen samenknijpt. 'Je moet dat stuk eruit halen waarin je schrijft dat de Irakezen Saddam hebben gedood,' zegt hij. 'Het zijn niet de Irakezen geweest die Saddam hebben gedood. Iedereen weet dat de Amerikanen dat hebben gedaan.'

Daar heeft hij een punt. In alle opzichten is de invloed van de Amerikanen bij de executie merkbaar, al zijn het uiteindelijk de Irakezen die hem hebben opgehangen, iets wat niemand in Jemen wil toegeven. Het dringt niet eens tot Jemen door dat alle Irakese inwoners van Detroit na zijn dood de straat op gaan om te dansen.

Ik ben zelf tegen de doodstraf en volgens mij was het doden van Saddam op de eerste dag van Eid een vreselijke publiciteitsstunt. Maar ik baal ervan dat de Jemenieten weigeren in te zien dat Saddam ook maar iets verkeerd heeft gedaan.

Ik hou dit echter voor mezelf. Ik zeg Al-Asaadi dat ik niks zal veranderen wat op feiten berust.

'Jouw commentaar berust niet op feiten.'

'O, jawel.'

'Je moet zeggen dat de Amerikanen Saddam hebben gedood.'

'Ik ga geen leugens vertellen.'

'Dan zal ik het commentaar verwijderen,' zegt hij dwingend, en probeert de krant uit mijn handen te trekken.

'Jij haalt mijn commentaar er helemaal niet uit,' zeg ik en ik houd de krant stevig vast. 'Daar heb jij helemaal niets over te zeggen.'

'Hadi, haal dat commentaar eruit,' roept hij naar de opmaker.

'Hadi, laat dat commentaar daar gewoon staan!'

Onze verslaggevers zijn allemaal gestopt met hun werk en kijken ons met open mond aan. De angst staat hen in de ogen, zoals bij kinderen die zien dat hun ouders ruzie hebben. Ik ben blij dat de vrouwen niet aanwezig zijn en dit niet kunnen zien. Ze missen mijn strijd met Al-Asaadi, omdat ze meestal al weg zijn als hij arriveert.

Allebei trekken we aan de pagina. 'Pas op dat ik geen verkeerde dingen ga doen,' zegt Al-Asaadi.

'Jij bent verantwoordelijk voor je eigen gedrag. Als je je verkeerd gedraagt, is dat jouw beslissing, niet de mijne,' zeg ik en weiger los te laten.

Hij laat los.

'Als jij dit commentaar intrekt, ga ik naar Faris.'

'Toe maar, bel Faris.'

Ik ren naar de telefoon op mijn kamer. Mijn vingers trillen als ik het nummer intoets. Ik heb het helemaal gehad met Al-Asaadi.

Wonder boven wonder neemt Faris de telefoon op. Ik neem de telefoon mee naar de binnenplaats en lucht mijn hart. Ik vertel hem over het redactioneel commentaar en over hoe Al-Asaadi elk nummer heeft proberen te saboteren. Ik herinner hem er bovendien aan dat ik volgens mijn contract de volledige redactionele verantwoordelijkheid heb.

Faris begint een verhaal. 'Jennifer, ken je die geschiedenis van de jurk?'

'Nee.'

'Op een avond ging een man uit winkelen en zijn vrouw vroeg hem, omdat hij toch op pad was, een jurk voor haar op te halen. Goed, toen de man even later terugkeerde, had hij alles wat hij nodig had, maar de jurk was hij vergeten. Zijn vrouw was erg boos en schold hem uit, er ontstond een geweldige ruzie. Maar de ruzie ging niet om de jurk, het ging over al het andere in hun relatie. Begrijp je?'

Ja, ik begrijp hem.

Faris vraagt me of ik het redactioneel commentaar aan hem wil mailen. Hij leest het en belt me meteen terug. 'Wat mij betreft kun je het plaatsen,' zegt hij. 'Maar het lijkt me beter als je het als opiniestuk plaatst dan als commentaar. Weet je, ik probeer te voorkomen dat mensen bommen gaan plaatsen bij de krant.'

'Denk je dat we met bommen bedreigd zullen worden?' Daar heb ik niet bij stilgestaan.

'Dat zou kunnen.'

'Om welk stuk gaat het?'

'Je kunt niet zeggen dat er iets pleit tegen de doodstraf. Die maakt deel uit van de islam.'

Dat verbaast me. Dat is niet het deel van het commentaar waardoor ik gedood dacht te kunnen worden.

'O,' zeg ik. 'Dat besefte ik niet.'

'Voor de rest is het prima.'

Ik denk even na. 'Ik denk dat ik het niet ga plaatsen. Of ik plaats het in een volgend nummer, als opiniestuk.'

'Dat bepaal jij.'

'Ik wil voorkomen dat de krant gebombardeerd wordt.'

Faris zegt dat hij zaterdag met ons om tafel wil zitten om het uit te praten.

Nadat ik heb opgehangen, zeg ik wat Faris heeft gezegd en voeg daaraan toe: 'Als jij een nieuw commentaar wilt schrijven, doe dat dan maar. Ik vertrek. Ik ben hier al dertien uur aanwezig en jij bent hier, hoe lang? Twee uur?'

'Prima.' Hij zit achter zijn bureau en wacht tot ik ga. Hij blijft vaak zitten tot ik weg ben, zodat hij zonder dat ik het merk iets kan veranderen.

Ik pak mijn spullen en vertrek.

Onderweg naar buiten loop ik nog even bij de redactiekamer langs, waar alleen Hadi en Farouq nog aan het werk zijn. Ik zeg Hadi wat we met de pagina doen, dank hem voor zijn inzet en neem afscheid. Als ik Farouq bedank, zegt hij: 'Het komt allemaal goed. Dat gebeurt nu eenmaal. Je moet gewoon geduld hebben.'

'Farouq,' zeg ik vermoeid, 'ik heb er genoeg van om geduld te hebben.'

Hij lacht naar me. 'Allah zal je bijstaan.'

'Shukrahn, Farouq, ik hoop het.'

Het vervelende van die ruzies met Al-Asaadi is dat ik na afloop net zo kwaad en teleurgesteld ben over mezelf als over hem. Dit is precies wat ik had willen vermijden. Het laatste wat ik had willen doen, was overkomen als een neerbuigende, dominante, agressieve, cultureel ongevoelige westerling die over de plaatselijke mensen heen walst. Terwijl ik nu al te vaak verzeild raak in scheldpartijen met Al-Asaadi, Qasim en de dokter. Gezien het feit dat niemand ooit het lef heeft om tegen de dokter te schelden, is de opwinding groot als dit een keer gebeurt, en iedereen rent eropaf om toe te kijken. Ik krijg het gevoel dat sommigen, als dat zou kunnen, graag hadden willen staan juichen. Maar ik vind het afschuwelijk om te schreeuwen. Ik ben nooit een schreeuwlelijk geweest en op mijn werk heb ik absoluut geen enkele keer op iemand gescholden. Ik voel me niet op mijn gemak met de ontdekking van dit boze, gefrustreerde, dictatoriale aspect van mijzelf. Na aanvaringen met Al-Asaadi of anderen ben ik altijd in tranen en vol zelfverwijt over het feit dat ik het weer uit de hand heb laten lopen. Dan beloof ik mezelf plechtig dat het niet nogmaals zover zal komen, dat ik in alle rust en redelijkheid met mijn medewerkers zal overleggen en hoop dat ik ze van mijn standpunt kan overtuigen. Gelukkig hoef ik bij de vrouwen zelden te schreeuwen, wat voornamelijk komt doordat ze nauwelijks tegen me in gaan. Als ik mijn stem wel verhef, voel ik me daar erg naar onder, omdat zij mij nooit zo zouden benaderen. In de begintijd is het me overkomen met Najma, en daarna heb ik gevraagd of ze langs wilde komen op mijn kamer.

'Het spijt me,' zegt ze zodra ze mijn kamer binnenloopt. 'Ik zal het de volgende keer beter doen.'

'Najma, ik ben het die zich moet verontschuldigen. Ik had niet moeten schreeuwen, om wat voor reden dan ook.'

'Nee, het is wel nodig. Dat verdienen we.' Haar ogen zijn donker en ze kijkt me ernstig aan.

Dat raakt me diep. 'Jullie verdienen het juist niet. Niemand verdient het om toegeschreeuwd te worden. Ik zal proberen het niet weer te laten gebeuren.'

'Maar je kunt...'

'Ik wil het niet. Ik hou er niet van om te schelden. Ik moet met je over je werk kunnen praten zonder overstuur te raken. Ik maak fouten. Het spijt me.'

Die zaterdag verschijnt Faris eindelijk op kantoor en we spreken over Al-Asaadi. Hij lijkt niet verrast over zijn gedrag en zegt me dat Al-Asaadi een ego-probleem heeft. Hij wil een superster in de media zijn, zonder al het werk te verrichten dat daarvoor nodig is. Al-Asaadi heeft, zeg ik, de potentie om een uitstekende verslaggever en een betere manager te worden. Het probleem is dat hij weigert volgens een rooster te werken. Faris is het met me eens dat Al-Asaadi een slechte manager is en meer geschikt is voor een baan om handjes te schudden in de public relations. Hij belooft met hem te gaan spreken.

Dan stelt hij me voor aan een aantrekkelijke, charmante jongeman genaamd Ali, die bij ons wil werken. Als kind van een Jemenitische vader en een Amerikaanse moeder is Ali opgegroeid in Oregon en spreekt perfect Engels. Ik ben blij dat ik over hem kan beschikken en zet hem direct aan het werk. Meteen ben ik hem eeuwig dankbaar omdat hij de artikelen van mijn verslaggevers in redelijk Engels om weet te zetten.

De vrouwen zijn nog meer onder de indruk. Met hem in de buurt veranderen ze in pubers, giechelend, onhandig en verlegen. Als Zuhra bij Radia op de receptie haar thee komt halen, zegt Radia dat ze naar de redactiezaal moet gaan. 'Dan breng ik je de thee wel,' fluistert ze. 'Dan kan ik hem weer even zien!' Zelfs Manel, die er toch ook mag zijn, is onder de indruk: 'Het is de knapste Jemeniet die ik ooit heb gezien,' zegt hij.

Ali is zich ofwel niet bewust van de opwinding die hij veroorzaakt, of hij is eraan gewend. Hij typt een eind weg en heeft geen weet van de in zwijm vallende kleine zwarte zuilen van kunstzijde om hem heen.

Ik ben opgewekter dan voorheen, tot Faris me belt en zegt dat Al-Asaadi zijn pagina's niet voor de deadline kan inleveren omdat hij wil dat het nieuws zo vers mogelijk is. Meteen ben ik weer in een slechte bui. 'Kijk,' zeg ik tegen Faris, 'als hij zijn pagina's niet om een uur 's middags kan inleveren, wanneer dan wel? Het punt is dat ik een deadline nodig heb waar hij zich elk nummer aan houdt.'

Faris stelt voor dat ik een eigen kamer krijg. We zouden de vergaderruimte kunnen verbouwen, zegt hij. Ik herinner Faris eraan dat Al-Asaadi over veertien dagen naar het buitenland gaat, dus zou het vreemd zijn om nu naar een andere kamer te vertrekken. Tot mijn grote vreugde heeft Al-Asaadi een beurs gekregen om vier maanden in de Verenigde Staten te studeren, want dat houdt in dat ik eindelijk in staat zal zijn om mijn doel met de krant te bereiken.

☾★

ZAID HEEFT VRIJAF van zijn studie in Londen en is bij de krant teruggekeerd. Hij stroomt over van enthousiasme en daar ben ik blij om. Toch ben ik verbaasd als ik zijn artikelen lees en zie dat zijn Engels er na een verblijf van vier maanden in Engeland niet beter op is geworden. Ik hoop dat hier na het tweede semester verandering in zal komen. Eerlijk gezegd reken ik daar wel op. Nu duidelijk is geworden dat Al-Asaadi niet van plan is iets nieuws te leren en mijn veranderingen door te voeren, ben ik op zoek naar een andere opvolger. Ik ben vastbesloten blijvende veranderingen tot stand te brengen.

Ik dicht Zaid de beste mogelijkheden toe. In juni zal hij zijn programma in Londen afronden, wat betekent dat ik nog minstens twee maanden heb om hem op te leiden voor ik vertrek. Als hij in december terugkeert, overleg ik met hem en zeg dat ik graag zou zien dat hij me opvolgt, ervan uitgaand dat Faris het ermee eens is.

Ik zit er serieus over in dat ik er niet in ben geslaagd om Al-Asaadi aan mijn zijde te krijgen, zelfs nadat ik maandenlang geprobeerd heb een emotionele band met hem te krijgen. Maar daar verbaast niemand bij de krant zich over. Luke zegt me dat geen enkele andere redacteur het zo lang heeft volgehouden om de macht met Al-Asaadi te delen.

Al-Asaadi heeft me beloofd, na zijn gesprek met Faris, dat ik zijn pagina's om halfzeven 's avonds binnenkrijg. Ondanks het feit dat hij zelf voor deze dead-line heeft gekozen, komt hij niet eerder dan acht uur aankakken. Als ik mijn mond open om hem aan de deadline te herinneren, haalt hij zijn schouders op. 'Je hebt nog zes dagen te gaan, *khalas.*'

Zes dagen, twee nummers, honderdachtenveertig uren. Ik ben heus niet aan het aftellen.

☪

DE VOLGENDE DAG komt Al-Asaadi om een uur of elf 's ochtends binnen, helemaal in het zwart gekleed, met een zwaarmoedige trek op zijn gezicht.

'*Kayf halak?*' (Hoe gaat het met je?) vraag ik.

Hij schudt zijn hoofd. '*Mish tamman.* Niet zo best.'

'Moet je vandaag naar een begrafenis?'

Hij kijkt verrast op. 'Wist je dat al?'

'Je hebt rouwkleren aan.'

'Ja, een vriend van me is overleden.'

'Het spijt me.'

Even later kom ik achter een tweede reden voor zijn sombere stemming. 'Ik heb geen visum gekregen,' zegt hij. 'Ik kan dus niet naar de Verenigde Staten.' Ik zak door de grond van ellende.

'Wat zeg je nou?'

Ik heb het hem nog niet horen zeggen of ik schrijf een e-mail aan mijn vriend Nabeel, de plaatsvervangende Amerikaanse ambassadeur. Ik ben wanhopig.

DERTIEN

zuilen van kunstzijde

Ik ben ervan onder de indruk dat Najma in januari nog altijd bij ons is. Gedurende de eerste paar maanden verschijnt ze vaak paniekerig op mijn kamer, op het punt om in huilen uit te barsten. Ze kan haar artikel niet op tijd afkrijgen, zegt ze. Er is geen chauffeur die haar naar de plek kan brengen waar ze heen moet. Of ze kan de mensen niet te pakken krijgen die ik haar wil laten interviewen. Daar raakt ze zo van overstuur dat ik haar er slechts met moeite van kan overtuigen dat er wel een oplossing voor te vinden is. Ik blijf verwachten dat ze het opgeeft en besluit dat ze het allemaal niet aankan.

Maar ze houdt vol. Hoezeer ze ook gekwetst raakt bij het schrijven van een artikel, ze gaat altijd door. Als je er al iets over zou moeten zeggen is het wel dat Najma te hard werkt. Tijdens de lunch blijft ze doorwerken, soms ook tot aan het begin van de avond, worstelend om haar pagina af te krijgen.

Ze heeft haar universitaire opleiding nog maar net afgerond en heeft geen journalistieke ervaring. Ook heeft ze nog niet goed door welke informatie voor een verhaal belangrijk is en wat kan worden weggelaten. Bijna alles wat ze inlevert is drie of viermaal zo lang als zou moeten. Ze is niet de enige met dit probleem. Mijn verslaggevers lijken allemaal te denken dat het heel goed mogelijk is een hele pagina te vullen met een verhaal van vijfentwintighonderd woorden.

'Niemand leest zulke lange artikelen,' zeg ik. 'Hoe interessant ze ook zijn. Je mag blij zijn als de mensen de eerste paar alinea's lezen.' Ik wil dat er drie of vier artikelen op de gezondheids- en wetenschapspagina staan, in plaats van twee.

In de eerste maand levert Najma een verhaal in over de gezondheid van kinderen, met een lengte van maar liefst zesendertighonderd woorden. Twee hele pagina's lang.

'Er staat veel belangrijke informatie in!' protesteert ze.

'Dat zal best! Maar mensen hoeven niet alles te weten.' Zelf zouden mijn verslaggevers zo'n lang verhaal evenmin lezen. In feite lezen ze niet. Bijna niemand in Jemen leest. Het enige boek dat ze ooit in de hand lijken te nemen, is de Koran.

Maar ik geef toe dat de Arabieren een sterke mondelinge traditie hebben, dus poëzie en andere literatuur wordt van oudsher op die manier overgedragen, in plaats van door geschreven teksten. En de helft van de Jemenieten is analfabeet. De weerzin van Jemenieten tegen lezen zou ook het gevolg kunnen zijn van hun ervaringen op school, waar het plezier in het lezen vaak verloren gaat. Ze worden geslagen en bespot als ze fouten maken en zijn doodsbenauwd om zich te vergissen. Zuhra vertelt me hoe ze, toen ze nog maar vijf jaar oud was, werd gebruikt om een ander meisje te straffen. Het meisje was niet in staat een op het schoolbord geschreven Arabisch woord te ontcijferen en de lerares had Zuhra gevraagd het voor te lezen, om het meisje te tonen hoe dom ze wel niet was. Waarna ze Zuhra dwong om op het voorhoofd van het meisje het woord 'ezel' te schrijven. Door deze ervaring was Zuhra zo ontzet dat ze vanaf dat moment op school altijd had gevreesd dat haar hetzelfde zou overkomen.

In het algemeen wordt het lezen als tijdverdrijf in de Jemenitische cultuur niet gestimuleerd. Vrije tijd brengt men door met het kauwen van qat en met gekeuvel. De vrouwen hebben daar niet zoveel tijd voor als de mannen, want ze zijn meestal druk in de weer met kinderen en het bereiden van de maaltijd – of met het hoeden van de dieren of met het boeren – terwijl hun echtgenoten de hort op zijn met hun vrienden. Zelfs mijn vrouwelijke verslaggevers, die nog bij hun ouders wonen en nog weinig verantwoordelijkheden hebben, lezen niet. Ze lijken hun vrije tijd voornamelijk door te brengen met het helpen van nichten of vrienden bij de voorbereiding van huwelijksfeesten.

Ik wijs hen erop dat lezen de beste manier is om hun taal- en journalistieke vaardigheden te verbeteren. 'Het maakt niet uit wat je leest. Romans, muesliverpakkingen, strips. Lees iets waar je plezier in hebt. Maar lees hoe dan ook.' Deze aangeleerde weerzin voor scholing en het ontbreken van een leescultuur levert mijn verslaggevers en de hele Jemenitische samenleving een enorme achterstand op bij het begrijpen van de wereld om hen heen en van de menselijke ervaring. Hoe kun je zonder boeken en kranten de levenswijze van mensen elders begrijpen? Hoe kun je medeleven krijgen met iemand die er hele andere normen en waarden op nahoudt, zonder iets vanuit hun standpunt te lezen? Er zijn maar weinig manieren om echt in het hoofd van mensen door te dringen die we in het dagelijkse leven nooit zouden ontmoeten en die in landen wonen waar we nooit naartoe zouden reizen, en het lezen van boeken is daar een van.

Ik veronderstel dat de meeste Jemenieten door de hardheid van hun bestaan weinig tijd hebben om over andere manieren van leven na te denken. Misschien dat we pas wanneer ons eigen leven comfortabel genoeg is, tijd over hebben om aandacht te besteden aan de wereld buiten ons directe blikveld.

☪

GEZIEN DEZE OMSTANDIGHEDEN zou je verwachten dat Najma wel zou begrijpen dat maar weinig lezers dat hele artikel van zesendertighonderd woorden zullen uitlezen. Ik leg haar uit hoe ze citaten tot een zin of twee kan inkorten, redundantie kan voorkomen en irrelevante informatie kan weglaten. Al mijn verslaggevers vinden dit erg lastig, want ze nemen paragraaflange citaten op in hun artikelen, in plaats van een of twee betekenisvolle zinnen te selecteren. Ook nemen ze vaak informatie op die ze niet goed snappen. Als ik vragen stel, kijken ze me met grote ogen aan en halen hun schouders op. Mijn verslaggevers gaan ervan uit dat hun lezers veel en veel slimmer zijn dan zijzelf en zaken zullen begrijpen die zij zelf niet eens snappen, wellicht omdat ze dan zelf niet zo hun best hoeven te doen om het te vatten.

Ondanks de vele uitdagingen merk ik al gauw dat de vrouwen de meest betrouwbare factor voor de krant vormen. Hoewel ze niet beter zijn opgeleid dan de mannen – meestal zelfs minder – hebben ze wel de vereiste wilskracht. Ze werken harder en zijn vasthoudender dan de mannen, en geen van hen kauwt qat of rookt. Ze arriveren stipt op tijd en tijdens de lunch zijn ze niet drie of vier uur verdwenen. Of ze eten een boterham in de achterkamer en gaan pas naar huis om te eten als ze hun werk af hebben.

Het onderscheid tussen het werk van de mannen en vrouwen beperkt zich niet tot de *Yemen Observer*. Vrienden die leiding geven aan oliemaatschappijen, niet-gouvernementele organisaties of ambassades zijn vaak ook zeer positief over hun vrouwelijke medewerkers uit Jemen en geven af op de luiheid van de mannen. Voor een deel komt dit doordat vrouwen niet zoals mannen voldoende hebben aan de titel van hun functie, ze zijn blij dat ze überhaupt in de gelegenheid zijn om te werken. In Jemen is het nog altijd niet gebruikelijk dat vrouwen buitenshuis aan de slag gaan, en alleen flinke en gedreven vrouwen zijn in staat hun familieleden ervan te overtuigen hen toe te staan een opleiding te volgen en een baan te zoeken. Tegen de tijd dat de vrouwen aan het werk zijn, hebben ze er al een heel gevecht op zitten, terwijl mannen vaak via familieconnecties een baan in de schoot geworpen krijgen. Najma boft, want haar moeder heeft haar altijd aangemoedigd om te doen wat ze zelf wil. 'En je vader?' vraag ik. Ze heeft nog niks over hem gezegd. Ze maakt een geringschattend gebaar. 'Die is anders dan mijn moeder.'

Toch moet ze vechten om aan de mannen op het werk te tonen dat ze net zo capabel is als zij. In feite wordt ze snel beter dan hen, alleen al door haar vastberadenheid. Tegen het eind van de herfst wordt haar gezondheids- en wetenschapspagina eindelijk beter. Op een zaterdag schrijft ze een artikel over borstkanker van drieduizend woorden. Ik had haar gezegd dat het niet langer dan duizend woorden mocht zijn. 'De meeste lezers willen niet meer dan vijfhonderd woorden lezen,' zeg ik. 'Kort het in tot duizend woorden en geef het dan aan me terug. Ik wil dat je er zelf in snijdt. En je moet beginnen met het nieuws. We hoeven hier geen medisch tekstboek te produceren, je kunt de lange en technische verhandelingen weglaten. Wat ik wil weten, is wat er in Jemen gebeurt. Hoeveel Jemenitische vrouwen hebben borstkanker? En welke behandelingen zijn er in Jemen voor hen beschikbaar? Daar gaat het onze lezers om, we richten ons niet op lezers elders in de wereld.'

Najma kijkt me aan alsof ik zojuist haar moeder heb neergeschoten.

'Oké,' zegt ze somber.

'En ik wil het van je terughebben voordat je vandaag naar huis gaat.'

Haar ogen worden nog groter dan haar *kheemaar*.

'Je kunt het,' zeg ik.

En zo is het. Tot tegen zessen is ze ermee bezig, aan een stuk door werkend, maar ze krijgt het voor elkaar. Als ze het artikel weer aan me geeft, is het twaalfhonderd woorden lang (voldoende ingekort) en ze heeft de structuur en de verslaglegging precies zo aangepast als ik heb gevraagd. Wat is ze vooruitgegaan! En Najma heeft echt nieuws gevonden, want in Jemen is net de eerste kliniek geopend die is gespecialiseerd in de behandeling en preventie van borstkanker.

Ik ben zo trots op haar! Ik dank haar ervoor dat ze zo lang is blijven doorwerken en ze zegt me dat haar moeder erg ongerust is over haar. 'Zeg haar dat het mijn schuld is,' zeg ik. 'Ik zal je morgen vroeg naar huis sturen.'

Als ik de volgende ochtend arriveer, ga ik meteen naar haar toe.

'Najma, ik ben zeer tevreden over de manier waarop je het artikel hebt herschreven. Je hebt precies gedaan wat ik van je had gevraagd. Dus shukrahn.'

Haar ogen stralen boven haar sluier. Die blik doet me zoveel dat ik denk: Ach, misschien moet ik het hier nog maar eens een maand langer zien vol te houden.

☪

OP WERELDAIDSDAG, 1 december, geef ik Najma de uitdagendste opdracht tot nu toe. Die dag vormt een mooie aanleiding om de laatste stand van zaken te beschrijven van het voortschrijden van de ziekte in Jemen. Het is voor het eerst dat Najma over dit onderwerp schrijft en ik ben benieuwd hoe ze het ervan afbrengt.

Najma begint haar verhaal als volgt:

Een islamitische geleerde is na vele afwegingen en diepgaand onderzoek tot de volgende conclusie gekomen. Aids wordt beschouwd als een van de sterkste krijgers van God. Ieder volk dat van het rechte pad van God afwijkt, wordt op een of andere manier gemarteld. Dus aids is in eerste instantie een marteling en steekt samenlevingen waarin een seksuele revolutie heeft plaatsgevonden het meest ernstig aan, samenlevingen waarin mannen met elkaar trouwen en obscene daden als de gewoonste zaak van de wereld beschouwen.

En zo gaat het maar liefst, eh, zo ongeveer drieduizend woorden door, met allemaal misleidende informatie, waaronder het feit dat Kofi Annan de 'secretaris-generaal van de Verenigde Staten' is. Ik denk dat hij dat wel zou willen weten.

Ik weet niet of ik erom moet lachen of huilen. Vooral als ik passages als de volgende lees:

De eerste gevallen van mensen die met aids zijn besmet vormen het bewijs voor wat in de Hadith, de profetische traditie van Mohammed, wordt verteld. De profeet Mohammed heeft gezegd... dat de slechte uitkomsten het gevolg zijn van het voorkomen en de verspreiding van overspel in een samenleving. Als wordt gezegd dat deze zaken zonder meer kunnen worden gepraktiseerd, roept dat Gods martelingen op. God kan de ziekte als een marteling over deze mensen afroepen, net zoals hij dat kan doen met een andere ziekte die onbekend is bij de voorouders. Dus aids... bewijst dat de uitspraak van de profeet klopt en is een marteling die de mensheid is overkomen voor zover die zich van het rechte pad heeft begeven.

De ziekte, zo vertelt ze ons bovendien, 'beperkt zich niet tot de mensen met een afwijkend seksueel gedrag' en zal zich met de komst van het internet in Jemen sneller verspreiden, want kennis is bijzonder gevaarlijk.

Dit verhaal kan ik absoluut niet publiceren. Het staat bol van de holle oordelen en bevat vrijwel geen feiten. Ik zit achter mijn bureau naar het stuk te staren als Luke binnen komt wandelen.

'Wat nu weer?' vraagt hij als hij mijn gezichtsuitdrukking ziet.

'Geloof me, dat wil je niet weten.' Wat zou Najma zeggen, vraag ik me af, als ze zou weten dat Luke homo is? Ze zou misschien helemaal van slag zijn van de cognitieve dissonantie. Iedereen is gek op Luke.

'Laat mij het verhaal eens lezen,' zegt hij als ik hem erover vertel.

Ik geef het hem en een paar minuten later verschijnt Luke weer op mijn kamer, al even ontzet als ik. 'Oké, ik snap dat we dit niet plaatsen.'

'Als aids een straf voor homo's zou zijn,' zeg ik, 'vraag ik me af waarom lesbiennes er dan veel minder mee zijn geïnfecteerd.'

'Zou God meer van lesbiennes houden?'

'Grappig, ik stel me God altijd voor als een heteroseksuele man.'

'Heteroseksuele mannen zijn dol op lesbiennes.'

'Wat is overigens het Arabische woord voor lesbiennes? Om een of andere reden staat het niet in mijn woordenboek.'

'In Arabië bestaan geen lesbiennes. Er zijn wel vrouwen die met elkaar vrijen, maar geen lesbiennes.'

De volgende dag vraag ik Najma om naar mijn kamer te komen en naast me te komen zitten. Ik ben zo zenuwachtig dat mijn handen ervan trillen en ik verstop ze in mijn rok. Ik wil dit per se goed doen. Ik wil niet het risico lopen haar religieuze opvattingen te schofferen of uit mijn slof te schieten. Terwijl ik probeer zo rustig en beheerst mogelijk te spreken, leg ik haar uit dat de gezondheids- en wetenschapspagina niet de plek is voor opiniestukken of veroordelingen. Wat jij hebt geschreven, zeg ik, is meer een preek dan een journalistiek verhaal.

'Ik heb alle respect voor jouw geloofsovertuiging en uiteraard staat het je vrij om te denken wat je wilt, maar je moet je persoonlijke opvattingen niet in deze krant weergeven. De enige pagina waar ruimte is voor persoonlijke opvattingen is de opiniepagina.'

Ze luistert en knikt, en kijkt me ernstig aan. Ze gaat er niet tegenin. Ik loop het hele verhaal door, zin voor zin, en blijf stilstaan bij elke fout. Ik vertel welke beweringen ingaan tegen wetenschappelijke kennis en welke eenvoudigweg niet te bewijzen zijn. Kennis is eerder in staat om aids te voorkomen, dan dat de ziekte erdoor verergert. Ik laat haar zien waar ze een oordeel over mensen velt. 'Het is niet aan ons om een oordeel te geven,' zeg ik. 'Onze taak is het om de feiten aan de mensen uit de doeken te doen en ze in de gelegenheid te stellen zelf hun eigen mening te vormen. Laat God met een oordeel komen.'

Ze knikt en lijkt zich bijna te schamen. We gaan in op de definitie van het woord 'feit.' We bespreken het belang van onderzoek dat door universiteiten met een goede reputatie en medische onderzoekscentra wordt uitgevoerd, in wetenschappelijke tijdschriften wordt gepubliceerd en aan *peer review* wordt onderworpen. Het is allemaal nieuw voor haar.

En, oeps! Ik kan het niet laten! Ik moet weten wat ze ervan vindt! Ik vraag haar waarom lesbiennes zo zelden aids krijgen als deze ziekte is bedoeld om homo's te straffen.

Ze heeft er duidelijk nog nooit bij stilgestaan. 'Dat weet ik niet,' zegt ze.
'Iets om over na te denken,' zeg ik.
Hoewel ze het allemaal lijkt te snappen, zal ik pas echt weten of dat ook zo is als ik haar volgende artikel onder ogen krijg.
Aan het eind van het gesprek kijkt ze me smekend aan: 'Ik heb er zo mijn best op gedaan...'
Ik onderbreek haar. 'Dat je keihard werkt, weet ik. En dat waardeer ik enorm. Maar nu gaat het niet over je inzet. Het gaat erom dat je leert om je werk te verbeteren. Dat is een altijd doorgaand proces. Allemaal leren we voortdurend bij. Maar ik ben me er heel goed van bewust hoe ontzettend hard je werkt.'
En dan zijn we klaar. Ze bedankt me en vertrekt. Er is een hele last van me afgevallen en ik ben blij dat ik in het gesprek geen enkele keer mijn stem heb verheven of kwaad ben geworden. Allebei leren we bij!
De volgende keer dat Najma een artikel over aids inlevert, gaat het over de vooroordelen over de slachtoffers van de ziekte en de misverstanden over de manier waarop de ziekte wordt verspreid. Het bevat veel feitelijke informatie en nuttige statistieken, en geen enkel gepreek. Ik zou haar wel willen zoenen, zo blij ben ik ermee.

☪

OP EEN OCHTEND komt er, onaangekondigd, een kleine vrouw met een bril mijn kamer in. Ze draagt een hijab, maar heeft haar gezicht niet afgedekt. Het is Adhara. 'Ik wil vertaler worden,' zegt ze.
Ik zucht. Net als de helft van al haar landgenoten denkt ze dat ze vertaler kan worden als ze maar een paar woorden Engels spreekt, en vroeg of laat melden ze zich allemaal bij de krant.
Beleefd geef ik te kennen dat we geen vertalers aannemen – al kunnen we ze nog zozeer gebruiken – omdat Faris me er geen geld voor geeft.
'Maar ik moet ervaring opdoen,' zegt ze. 'Ik wil wel op vrijwillige basis werken. Ik vertaal erg slecht.'
Dat klinkt nou niet bepaald als een aanbeveling, maar ik ben onder de indruk van haar eerlijkheid. De meeste vertalers in spe vinden dat ze geweldig zijn, hoewel hun sollicitatiebrief bomvol fouten staat. Toch vrees ik dat een slechte vertaling me alleen maar extra werk oplevert. Dus stuur ik haar weg.
De volgende ochtend is ze weer terug. 'Alsjeblieft,' zegt ze. 'Geef me iets te vertalen! Ik moet het leren!' Koppig staat ze op het grijze tapijt in mijn kamer en weigert zich te laten wegsturen.
Ik vind dat volharding moet worden beloond. Daarom laat ik me vermurwen en vraag ik haar om een deel van een vragenlijst voor Jabr te vertalen. Ze heeft

gelijk, goed vertalen kan ze niet. Maar ik begrijp wel wat ze bedoelt, en omdat we haar niet betalen, heb ik niets te klagen. Van mij mag ze blijven.

Als ik de volgende ochtend op kantoor verschijn, staat Adhara al te wachten. Een dag later is ze er weer en ook daarna verschijnt ze op het werk. Langzaam verbeteren haar vertalingen. Ik wijs haar de panoramapagina toe, waarop vertaalde commentaren uit Arabische kranten staan. Voorheen behoorde deze pagina tot de taken van Al-Matari, maar hij zit voortdurend ziek thuis. Daarentegen slaat Adhara geen dag over.

Op een avond komt ze met een geheugenstick in de hand mijn kamer binnenlopen.

'Zuhra heeft me gevraagd om een artikel voor op de achterpagina te schrijven. Ze zei dat je die nodig had,' zegt ze. 'En ik heb het gedaan!' Ze jubelt bijna.

Het is een verhaal over botsende opvattingen over internet in Jemen. Het is primitief geschreven, bevat geen echt nieuws en bestaat voornamelijk uit grote blokken citaat zonder overgangen. Maar ik heb mijn eisen bijgesteld. Ik besluit het toch te plaatsen. Samen met Adhara pas ik de structuur aan en stel enkele overgangen voor. Ze is er zeer mee ingenomen. Het eerste artikel wordt opgevolgd door een stuk over een nieuwe cursus waarin vrouwen kunnen leren glas te beschilderen en hun kunst te verkopen. Er moet van alles aan versleuteld worden, maar ik neem het samen met haar door en leg haar uit wat ze moet doen. Nu de krant op schema loopt, ben ik in de gelegenheid aandacht aan de opleiding te besteden. Het is geweldig om te zien hoe Adhara met mijn hulp duidelijk beter wordt.

Ze begint zich aan te sluiten bij Zuhra, die haar op sleeptouw neemt als ze in de Oude Stad op onderzoek gaat en haar toont hoe ze moet interviewen. Mijn vrouwen nemen Adhara op en zijn blij dat het aantal vrouwen toeneemt. Ik plaag mijn mannen door te zeggen dat binnenkort alle medewerkers vrouwelijk zullen zijn, niets lijkt hen beter tot werk aan te zetten.

Tegen het eind van mijn jaar in Jemen zal ik Adhara officieel in dienst moeten nemen. Er zit niks anders op. Ze blijft maar komen en we kunnen met goed fatsoen haar niet voor niets laten werken, leg ik Faris uit. Hij vindt geld om haar te betalen.

Op een dag komt Zuhra mijn kamer binnenwandelen, met Adhara op haar hielen.

'Vertel het maar,' zegt Zuhra.

Adhara schudt haar hoofd en begint te blozen.

'*Leysh*? Het is goed.'

'Alsjeblieft,' zegt Adhara. 'Alsjeblieft, Zuhra.'

'Wat is er?' vraag ik.

Eerder had ik Adhara gevraagd om haar verhaal aan Ali te geven om het te redigeren. Het kwam niet eens bij me op dat dit vervelend zou zijn. Maar het vooruitzicht om met de knapste man te spreken viel Adhara, die akelig verlegen is, te zwaar. Alsof ik haar had gevraagd Brad Pitt te interviewen. Helemaal van slag was ze naar Zuhra gegaan om haar te helpen.

'Ali is heel aardig,' verzeker ik Adhara. 'Je hoeft je nergens druk om te maken.'

'Dat heb ik haar ook gezegd!' zegt Zuhra, die niet langer bang is voor mannen, knap of anderszins.

Uiteindelijk brengen Adhara en Zuhra het verhaal samen naar Ali. En in de loop van de tijd neemt de angst van Adhara af. Op een dag loop ik mijn kamer uit en kijk naar buiten, waar ik Adhara en Ali naast elkaar op de trap zie zitten. Ali rookt een sigaret en Adhara zit ontspannen met hem te babbelen. Bijna alsof hij ook gewoon maar een mens is. Bij de aanblik ervan kan ik een glimlach niet onderdrukken.

NET ALS NAJMA EN NOOR heeft Adhara ouders die haar in haar ambities steunen. Maar dat betekent niet dat ze alle drie op het werk geen hindernissen meer hebben te overwinnen. De zorgvuldig gecultiveerde bescheidenheid van vrouwen botst met de vereisten van hun vak. Vaak zijn mijn vrouwen zenuwachtig als ze mannen moeten benaderen of vrezen dat anderen hen te agressief vinden. Najma en Noor lossen dit op door als team te werken. Ze vergezellen elkaar als ze er als verslaggevers op uittrekken, schrijven artikelen voor de pagina's van de ander en bewerken artikelen van de ander. Zelden verlaten ze het kantoor in hun eentje. Ik ben onder de indruk van hun samenwerking en de creativiteit die ze gebruiken rondom beperkingen. Hier kunnen de mannen nog wat van leren.

Radia, die officieel Faris' persoonlijke secretaresse is, is ook begonnen met het maken van reportages en het schrijven van artikelen. Net als Adhara vraagt ze me niet of ze reporter kan worden. Ze overhandigt me op een dag gewoon een artikel. Ze schrijft in het Arabisch en een van de mannen of Zuhra vertaalt het. Haar reportage is goed, maar haar schrijfvaardigheid en de invalshoek zijn zwak. Ik breng uren met haar door om haar te helpen met het vinden van de juiste invalshoek en het opvullen van gaten in de reportage. Een van haar eerste stukken is een achterpagina-artikel over de toenemende prijs van stof. Het klinkt oninteressant totdat ze me vertelt dat deze toenemende prijzen bruiden in het bijzonder raken. Veel bruiden zijn inmiddels begonnen met het maken van hun eigen bruidsjurken en nemen genoegen met eenvoudige stoffen. We herfocussen het verhaal op de situatie rond de bruiden, en het verandert in iets wat uitstekend geschikt is om te drukken.

Als snel schrijft Radia niet alleen achterpagina-artikelen. Ze verzorgt artikelen over auto-ongelukken, mensenrechtenkwesties en explosies, en ze levert meerdere artikelen aan voor elke editie. Op een dag rent ze mijn kantoor binnen om te vertellen dat ze een goed verhaal heeft over een 'hot phone'. Ik heb geen idee waar ze het over heeft. Als het haar niet lukt om het me duidelijk te maken, schakelt ze Enass in, die begint te lachen: 'Ze bedoelt *hotline*.' Toch is ze geen reporter en werkt ze voor slechts 100 dollar per maand als Faris' secretaresse. Ze vraagt Faris om meer salaris, wat hij haar weigert te geven, omdat ze 'geen echte reporter' is. Er niet aan denkend dat ze meer artikelen per editie schrijft dan welke man ook. Ze accepteert dit als iets wat ze niet kan veranderen. Ik heb herhaaldelijk geprobeerd om meer salaris voor mijn vrouwen te regelen, maar elke keer vertelt Faris me dat hij hen een marktconform salaris betaalt.

☪

ZUHRA ONTPLOOIT ZICH ook, grotendeels doordat ze meer vragen stelt dan ieder ander en ze altijd naast me blijft zitten als ik haar werk redigeer. Op een dag komt Luke binnenvallen nadat hij een artikel van Zuhra heeft bewerkt. 'Ik had niet door dat haar Engels zo goed was geworden!' zegt hij. 'Het is lang geleden dat ik een niet-geredigeerd verhaal van haar heb gelezen. Verbazingwekkend hoeveel beter haar werk is dan afgelopen herfst.'

Haar artikelen zijn zo interessant dat het weken duurt voordat tot me doordringt hoe vaak ze Kamil al-Samawi citeert. Het spreekt voor zich dat HOOD een belangrijke bron is van verhalen over de mensenrechten, maar Kamil kan niet de enige woordvoerder van de organisatie zijn.

'Wat is er aan de hand met Kamil al-Samawi?' vraag ik haar op een dag. 'Je hebt hem in je laatste drie artikelen telkens geciteerd.'

Zuhra glimlacht geheimzinnig. 'In al deze drie gevallen is hij de advocaat. Ik moet hem wel opvoeren!'

'Goed, probeer dan uit te zoeken waar de andere advocaten aan werken en laat hen aan het woord,' zeg ik. 'De komende maand mag je Kamil al-Samawi geen enkele keer citeren.'

☪

ONDANKS HAAR BIJNA ONAFGEBROKEN AANWEZIGHEID in mijn kamer, laat Zuhra nog altijd heel weinig los over haar leven. Ze heeft me verteld over de ambities in haar werk, haar stemmingswisselingen, haar fysieke problemen, maar als ze halverwege mijn ambtstermijn verliefd wordt, houdt ze het voor zich. Pas maanden later laat ze er iets over los. Voor een Jemenitische vrouw kan het feit dat ze voordat ze is getrouwd, toegeeft verliefd te zijn uitlopen op een sociale ramp. Vrouwen horen geen contact te hebben met mannen die niet tot de directe familiekring behoren, laat staan dat ze genoeg tijd met een man doorbrengen om verliefd te worden. Slechts heel weinig Jemenitische vrouwen bepalen zelf met wie ze trouwen, en de meeste huwelijken worden gearrangeerd.

Dus heeft Zuhra alle reden het voor zich te houden. Zelfs een bekentenis aan een enkele persoon houdt het risico in dat het bekend wordt en men het afkeurt. Ze woont in een conservatieve buurt, waar de buren roddelen en de vrouwen erg gemeen tegen elkaar zijn. 'Seks is in onze samenleving het belangrijkste wat er is,' zegt Zuhra met enige verbittering in haar stem. 'Maar zelfs homoseksualiteit is niet zo erg als een vrouw die buiten het huwelijk seks heeft. Een vrouw vertegenwoordigt niet alleen zichzelf, maar de hele familie, de hele stam. Als mijn zus een slechte reputatie heeft, geldt dat ook voor mij.' Toen een van Zuhra's zussen haar verloving verbrak, werd haar hele familie door de gemeenschap veroordeeld. Zuhra is bang voor wat haar familie zal zeggen als die over haar geheime liefde hoort.

$$\left(\star \right.$$

MET EEN AANBEVELING VAN MIJ heeft Zuhra zich ingeschreven bij de Columbia University School of Journalism, waar ik ook heb gestudeerd. Zij is mijn enige medewerker die wat mijn hoogleraren in Columbia noemden 'genoeg vuur in haar donder' heeft om een uitmuntende journalist te worden. Daarom denk ik dat ze het daar uitstekend zal doen. Ik vind het vooral mooi dat ze er heengaat, omdat ze van plan is na afloop naar Jemen terug te keren en uiteindelijk haar eigen krant te beginnen. Dan zal ze in zekere zin na mijn vertrek mijn werk voortzetten. Als onderdeel van de toelatingsprocedure moet ze een test doen met het schrijven van een nieuwsbericht, dat ik op de laatste dag voor de inleverdatum bekijk. Hij moet het poststempel van die dag dragen, maar omdat het de laatste dag van de maand is, heeft niemand genoeg geld om hem met DHL te versturen, een van de weinige betrouwbare postbedrijven die iets in de Verenigde Staten kunnen afleveren. Ik geef Zuhra mijn laatste duizend rial, wat lang niet genoeg is. We moeten een collecte houden op het kantoor. Manel, Hassan, Jabr en Jelena dragen allemaal hun laatste rials bij. We sturen Hassan eropuit om een exemplaar naar New York te faxen en Manel rent naar DHL om het te versturen. Het is inspirerend om te zien dat zelfs de allerarmste onder ons een bijdrage levert.

Tot mijn grote teleurstelling is zelfs Zuhra's verbeterde Engels niet goed genoeg om haar tot Columbia toe te laten. Een professor in de toelatingscommissie belt me persoonlijk op met de mededeling dat de commissieleden zeer te spreken zijn over haar inzending, maar twijfelen over haar Engels. Zuhra ondergaat het nieuws als iemand die gewend is aan teleurstellingen en zweert dat ze over een jaar weer een poging zal doen.

'We zullen op een andere manier proberen je naar de Verenigde Staten te krijgen,' zeg ik. 'Dat beloof ik je.' Ze moet haar Engels in het buitenland zien te perfectioneren, want in Jemen is daar weinig gelegenheid voor. Met veel toewijding schrijft Zuhra zich in voor elke beurs in het buitenland die ze tegenkomt. Dat zijn er zoveel dat als er een beurs zou worden gegeven aan iemand die de meeste beurzen aanvraagt, Zuhra die beslist toegewezen zou krijgen.

Ik wil Zuhra en de andere vrouwen zo graag helpen. De mannen redden zich wel. Zij zullen in Jemen altijd wel werk weten te vinden, omdat de samenleving daarmee instemt. Ik maak me zorgen over mijn vrouwen. Wat zal er van hen worden als ik weg ben?

☪

OP EEN DAG ben ik samen met Najma een verhaal over gezondheid aan het bewerken als ze zegt: 'Jennifer, ik moet je iets vertellen.'

'Goed,' zeg ik terwijl ik van mijn computerscherm opkijk. 'Zeg het maar.'

'Ga je in september echt weg?' Ze zit op het puntje van haar stoel, leunt voorover en kijkt me met haar donkere ogen ernstig aan.

'Dat is wel mijn bedoeling.'

'Jennifer, voor ons is dat een bijzonder groot probleem. Een bijzonder groot probleem. Noor en ik hadden het erover. Niemand anders zal onze verhalen zo zorgvuldig lezen, niemand anders zal ons zozeer helpen als jij.'

'Najma,' zeg ik en voel de tranen in mijn ogen opwellen, 'ik ben niet van plan jullie een jaartje te helpen en jullie dan weer in de steek te laten. Ik wil jullie opleiden en iemand opleiden die mijn plaats kan innemen, zodat jullie mij niet meer zo hard nodig hebben.'

Plotseling raak ik in paniek als ik de toekomst van mijn verslaggevers voor me zie. Hoe goed Zaid ook is – hij heeft ook zo zijn gebreken – hij is geen vrouw en Najma heeft gelijk, hij zal niet zoveel om hun werk geven. Helaas is dat meer het geval dan ik had verwacht.

De mannen storen zich eraan dat ik zoveel aandacht aan de vrouwen besteed. 'Je houdt meer van de vrouwen,' zeggen ze beschuldigend.

'Ik hou evenveel van jullie allemaal,' lieg ik. 'Maar de vrouwen komen op tijd op hun werk. Ze nemen geen rookpauze. Ze kauwen geen qat. Ze leveren hun werk op tijd in. Als je op dezelfde manier wilt worden behandeld als de vrouwen, kun je een voorbeeld aan ze nemen.'

Daar balen ze van. Ze vinden dat het een door God gegeven recht is om te roken en qat te kauwen! Het is hun door God gegeven recht om na de lunch meerdere uren te slapen! Ze zouden als betere verslaggevers beschouwd moeten worden omdat ze man zijn!

Op een dag zit ik wat met Bashir te ginnegappen, die een verhaal geschreven heeft over een groep die zich inzet voor de rechten van vrouwen en het behoud van de cultuur. 'Tja, en wat doe je als de cultuur vrouwen geen rechten toekent?' daag ik hem uit. 'Dan is er een conflict. Dan moeten ze ofwel opkomen voor de vrouwenrechten, ofwel voor de cultuur, maar niet voor allebei tegelijk.'

Het wordt voor de grap gezegd en hij lacht. Maar dan verwijs ik naar het feit dat vrouwen in Jemen niet vrij zijn, waarna hij me geschrokken aankijkt en me tegenwerpt dat vrouwen volledig vrij zijn in Jemen.

'Vrouwen kunnen hier doen wat ze willen,' zegt hij. 'Als ze het niet wil, hoeft Noor echt geen abaya te dragen.'

Misschien zijn Jemenitische vrouwen voor de wet vrijer dan vrouwen in de meeste andere landen in de omgeving – ze rijden auto en hun kleedgedrag wordt niet door de wet voorgeschreven – toch kun je niet bepaald zeggen dat ze bevrijd zijn van alle ketenen.

'Bashir,' zeg ik, 'heb je enig idee hoe het is als je hier als vrouw zonder abaya rondloopt? Dan word je voortdurend lastiggevallen. Zelfs ik word de hele tijd belaagd, zelfs als ik me kleed zoals nu, en voor Jemenitische vrouwen is het nog veel erger.'

Zuhra omschrijft het als volgt: 'In Jemen wordt een vrouw nog lastiggevallen als ze zich in een abaya wikkelt, zich in een kartonnen doos opsluit, waarop aan de buitenkant staat geschreven: "Dit is geen vrouw".'

Mijn vrienden met een donkere huidskleur die in Jemen op bezoek komen worden zelfs nog meer lastiggevallen omdat ze meer op gevallen moslims lijken dan op afwijkende buitenlanders. Mijn Nederlands-Indonesische vriendin Jilles kreeg een zure vloeistof over zich heen gegoten en een papier in de handen gedrukt waarop stond hoe vrouwen zich behoorden te kleden.

Als ik Bashir zeg wat vrouwen moeten ondergaan als ze zich zonder abaya of hijab op straat begeven, draait Noor zich om in haar stoel. 'Dat klopt,' zegt ze. En aldus ontspint zich een discussie over de status van vrouwen in Jemen. Noor stelt dat het niet de islam is die vrouwen een hijab voorschrijft, maar de cultuur. Dat is nieuw voor Bashir, die aanvoert dat de Koran de hijab verplicht stelt. Het gesprek raakt verhit en steeds meer verslaggevers nemen eraan deel, maar ik heb nog zoveel redigeerwerk liggen dat ik me op mijn kamer terugtrek. Als ik een halfuur later in de redactiekamer terugkom, is de strijd nog in volle gang. Ik moet de discussie drie keer onderbreken voordat ze zich weer over hun verhalen buigen. 'Ik weet dat het mijn schuld is,' zeg ik. 'Maar kunnen jullie alsjeblieft weer aan je werk gaan?'

Trouw nemen ze weer plaats achter hun computer. Maar ik heb de kamer nog niet verlaten of ik hoor de discussie opnieuw oplaaien.

$$C^\star$$

IK LEER VAN MIJN VROUWEN minstens zoveel als zij van mij leren. Radia en Zuhra en af en toe ook de anderen, helpen me met mijn Arabisch, blij dat ze eindelijk mij eens mogen corrigeren. Elke keer als ik iets goeddoe, klapt Zuhra in haar handen en zegt: 'Je bent zo slim!' Het is zo beschamend dat ik me net een vijfjarige voel die net leert praten.

Voor iedereen op het kantoor vormen mijn pogingen om het Arabisch onder de knie te krijgen een bron van vermaak. Als ik op een dag de negatieve vorm leer – 'Ik ben niet jouw moeder, jij bent niet mijn bakker, hij is niet de president' – ren ik naar de redactiezaal om het met mijn medewerkers te oefenen. 'Ik ben geen brood!' kondig ik trots aan. Het was het eerste wat me te binnen schoot. Mijn verslaggevers barsten uit in gegiechel.

Maar ik leer meer dan alleen Arabisch. Geduldig leggen ze me hele stukken van de Jemenitische geschiedenis en cultuur uit, vertellen me over huwelijksrituelen, Jemenitische etenswaren die ik niet heb geproefd en de eer van de stam. Ze brengen koeken voor me mee om te proeven, zoals *kubana*, een kruimelig maïsbrood. Op trouwerijen en bij andere feesten stellen ze me voor aan hun familie. Het is een geweldige steun voor me om zo'n enthousiast stel gidsen te hebben die me door zo'n ingewikkelde wereld leiden.

$$C^\star$$

HET DUURT LANG voor ik Najma en Noor beter leer kennen. Ze zijn allebei verlegen en lijken mij, hoezeer ik ook mijn best doe, intimiderend te vinden. Mijn relatie met Zuhra lijkt ook in de weg te zitten. Ze doet bezitterig over me en de andere vrouwen voegen zich naar haar en blijven respectvol op afstand. (Als iemand anders thee voor me maakt of me ergens mee helpt, vraagt Zuhra waarom ik dat haar niet liet doen. 'Gewoon omdat ik je als mijn bezit zie,' zegt ze. 'Jij bent mijn Jennifer.')

Half januari heb ik de gezichten van Najma en Noor nog altijd niet gezien, terwijl Radia, Zuhra en Enass zodra ze een stap over de drempel hebben gezet hun sluiers achteroverslaan. Er is een medische noodsituatie voor nodig om daar verandering in te brengen.

Dat gaat als volgt. Op een avond sluiten we de krant op een vroeg tijdstip. Manel en ik zijn zo tevreden over onszelf dat we naar zijn huis in Hadda gaan om er een glaasje op te drinken. Alex, de kamergenoot van Manel, is zojuist teruggekeerd uit Engeland met een fles belastingvrije groene appelwodka. Het smaakt zoet, synthetisch en smerig, maar dit is Jemen en je drinkt alles wat voorhanden is.

Ik had niet door dat ik te veel had gedronken, maar vlak voor zonsopgang word ik vreselijk misselijk wakker. Omdat ik vermoed dat het misschien geen goed idee was om het avondeten over te slaan, ga ik naar beneden en eet wat yoghurt. Dan schiet me te binnen dat ik van een andere keer dat ik in Jemen ziek was, nog wat kleine groene pilletjes had overgehouden. Die hadden uitstekend tegen de misselijkheid geholpen! Ik rommel wat in een paar laden, vind de groene pilletjes en neem er twee.

Een halfuur later word ik wakker en voel me nog beroerder. Ik neem nog twee pilletjes en kruip naar beneden voor een kop koffie. Maar ik ben te ziek om hem op te drinken. Als Aisha arriveert om mijn huis schoon te maken, treft ze me zittend aan de keukentafel aan, droevig starend naar de volle kop koffie. 'Ziekenhuis?' vraagt ze, terwijl ze me bezorgd aankijkt. Ik schud mijn hoofd. Ik heb gewoon een kater, denk ik. Dat gaat wel over. Misschien helpt het als ik naar het zwembad ga. Ik neem twee Advil en nog eens twee groene pilletjes en ga eropuit om te zwemmen.

De eerste keer dat ik in het zwembad keer, moet ik kokhalzen en ik vraag me af of ik eruit moet. Maar na een paar baantjes zwemmen begin ik me langzaam beter te voelen. Na drie kwartier klim ik rillend uit het water en ga naar de sauna om me op te warmen. Maar ik lijk maar niet te kunnen zweten, ik droog gewoon op en vreemd genoeg blijven mijn vingers koud.

De misselijkheid neemt toe. Ik slik nog eens twee groene pilletjes. Ten slotte kan ik er elk uur een paar nemen, als ik het me goed herinner. In de taxi slaag ik erin om niet over te geven en ik ga naar huis, waar ik op bed neerstort. Eten lukt me niet. Ik krijg zelfs geen slok water naar binnen. Ik ben uitgeput, maar te ziek om te slapen. Zuhra belt me op en krijgt te horen waarom ik niet op mijn werk ben verschenen. Ze is bezorgd.

'Je moet daar niet in je eentje zitten,' zegt ze. 'Je moet naar het ziekenhuis.'

'Het komt wel goed. Ik moet gewoon rust hebben.'

Een halfuur later probeer ik nog altijd in slaap te komen als Noor me belt. 'We staan voor je deur,' zegt ze. 'We zijn gekomen om je naar het ziekenhuis te brengen.'

Gezien mijn ervaring met Jemenitische ziekenhuizen, ben ik er niet van overtuigd dat ik daarheen wil. Maar wellicht kunnen de doktoren me een medicijn tegen de misselijkheid geven, zodat ik eindelijk kan slapen.

Onder aan de trap staan Noor en Najma op me te wachten. Nadat ze hun schoenen hebben uitgetrokken, slaan ze hun sluiers achterover.

'Nu zie je voor het eerst ons gezicht,' zegt Noor.

'Ja!' Ik staar van de een naar de ander. Noor ziet er precies zo uit als ik me had voorgesteld, erg knap, maar met een ronder gezicht en minder kin dan verwacht. Najma is eveneens knap, met een aanstekelijke lach, ondanks de scheve, naar binnen staande tanden.

'Wat lief dat jullie zijn gekomen,' zeg ik. Door de misselijkheid kost het me veel inspanning om te spreken.

Ze hebben nieuwsgierig in mijn huis rondgekeken. 'Je woont hier toch niet alleen?' vraagt Noor.

Ik knik. 'Jawel. Alleen ik.'

Ze kijken elkaar aan en vervolgens weer naar mij.

'Dat is vreselijk,' zegt Najma. 'Je hebt niemand?'

'Volgens ons moet je hier niet in je eentje zitten,' zegt Noor. 'Niet als je ziek bent.'

'Mij mankeert niets.'

Ze kijken me vol twijfel aan.

Buiten zit Salem in het busje te wachten. Ik zie op tegen de rit, vanwege de misselijkheid, maar er zijn weinig betere chauffeurs in Sana'a dan Salem. We gaan naar het Jemenitisch-Duitse ziekenhuis, want dat is het dichtstebij. Het is hetzelfde ziekenhuis waar de waardeloze röntgenfoto's zijn genomen, maar ik zou niet weten waar ik anders heen moest.

Najma en Noor zeggen de beambte achter de balie bij de ingang wat voor soort dokter ik nodig heb en hij geeft me een dossiermap. Ik betaal hem zevenduizend rial en neem de map mee naar de centrale wachtkamer.

Er komen verschillende deuren op de centrale wachtkamer uit, allemaal voor een andere specialist. We wachten minstens een halfuur op een internist en zwijgen, want ik ben te beroerd om te praten. Uit de orthopedische kamer komen mannen met armen in het gips. Een oude vrouw gekleed in *setarrhs*, een traditionele Sana'anische rood en blauw gekleurde jurk, komt hinkelend de kamer van de internist uit. Naast me zitten mannen te kuchen en te spugen. Ik begin te denken dat ik beter niet had kunnen komen, omdat de kans dat ik hier een ziekte opdoe groter is dan dat ik hier genees.

Eindelijk zien we de dokter. Hij spreekt Engels, dus zeg ik tegen Najma en Noor dat ze weg kunnen gaan. Ik leg hem het probleem uit en vraag hem of hij me iets tegen de misselijkheid wil geven. Dan laat ik hem het doosje kleine groene pilletjes zien die ik heb genomen.

Hij trekt wit weg. 'Stop daar meteen mee,' zegt hij. 'Die zijn tegen de pijn! Niet tegen de misselijkheid.'

Meteen dringt tot me door wat ik verkeerd heb gedaan. Ik heb de pijnstillers ingenomen die ik voor mijn ribben heb gekregen, die ik eenmaal per vierentwintig uur moest innemen, in plaats van de pilletjes tegen de misselijkheid, waarvan je er twee per uur moet nemen. Hevig geschrokken probeer ik me meteen te herinneren hoeveel ik er heb gehad. Zes. Misschien acht. Komt het wel goed? O God, en ik heb ook nog twee Advils genomen.

De dokter verzekert me dat ik het zal overleven, maar dat ik me de komende vierentwintig uur waarschijnlijk niet veel beter zal voelen. Volgens mij houd ik mijn beroerde toestand niet veel langer uit, maar gelukkig schrijft hij me een medicijn voor tegen de misselijkheid.

Bij de apotheek krijg ik een enorme zak vloeistof, een naald en een pak poeder. 'Om te injecteren,' zegt hij. Vol afschuw staar ik hem aan. Hij lijkt werkelijk te denken dat ik het poeder door de vloeistof meng en de oplossing in mezelf injecteer. Na wat ik heb gezien van de hygiëne in Jemenitische ziekenhuizen, wil ik niet weer een naald in mijn arm.

We keren terug naar de dokter om het met hem te bespreken. Hij beweert dat ik de injectie wel nodig heb. Ik herhaal dat ik dat niet wil. Hij heeft er duidelijk genoeg van en schrijft me pillen voor tegen de misselijkheid, die me het laatste restje rials kosten dat ik heb.

Thuis bel ik een vriend van me in New York, die op internet zal nazoeken of ik aan de overdosis zal sterven. Hij controleert bovendien of de medicijnen tegen de misselijkheid die ze me hebben gegeven ook echt tegen de misselijkheid helpen. Dat blijkt het geval, al-hamdulillah. Maar na het aanhoren van de lijst waarschuwingssignalen die hij voorleest vanwege de pijnstiller, raak ik bijna in paniek.

'Als je iets opgeeft dat lijkt op koffiedik...'

'Dat is niet gebeurd.'

'Of je als je last hebt van pijn in je maag en misselijkheid...'

'Dat heb ik!'

'Of als je aan een kant gevoelloos raakt...'

'Nee.'

'Hoofdpijn...'

'Ja.' Mijn hoofd bonkt van de pijn.

Hij laat me beloven dat ik als ik me slechter ga voelen met Nabeel bel en me door iemand van de ambassade laat bijstaan.

In mijn dagboek maak ik een lijst met de lessen die ik hiervan heb geleerd:

1. Drink nooit, maar dan ook echt nooit, wodka die door een vierentwintigjarige is gekocht.
2. Drink nooit op smaak gebrachte alcohol, vooral niet smakend naar groene appel.
3. Laat nooit meer terwijl je niet toekijkt je glas bijvullen door een Brit.
4. Als je drie uur voor het afgaan van de wekker misselijk wakker wordt, neem dan geen kleine groene pilletjes tegen de misselijkheid zonder op de verpakking te kijken wat het is.
5. Als de misselijkheid niet afneemt, blijf dan niet doorgaan met het slikken van kleine groene pilletjes zonder de verpakking te lezen.
6. Als je kleine groene pilletjes koopt, zorg er dan voor dat de gebruiksaanwijzing in het Engels is.

7. Vergeet niet dat veel uiteenlopende soorten medicijnen eruitzien als kleine groene pilletjes.

Nu ze me ziek, zwak en misselijk hebben gezien, ben ik een stuk minder imponerend voor Noor en Najma. Ze nodigen me uit op trouwerijen van hun familie en praten met me over zaken buiten het werk. Mijn ziekte heeft me menselijker gemaakt.

In februari nodigt Noor me uit voor mijn eerste Jemenitische trouwerij. Op een dag valt ze druk van de opwinding mijn kamer binnen, en toont me verlegen een van linten voorziene kaart. Ik ben gevleid dat ik word uitgenodigd en ben vreselijk nieuwsgierig naar het ritueel.

Ik heb geen idee wat ik voor kleren moet aandoen. Van alle kanten heb ik gehoord dat Jemenitische vrouwen op trouwerijen schandalig weinig aan hebben, omdat er geen mannen zijn die naar hen kunnen lonken. Op alle trouwerijen zijn mannen en vrouwen apart van elkaar. Hoewel de bruid en bruidegom elkaar aan het begin van de dag (of eerder in de maand) ontmoeten om het huwelijk te ondertekenen, verbaast het me dat ze tijdens de hele viering van hun huwelijk niet bij elkaar zijn.

De mannen nuttigen een uitgebreide lunch, gevolgd door een lange qatkauwsessie, met muziek waarbij eventueel wordt gedanst, terwijl de vrouwen in trouwzalen bijeenkomen om aan de thee te nippen, te dansen en elkaars kleding te bewonderen. Sommige meer moderne families staan het de bruidegom toe om de bruid aan het eind van de trouwerij op te komen halen, als bijna alle gasten zijn vertrokken, maar dat is allesbehalve gebruikelijk.

Ik heb weliswaar te horen gekregen dat het niet uitmaakt hoeveel bloot ik op de trouwerij laat zien, toch kan ik me er in deze omgeving niet toe brengen me provocerend te kleden. Uiteindelijk kies ik voor een kniehoog vallende blauwe zijden, getailleerde jurk met dunne schouderbandjes en hul mezelf in een abaya.

In de gang van de trouwzaal is het een drukte van belang met vrouwen die zich ontdoen van hun abaya en met lovertjes versierde, felgekleurde jurken en zwaar opgemaakte gezichten onthullen. De jurken hebben veel weg van de meest schaamteloze jurken die naar een schoolbal gedragen worden of die strippers tijdens de eerste dertig seconden van hun act aanhebben. Ze dragen doorzichtige kanten jurken, rubberen minirokjes of een meterslange sleep. Voor een Jemenitische trouwerij ben je nooit te overdreven gekleed. Vele, vele meters zwart haar, uiterst zorgvuldig gekamd of gekruld, opgestoken tot stugge zuilen of voorzien van een strik loshangend op meisjesachtige ruggen. In Jemen is mijn tot het middel reikende haar doodnormaal. De gezichten van de vrouwen zijn beschilderd met dikke zwarte eyeliner en kleurrijke oogschaduw, van welke leeftijd ze ook zijn. Het lijkt wel alsof ze allemaal maskers dragen die door dezelfde persoon zijn ontworpen.

De getrouwde vrouwen dragen kleine ronde decoratieve hoofddeksels en hebben langs de zijkanten van de zaal op kussens plaatsgenomen, waar ze *shisha* roken en qat kauwen.

In mijn eenvoudige jurk en (op lippenstift na) nauwelijks opgemaakt, voel ik me opvallend vlak en bescheiden, en ik wandel het middenpad door op zoek naar bekende gezichten. Zuhra ziet me als eerste. Ze is gehuld in een tot de vloer reikende roze jurk van synthetische stof en een met lovertjes afgezet topje. Haar dikke zwarte haar hangt los krullend tot haar middel en in haar oren draagt ze kleine roze veertjes. Ze ziet er fantastisch uit. Ze maakt een pirouette voor me, lachend, en probeert een beetje indruk op me te maken. 'Kom,' zegt ze en neemt me aan mijn arm mee naar een tafel voorin.

We gaan zitten en praten met elkaar, terwijl Somalische vrouwen met dienbladen vol melkachtige zoete thee door de zaal lopen. Gekleed in een korte glinsterende jurk komt Noor haastig op me af rennen, om me te begroeten en voor te stellen aan een stuk of tien andere nichten. Haar moeder komt zichzelf voorstellen. 'Noor heeft het alleen nog maar over jou,' zegt ze. 'Alsmaar Jennifer *tammam*, Jennifer *tammam*!' ('Jennifer goed!') Ik ben haar enorm dankbaar, want ik wist eigenlijk nooit wat Noor van me vond.

Dan begint het dansen. Het hele uitstapje is alleen al de moeite waard omdat ik de kleine Zuhra kan zien dansen. Als een van de eersten gaat ze het podium op, brengt haar dunne armen omhoog, grijs van het gebrek aan zonlicht, laat haar haren rond haar middel zwieren, plooit haar lippen tot een subtiele lach, slaat haar ogen neer en wiegt met haar heupen. Een westerse vrouw in een discotheek is niet in staat verleidelijker te dansen dan deze suikerzoete nimf, Zuhra, die haar lange zwarte haren voor haar donkere ogen weghaalt en lacht. Al snel staat het hele podium vol vrouwen, als een heel veld fladderende vlinders. Geen kledingstuk heeft dezelfde kleur. Een dikke vrouw heeft zich zelfs in een veel te klein kledingstuk geperst dat veel weg heeft van een vuilniszak. De vrouwen vormen een kring, en om de beurt danst er iemand in het midden, begeleid door instemmende kreten.

Dansen doen ze voornamelijk vanuit de heupen. Het bovenlichaam beweegt nauwelijks, de armen gaan traag golvend door de lucht. Wat me bovenal verbaast, is de slapte en de overvloedige hoeveelheid van het vlees. Ik had gedacht dat Jemenitische vrouwen allemaal dun waren, klein en dun, maar de vijftienhonderd vrouwen die ik hier zie, zijn allesbehalve dun. Door een gebrek aan beweging zitten ze slap in hun vel, hun ruggen zijn vormeloos en als ze met hun armen zwaaien, wiebelt het alle kanten op. De fysieke gevolgen van hun opsluiting. Hun huid is vlekkerig en bleek, doordat er nooit ook maar een enkel straaltje zonlicht door hun abaya valt. Als Zuhra terugkeert aan tafel, zie ik dat mijn arm naast die van haar bruiner kleurt.

Ten slotte arriveert de bruid en ze loopt langzaam het verhoogde podium over dat zich in het midden van de zaal bevindt. Fototoestellen flitsen en op hetzelfde moment gaat er een golf zwarte zijde door de zaal, want de vrouwen dekken zich af met sluiers omdat ze willen voorkomen dat ze worden gefotografeerd. Alleen professionals nemen foto's, alle anderen moeten hun fototoestel bij de ingang afgeven.

De bruid heeft een tenger postuur en gaat gekleed in een grote hoeveelheid prinses Diana-achtige witte zijde. Ik vermoed dat ze een knap gezicht heeft, maar kan dat door dikke lagen foundation, rouge, eyeliner en lippenstift niet goed inschatten. Ik probeer aan haar lach af te lezen hoe ze tegen de op handen zijnde huwelijksnacht aankijkt. Ze ziet er gekunsteld uit en poseert voor de camera's. Ze lijkt me toch ook weer niet ongelukkig. Ze kijkt de menigte om haar heen met een soort trotse triomfantelijkheid aan, alsof ze door haar echtverbintenis uitstijgt boven de ongelukkige oude vrijsters die haar omgeven.

'Zeg me alsjeblieft dat ze met een aardige man trouwt,' fluister ik Noor toe.

Ze knikt. 'Dat doet ze,' verzekert ze me.

Hoewel ik blij ben dat ik eindelijk een Jemenitische trouwerij bijwoon, word ik tegen het eind van het feest onrustig. De muziek is zo luid dat we niet met elkaar kunnen praten, we kunnen alleen maar dansen of toekijken. Na een poosje nemen de vrouwen plaats op de rand van het podium en laten hun voeten bungelen, waardoor ze er verveeld uitzien.

Zodra de bruid veilig is afgedaald naar het middenpad en door juichende en aanmoedigende vrouwen wordt omgeven, glip ik samen met Zuhra naar buiten. De festiviteiten zijn bijna afgelopen, zegt Zuhra. De bruid zal zich nog een poosje met de gasten onderhouden en met de vrouwen dansen. Laat in de avond zal ze uiteindelijk in haar nieuwe woning haar bruidegom ontmoeten, of ze zal eerst naar haar eigen woning terugkeren en hem pas de volgende dag zien, als ze allebei uitgerust zijn.

In de hal trekken we onze lange gewaden weer aan, waarna we de nacht induiken. Op straat hangen overal mannen rond, wachtend op hun beschilderde vrouwen, die nu weer in het anonieme zwart zijn gehuld.

VEERTIEN

tropische depressie

Op een dag wandelt, halverwege de ochtend, de meestal galante Al-Matari mijn kamer in en meldt zonder enige inleiding: 'Dan neem ik ontslag!'
'Wat?' zeg ik, terwijl ik van mijn computer opkijk.
'Ze hebben niet mijn hele loon uitbetaald, dus neem ik ontslag.'
'Waarom hebben ze je hele loon dan niet uitbetaald?'
'Geen idee.'
Samen met hem loop ik naar boven, naar het kantoor van de administratie. Al-Matari blijkt te zijn vergeten dat hij kortgeleden geld heeft geleend om een blender te kopen. Zodra hij weet waar het geld is gebleven, zegt Al-Matari dat er niks meer aan de hand is en gaat weer aan het werk. Ik hoop dat het een goede blender is.
Als de administratie vervolgens mijn salaris van februari uitkeert, geven ze me slechts vijftig dollar. 'Meer hebben we nu niet in kas,' zeggen ze. Juist. Maar vooralsnog heb ik er genoeg aan, en het is van groter belang dat de rest van mijn medewerkers betaald krijgt, wat deze maand nog niet het geval is geweest. Het loon had al verschillende dagen geleden moeten worden uitbetaald, en het ontbreekt hen aan de mogelijkheden die ik wel heb, zoals creditcards (die in Jemen wel bestaan, maar weinig worden gebruikt), om plotseling geldgebrek te overleven.
Mijn verslaggevers leven niet van maand tot maand, maar in de toekomst. Voordat ze hun loon ontvangen, hebben ze het al uitgegeven, dus een vertraging levert altijd grote problemen op. Een week voor het einde van de maand komt iedereen geld bij me lenen om te kunnen eten, qat te kopen of de ziekenhuisrekening van hun tante te betalen, waardoor ik al snel zonder geld zit. Op de tweede dag van de maand is iedereen – net als ik – helemaal blut.
Van het weinige dat ik heb, is behoorlijk wat uitgeleend. Nu ik zelf geen

schulden meer heb en mijn huidige levensstijl erg weinig kost, heb ik een paar dollar speling. De afgelopen week heb ik Zuhra tweehonderd dollar geleend, maar ze heeft me al terugbetaald. En voor Samir heb ik gisteravond een maaltijd betaald, want hij had niet gegeten. Ik heb dit nog niet eerder kunnen doen en ik voel me er goed bij. In New York ben ik nooit in staat geweest om voor iemand een maaltijd te kopen.

Ik vraag de dokter om al mijn medewerkers en vooral Manel te betalen, want hij vertrekt naar Senegal. Ook verzoek ik hem het geld voor mijn telefoonrekening over te maken. Ik heb verschillende internationale telefoontjes gepleegd om een verhaal voor *Arabia Felix* te kunnen schrijven en mijn telefoonrekening, van 30.000 rial (150 dollar) is hoger dan ooit tevoren. De dokter weigert.

'Maar ik gebruik deze telefoon alleen voor mijn werk,' zeg ik. 'Ik heb die internationale gesprekken alleen vanwege *Arabia Felix* gevoerd, die me voor het hoofdartikel geen cent heeft betaald. Als ik geld moet dokken voor de reportage, wil je in feite dat ik geld betaal voor het voorrecht om voor *Arabia Felix* te schrijven.'

De dokter laat zich niet vermurwen. Volgens hem heeft de krant geen winst gemaakt (dat wist ik allang; volgens Faris is dat sinds de oprichting nog geen enkele keer gebeurd) en is er dus geen geld om mijn medewerkers uit te betalen. Manel zal op zijn salaris moeten wachten. Dan hebben we het over maar liefst driehonderd dollar.

'Manel vertrekt morgen naar het buitenland,' zeg ik. 'Je zorgt ervoor dat je hem vandaag betaalt!'

De dokter zegt me dat ik me niet met financiële zaken moet bemoeien, omdat dat niet mijn taak is.

'Als mijn medewerkers met ontslag dreigen omdat ze geen loon krijgen, is het wel degelijk mijn taak om me ermee te bemoeien,' zeg ik. 'Ik verwacht van niemand dat hij hier voor niks werkt.'

In een wanhopige poging om ervoor te zorgen dat Manel voor vertrek krijgt uitbetaald, bel ik Faris.

Nog geen vijf minuten later mailt hij me een bericht van twee woorden lang: 'Is geregeld.' Wat hij meestal zegt als ik iets van hem vraag wat hij redelijk vindt. Soms houdt dit in dat hij meteen doet wat ik wil en soms doet hij niks. Soms wil hij gewoon dat ik ophoud te zeuren.

Maar tien minuten later komt Mas langs en zegt me dat mijn telefoonrekening betaald is. Een uur later heeft Manel geld ontvangen. Ik vermoed dat de dokter ergens een potje heeft gevonden. Nu hoef ik me alleen nog maar druk te maken over het redigeren van een krant.

IK BEN MOE. Ik slaap niet genoeg en zou graag willen dat ik voor het regelen van de meest basale zaken niet altijd alles uit de kast hoef te halen. Bovendien voel ik me eenzaam. Ik zit weer zonder kamergenoot en mijn overvolle werkschema biedt weinig gelegenheid voor uitstapjes. Dus als ik door cowboy Marvin (die maanden geleden op mijn kantoor langskwam en met wie ik sindsdien bevriend ben geraakt) en zijn vrouw Pearl word uitgenodigd om later die maand een weekje op Soqotra langs te komen, accepteer ik dat aanbod meteen. Het is nog altijd werk, want Marvin wil graag dat ik over zijn veeprogramma schrijf en op Soqotra zal nog wel meer zijn om over te schrijven. Maar dan ben ik in elk geval even uit Sana'a weg.

'Zorg er wel voor dat je alles zo hebt geregeld dat alles tijdens je afwezigheid soepel loopt,' zegt Faris. Alsof dat ooit het geval is geweest.

Jabr en Bashir proberen me bij het afscheid te omhelzen, maar ik sta het hen niet toe. 'Waarom niet?' klagen ze.

'Omdat jullie Jemenieten zijn. En Jemenieten horen dat nu eenmaal niet te doen.'

In werkelijkheid is het omdat Jemenitische mannen informeel lichaamscontact heel anders interpreteren dan westerse mannen. Westerse mannen staan er niet bij stil als ze door een vrouw worden omhelst, maar een Jemenitische man zou meteen kunnen aannemen dat ik er minder strenge opvattingen op nahoud en dat hij daarvan kan profiteren. Ik weiger ook om mijn mannelijke verslaggevers te omhelzen, omdat ik er zorgvuldig voor waak dat over mijn verhouding tot hen geen misverstanden ontstaan. Het handhaven van deze grens is uiterst belangrijk voor mij, ook omdat ik als baas en vrouw serieus genomen wil worden. Ik moet er niet aan denken dat ze in seksueel opzicht over me nadenken.

Ik voel me er al zo ongemakkelijk onder dat Jabr voortdurend voorstelt artikelen te schrijven die met seks te maken hebben. Hij schrijft verhalen over het toenemende gebruik van Viagra en andere seksueel stimulerende middelen, de toenemende populariteit van pornografie, de seksuele bijwerking van Red Bull en over hoe jonge mannen en vrouwen steeds meer via de Bluetooth-technologie met elkaar in contact komen, wat leidt tot allerlei soorten *haram*-gedrag. Hoewel de toon van deze artikelen altijd veroordelend is, zijn ze met net iets te veel plezier geschreven.

Als ik Luke bij het afscheid nemen een knuffel geef, protesteren de Jemenitische mannen over de ongelijke behandeling. 'Hij komt uit Californië!' zeg ik. 'In zijn cultuur is dat heel gewoon.'

☪

HET ZIT ME NIET HELEMAAL LEKKER dat ik de krant achterlaat en loop nerveus af en aan bij Luke en Zuhra, geef ze allemaal lijstjes en zorg dat ze weten wanneer welke pagina klaar moet zijn.

'Ga nou maar,' zegt Luke. 'Wij redden ons wel.'

'Oké. Maar zorg ervoor dat de gezondheidspagina op de eerste dag van de cyclus af moet zijn. En probeer op schema te blijven.' Ik pak mijn koffer op.

'O, ik voel me net een moeder die haar kind voor het eerst bij een oppas achterlaat.'

'*Yalla*,' zegt Luke. 'Wij zullen het kindje in leven proberen te houden.'

Marvin, Pearl en ik vertrekken midden in de nacht per vliegtuig naar Soqotra. Geen van drieën slapen we in het vliegtuig. Ondanks mijn uitputting en zorgen over het een week lang achterlaten van de krant, ben ik opgewonden. Ik weet nog goed dat mijn buurman Mohammed me zei dat mensen die Soqotra niet hadden gezien niet echt hadden geleefd. Jemenieten zijn laaiend enthousiast over het tropische woestijneiland, alsof ze het over het paradijs hebben. Zelfs degenen die er niet zijn geweest, prijzen de charme van het eiland. Ik bereid me voor op een sprookjesachtige omgeving.

Om acht uur 's ochtends komen we aan en belanden in een benauwende hitte, van het soort waarvan je je pas een voorstelling kunt maken als je erdoor wordt gevloerd. Het internationale vliegveld van Soqotra bestaat uit een klein gebouwtje waarin het barst van de mensen. Horden mensen uit ons vliegtuig mengen zich tussen horden mensen van Soqotra die hopen werk te vinden. Het eerste wat me opvalt aan de Soqotri's is hun gebit. Op het vasteland word ik voortdurend geconfronteerd met verrotte bruine tanden. Maar Soqotri's kauwen misschien niet zoveel qat of roken minder tabak. Of misschien hebben ze goede genen. Hun tanden zijn prachtig en stralend wit, en steken ontzettend af tegen hun donkere huid. Als mengvorm van Afrikanen en Aziaten hebben ze een erg zwarte huid en prachtig gevormde gezichten. Ik vind ze schitterend.

Pearl en ik gaan naar buiten om Rasheed te zoeken, een op Soqotra wonende man die voor hen werkt en in de auto van hun bedrijf rijdt, een enorme terreinwagen. Rasheed is klein en knap, met sprankelende zwarte ogen en de lach van een deugniet. Met alle ramen open rijden we langs de kust, die er zo spectaculair uitziet dat ik de hitte bijna vergeet. Links van ons ligt de oceaan te blinken in de ochtendzon en rechts van ons rijzen de bergen steil omhoog. De lagere hellingen zijn bezaaid met dikke, vleesachtige bomen waaraan roze bloemen groeien: de woestijnroos van Soqotra. De kustlijn slingert sterk, en er zijn vele mooie lagunes. In nog geen kwartier zijn we bij het sprookjesdorp

– pardon, de bijzondere hoofdstad – Hadibo. Aanvankelijk zie ik helemaal niet eens dat het een stad is. Het heeft meer weg van een ruïne. Met lage stenen muren, die gebouwen blijken te zijn, en die overal over het zand kronkelen. Volgens de betekenis die er op Soqotra aan het woord gegeven wordt, zijn het in elk geval gebouwen, wat niet per se inhoudt dat er een dak op zit. Dit is het meest dichtbevolkte gebied van het honderddertig kilometer lange eiland. Er is niet precies geteld hoeveel mensen er wonen, maar geschat wordt dat het er tussen de veertig- en honderdduizend zijn.

Als we ons hobbelend begeven over wat de hoofdstraat moet voorstellen, wijst Pearl me op de Ontwikkelingsorganisatie voor de Vrouwen van Soqotra, die door de plaatselijke bevolking gemaakte voorwerpen verkoopt en vrouwelijke toeristen de gelegenheid biedt om met lokale vrouwen in contact te komen. Ze wijst op de winkel waar je honing van Soqotra kunt kopen, geleid door een Fransman en een Libanese vrouw die de Soqotri's hebben geleerd met bijenkorven om te gaan. En ze wijst op een kleine groentewinkel waar frisdrank, bonen in blik en snoep verkocht wordt, en op eenvoudige rechthoekige hotels zonder uithangborden.

Aan de andere kant van het stadje (het gebied waar de buitenlanders wonen, de pendant op Soqotra van Hadda), komen we aan bij het huis dat Pearl en Marvin van Rasheed huren. Via een met rode en blauwe diamanten beschilderde stalen deur belanden we in een met grind bedekte binnenplaats. Links van ons bevindt zich een verhoogd en met drie muren omgeven gebiedje met de afmetingen van een grote kamer. Daarachter ligt een afgesloten ruimte. Aan de andere kant van de binnenplaats ligt de keuken, met alleen maar een gootsteen, waartegenover zich een kleine, met roze tegeltjes beklede Jemenitische badkamer bevindt, met een hurktoilet en een koudwaterdouche. (Koud is een relatief begrip. Op Soqotra is water altijd op zijn minst warm.) Pearl en Marvin staan erop dat ik de afgesloten kamer neem en knopen hun muskietennetten aan het dak. Ik breng mijn spullen naar mijn kamer en leg mijn laken over het iele, dunne matras. Het kleine bed op de kale linoleum vloer maakt me neerslachtig, maakt me ervan bewust dat ik vrijgezel ben. Ik ga even liggen om een dutje te doen. Het is verstikkend warm, bijna te warm om te slapen, maar ik slaag erin om weg te zinken in een tropische verdoving en word rond het middaguur wakker. Allemaal duiken we even onder de douche en wandelen het stadje in om te gaan lunchen. Het is zo heet dat ik mijn benen maar moeizaam kan bewegen. De stoffige hoofdstraat is uitgestorven. Het doet denken aan het Amerikaanse wilde westen rond het middaguur.

Aan de andere kant van het stadje vinden we een restaurant. De lunch bestaat uit koude moten vis, rijst en thee. Iets anders kun je op Soqotra voor de lunch niet krijgen, behalve als je vlees, rijst en thee wilt hebben. Er is bijna geen landbouw op het eiland, dus groenten en fruit tref je in restaurants niet aan. Maar het is mijn eerste maaltijd en ik geniet ervan. We zitten, praten en baden in het zweet. Marvin vertelt me meer over hun veeproject.

Na de lunch wandelen we (langzaam, want de zon schijnt nog altijd overweldigend) naar de kleine souq, waar we in de winkels turen. Overal zijn geiten. Het zijn geen gelukkige of gezonde geiten. Hun vacht is dof, hun buik opgezwollen en hun staart zit onder de stront. In de souq zijn er enkele aan een tafel vastgebonden, klaar om te worden geslacht. In een van de winkeltjes koop ik voor drie dollar een lichte katoenen jurk, alles wat ik heb meegenomen is me te warm. Zodra we thuiskomen, was ik hem en hang hem aan de lijn op de binnenplaats. Een halfuur later is hij droog.

Omdat we dolgraag willen zwemmen, kruipen we in de terreinwagen en rijden naar het strand op een klein beschut schiereiland met aan het eind twee in de zee uitstekende spitse rotsen, genaamd Di Hamri. Er staan enkele tenten en er is een douche in de open lucht.

De mannen lopen bij ons vandaan, om onze eerbaarheid te bewaren, en Pearl en ik leggen onze spullen neer op een beschut stuk rotsachtig strand. Na gewacht te hebben tot de mannen uit zicht zijn verdwenen, doe ik mijn zwempak aan en duik het water in. Het is glashelder. Ik zet mijn duikbril op en ben vol ontzag over wat ik zie. Op de bodem van de oceaan groeit koraal, in de meest onvoorstelbare vormen, tot nu toe had ik het alleen in juwelierszaken gezien. Er is bolvormig koraal, takvormig koraal, hersenvormig koraal en er zijn honderden soorten vissen. Er zijn zwart-wit gestreepte vissen met gele staarten, zwarte vissen, lange blauwe vissen en pietepeuterige visjes die te klein zijn om te eten. Ik heb niet eerder gedoken of gesnorkeld en heb nog nooit in zulk helder water gezwommen. Ik ga er helemaal in op, zo heerlijk vind ik het. Ik blijf maar heen en weer zwemmen, totdat de mannen aan de kust met hun handdoeken beginnen te zwaaien dat ik moet terugkomen. Maar ik kan er niet genoeg van krijgen, zo gelukzalig ben ik met mijn pas ontdekte drijfkunsten.

De zon zakt achter de rand van het klif en ik blijf in het water tot hij is verdwenen. Als ik uit het water kom, voel ik me bijna weer mens. Op het strand neem ik een douche in een klein, door palmbladeren beschaduwd hokje op de rotsen en praat met Pearl, terwijl ik mijn haar uitkam en het met eetstokjes opsteek. Naar het schijnt zijn hier vorig jaar enkele toeristen te ver de zee ingezwommen en met het tij meegevoerd. Hun lichamen spoelden de volgende ochtend aan.

'Daarom zwaaiden die mannen naar je,' zei ze.

Het enige wat die middag nog compleet kan maken, is een stop bij een ijswinkel aan de kant van de weg. In dit klimaat is ijs erg nodig. Maar op Soqotra hebben ze geen ijs. Er zijn nauwelijks koelkasten en de paar exemplaren die er zijn, staan alleen na zonsondergang aan, als de paar generatoren die er op het eiland zijn worden aangezet.

We rijden terug langs de uit stenen muren en palmbomen bestaande kleine dorpjes. Nadat we ons hebben omgekleed, nuttigen we een avondmaaltijd in hetzelfde restaurant waar we hebben geluncht. De restaurants hier hebben geen naam, zelfs de Soqotri kunnen je niet zeggen hoe ze heten. Ze zeggen eenvoudigweg 'het restaurant van het Taj Hotel,' of 'het restaurant tegenover het Taj Hotel.'

Het diner bestaat uit ful en fasooleah met brood, en, voor degenen die schapen eten, wat schapenvlees. Na afloop van de maaltijd wandelen Pearl en ik naar het Taj Hotel, zodat ze me kan laten zien waar 'iedereen uithangt'. De meeste expats en toeristen eten in dit ene restaurant, al serveren alle restaurants precies hetzelfde: bonen bij het ontbijt, vlees en rijst bij de lunch en bonen bij het diner. Er zijn geen menukaarten.

De volgende ochtend trek ik er, voordat de hitte ondraaglijk wordt, op uit voor een wandeling. In mijn nieuwe katoenen jurk wandel ik de met struiken begroeide bergen in. Van een afstand ziet het gebied er kaal en leeg uit. Maar om de paar minuten kom ik tot mijn verbazing een huis tegen dat zozeer in de rotsen opgaat dat ik het niet had gezien. Elke keer als ik denk alleen te zijn, schiet er een kind uit de bosjes en rent voor me uit het pad over.

Eenmaal teruggekeerd, neem ik vlug een douche, want ik ga naar een workshop die Amerikaanse dierenartsen geven, om aan vrouwen van Soqotra te leren hoe ze hun vee moeten verzorgen. Als we bij de training aankomen, die in het kleine vieze plaatselijke ziekenhuis wordt gegeven, worden we uitgehoord door Jennifer, een korzelige vrouw die voor de Amerikaanse ambassade werkt. Ze laat geen mannen toe bij de lessen, omdat er allemaal vrouwen van Soqotra zijn, maar als ik beloof dat ik de gang van zaken niet zal verstoren, mag ik toekijken.

In een kleine bedompte ruimte die ruikt naar zweetvoeten, zitten ongeveer vijfendertig vrouwen bijeen, allemaal in abaya's, hijabs en nikabs. Achter een computer zit een blonde Amerikaanse dierenarts, die een voor een de plaatjes van haar PowerPointpresentatie doorloopt. Ondertussen leest een mannelijke dierenarts van Soqotra de plaatjes voor. Ze zijn vertaald in het Arabisch. Nu en dan staan er Engelse ondertitels bij, zoals 'Disease history,' 'Prophylaxis,' 'Defecation,' 'Urination,' 'Gait,' en 'Voice.'

'We willen bereiken dat de vrouwen iets leren over de basale verzorging van het vee, niet om ze dierenarts te maken,' zegt Jennifer.

Ik vraag waarom er alleen vrouwen worden opgeleid, en Jennifer legt uit dat het meeste werk op het eiland door vrouwen wordt verricht, vooral het hoeden van de kuddes. De vrouwen komen uit dorpen overal op het eiland en zijn door plaatselijke raden uitgekozen omdat ze Arabisch lezen en schrijven. Soqotri's hebben hun eigen taal, waarvan men nog niet precies weet waar hij van afstamt. De vrouwen hebben hun mooiste abaya aan, met pailletten op de mouwen en versierselen erop geborduurd, en ze dragen hoge hakken. Je kunt je nauwelijks kleren voorstellen die minder geschikt zijn voor het onderzoeken van vee. De vingers van de vrouwen zijn overdekt met henna en nagsh.

In de muffe atmosfeer heb ik moeite met ademhalen en het zweet staat me op mijn rug, waardoor mijn katoenen jurk kletsnat wordt. De hitte en de stank zijn overweldigend. De vrouwen bladeren de uitgeprinte presentatie door, zonder aantekeningen te maken, en de dierenarts van Soqotra legt uit hoe ze hun dieren op ziektes kunnen onderzoeken.

Als er wordt gepauzeerd, rennen de medewerkers en ik naar buiten om even frisse lucht te halen, maar de vrouwen van Soqotra blijven zitten. Meermaals wordt hen gevraagd ook even buiten te komen, maar ze bekommeren zich blijkbaar noch om de hitte noch om de stank.

Aan het eind van de tweede les ben ik doorweekt en moet er even tussenuit. Ik glip het zaaltje uit en beland in de zinderende middagzon. Ik ga naar de *Tourist Information*, omdat Pearl had gezegd dat ik daar meer te weten kon komen over wat hier allemaal te doen is.

In het bureautje hangen posters op de muur, maar dat is dan ook alles, op een paar dvd's na, die achter vitrineglas zijn weggeborgen. Ik vraag de jongeman die er zit – in het Arabisch, met gebarentaal en in het Engels – of hij ook brochures heeft. Hij schudt zijn hoofd.

'Wij hebben geen informatie.'

'Geen informatie?' Ik ben stomverbaasd.

'*Mafeesh.*' (Niets.)

Goed, als er bij de *Tourist Information* geen informatie is, zal ik die elders ook wel niet vinden, dus ga ik naar huis.

We lunchen in hetzelfde restaurant met de vriendelijke Franse en Libanese bediening. We lachen om de inrichting, want de wanden zijn overdekt met foto's van luxe reisbestemmingen, meestal met diepblauw water en palmen erop, plaatsen waar ze eens dicht bij in de buurt hebben gewoond en die beslist niet kunnen worden aangezien voor het wilde Soqotra. Rasheed helpt me bij het opstellen van een lijst met dingen die ik kan doen en plekken om te zien. Hij heeft meer informatie dan ze bij de *Tourist Information* hebben.

Na de lunch brengt hij me met zijn pick-uptruck naar Wadi Ayeft, terwijl Marvin en Pearl achterblijven om aan het werk te gaan. De wadivallei ligt op ongeveer veertig minuten rijden afstand, waarvan slechts het eerste kwartier verhard is. De rest bestaat uit rotsachtige paden die zo hobbelig zijn dat ik de blaren op mijn rug krijg van het gestuiter op de zitting. Aan mijn kant van de wagen zit een handvat (en vanzelfsprekend geen veiligheidsgordel), dus hou ik me daarmee overeind, en blijf me, al stuiterend over de bergpaden, eraan vasthouden alsof mijn leven ervan afhangt.

Uiteindelijk stappen we uit de wagen en vervolgen te voet onze tocht naar de vallei. Aan beide kanten van het pad verrijzen rode rotsen en voor ons verschijnen grillige hoge bergtoppen, waaronder de hoogste berg van het eiland. We zoeken onze weg over de rotsachtige bodem en Rasheed wijst me op wierookbomen en allerlei andere exotische, sprookjesachtige plantensoorten. Hij laat me een plant zien met antibacterieel sap in de scherpe stekels, en een andere met kleine gele vruchten die eruitzien als kersen maar houtachtig smaken, als meelachtige appel-abrikozen. Hij gooit stenen naar de boom, zodat de vruchten naar beneden vallen en we ze kunnen eten. Het zijn de eerste vruchten die ik hier heb gezien.

We lopen langs enkele plaatselijke bewoners. De mensen die in de wadi wonen, hoeden kuddes geiten die over de kliffen klauteren, en velen van hen, waaronder de oom van Rasheed, wonen in grotten.

Het valt me op dat Rasheed andere mannen begroet door hun neus een of twee keer met zijn neus aan te raken en handgebaren te maken. Ik vraag hem ernaar. Hij legt me uit dat het van belang is hoe vaak je de neus raakt. Als mannen van Soqotra elkaar langer dan een week niet hebben gezien, moeten ze hun neus driemaal aanraken. 'Anders komt er gedonder van.' En een ouder iemand begroet je anders dan iemand die even oud is.

Een halfuur lang vervolgen we door een droge rivierbedding onze tocht, waarna we uitkomen bij een ongerepte zoetwaterpoel, met aan de overkant een kleine waterval. Langs de randen van de poel klemmen kleine rode krabben zich vast. Terwijl ik me omkleed, houdt Rasheed een paar meter bij me vandaan voorbijlopende mannen uit de buurt. Het is heerlijk om in het verfrissend koele water rond te badderen. Als ik uit het water klim, komt Rasheed bij me. We nemen plaats op de rotsen naast de poel en raken in gesprek.

Daar voel ik een zeldzame en weldadige ontspanning door me heen trekken. Ik ben afgekoeld, heb energie en ik hoef nergens anders te zijn. Het is een volmaakt moment en voor het eerst in weken voel ik me echt gelukkig.

Rasheed vertelt me talloze verhalen, allereerst over zijn diepe vriendschap met de Franse ambassadeur. Bij de eerste trip van de ambassadeur naar Soqotra had Rasheed hem in Hadibo verwelkomd met een grap: 'Welkom in Parijs.'

'Ben je in Parijs geweest?' vroeg de ambassadeur.

'Nee. Alleen in het Parijs van Soqotra.'

'Zou je ernaartoe willen?'

'Dat meen je niet.'

Maar de ambassadeur meende het wel degelijk. Een paar weken later had Rasheed een visum op zak, evenals vliegtickets en een hotelreservering in Parijs. Hij kreeg te horen dat hij zijn *mahwaz* van Soqotra thuis kon laten en zich moest kleden zoals Parijzenaars dat doen.

En zo vloog Rasheed naar Parijs. Het meisje dat hem daar zou opvangen, belde om hem te vragen op welk vliegveld hij zou landen. Dit was de eerste shock die hij te verwerken kreeg. 'Is er meer dan een vliegveld?' Terwijl het meisje hem probeerde uit te leggen hoe groot en overweldigend de Franse vliegvelden zijn, verzekerde Rasheed haar dat hij al eerder op een internationaal vliegveld was geweest, want op Soqotra hadden ze er ook een. We moesten allebei lachen toen hij dit vertelde.

In Parijs werd hij meteen geconfronteerd met verwarrende zaken als een roltrap, die hij nog nooit had gezien. Hij vertelde me dat hij er niet op durfde te staan en contact zocht met de enige Jemeniet die bij hem in het vliegtuig had gezeten om hem te vragen of het veilig was.

Daarna had het meisje dat hem op het vliegveld stond op te wachten hem op beide wangen gezoend! Hij was zich een ongeluk geschrokken. 'Ik werd er zeer verlegen van,' zegt hij. 'En ze zei tegen me: "Je bent nu in Parijs, je moet de persoon die je op Soqotra bent op Soqotra achterlaten".' Bij het verlaten van het vliegveld vroeg ze hem haar bij de arm te nemen (een volgende shock). De volgende verwarring ontstond toen ze een lift in gingen, een apparaat dat hij nog nooit was tegengekomen. 'Wat is dat?' had hij ongerust gezegd toen de lift zich in beweging zette.

Het franse meisje legde hem ook uit hoe hij bestek moest gebruiken. 'En na drie dagen met bestek gewerkt te hebben, nam ze me mee naar een Chinees restaurant!'

'En daar moest je met stokjes eten!'

'Ja!'

We barsten in lachen uit.

Naarmate de zon lager komt te staan, worden de verhalen van Rasheed steeds persoonlijker. Hij is de enige mannelijke begeleider van veertien vrouwen. Tegenwoordig verblijven zijn vrouw en kinderen in Sana'a. Hij klinkt niet al te enthousiast over zijn vrouw. 'Er zijn problemen,' zegt hij. 'Maar mijn familie houdt van haar.'

Rasheed heeft maar een keer echt van een vrouw gehouden. Het was een jeugdliefde, een meisje met wie hij er altijd om streed de beste van de klas te zijn. Dat ging zelfs zo ver dat ze eens vlak voor een examen zijn boeken stal om te voorkomen dat hij kon studeren. Voordat het land met het meer conservatieve noorden werd samengevoegd, gingen jongens en meisjes naar dezelfde school, en dekten meisjes hun gezicht niet af. Nadat Rasheed naar het vasteland werd gestuurd om te studeren, miste hij zijn meisje. Er ontbrak iets in zijn leven, vertelt hij me. Hij miste haar zozeer dat hij zijn moeder belde en zei dat hij naar huis kwam. Maar zijn moeder sprak hem streng toe en herinnerde hem eraan dat ze veel geld aan zijn opleiding hadden besteed. Dus belde hij een ander familielid en kwam thuis.

Hij zei tegen het meisje dat hij van haar hield en met haar wilde trouwen. Geen van beide families was daar blij mee. Soqotri's horen niet zelf te kiezen met wie ze trouwen. Maar het meisje zei dat ze op hem wilde wachten terwijl hij zijn drie jaar durende studie in het buitenland zou afmaken. En daar ging hij weer.

Maar eenmaal in het buitenland hoorde hij dat haar moeder haar aan een rijke man uit de Verenigde Arabische Emiraten had uitgehuwelijkt. Het meisje had geweigerd met de man te trouwen, maar haar familie had haar gedwongen. Nu woont ze in de Emiraten en heeft kinderen, maar het is duidelijk dat Rasheed nog altijd van haar houdt.

'Ik zal haar leven niet verstoren,' zegt hij. 'Maar ik haat de inwoners van de Emiraten.'

Ik mompel dat ik het heel naar voor hem vind, probeer hem af te leiden van deze ongetwijfeld zeer aangrijpende zaken en vraag hem te beschrijven hoe het er bij een huwelijksplechtigheid op het eiland aan toe gaat. De ceremonies van de bewoners van de bergen en de kust verschillen sterk van elkaar. De mensen aan de kust, zegt hij, maken muziek, slaan op trommels en dansen, want ze zijn meer Afrikaans. Daarentegen gaan de mensen in de bergen de strijd met elkaar aan met het voordragen van gedichten, meestal met vijf groepen, waarbij elke groep een gedicht voordraagt. 'Het gaat hard tegen hard,' zegt Rasheed. 'Tot vier uur 's ochtends. Met gedichten hakken ze op elkaar in, waarbij iemand bijvoorbeeld zegt: 'Jij hebt niet genoeg qat,' of: 'Jullie serveren op de trouwerij te weinig vlees.'

Verder worden er bij trouwerijen in de bergen ook springwedstrijden gehouden, waarbij mannen op en neer springen en de mensen eromheen 'springgeluiden' maken om hen bij het springen te begeleiden.

De zon kleurt het klif boven onze hoofden rood. De palmbomen om de poel veranderen in silhouetten. We blijven bij de poel tot het te pijnlijk wordt om nog langer op de scherpe rotsen te blijven zitten en we nog maar een halfuur de tijd hebben om terug te keren voor het donker wordt.

Bij kampeer- en zomervakanties en op stranddagen maakt iets in de atmosfeer me nostalgisch en melancholisch. Dan denk ik terug aan de gelukkige zomers van vroeger en hoe mooi ze waren. Onderweg terug in de auto, kijkend naar de donker wordende lucht, valt het gesprek stil.

'Ik houd van dit tijdstip van de dag,' zeg ik.

'Op dit soort momenten is iedereen in gedachten verzonken,' zegt hij. Precies. Na de hele middag uitgebreid met elkaar te hebben gesproken, is het een vriendschappelijke stilte. Mijn gedachten dwalen af naar andere vakanties in wilde omgevingen en in goede tijden, fietsend door de bergen, klimmend naar bergtoppen, lopend door de regen, verse maïs en zwartebessentaart etend, drinkend bij het kampvuur, en in warm gezelschap verkerend.

Dergelijke gebeurtenissen zijn al niet vanzelfsprekend voor me, maar op dit soort ogenblikken zijn ze me des te meer waard. Hier op Soqotra, ver weg van alle afleidingen van mijn werk, voel ik me plotseling heel eenzaam. Ineens heb ik behoefte aan een geliefde, iemand met wie ik dit kan delen. Volgens mij ben ik sinds mijn tienerjaren nog nooit zo lang alleen geweest, altijd heb ik wel iemand gehad. Ik wil weer bergtoppen beklimmen met iemand op wie ik gek ben, bosbessen plukken, elkaar verhalen vertellen terwijl we vlak voor zonsondergang over de rotsen klauteren en tussen de bomen wandelen. Hoewel ik me nooit voor de rest van mijn leven aan iemand heb willen binden, denk ik nu dat ik graag een lange tijd bij iemand zou willen blijven. Heel lang.

De kans bestaat dat ik in Jemen zo iemand niet tegenkom. Niet met mijn werkschema en het gebrek aan romantische gelegenheden. Ik leg me neer bij de vele maanden met eenzame nachten en vraag me af of het zou schelen als ik nieuwe vriendschappen sloot.

Ik ontwaak uit mijn dromen als Rasheed met de truck naar ons huis afslaat. Hij lacht me toe. 'Ik kom morgen wel langs.'

☪

DE REST VAN DE WEEK op Soqotra sta ik om vijf uur op, als de haan kraait. Alleen op dat tijdstip is de hitte dragelijk. Maar zelfs als ik dan de bergen in de buurt van het stadje beklim, kan ik me nergens verschuilen, is er geen schaduw te vinden en sta ik bloot aan de genadeloze zon. Als ik op de tweede of derde ochtend terugkeer van een twee uur durende wandeling, ben ik duizelig en dreig te moeten overgeven. Pearl vreest dat ik een zonnesteek heb opgelopen. Ik doe mijn kleren uit en neem een douche. Ik maak mijn haren nat en hoop af te koelen.

Pearl verdwijnt en keert terug met een strohoed. 'Gaat het wel?' vraagt ze. 'Maandag vertrekt er een vliegtuig.'

Ik schrik ervan dat zo duidelijk te zien is hoe beroerd ik me voel.

'Het komt wel goed,' verzeker ik Pearl. Ik ben vastbesloten het vol te houden.

Aan het eind van de middag komt Rasheed me halen voor nog een avontuur. Onze tweede trip is naar Diksam, een koelere bergachtige streek in het midden van het eiland. De bergen zijn kaler dan ik had verwacht, op de fantastische drakenbloedbomen na, die eruitzien als gigantische stengels rechtopstaande broccoli. Rasheed toont me de rode hars in de stam, die de vrouwen op Soqotra als make-up gebruiken.

In de bergen, onderweg naar boven, pikken we verschillende mannen op, waaronder een van zijn ooms. Op de weg lopen altijd mensen die een lift nodig hebben en Rasheed neemt ze altijd mee. Achterin de truck staan ze rechtop of zitten gehurkt. Nu en dan schreeuwt iemand dat Rasheed vaart moet minderen. Omdat er nog maar een paar jaar wegen zijn op Soqotra, kent niemand nog goed de weg.

Als we bij de top van een berg aankomen, rijden we naar de volgende twee kleine stenen hutten om bij een van Rasheeds ooms thee te drinken. Binnen is het koel en aangenaam. We zitten op de vloer, die bedekt is met geweven matten en waarop geen meubels staan. Een vrouw brengt zoete thee met geitenmelk en vers plat brood dat we in onze mok dippen. Om me heen verzamelen zich kinderen, vies en halfgekleed en met enorme bruine ogen, die me aanstaren. De vrouwen ondervragen me, ze willen (natuurlijk) weten of ik getrouwd ben en kinderen heb. In de eenzame, vermoeide staat van een reiziger, bedroeft het me dat ik moet liegen over een man en ze de waarheid moet vertellen over de afwezigheid van een kind. Een jonge vrouw, begin twintig en pasgetrouwd, heeft zeer veel belangstelling voor me en ondervraagt me indringend. Ze wil dat ik blijf logeren. Maar met veel moeite weten we ons vlak voor zonsondergang aan het gezelschap te onttrekken en rijden voornamelijk zwijgend terug naar huis, her en der mannen oppikkend.

Ik kijk altijd enorm uit naar de middagen met Rasheed. Het is leuk om samen met hem te reizen, naar zijn verhalen te luisteren en niet per se te hoeven praten. De volgende middag rijdt hij me naar een beschutte lagune in de buurt van Qalansiyah. Na ongeveer een uur in de wagen zijn we er. Als we de boven de zee uitstekende rotsige kliffen naderen, remt hij af en zegt me dat ik mijn ogen moet sluiten. De truck rolt naar voren.

'Doe ze nu weer open.'

Ingeklemd tussen twee rotswanden ligt een groot stuk ongerept wit strand en een lagune met helderblauw water dat schittert in het zonlicht.

'*Jamil*,' zeg ik. Prachtig.

Ons laatste en mooiste avontuur is de tocht naar de Hoq-grot. Ik had er zeer naar uitgekeken, maar aanvankelijk verzette Rasheed zich ertegen, volgens hem was het te laat om er nog op uit te trekken. 'Het is een anderhalf uur durende voettocht,' zegt hij. 'Om je de waarheid te zeggen, ik ben te lui om zo'n stuk te lopen.'

Nou, ik ben niet te lui om te lopen, dus ik drijf mijn zin door. We rijden langs de noordoostelijke kust tot we bij het vissersdorpje komen dat zich het dichtst in de buurt van de grot bevindt. Volgens de wet van Soqotra moeten bezoekers van de grot een gids nemen, zodat de plaatselijke bevolking van het toerisme kan profiteren. We komen in contact met een man die zegt te bang te zijn om de grot in te gaan, toch wil hij ons wel de weg wijzen. Hij heeft geen zaklantaarn bij zich, maar hij verzekert ons dat er voor ons een groep is vertrokken die er wel een heeft.

Met ons drieën beginnen we aan de wandeling de berg op. Het is een steile, moeilijke klim en onze gids zet er geweldig de pas in, wat des te imposanter is omdat hij alleen maar paarse plastic sandalen aan zijn voeten heeft. Ik weet hem echter bij te houden. Ik ben blij weer eens echt aan lichaamsbeweging toe te komen. Wel moet ik Rasheed op een gegeven moment een aansporing geven. 'Ik stap op je hakken,' zeg ik. 'Een beetje sneller graag.'

We komen langs tientallen zachte woestijnroosbomen. Ze zien er zo schattig uit dat elke keer als we langs een fraai exemplaar lopen, ik luid roep: 'Dikke boom!' en hem omarm. Rasheed vindt het zo vermakelijk dat hij erop begint te wijzen. 'Daar heb je er weer een,' zegt hij. 'Geef hem ook een knuffel!'

Onze gids wordt zichtbaar nerveus als we de top naderen en raakt achterop. Je kunt de zwarte opening van de grot pas zien als je er pal voor staat. Dan ineens opent zich de aarde voor je, een breed, donker gat in de bergwand. Hijgend blijf ik staan en draai me om, zodat ik onder me de zee kan zien liggen. De bergwand daalt steil af en boven het zeeoppervlak begint de hemel paars te kleuren.

'Ik wacht buiten de grot op jullie,' zegt de gids in het Soqotri. 'Er zitten *jinn.*'

In de Koran wordt melding gemaakt van jinn. Hamoudi, mijn vriend en leraar Arabisch legde het me als volgt uit: 'Voordat God mensen schiep, had hij alleen engelen en jinn. Iblees was de koning van de jinn, die van vuur gemaakt waren. God maakte de jinn uit vuur en engelen uit licht. Waarna God zei: "Ik zal een mens maken, Adam, uit aarde, en iedereen moet voor hem bidden, eenmaal slechts."

Iblees, de koning van de jinn, was de eerste die nee zei tegen God. Hij zei: "Nee, ik zal niet voor mensen bidden, want ze zijn gemaakt uit aarde en wij zijn gemaakt uit vuur. Wij zijn beter!"

God zei: "Ga weg!"

De jinn zeiden tegen God: "Dan zorgen we ervoor dat mensen slechte daden zullen verrichten."

God zei: "Ga, en probeer er maar voor te zorgen dat mensen slechte dingen doen. Maar als ze dat doen, zullen zij en jullie allebei in de hel belanden".'

Volgens moslims zijn jinn in staat in het bloed van mensen te kruipen en hen te dwingen de meest verschrikkelijke misdaden te begaan. Een mens kan ofwel de jinn volgen naar de hel, of kiezen voor een hoger pad. Een mens dat bezeten is door een jinn heeft vaak behoefte aan geestuitdrijving, waar een imam voor nodig is, die in het bijzijn van de getroffene uit de Koran voorleest. Maar niet alle jinn zijn slecht. Sommige jinn zijn islamitisch en zij zijn overgehaald het rechte pad te bewandelen. Maar dit is niet het soort waar onze gids bij de grot bang voor is.

Er is geen andere toerist te bekennen en we hebben geen zaklantaarn. Ik zoek in mijn handtas en vind een aansteker met een klein lampje op het uiteinde. Rasheed en ik stappen de grot in.

'Kom hier, jinni jinni!' roept hij om de gids te pesten.

Over een hobbelige rotsbodem en tussen plassen water door proberen we onze weg te vinden. 'Kijk eens omhoog,' zegt Rasheed.

Overal hangen verbazingwekkend lange druipstenen, het lijken wel kandelaars uit de steentijd. Duizenden druppende dolken boven mijn hoofd. Zoiets heb ik nog nooit gezien. Her en der om ons heen, als in een gotische beeldentuin, staan waterspuwers. Daaromheen zijn bizar symmetrische waterbassins ontstaan. Tot ver in het donker strekt het kathedraalachtige plafond zich uit. Het is de Notre Dame van de grotten. Adembenemend. Voorzichtig proberen we vooruit te komen, voor zover dat met ons kleine lampje mogelijk is.

Als ik stop om de magnifieke stalagmieten te bewonderen, fluistert Rasheed: 'Doe het licht eens uit.'

Het is volledig donker en we luisteren naar het druppelende water en de stilte tussen het vallen van de druppels en het ritselen van de... vleermuizen?

Ik wil helemaal naar het eind van de grot, maar het is niet lang licht meer. Het begint al bijna te schemeren en we moeten nog een heel eind de berg af klauteren. 'Ik beloof je dat we, als je hier weer op bezoek komt, elke grot op Soqotra zullen ingaan,' zegt Rasheed. 'Dan maken we een tocht langs alle grotten.'

Onze gids loopt zenuwachtig voor de grot heen en weer. We gaan naar hem toe en haasten ons over het pad naar beneden. Net als de hemel diepblauw kleurt en de eerste sterren zichtbaar worden, komen we beneden tevoorschijn uit het struikgewas.

Nadat we onze gids bij zijn dorp hebben afgezet, stoppen we eerst om een vriend van de moeder van Rasheed te bezoeken. Als we bij een kleine hut aan de zee arriveren, is de hemel dicht besprenkeld met sterren. Er komt een vrouw naar buiten om ons te begroeten en ze nodigt ons uit om een kleine binnenplaats op te komen. Als we op de matten op de grond gaan zitten, verzamelt de hele familie zich om ons heen, vriendelijk en nieuwsgierig. We krijgen een pot met een roodkleurige stoofmaaltijd voorgezet en we vallen aan. Het is verrukkelijk, de vis valt tussen onze vingers uit elkaar. Ze zijn vast nog maar een paar uur geleden gevangen. Daarna krijgen we vers plat brood opgediend en de gebruikelijke melkachtige zoete thee. Vervolgens krijg ik een kom zure melk. Ik verwacht dat het op yoghurt lijkt, maar het smaakt gewoon naar zure melk. Ik kokhals en geef hem door aan Rasheed. Beleefd wijs ik de in geitenhuid gefermenteerde dadels af.

Als we daar zo zitten te eten en met de familie spreken, valt er een heerlijke rust over me heen. Even voel ik me voor een tweede keer overweldigd door puur geluk, om daar zo buiten onder de koele sterrenhemel te zitten, omgeven door vriendelijke mensen, met een eenvoudig maal voor me. Hier zou ik uren kunnen vertoeven.

Zo gaat het altijd als je reist, bedenk ik me. Het is uiterst afwisselend, nu en dan eenzaam en bang, waarop onvergelijkelijke momenten van geluk en onthullingen volgen. Op de minder goede momenten zal ik erop moeten vertrouwen dat er weer fantastische gebeurtenissen aan zitten te komen.

VIJFTIEN

De kunstmatige man

Als ik zes maanden aan het werk ben, loopt de krant op schema, slaap ik meer en ben ik begonnen zelf stukken te schrijven. Het indrukwekkendst is nog wel mijn flitsende trip naar het vluchtelingenkamp Kharaz, waar zo'n tienduizend vluchtelingen zijn ondergebracht, voornamelijk Somaliërs. Ik ga er samen met de functionarissen van de Hoge Commissaris voor de Vluchtelingen van de Verenigde Naties (UNHCR) naartoe. We vliegen naar het in het zuiden gelegen Riyan en rijden langs de kust naar het westen, naar Shabwa en het opvangcentrum Maifa'a, waar de Somaliërs die op de Jemenitische kust aanspoelen, worden onthaald, als zij hun reis overleven. Misschien is mijn schoonmaakster hier aangeland.

Het is er veel heter dan in Sana'a en onze chauffeur zet de airconditioning vol aan. Rechts van me rijzen rode rotsen op. Ze doen me denken aan de Grand Canyon. Links van ons is de zee overdekt met kleurrijke vissersbootjes. Ik zit achter in een wagen geperst, tussen een Jemenitische functionaris van de UNHCR en Amal, een kleine vrouwelijke verslaggever van de *Yemen Times*.

Waar ze ook aan de kust belanden, de Somaliërs vinden hun weg naar het opvangcentrum van Maifa'a. Anders waarschuwen dorpelingen die de vluchtelingen op het strand zien de UNHCR wel, die vervoer stuurt, zegt Aouad Baobaid, een veldspecialist die met ons meereist.

'Als we niet met de mensen in contact kunnen komen – we kunnen niet iedereen vinden – zorgen de dorpelingen voor ze,' zegt hij. 'Ze geven hen te eten en bieden hen 's nachts onderdak, vrouwen bij vrouwen en mannen bij mannen. Ze begraven zelfs de doden.'

En er zijn vele doden. In 2006 meldde de UNHCR dat ongeveer zevenentwintigduizend mensen de riskante overtocht hadden gemaakt, waarvan er driehonderddertig onderweg zijn omgekomen en er nog eens driehonderd vermist zijn.

Maifa'a, een groep witgeverfde van grote betonblokken gemetselde huisjes die in de zuidelijke zon liggen te bakken, werd in 1996 opgericht om vluchtelingen te registreren. Hen wordt gevraagd wanneer ze Somalië hebben verlaten, hoe hun reis is verlopen, waarom ze zijn gevlucht en wanneer ze zijn gearriveerd. We lopen rond, stellen vragen, inspecteren de winkel met etenswaren en interviewen de medewerkers. Daarna leggen we een bezoek af aan enkele plekken langs de kust waar vaak vluchtelingen aan land spoelen.

's Ochtends vliegen we naar Aden en rijden tweeënhalf uur landinwaarts naar het kamp. Kharaz strekt zich uit op een zinderend hete woestijnvlakte, op vele kilometers afstand van steden, wegen, water en werk. Het was het enige land dat beschikbaar was, zeggen de functionarissen van de UNHCR die ons rondleiden. Er staan geen hekken om het enorme complex met op elkaar lijkende onderkomens van betonnen blokken, afgewisseld met een paar groepjes tenten voor pas gearriveerden. De vluchtelingen zijn vrij om te komen en te gaan wanneer ze willen.

Slechts vijf procent van de vluchtelingen blijft in het kamp. De rest trekt naar de stedelijke gebieden, waar ze hopen een baan te vinden, door auto's te wassen, huizen schoon te maken of ander huishoudelijk werk te verrichten. Het leven van de vluchtelingen in het kamp bestaat voornamelijk uit wachten: wachten tot het in Somalië zo rustig is geworden dat ze kunnen terugkeren, wachten op een baan, wachten op beter voedsel, beter onderdak, betere gezondheidszorg, wachten op een wonder dat hen uit de ellende kan verlossen.

Om die reden wordt iedere bezoeker aan het kamp meteen omringd door vele bange Somaliërs die hopen dat deze persoon het wonder is waarop ze hebben gewacht, dat er uiteindelijk hulp is gekomen. Veel van hen hebben handgeschreven kopietjes van brieven bij zich, die ze de bezoekers in de handen drukken. De meeste zijn gericht aan de UNHCR en bevatten allerlei verzoeken om hulp.

Een vrouw genaamd Asli Abdullahi Hasson geeft me een brief waarin ze het bombardement van haar woning in 1991 beschrijft, de dood van haar familieleden, en haar vlucht uit Somalië. Onderweg naar Jemen hebben 'mannen geprobeerd [haar] voor de ogen van [haar] man te verkrachten,' schrijft ze. 'Hij verdedigde me, maar helaas werd er met kogels op hem geschoten. Hij was niet dood maar had een ernstige wond.' Ze eindigt haar verhaal met een eenvoudig verzoek: 'Alstublieft,' schrijft ze. 'Help me met het vinden van een betere toekomst.' Er zijn eindeloos veel mensen met een vergelijkbaar verhaal, en evenveel brieven.

In februari is het er om te smoren en al snel zijn mijn kleren doordrenkt met zweet. In de zomer wordt de hitte dodelijk en vele vluchtelingen worden ziek, zegt dr. Fawzia Abdul Naji, de vrouwenarts/verloskundige in het kamp. Ze is een van de drie fulltime werkende artsen in Kharaz.

We bezoeken vluchtelingen in de van betonblokken gemetselde verblijven en tenten. In een van de zelfgemaakte tenten woont Khadija Mohammed Farah, die drie kleine ruimtes met zes mensen moet delen. Binnen ruikt het naar poep en overal zitten vliegen op. Een vrouw ligt roerloos op een dun matras. 'Ze is erg ziek,' zegt Khadija. In een andere ruimte is een eenvoudig keukentje met een gasstel en een olielamp. Khadija verblijft al twee jaar in het kamp en wacht nog altijd op een permanent dak boven het hoofd. Een stuk of vijfentwintig Somaliërs drommen om ons heen en beklagen hun situatie eveneens. 'Er zijn hier al vele journalisten geweest en er verandert nooit iets,' schreeuwt een van hen.

Khadija zegt dat ze naar Somalië wil terugkeren, als het veilig is. Maar totdat het zover is, zal ze zich opgesloten voelen.

'Kijk,' zegt ze en trekt de voorkant van haar kleurige jurk omlaag. 'Ik ben vreselijk verbrand.'

Haar hele borst bestaat uit littekenweefsel, veroorzaakt door een ongeluk bij het ontsteken van vuur in het kamp.

Een man dringt door de menigte heen. 'Alsjeblieft, help me!' schreeuwt hij, terwijl hij zijn shirt omlaag trekt om een kratervormig litteken te tonen. 'Help mij, ik moet het helemaal in mijn eentje zien te redden met vier kinderen.'

De psychische wonden die velen met zich meedragen na ondenkbaar brute gewelddaden te hebben aanschouwd, zijn mogelijk nog erger. De vijftigjarige Issa, oorspronkelijk afkomstig uit Mogadishu, zegt me dat ze in 1995 samen met drie kinderen wel naar Jemen moest vluchten, vanwege de gruwelen van de oorlogen tussen de Somalische clans.

Ik interview vele Somaliërs en schrijf mijn kladblok fanatiek vol. Door hard te werken, voorkom ik dat ik overweldigd raak door alle ellende die ik tegenkom. Ik kan de verschrikkingen die zich op een dergelijke schaal voordoen niet bevatten. Ik zal nooit meer klagen over iets wat mij overkomt.

Aan het eind van de dag zijn we uitgeput, oververhit en zitten we er emotioneel helemaal doorheen. Maar we boffen. Wij kunnen weer in onze gekoelde terreinwagen stappen en wegrijden. Zoveel van wat ik in Jemen zie, doet me beseffen hoeveel geluk ik heb. Elke dag weer neem ik armoede en ontberingen waar, terwijl ik met mijn Amerikaanse paspoort elke keer weer verder kan lopen. Na hier gewoond te hebben, zal ik de voorrechten waarover ik kan beschikken nooit meer als vanzelfsprekend beschouwen.

☪

DE VOLGENDE DAG zit ik achter mijn bureau aan het verhaal over de Somaliërs te werken als ik een telefoontje van de douanedienst krijg.

'Er ligt hier een pakje voor je,' zegt de man.

'Fantastisch.' Ik verwacht een doos met een vervangende batterij voor mijn computer, een netkabel, kauwgom en medicijnen, die een vriend uit New York me heeft gestuurd. Het heeft tijden geduurd voordat het arriveerde. Maar ik weet niet waarom deze man me daarover belt, meestal worden pakjes zonder aankondiging afgeleverd. 'Nou, breng maar langs.'

Aan de andere kant van de lijn is het stil. Dan: 'Tja... Weet u, er is een probleem. Het bevat iets wat tegen het islamitische geloof ingaat.'

'Wat?!' Ik kijk niet langer naar het scherm van mijn computer en richt mijn volle aandacht op het telefoongesprek. 'Wat is het dan?'

'Ehm...' kucht de man. 'Het is... Het is een soort...' De douanebeambte begint te stotteren. 'Het is... een kunstmatige man!'

Plotseling weet ik wat het is. Een vriend van me in Manhattan heeft me voor de grap een vibrator gestuurd om me op deze eenzame plek gezelschap te houden. Oeps.

'Ik weet niet precies waarover u het hebt,' zeg ik voorzichtig. 'Zou u hem voor me kunnen beschrijven?'

'Hij is...!' De man klinkt uiterst ongemakkelijk. 'Hij is...! Hij is paars!'

Ik moet me inhouden om niet in hysterisch gelach uit te barsten. 'Juist ja.' Ik wikkel het snoer van de telefoon om mijn vinger en vraag me af hoezeer ik in de problemen zit. 'Een paarse kunstmatige man.'

'Ja!'

Ik zou niet weten wat ik nu moet zeggen. 'Nou, ik weet niet wat u bedoelt,' zeg ik hem. 'Maar als u het aanstootgevend vindt, waarom haalt u het er dan niet uit en stuurt u de rest door naar mij.'

'Hij zal vernietigd worden.'

'Prima, vernietig maar! Ik vind het best. Maar u kunt de rest van de spullen wel sturen, toch? Met de overige zaken is toch niks aan de hand? Want ik verwacht enkele erg belangrijke computeronderdelen en medicijnen.' Ik moet de rest van de doos beslist zien te krijgen. Mijn batterij moest terug naar de fabriek, en Luke en ik delen al weken een snoer.

'Dat weet ik niet,' zegt de douanebeambte.

'Hoor eens, er is geen reden om alles wat ik volgens de regels mag ontvangen niet aan me door te sturen. De rest van de inhoud wil ik graag hebben, oké?'

De man mompelt iets en ik hang op. Bovendien moet ik mijn artikel nog afronden en heb ik een deadline. Ik verdring het ongelukkige gesprek en ga weer aan de slag.

In een onvergetelijke nacht in 1991, toen ze werd gedwongen toe te zien hoe haar broers voor haar ogen werden afgemaakt, besefte Haleema Mohammed (45) uit Galkayo dat ze niet langer in Somalië kon blijven. 'Die nacht werden in Galkayo veertig mensen vermoord,' zegt ze. 'Vijf daarvan waren broers van me.'
Zittend in een tent in het vluchtelingenkamp Al-Kharaz, in het gouvernement Lahej in Jemen, spreekt Mohammed met onbewogen kalmte, haar blik is vast en uitdagend. Haar ogen, die volgens haar in Somalië zwart waren, zijn nu blauw. Ze zijn verbleekt in de genadeloze woestijn van Jemen, zegt ze...

Ik ben geheel in beslag genomen door het schrijven als Radia me een briefje van DHL overhandigt. 'Waar is het pakketje?' vraag ik.

'Er is geen pakketje.'

'Geen pakketje?'

'Nee. Dat ligt bij de douane.'

Nu begin ik me zorgen te maken. Waarom leveren ze een briefje van een pakketje zonder pakketje? Wat zijn de douanebeambten van plan met mijn spullen? En wat verwachten ze dat ik doe?

'Radia,' zeg ik. 'Ik moet dat pakketje zien te vinden.' Ik leg haar uit dat er iets in zat wat volgens de douane aanstootgevend was en dat ik hen heb gevraagd het eruit te halen en de rest aan me door te sturen. Ik zie niet in wat daar verkeerd aan is.

'Ik zal een chauffeur sturen,' zegt Radia. 'Salem zal het voor je ophalen.'

Maar een paar minuten later is ze terug op mijn kamer. 'De dokter geeft ons geen chauffeur,' zegt ze. 'Volgens hem moet je er zelf naartoe.'

'Dat kan niet! Ik heb een deadline!' Niet alleen moet ik mijn vluchtelingenverhaal afronden, ik moet ook de rest van de krant nog redigeren. Door al het werk voor mijn artikel heb ik al vertraging opgelopen.

Radia haalt haar schouders op. 'Je zult er zelf opaf moeten, zegt hij.'

Sinds ik hem heb gedwongen om mijn medewerkers te betalen is de dokter traag en wrokkig geweest, hoe redelijk mijn verzoek volgens mij ook was. 'Het is sluitingsdag! Zeg hem dat de krant als ik het pakketje zelf moet halen, vier uur later sluit.' De dokter haat het als we laat sluiten.

Ze vertrekt weer.

Als ze weg is, komt een andere verslaggever me vertellen dat mijn telefoonrekening nog niet is betaald. De afgelopen maand heeft Sabafon de hoogte van mijn rekening vier maal veranderd, met totaal uiteenlopende bedragen. Ik heb geen idee welk bedrag het juiste is.

Ik zit hierover te peinzen als er een reeks verslaggevers mijn kamer binnenkomt om mijn fototoestel te vragen. We gebruiken het apparaat voor bijna elk artikel omdat de fotografen zelden de moeite nemen om in actie te komen. Maar ik kan hem niet afgeven, want er staan tweehonderd foto's van vluchtelingen op mijn camera. Ik kan ze niet op mijn computer zetten, want mijn computer heeft geen geheugenruimte over en ook nog geen batterij. 'Zeg dat de fotografen hun werk maar moeten doen,' zeg ik chagrijnig.

Zuhra komt mijn kamer binnen en wil me graag helpen, maar ik ben zo radeloos dat ik bijna ontroostbaar ben. 'Je hebt iemand nodig die dingen voor je regelt,' zegt ze. 'Faris moet iemand voor je in dienst nemen, zodat jij je niet met al dit soort zaken hoeft bezig te houden.'

Ik slaag erin haar zwak toe te lachen. 'De kans is klein dat hij dat doet,' zeg ik. 'Ik krijg het niet eens voor elkaar om visitekaartjes voor mijn medewerkers te regelen, laat staan een extra medewerker.'

Toch ren ik naar boven om Faris om hulp te vragen. Ik leg hem uit waarom ik een chauffeur nodig heb om naar het vliegveld te gaan en het pakje op te halen waarin computeronderdelen zitten die we voor het werk nodig hebben. De hele krant loopt ten slotte op mijn computer. Ik zeg niks over de vibrator. Meteen stuurt Faris Salem naar het vliegveld.

Een uur later komt Zuhra angstig kijkend mijn kamer binnen. 'Salem belt net. Hij zit bij de douane. Ze moeten weten of het netsnoer in het pakketje een... seksueel netsnoer is.'

Ik staar haar aan. 'Nee,' zeg ik. 'Het gaat om het snoer voor deze computer.' Ik tik op mijn Apple.

'O. Oké.' Ze snelt mijn kamer uit.

Een paar minuten later is ze weer terug. 'Ehm, ze willen weten of de batterij in het pakketje een seksuele batterij is.'

'Zuhra. Hij is rechthoekig.'

Ze kijkt me onderzoekend aan.

'Ik bedoel dat ik me niet kan voorstellen hoe ik er in seksuele zin gebruik van kan maken. Kijk, de batterij heeft een serienummer en een logo van Apple. Ze kunnen het op internet nakijken als ze willen. Het is een standaard Apple batterij.'

Ze knikt en is een paar minuten later weer terug.

'Sorry! Maar ze willen weten of de kauwgom seksuele kauwgom is.'

Ik word er wanhopig van. 'Zuhra! Hoe zou je kauwgom in hemelsnaam seksueel kunnen gebruiken? Zijn die mannen helemaal gek geworden?'

Ze vindt het duidelijk vreselijk om me deze gênante vragen te moeten stellen. Het spijt me voor haar dat ik haar in deze positie heb gebracht.

'Nee,' zeg ik uiteindelijk. 'De kauwgom is absoluut niet seksueel.'

Ik voel me genoodzaakt om haar uit te leggen waarom de politie zulke interessante vragen stelt. Vernederd leg ik uit dat een vriend van me dat ene verboden voorwerp heeft meegestuurd en dat de rest van de inhoud compleet onschuldig is. Ze hoort me rustig aan en keert terug naar de telefoon. Een paar tellen later komt ze weer terug en zegt dat de douane vindt dat alles in het pakket seksueel is. Ze willen het niet aan Salem geven.

Ik spring bijna uit mijn vel. 'Zijn die kerels helemaal gestoord?' vraag ik. 'Die batterij is overduidelijk voor een computer bedoeld!' Ik tril ervan, al ben ik me vaag bewust van de humor van de hele toestand. Ik kan me niet voorstellen dat de douaniers op het punt staan voor honderden dollar aan spullen van me te stelen. Hoezeer ze ook door de vibrator zouden zijn beledigd, er is geen enkele reden om het afleveren van mijn medicijnen en computeronderdelen tegen te houden.

Uit pure frustratie begin ik te huilen, maar droog snel mijn tranen als Faris komt en aarzelend voor mijn bureau blijft staan. 'Jennifer, als je dit soort zaken wilt laten opsturen, dan moet je dat aan mij vertellen. Dan had ik het via de ambassade gestuurd. Ze hebben Salem op het vliegveld bijna gearresteerd. Ik moest op de politie inpraten om hem vrij te krijgen.'

Ik wil wel onder het tapijt wegkruipen. Ik kan me niet herinneren ooit zo diep te zijn vernederd.

'Wist ik veel wat hij opstuurde,' zeg ik. 'Het enige wat ik hem heb gevraagd is om een computerbatterij op te sturen, een snoer en wat medicijnen. Ik had geen idee dat ze zouden proberen Salem te arresteren. Het spijt me zeer.'

Hij zegt me dat hij de spullen voor mij te pakken zal proberen te krijgen, maar spreekt me bestraffend toe dat ik hem eerder had moeten waarschuwen, zodat hij het 'op een andere manier' had kunnen regelen.

Nu weet iedereen op kantoor wat er in mijn pakketje zat. Ik durf hen bijna niet onder ogen te komen, maar mij rest geen andere keus dan te doen alsof mijn neus bloedt. Ik doe mijn werk zo gewoon mogelijk en niemand zegt er iets over. Ik zie zelfs niemand gniffelen. Later die middag komt Zuhra mijn kamer in en zegt me dat haar familie achter me staat. 'Volgens mijn zus is het niet eerlijk, het gaat om iets persoonlijks en ze hebben verkeerd gehandeld.'

Ik ben in verlegenheid gebracht omdat ze het aan haar familie heeft verteld, maar toch ben ik haar dankbaar voor haar medeleven. Van een conservatieve moslima had ik zo'n reactie nooit verwacht, maar mijn Jemenitische verslaggevers weten me altijd weer te verrassen.

Als ik weer een beetje tot rust ben gekomen, rond ik mijn verhaal over vluchtelingen af. Mijn medewerkers zijn aardig voor me geweest, met name Hadi, die me uitnodigt om bij hem te komen eten. Hij deelt zijn pan ful en brood met me. Ik heb geen trek, maar, dankbaar voor zijn gebaar en zijn vriendschap, eet ik toch.

☪

EEN WEEK LATER ga ik naar Faris en vraag hem of hij al enige vorderingen heeft gemaakt bij het verkrijgen van mijn pakketje. Zijn blik ontwijkt me, en hij prutst wat met een pen op zijn bureau.

'Weet je,' zegt hij, 'het probleem is dat de douane het pakketje niet meer heeft.'

'Niet meer heeft?'

'Nee. Eh, de veiligheidsdienst heeft het.'

'Veiligheidsdienst?'

'Nou, blijkbaar wordt dat pakketje van jou nu als een bedreiging voor de nationale veiligheid gezien. O ja, en ze onderzoeken de kauwgom.'

'Ze onderzoeken de kauwgom? Wat zoeken ze dan?'

'Tja, nou ja, viagra of zo. Seksueel stimulerende middelen.'

Wat zou ik in dit land in vredesnaam met seksueel stimulerende middelen aanmoeten, wil ik zeggen. Ik ben helemaal alleen.

'Faris, het is Trident. Een bekend merk. Dat kunnen ze zo op internet nazoeken!'

'Ze zijn niet al te goed geschoold, die mannen, Jennifer.'

'Blijkbaar niet.'

'Ze weten niet hoe ze iets kunnen opzoeken. Misschien kunnen ze niet lezen.'

Even zit ik stil voor me uit te kijken. 'Ik durf te wedden dat ze het allemaal mee naar huis hebben genomen,' zeg ik. 'Ik wed dat ze het voor zichzelf willen gebruiken.'

Faris knikt langzaam. 'Dat zou best eens kunnen.'

Zwijgend zitten we bij elkaar. 'Dan wil ik het nu denk ik niet eens meer terughebben.' Ik kijk hem aan.

Hij knikt ernstig. 'Daar kon je weleens gelijk in hebben.'

ZESTIEN

de kracht van chocoladecups gevuld met pindakaas

Op sommige momenten, sommige hele dagen zelfs, valt alles op z'n plek. Verslaggevers leveren samenhangende verhalen aan, foto's komen op tijd binnen en de mannen keren op een redelijk tijdstip terug van hun lunch. De vooruitgang is onmiskenbaar. Maar net als ik het helemaal zie zitten, loop ik ergens tegenaan waar ik geen verandering in kan brengen. Ik kan slecht geschreven artikelen redigeren. Ik kan waardeloze verslaggeving helpen verbeteren. Ik kan deadlines afdwingen. Maar er zijn zaken, waar alleen de hulp van Faris volstaat.

Het werven van personeel is een van dit soort zaken. Elke keer als ik denk genoeg verslaggevers te hebben, vertrekt er weer iemand. Allemaal gaan ze weg om dezelfde reden: ze krijgen niet voldoende betaald, er zijn geen ziektekostenverzekeringen of andere secundaire arbeidsvoorwaarden, en ze worden beroerd behandeld door de administratie.

Mijn verslaggevers zijn aantrekkelijk voor internationale werkgevers, die hen dan ook voortdurend benaderen, want ze hebben een opleiding genoten en spreken Engels. Als het Rode Kruis Hassan een baan aanbiedt met een fatsoenlijk loon en andere voordelen, moet hij hem wel accepteren, hoezeer hij ook van zijn werk als verslaggever houdt. Hij en zijn Jemenitische vrouw hebben net een baby gekregen, hij heeft dure medische problemen en heeft er net een tweede vrouw bij genomen, een Canadese. Maar hij vertrekt ook vanwege de dokter. De dokter heeft Hassan maandenlang gepest en zijn salaris achtergehouden tot ik zijn kantoor inloop om mijn beklag te doen. Dit gebeurt aan de lopende band. De dokter stelt dat Hassan niet werkt. Ik vertel de dokter dat Hassan wel degelijk werkt en dat als dat niet het geval zou zijn, ik dat als eerste zou weten. Hassan heeft geen idee waarom juist hij het doelwit is van dit soort pesterijen en de dokter komt met geen andere reden dan de veronderstelde luiheid van Hassan, wat belachelijk is. Hij is een van mijn meest betrouwbare medewerkers.

☪

IK VIND HET VRESELIJK dat we Hassan kwijtraken. Hij is een gepassioneerd journalist, die open staat voor verbeteringen en in geen enkel opzicht slecht-gehumeurd is. Anders dan de andere mannen vindt hij het prettig commen-taar op zijn werk te horen, zodat hij bij kan leren. Maar Faris weigert in zijn medewerkers te investeren. Elke keer als ik hem zeg hoe belangrijk dat is, dat de hele onderneming zonder fatsoenlijke verslaggevers niks waard is, zegt hij dat hij hen een redelijk loon geeft. Hoewel tweehonderd dollar per maand in Sana'a misschien verhoudingsgewijs veel is, volstaat het duidelijk niet om een gezin te onderhouden en te voorkomen dat verslaggevers uitkijken naar ander werk.

'Het kost me maanden om een verslaggever op te leiden,' zeg ik hem. 'Als ze vertrekken, moet ik met iemand anders weer helemaal opnieuw beginnen. Het zijn telkens weer de meest waardevolle mensen die bij de krant weggaan.'

Faris haalt zijn schouders op: 'Dan heb je tenminste het idee dat je iets goed doet in de wereld. Je leidt ze zo goed op dat ze andere banen krijgen en daar succes mee hebben.'

Ik ben hier niet gekomen om journalisten op te leiden zodat ze elders aan de slag kunnen, zeg ik. 'Ik kwam hier om deze krant beter te maken en de mede-werkers professioneler te laten werken. Dat lukt me niet als iedereen ervan-door blijft gaan.'

☪

NIET LANG NADAT HASSAN AFSCHEID NEEMT, dient Bashir zijn ontslag in. Voor deze ene keer staat er geen lach op zijn ronde gezicht. Zijn vrouw is zwanger en er is hem een goedbetaalde baan aangeboden bij een bedrijf in de telecommunicatie. Ik ben zes maanden bezig geweest hem op te leiden. Nu is al mijn zorgvuldige opbouw zinloos geweest. Weer moet ik aan Sisyphus den-ken. De tranen springen me in de ogen als hij het me komt vertellen. Bashir is ook verdrietig. 'Ik wil hier niet weg,' zegt hij. 'Maar ik heb geen keuze. Ik verdien niet genoeg om voor mijn familie te zorgen.'

Elke keer als ik Faris zeg dat ik door de lage lonen en een gebrek aan voorzie-ningen medewerkers verlies, herinnert hij me eraan dat de krant geen winst maakt. Hij lijkt te denken dat we door betere stukken te schrijven allemaal rijk zouden worden. Ik wijs hem erop dat het niet de taak is van de schrijvende medewerkers om geld te verdienen, het is onze taak om een uitmuntend pro-duct af te leveren. Het is de taak van de marketing- en advertentieafdeling om dat product te verkopen. Faris heeft geen flauw benul wat marketing is. Ik probeer hem uit te leggen wat de marketingafdeling van *The Week* deed toen ik daar werkte. Het tijdschrift trad op als gastheer voor beroemde sprekers, hield filmnachten met bekende personen, deelde nummers van het tijdschrift uit op universiteiten en scholen. Er werd demografisch onderzoek verricht en de groep mensen waarvan gedacht werd dat ze het blad zouden willen lezen, kreeg direct mail toegestuurd. Weliswaar is dat in Jemen niet allemaal meteen mogelijk, maar daar zou wel een oplossing voor te vinden zijn.

Faris heeft weinig op met de verantwoordelijkheid van de uitgever voor marketing- en advertentieproblemen. Hij is ten slotte fulltime in dienst van de president. Dus vraagt hij aan mij of ik iemand kan vinden die de marketing kan verzorgen. Volgens hem betaalt hij al vijf mensen om de marketing te doen, maar dat zet weinig zoden aan de dijk. Ik heb geen idee hoe ik dat moet aanpakken. Ik wil hem helpen, want ik wil dat de mensen het product waar ik zo hard aan meewerk, lezen. Maar ik heb ook mijn beperkingen. Ik kan niet tegelijkertijd zowel de redactie doen als voor de marketing zorgen.

Het is duidelijk dat Faris meer heeft met het regime, dan met verslaggeving. En hij verwart public relations met journalistiek. In dat geval vraag ik me af waarom hij eigenlijk een krant heeft. Hij heeft me verteld waarom: om het toerisme en de ontwikkeling te bevorderen door over de aantrekkelijke kanten van Jemen te schrijven. Door in het Engels over Jemen te schrijven, denkt hij het mooie van Jemen aan een breed internationaal publiek voor te leggen. Maar dat verklaart nog niet waarom Faris zo weinig in kwaliteit is geïnteresseerd. Zelfs als hij wil dat de *Yemen Observer* niets anders doet dan het land in een mooi daglicht plaatsen, zou ik verwachten dat hij zich meer zou bekommeren om hoe goed het is geschreven en hoe goed de reportages zijn. Dan zou je denken dat het van belang is medewerkers vast te houden.

Zuhra komt met een verklaring. 'In Jemen bestaat niet zoiets als een slechte en een goede krant. De hele journalistiek is slecht.' Omdat alle kranten in Jemen – zowel Arabische als Engelse – bol staan van de fouten, wordt er weinig van verwacht. Kwaliteit doet er niet toe. Het is al heel prestigieus om een krant in de Engelse taal uit te brengen, zegt ze. Wie maakt zich dan druk over de kwaliteit, op mijzelf en een paar ambassadeurs na? En waarom zou Faris investeren in kwaliteit als hem dat niks oplevert?

Het bezit van een krant geeft Faris ook invloed, zegt ze. Hij kan zichzelf door de media beschermen, en dat voor zijn eigen doelen gebruiken. Door in het Engels te publiceren, krijgt hij ook toegang tot de internationale gemeenschap. Als de krant problemen krijgt met de regering, krijgt dat internationale aandacht.

Zuhra heeft respect voor Faris, die gul en vriendelijk voor haar is geweest.

Maar ze denkt dat hij te pragmatisch is om voor briljante journalistiek te zorgen. Hij vindt het verkopen van advertenties belangrijker dan het afdrukken van verhalen die het land zouden kunnen veranderen.

☪

IN APRIL is Faris vaak afwezig. En als hij er wel is, glipt hij naar boven naar zijn bureau. Als ik in het gebouw ben, mijdt hij me. Geen enkele keer laat hij zijn hoofd zien om te vragen hoe het gaat. Geen enkele keer zegt hij me dat ik goed werk aflever. Hij zegt trouwens ook niet dat ik slecht werk aflever. Soms vraag ik me af of hij nog weet dat ik hier werk.

Dit is niet het type contact dat ik met mijn werkgever had willen hebben. Na de overweldigende warmte tijdens mijn eerste trip had ik gehoopt bij hem thuis te worden uitgenodigd, aan belangrijke Jemenieten te worden voorgesteld, bekentenissen te horen over zaken van landsbelang. Ik had me voorgesteld dat we bij een kop koffie of tijdens de lunch zouden brainstormen over nieuwe ideeën voor de krant en de voortgang zouden bespreken. Ik had verwacht dat ik bij hem kon aankloppen voor advies, of in elk geval om meer te weten te komen over de manier waarop het er in Jemen aan toegaat. Dat zou een slok op een borrel hebben gescheeld.

Maar deze dromen zijn in rook opgegaan. Niet alleen is Faris meestal fysiek niet aanwezig als ik op kantoor ben, maar als we elkaar ontmoeten, spreken we gemiddeld nog geen minuut met elkaar. Altijd voel ik dat hij de gesprekken met mij snel wil afronden en weer bezig wil met Het Echt Belangrijke Werk voor de president. Als ik contact met hem heb, ben ik zo bang dat ik bijna altijd besluit dat een aantal urgente zaken die ik met hem had willen bespreken toch niet zo urgent zijn. Misschien kan Hassan nog wel een week op zijn loon wachten. Misschien hoef ik het vliegticket voor de terugreis naar New York niet te hebben. Misschien kan ik wel zonder een persklaarmaker. Ik begin een lijst samen te stellen voordat ik naar hem toe ga. Anders knipt hij met zijn vingers en zorgt hij er met zijn hardnekkige 'Volgende punt?' voor dat ik alle zorgvuldig afgewogen zorgen vergeet.

Op een avond in april ben ik druk bezig met redigeerwerk als Faris in het gebouw is gesignaleerd en iemand dat haastig aan mij komt vertellen. Toen Manel hier nog rondhing, rende hij in dergelijke gevallen naar mijn kamer en zei: 'Buiten staat een Porsche. De knapste Jemeniet ter wereld is boven gesignaleerd. Schiet op.'

Maar vanavond, als ik naar boven ren om hem vijf minuten te kunnen spreken – vijf minuten maar! – zegt hij me dat hij eerst met Jelena van *Arabia Felix* moet spreken. Vervolgens hebben hij, Jelena en Al-Matari een uur lang gillende ruzie in zijn redactiekamer. Het lijkt me niet slim om die te onderbreken. Ik heb mijn werk afgerond, maar ik blijf beneden rondhangen, en wacht nog vijf minuten.

Omdat ik in mijn kamer zit, zie ik Faris niet wegglippen. Pas als ik aan Enass vraag of hij klaar is, kom ik erachter dat hij opnieuw is ontsnapt.

In de hoop dat Jemenieten Faris beter begrijpen dan ik, raadpleeg ik mijn verslaggevers. Zij komen niet met suggesties. Voor hen is Faris een op God gelijkend, mythisch figuur. Op Zuhra na, durven de meesten geen vraagtekens te plaatsen bij wat hij doet. Zelfs Al-Asaadi is door hem geïntimideerd. Ibrahim neemt me op een avond mee uit eten en onder het genot van gebraden vis, hummus en taai brood, spui ik mijn gal. Hij is verbijsterd. 'Je hebt prachtige dingen voor de krant gedaan,' zegt hij als ik nors stukken van het brood aftrek en in mijn mond prop. 'Hij moet je dankbaar zijn.'

'Ik weet niet eens of Faris de krant ooit wel bekijkt,' zeg ik. 'En van dankbaarheid heb ik beslist nooit iets gemerkt.'

Op 13 april – wat een bijzondere dag was dat – bespeur ik voor het eerst in maanden de zilverwitte Porsche van Faris in de straat. Ik gooi mijn tas en boeken in mijn kamer neer en ren met twee treden tegelijk de trap op. De deur naar het kantoor van Faris is open en als ik naar binnen gluur, kan ik hem in het gele licht van een lamp achter zijn computer zien zitten, met een beschouwende blik starend naar het scherm.

'Kan ik binnenkomen?'

Zonder enthousiasme en zonder me aan te kijken, knikt hij.

'Faris,' zeg ik, terwijl ik op het puntje van een stoel tegenover zijn bureau ga zitten, 'ik heb je al wekenlang proberen te bereiken. Het zit me erg dwars dat je niet reageert op mijn telefoontjes en e-mails. Lees je je e-mail wel?'

Hij kijkt naar zijn scherm. 'Eerlijk gezegd, nee.' Hij pakt zijn muis zenuwachtig beet, en kijkt weer naar zijn computerscherm en haalt zijn schouders op. 'Hij was te lang.'

Vol ongeloof kijk ik hem aan. Mijn e-mail was een alinea lang. Een korte alinea.

'Zeg me maar wat je wilt.'

Dat klinkt niet echt bemoedigend. 'Nou, allereerst wil ik beter contact met jou. Ik vind het vreselijk dat je niet op mijn telefoontjes en mailtjes reageert. Ik houd er niet van als iemand me mijdt. Ik bedoel, ik leid een krant. Er zijn talloze zaken die ik met je zou willen bespreken.'

'Eerlijk gezegd heb ik je gemeden omdat ik me slecht voel als ik je zie,' zegt hij. 'Ik krimp ineen als ik je zie.'

Zijn woorden zoeven als een tiental gelanceerde jambiya's op me af en pinnen me vast in mijn stoel. Ik heb mijn stinkende best gedaan en nu haat hij me. 'Waarom?' Ik kijk hem hulpeloos en verwilderd aan. 'Wat heb ik gedaan?'

Hij aarzelt, prutst wat met zijn pen. 'Je hebt uitstekend werk gedaan voor de krant,' zegt hij. Dit is het eerste positieve commentaar dat ik sinds mijn terugkeer bij de krant heb gekregen. 'Maar je lijkt niet met het advertentie- en marketingvolk te willen samenwerken. Ik wil dat je hen helpt als ze iets van je gedaan willen hebben. Zeg niet: "Blijf van mijn verslaggevers af".'

'Maar Faris, ik...'

'Ik wil dat je hen helpt. De krant maakt geen winst.'

Weer hetzelfde argument. 'Faris, mag ik even iets uitleggen?'

'Ja.'

'Je hebt me hiernaartoe gehaald om de krant professioneler te maken, toch? En om de geloofwaardigheid te vergroten.'

Hij knikt.

'De belangrijkste voorwaarde om dat voor elkaar te krijgen is een stevige muur tussen de advertentieafdeling en de redactieafdeling. Als onze lezers merken dat we voor onze adverteerders schrijven, als ze zien dat we schrijven over mensen van wie we geld krijgen, denken ze dat elk verhaal dat we afdrukken alleen is geschreven omdat iemand ons heeft betaald om dat te doen. Het doet afbreuk aan onze geloofwaardigheid.'

Faris knikt alsof hij me begrijpt.

'Dat is de reden dat ik niet wil dat ze gebruikmaken van mijn verslaggevers, het geeft ze een verkeerd idee over wat journalistiek is. Daar komt bij dat ik een gebrek aan medewerkers heb. Ik kan geen reporters afstaan om advertenties te schrijven.'

'Ik weet dat je mensen nodig hebt.'

'Daarom moeten we ervoor zorgen dat de advertentieafdeling eigen mensen in dienst neemt. Het is duidelijk dat Qasim medewerkers nodig heeft.'

Ik heb er zo genoeg van gekregen dat Qasim beslag legt op mijn verslaggevers dat ik stiekem een personeelsadvertentie heb geplaatst om een assistent voor de advertentieafdeling te zoeken. Maar toen er iemand op kwam draven die graag wilde helpen, wees Qasim hem de deur.

Faris komt niet met suggesties. Hij herhaalt slechts dat hij van me wil dat ik de advertentiemedewerkers bijsta. Maar hij verlangt nog meer van me.

'Wat betreft Al-Huthi,' zegt hij. 'Zwak de toon een beetje af. Begrepen?'

'De toon afzwakken? Het is het grootste nieuws in het land!' De Huthi's zijn conservatieve sjiieten in het noorden die sinds 2004 nu en dan tegen de regering hebben gestreden. Wat ze precies willen, is niet helemaal duidelijk, maar ze zijn uit op het herstel van de dominantie van Zaydi Shia in Jemen en verzetten zich tegen Saleh's nauwe banden met het Westen.

In januari werden de gevechten tussen de Huthi's en de regering hervat en volgens geruchten zouden daar honderden slachtoffers bij zijn gevallen. Wij hebben geen toestemming gekregen om een verslaggever naar Sa'dah te sturen, de noordelijke provincie waar de meeste gevechten plaatsvinden, want de wegen zijn afgezet en de media mogen er niet in. Dus heeft Ibrahim een verhaal geschreven op basis van telefoongesprekken met de gouverneur van het gebied en andere bronnen.

'Ik zeg je: plaats dat nieuws niet elk nummer weer op de voorpagina. Hoor je me? Zwak. De. Toon. Af.'

'Ik hoor het wel, maar...'

'In het laatste verhaal stonden fouten.'

'Als de regering niet wil dat we fouten maken, dan moeten we maar toestemming krijgen om naar Sa'dah te gaan, zodat we zelf kunnen zien wat er gebeurt.'

'Wil je naar Sa'dah toe?'

'Ja, ik wil naar Sa'dah!' Het zou fantastisch zijn als we eindelijk eens echt verslag kunnen doen van de ontwikkelingen daar. Ik ben ervan overtuigd dat de informatie die we van de regering krijgen allesbehalve correct is.

'Mooi. Ik zal zien of ik iets voor je kan betekenen. Ik zou je graag naar Sa'dah sturen.'

'Waarom? Wil je me zo graag kwijt, Faris?' Een klein lachje.

'Nee, het zou een exclusief verhaal zijn.'

'Dat wellicht wat echte informatie bevat.'

Hij negeert deze laatste opmerking en gaat over op wat een groter probleem lijkt: ik heb fotograaf Mas ontslagen. Ik leg hem uit waarom ik hem de deur heb gewezen: hij werkte niet. Hij zat alleen maar naar muziek op zijn laptop te luisteren en te klagen dat hij zich verveelde, maar zodra ik hem nodig had, was hij in geen velden of wegen te bekennen. Na maandenlang geen foto van Mas ontvangen te hebben, heb ik hem de laan uitgestuurd.

Toch lopen er hier nog mensen rond die vinden dat ik hem had moeten houden, voornamelijk omdat hij de zoon is van de dokter en een van de lievelingen van Faris.

Misschien hebben ze gelijk. Het heeft afbreuk gedaan aan mijn status onder de medewerkers en Faris is er hevig door ontstemd.

'Toen Mas nog jong was en leukemie had, heb ik zijn behandeling betaald,' zegt Faris. 'Mas is als een zoon voor me. Ik zie hem hier graag op het kantoor rondlopen.' De tranen stonden hem in de ogen. Wat had ik een spijt. Hoe had ik zo gemeen kunnen zijn? Ik wist van de kanker van Mas. Hij had me erover verteld na een fotoreportage over een jongetje op een kankerafdeling in Sana'a. 'Als je niet meer met hem wil werken, zou je kunnen toestaan dat hij hier op kantoor rondloopt?' vraagt Faris.

Ik zou het geweldig vinden om met hem te werken, als hij maar werkte, denk ik. In plaats daarvan zeg ik: 'Faris, het spijt me.'

Ik baal er ontzettend van dat ik niet heb ingezien dat Faris een zwak heeft voor Mas, en dat ik niet door heb gehad hoe lastig het is om iemand te ontslaan in een omgeving die bol staat van het nepotisme. Maar ik zou misschien niet in deze valkuil zijn beland als Faris wat meer aandacht aan me had besteed en me had geleerd hoe de zaken hier lopen. Nu kom ik daar te laat achter.

Ik verlaag me tot een verontschuldiging en zeg dat ik alles in het werk zal stellen om het weer goed te maken. Faris vertelt dat hij het me niet eerder heeft gezegd omdat hij niet tegenover mij in huilen wilde uitbarsten. Waarop er meteen twee tranen uit zijn ogen biggelen. Ik voel me hondsberoerd.

Voordat ik het kantoor verlaat, doorlopen we vlug de andere zaken die ik op mijn lijst heb staan. Zo heb ik een onkostenvergoeding nodig voor het vliegticket naar de Verenigde Staten, voor mijn twee weken durende vakantie, want die kan ik met mijn salaris niet betalen.

Zonder een woord te zeggen, trekt Faris een pak honderddollarbiljetten ter grootte van een grapefruit uit zijn zak. Ik kijk hem met wijd opengesperde ogen aan, nog nooit heb ik zoveel contant geld tegelijk gezien. Hij telt dertien biljetten uit en overhandigt ze aan me. Ik krijg de indruk dat ik word betaald om te vertrekken, pak de biljetten aan en maak me stilletjes uit de voeten.

Een paar dagen later raffel ik mijn werk af om een nummer op tijd af te krijgen, zodat ik nog aanwezig kan zijn bij een afscheidssessie qatkauwen van een Nederlandse vriendin, en vervolgens met een Jordaanse vriendin uit eten kan gaan. Net op dat moment gaat de telefoon. Faris aan de lijn.

'Dit is erg belangrijk. Ik heb hier een Britse kerel, hoofd van de veiligheidsdienst van het Midden-Oosten of zo. We moeten hem interviewen. Regel het meteen en neem contact met me op.'

'Fantastisch,' zeg ik. 'We kunnen hem zaterdag interviewen.' Het is donderdag en ik kijk uit naar een vrije avond en een vrije vrijdag, zodat ik de spullen voor mijn reis naar huis kan inpakken.

'Zaterdag is te laat, dan is hij al vertrokken. Regel het voor die tijd.'

Daar gaan mijn plannen voor vanavond. Maar ik moet weer in een goed blaadje bij Faris zien te komen. 'Ik zal hem vanavond wel spreken,' zeg ik. 'Hoe heette hij ook alweer? En wat voor functie heeft hij?'

'Dat weet ik niet,' zegt Faris. 'Het heeft iets te maken met het Midden-Oosten. Zoek maar uit.'

Ik bel met de Engelse ambassade. Maar omdat het voor de rest van de Jemenitische wereld weekend is, wordt er niet opgenomen. Op het antwoordapparaat wordt een nummer voor noodgevallen genoemd. Ik aarzel. Dit is nou niet bepaald wat je noemt een noodgeval. Maar ik moet er echt voor zorgen dat Faris me weer aardig vindt. Ik stel me voor hoe teleurgesteld hij zal zijn als ik er niet in slaag dit interview voor elkaar te krijgen en spontaan beginnen mijn vingers het nummer voor noodsituaties in te toetsen.

De dame van dienst zegt dat ze mijn bericht zal doorgeven en vijf minuten later belt ambassadeur Mike Gifford me terug.

'Luister,' zegt hij, 'vanavond komt Peter Gooderham' – de man om wie het gaat, de directeur voor het Midden-Oosten en Noord-Afrika in het Britse ministerie van Buitenlandse Zaken – 'bij me dineren. Als u nu eens met ons mee-eet? We hebben ruimte genoeg. En dan kunt u hem meteen interviewen.'

'Als u zeker weet dat het niet ongelegen komt. Ik wil me niet graag bij een diner opdringen.'

'Geen enkel probleem. We hebben u er graag bij.'

Zo opgelucht dat ik bijna blij ben, bel ik Faris en vertel hem het goede nieuws. De vrouw van Mike Gifford, Patricia, onthaalt me hartelijk en stelt me aan een paar anderen voor, waaronder een praatgrage man die Khaled heet en in Sa'dah geweest is. Ik ondervraag hem stevig over de situatie daar. Ook spreek ik met een verslaggever van 26 September, die Peter eveneens wil interviewen, en met een Britse man die bij de Jemenitische kustwacht werkt en met een lid van het Britse Lagerhuis. Ik drink een gin-tonic en vermaak mezelf kostelijk. Zo beroerd is dit werk niet.

Peter Gooderham zit naast me en is heel aardig. Hij stelt me allerlei vragen over mijn werk. Hij heeft zijn eten eerder op dan ik, dus moet ik helaas mijn derde bord vis en spruitjes laten staan, zodat ik hem in de woonkamer kan interviewen. Hij praat bijna een uur achter elkaar en ik schrijf mijn hele noti-tieblok vol. Ik hoef hem nauwelijks een vraag te stellen. Hij ratelt maar door, tot de andere journalist ongeduldig wordt.

Ik blijf tot even voor elven en vertrek met de laatste achterblijvers. Thuis schop ik mijn schoenen uit en heb het hele interview om halfeen 's nachts uitgewerkt. Om een uur wordt de foto naar Faris gemaild en val ik uiterst tevreden met mezelf in slaap.

☾★

BEGIN MEI keer ik terug van een korte vakantie in New York met het vaste voornemen om mijn relatie met Faris te verbeteren. Daar heb ik goede rede-nen voor. Zowel Al-Asaadi als Zaid keren in juni terug naar Jemen, en ik moet bepalen wie ik ga opleiden tot mijn opvolger. Het lijkt voor zich te spre-ken dat Al-Asaadi niet de gelukkige zal zijn, want hij heeft in de verste verte niet getoond iets van me te willen leren of mijn veranderingen bij de krant te willen overnemen. Aan de andere kant was Zaid leergierig en lijkt hij klaar te zijn voor de training. Een van mijn voornaamste motieven om hier te werken, is dat ik veranderingen tot stand wil brengen die ook na mijn vertrek zullen standhouden.

Mijn eerste discussie met Faris over dit onderwerp is echter weinig inspirerend.

'Al-Asaadi zal hoofdredacteur zijn en Zaid directeur-hoofdredacteur,' zegt hij als ik hem vraag wat er in juni zal gebeuren.

Mijn hart slaat een slag over. Dat gaat niet werken. Al-Asaadi en Zaid kunnen elkaar niet uitstaan. Als ze allebei terugkomen, verwacht ik niet minder dan een ramp.

'Faris,' zeg ik, 'je weet dat die twee niet met elkaar kunnen opschieten.'

'Ik wil dat iedereen als een team samenwerkt,' zegt hij.

'Dat spreekt voor zich. Maar ik wil dat Al-Asaadi alles wat ik heb bereikt niet weer tenietdoet. We hebben een geweldig goed rooster nu, maar toen hij hier nog werkte, probeerde hij me voortdurend te saboteren. Als mens kunnen we goed met elkaar opschieten, weet je. Na zijn vertrek zijn we zelfs met elkaar blijven mailen. Maar ik wil voorkomen dat alle verbeteringen die ik heb door-gevoerd ongedaan worden gemaakt.' Faris leeft in de waan dat hij ons alle-maal bijeen kan stoppen, zonder duidelijke hiërarchie en dat wij het dan wel zullen uitvechten. Ik weet niet wat me te doen staat. Mijn verslaggevers heb-ben behoefte aan een duidelijke hiërarchie. Ik heb behoefte aan een duidelijke hiërarchie. Zaid en Al-Asaadi hebben zonder meer behoefte aan een duide-lijke hiërarchie. Met angst en beven zie ik de maand juni op me af komen.

☾✦

IK KEER OOK TERUG uit New York met een geheim wapen waarmee ik Faris kan paaien. Zijn twee oudere zoons hebben me geadviseerd om in tijden van crisis chocoladecups gevuld met pindakaas in te zetten, om ervoor te zorgen dat hun vader me ziet staan.

'Je krijgt alles van hem gedaan als je chocoladecups gevuld met pindakaas voor hem meeneemt,' vertellen ze me.

In Jemen kun je die nergens krijgen, zodat ik pas in april de hand kan leggen op een aardig voorraadje. Ik heb vijf pakken gekocht.

Dus als Faris op een dag mijn kamer binnen komt lopen om me te vragen ergens over te schrijven, vraag ik hem om even te gaan zitten, zodat we het in alle rust over mijn opvolger en de toekomst van de krant kunnen hebben.

'Uiteraard, ja, oké, maar ik heb nu een vergadering,' mompelt hij terwijl hij al richting de deur schuifelt. Het is duidelijk dat hij niet van plan is met me te spreken, in alle rust of anderszins.

'Faris,' zeg ik, 'ik heb chocoladecups gevuld met pindakaas.'

Hij onderbreekt zijn terugtocht, draait zich om en kijkt me aan, waarna hij naar mijn bureau terugkeert. Zijn ogen schieten door het kantoortje. 'Waar?' 'Dat vertel ik pas,' zeg ik, 'als je gaat zitten en met me praat. Eerder niet.' 'Ah,' zegt hij beteuterd. 'Ik kom erop terug.' En met een laatste smachtende blik op mijn bureauladen, draait hij zich om en wandelt langzaam de deur van mijn kamer uit.

Een paar dagen later onderschept hij me bij een feestje in Nabeel Khoury. Met een half glas gin-tonic sta ik me op de binnenplaats stierlijk te vervelen met een paar serieuze jongemannen van de Amerikaanse ambassade, als Faris me bij mijn arm pakt. 'Je wilde praten?' vraagt hij, terwijl hij me de trap van het huis op trekt.

Ja, denk ik, al was dit niet bepaald de omgeving die ik daarbij in gedachten had. Maar toch, het feit dat Faris met me wil spreken, is zo ongewoon, dat ik de gelegenheid wel moet aangrijpen. Ik laat me door hem naar de lege woonkamer geleiden, waar we op een bank plaatsnemen.

'Nu kunnen we het rustige gesprek voeren dat je zo graag wilde,' zegt hij achteroverleunend.

Blij met de gin-tonic in mijn hand, doe ik hem uit de doeken hoe ik de gang van zaken graag voor me zie. Ik zou graag willen dat Zaid direct onder mij komt te werken, en tot mijn vertrek aan mijn zijde zal zijn, waarna hij de leiding van de krant van me overneemt. 'Al-Asaadi heeft de kans gehad als hoofdredacteur te werken en hij is geen goede manager gebleken,' zeg ik. 'Hij zou een uitstekend verslaggever kunnen zijn, maar naar mijn idee is het tijd om de leiding over te dragen aan Zaid.' Ik heb iemand nodig met de passie van Zaid, iemand die open staat voor mijn ideeën.

Faris knikt en luistert aandachtig toe, onderbreekt me niet en jaagt me niet op. Ik ben buiten mezelf van vreugde. Hij zegt dat hij met Al-Asaadi zal praten (dat hoef ik niet zelf te proberen) en de zaken zo zal regelen als ik ze wil hebben. 'Maar vergeet niet,' zegt hij, 'dat Zaid geen man van lange adem is, hij is een sprinter. Hij gaat er helemaal voor en geeft het dan ineens op.'

'Ik houd Zaid onder streng toezicht,' beloof ik. 'Ik houd hem in het gareel.'

Daarna bespreken we verschillende ideeën voor verhalen die Faris van zijn bronnen aan de top heeft. Hij vertelt me over de paniek die er heerst over mobiele telefoons die op geheimzinnige wijze mensen ombrengen. Ik heb het gerucht ook gehoord, van mijn medewerkers, die allemaal bang voor hun telefoons zijn geworden. 'Er zijn mensen die de telefoon niet op durven te nemen als ik ze bel,' zegt Faris. 'Volgens hen kunnen ze een telefoontje van iemand met een "privénummer" niet aannemen omdat ze hierdoor gedood zouden kunnen worden.'

Hij reikt me nog enkele andere ideeën aan. Ik ben in de wolken. Dit is het meest productieve gesprek dat ik ooit met Faris heb gehad. Dat zeg ik hem ook. Na drie kwartier ben ik zelfs tevreden en staan we op om ons buiten weer bij het feest te voegen. Een koele, met sterren bezaaide nacht heeft plaatsgemaakt voor een zachte regenbui.

'Dus,' zegt Faris, die me vol verwachting aankijkt terwijl we naar de deur lopen, 'krijg ik nu die chocoladecups gevuld met pindakaas van je?'

☪

BEGIN JUNI maak ik er weer een puinhoop van. Op de eerste donderdag van de maand beleef ik een beroerde sluitingsdag. Vlak voor de deadline is Hadi vetrokken omdat hij naar een trouwerij moet, waardoor ik zonder vormgever zit. Samir wordt ingeschakeld om ervoor te zorgen dat het nummer gepubliceerd kan worden, maar hij is trager dan Hadi, en ik word ongeduldig en storm door het kantoor.

In het algemeen loopt alles veel beter, dus waarom wind ik me zo op? Ik herinner me Jim McGarvey van de *Daily Record* in Morris County, die me het ene moment toeschreeuwde dat ik de meest rampzalige verslaggever ter wereld was en het volgende moment met complimenten overlaadde. Toch was hij een briljant redacteur. Ik denk na over alle redacteuren die ik heb gekend. Maar weinig waren erg stabiel, met als positieve uitzondering mijn redacteur bij *The Week*, al hoefde hij niet om te gaan met de druk die een dagelijks uitkomende krant met zich meebrengt. Misschien dat deze uitbarstingen van ongeduld tegen de deadline nu eenmaal bij het werk horen.

Weer opgeknapt, schrijf ik de laatste koppen en pak mijn tassen. Om halfacht, net als ik thuis een fles Franse wijn meegris en op pad wil gaan om te dineren met een nieuwe buurman, gaat mijn telefoon. Het is een privénummer. Faris.

'Salaam aleikum,' zeg ik.

'Ik wil dat je terugkeert naar het kantoor,' zegt hij. 'Heb je iets op de voorpagina geschreven over Huthi's die achter de explosies in het wapenmagazijn zitten?'

Het duurt even voordat ik het me herinner. Eenmaal tot rust gekomen, wissen mijn hersenen de inhoud van elk nummer uit het geheugen. De opstandige Huthi's in het noorden van Jemen zouden volgens de geruchten explosies hebben veroorzaakt in een grot nabij Sana'a.

'Ja,' zeg ik. 'Maar we hebben iemand geciteerd van het ministerie van Binnenlandse Zaken.'

'De minister ontkent het,' zegt Faris. 'Ga terug naar het kantoor en pas de voorpagina aan, anders zal de krant worden gesloten en staat ons een rechtszaak te wachten. En ik wil dat je degene die dat verhaal heeft geschreven ontslaat.'

'Farouq en Radia hebben het geschreven,' zeg ik. Ik neem aan dat Farouq het interview gedaan heeft, omdat hij degene is met de contacten.

'Mensen moeten de feiten natrekken,' zegt Faris. 'Dat had Radia moeten doen...'

'Schuif dit Radia nu niet in de schoenen!' Ik wind me op. Waarom trekt Faris nu overhaast de conclusie dat het aan Radia ligt? Zei ik niet net dat Farouq en Radia het samen hebben geschreven? 'Farouq heeft er samen met haar aan gewerkt en ik heb het verhaal van hem gekregen.' Bovendien heeft hij een aantal jaar meer ervaring als verslaggever, wil ik hem zeggen. Hij is degene die verantwoordelijk is voor het toezicht op het werk van Radia.

Als er iets misgaat, geven Jemenitische mannen meteen de vrouwen de schuld. Als de accountant een fout maakt, geeft hij Radia daar de schuld van. Als een administrateur een fout maakt, geeft hij Enass de schuld. God verhoede dat mannen de schuld voor hun eigen fouten op zich nemen.

Een Jemenitische vriend heeft het me ooit zo uitgelegd: 'Ze kunnen niet toegeven dat ze een fout hebben gemaakt, omdat ze bang zijn voor de straf. Wij zijn eraan gewend dat we altijd worden gestraft als we een fout hebben gemaakt.'

Meteen schaam ik me ervoor dat ik dit niet had opgemerkt. Het past bij een cultuur waarin kinderen worden gestraft als ze niet het juiste antwoord geven. Daar komt bij dat Jemen een land is waarin de overheid misstappen zwaar bestraft. Geen wonder dat niemand fouten wil toegeven.

Maar Faris is vastbesloten iemand te straffen. 'Goed, ik kom er nog wel achter wie het geschreven heeft...!' zegt hij.

'Faris, ik heb je zojuist gezegd wie het geschreven heeft.' Hij wil Farouq niet ontslaan, denk ik. Farouq is een man en daarom onmisbaar. 'Hoe dan ook, heb je de ontwerpers gezegd dat ze de krant moeten stoppen?'

'Dat heb ik gedaan.'

'Hoe wist het ministerie van het verhaal?'

'Blijkbaar heeft Enass het online geplaatst en heeft iemand het gezien en het ministerie gebeld.'

Dat was snel! We hadden het artikel vijf minuten voordat ik het gebouw verliet afgerond.

'Is Luke nog aanwezig? Ik was al onderweg naar iemand...' sputter ik slapjes tegen, wetende dat ik er niet onderuit kan weer naar mijn werk te gaan. Maar ik heb zo zelden een afspraak om samen met iemand te eten, dat ik er de pest aan heb om hem mis te lopen.

'Jennifer, je werkt bij een krant en bij een krant...'

'Je hoeft mij niks uit te leggen over werken bij een krant. Dat doe ik al twaalf jaar lang.' Wat langer is dan de *Yemen Observer* bestaat, wil ik maar zeggen. Ook ben ik geneigd te zeggen dat niemand bij een echte krant zich door de machthebbers zou laten vertellen wat ze mogen schrijven. 'Nou ja, ik ben al onderweg.'

Ik vlieg terug naar het kantoor. Tegen de tijd dat ik aankom, ben ik gekalmeerd. Luke is nog altijd aanwezig, hij kauwt qat met de anderen. Faris had gebeld en Luke gevraagd het verhaal aan hem voor te lezen. Er stond niet eens een anonieme bron bij; we hadden de naam van de directeur van het bureau van het ministerie van Binnenlandse Zaken gebruikt. Enass had gehoord dat Radia de man interviewde, dus is er een getuige van het gesprek. Maar vrouwen worden natuurlijk niet als volwaardige getuige gezien. Luke en ik vermoeden dat de directeur voor zijn beurt heeft gesproken en vervolgens, toen hij in de problemen raakte, zijn uitspraak heeft ontkend.

Luke heeft al wat extra foto's voor de voorpagina opgedoken en met ons tweeën passen we de pagina aan. Het loopt allemaal heel soepeltjes. We zijn het net aan het afronden als Faris zich per telefoon meldt.

'Welk verhaal heb je nu op de voorpagina geplaatst?' vraagt hij.

'Een alleraardigst klein verhaaltje over een onderzoek onder mensen die uit Jemen zijn geëmigreerd, zodat er nieuwe voorzieningen voor hen kunnen komen,' zeg ik. 'Wil je weten wat er verder op de voorpagina staat?'

'Nee,' zegt hij. 'Ik vertrouw je.'

Hij vertrouwt me?

Ik vertel Faris over hoe we denken dat het zo is gekomen, dat iemand op het ministerie voor zijn beurt heeft gesproken en zijn uitspraken vervolgens terugtrok.

'Maar hij ontkent het,' zeg Faris.

'Ja, dat weet ik. Maar ik ben ervan overtuigd dat Radia niet liegt.' Op dat vlak zal ik niet toegeven.

Faris is gekalmeerd en lijkt bijna geneigd te accepteren dat Radia geen misdaad heeft begaan. Hij vraagt me hem te bellen als we een ander artikel over de Huthi's publiceren. Saleh is erg lichtgeraakt over alles wat er over deze opstandelingen wordt geschreven. We mogen hoe dan ook niet te weten komen wat de regering daar in het noorden uitspookt.

Later die avond, na bij mijn buurman een glas wijn gedronken te hebben, kunnen we er de humor wel van inzien. Tot na middernacht maken we er grapjes over, en dan ga ik met tegenzin naar huis om te slapen.

☪

DE VOLGENDE DAG valt er niks meer te lachen, als Faris me vraagt om naar zijn kamer te komen.

'Ik moet met je spreken,' zegt hij. Als alles goed gaat, wil Faris nooit met me spreken. Met een bonkend hart spurt ik de trap op, naar zijn kantoor.

'We zitten in de problemen,' zegt hij. 'De minister van Binnenlandse Zaken spant een rechtszaak tegen ons aan. Wat vind je dat we moeten doen?'
'Maar we hebben het hele verhaal niet afgedrukt!'
'Ongeveer twintig Arabische kranten hebben het van onze website overgenomen voordat we het eraf haalden.'
'Jezus.'
'Hij ontkent dat hij ook maar iets heeft gezegd. Hij ontkent zelfs dat hij met een verslaggever heeft gesproken.'
'Maar Radia heeft iemand in zijn kantoor aan de lijn gehad.'
'Volgens hem is dat niet het geval.'
'Ik ben ervan overtuigd dat Radia niet liegt.'
'Nou, hij liegt of zij liegt.'
'Hij heeft een motief om te liegen, zij niet.'
'Kijk...' Faris klikt enkele internetpagina's aan. 'Hij schrijft op de website dat hij alles ontkent.'
'Hm.'
'Dus wat doen we nu?'
'Tja...' Ik denk even na. Ik ben blij dat Faris mij om advies vraagt en me niet slechts naar zijn kantoor heeft geroepen om me een veeg uit de pan te geven. 'In de Verenigde Staten zouden we in deze situatie een ander artikel schrijven, met de reactie van de minister op het voorgaande artikel. Zodat we het nieuws corrigeren.' Ik denk nog altijd dat de minister liegt, maar we kunnen met geen mogelijkheid bewijzen dat Radia met iemand heeft gesproken, omdat we telefoongesprekken hier niet kunnen opnemen. En in wezen vraagt Faris me hoe we ons zo kunnen indekken dat de krant niet wordt gesloten.
'Dat werkt niet.'
'Maar dan zou zwart op wit staan dat we een "juiste" versie van het bericht hebben geschreven.'
'Dat zou het allemaal nog erger maken. Zo werkt het hier niet.'
'Oké, welke alternatieven zijn er nog meer?'
'Ik weet het niet.' Hij prutst wat met zijn muis, klikt websites open, sluit ze weer en draait heen en weer op zijn stoel. 'Jennifer, de minister van Binnenlandse Zaken heeft gisteren op de Italiaanse ambassade geweigerd mijn hand te schudden. Zo onheus ben ik nog nooit bejegend. Weet je hoe dat voelt?'
'Nee...'
'Ik heb hier veel vijanden. Er zitten veel mensen achter mij aan en via de *Yemen Observer* wil ik voorkomen dat ze me te pakken krijgen. Begrijp je? Dus als we weer zo'n soort verhaal hebben, druk dan alleen maar het officiële persbericht van de regering af en meer niet, oké?'
Ik knik. Waar machthebbers al niet voor verantwoordelijk zijn.

We zitten een paar minuten zwijgend voor ons uit te staren.

'Ik bedoel, wie zal hier de schuld van krijgen?' zegt hij. 'Ze kunnen iemand in de gevangenis stoppen.'

'Ik neem de verantwoordelijkheid op me.' Ik zal Radia – of welke andere verslaggever dan ook – niet naar de gevangenis laten gaan. Mij zullen ze nooit naar de gevangenis sturen. Dat zou politieke zelfmoord betekenen. Bovendien zou dat voor Faris veel te pijnlijk zijn. Hij zal het eenvoudigweg niet laten gebeuren.

Tegen de tijd dat ik wegga, heb ik de indruk dat Faris helemaal niet op mijn advies uit is geweest. Wat hem het meest heeft verontrust, is dat de minister heeft geweigerd zijn hand te schudden. Dat mensen die de macht in handen hebben zich aan hem ergerden. En hij wilde mij duidelijk maken dat het mijn fout was en dat hij dat niet kon accepteren. Ik mocht met de krant doen wat ik wilde, zolang hij er maar geen machtige vrienden door verloor. Als ik nog zo'n misstap zou begaan, zou ik zelfs met chocoladecups gevuld met pindakaas niet meer te redden zijn.

Langzaam begint me te dagen dat hier geen verandering in zal komen. Er zullen altijd grenzen zijn aan wat we kunnen schrijven. Faris staat me niet toe de mensen aan te nemen die we nodig hebben. Het salaris zal niet stijgen. Mijn verslaggevers zullen hier niet blijven werken en degenen die dat wel doen, zullen niet binnen een jaar toonbeelden voor hun vak worden. Daar moet ik mee leren leven. Ik zal moeten uitzoeken hoe ik, gegeven deze beperkingen, toch kan slagen.

ZEVENTIEN

een wereld naast het werk

Nu mijn verslaggevers hun teksten bijna altijd op de deadline aanleveren, ben ik meer dan ooit met ze bezig. Het is uiterst bevredigend om de luxe te hebben al mijn bewerkingen ook te kunnen toelichten en met hen over hun leven te kunnen praten. Ik heb mijn dagindeling veranderd en ga voorafgaand aan het werk naar fitness, zodat ik samen met mijn medewerkers kan lunchen. Mijn favoriete lunch is die van de vis-souq: Al-Matari of een van de andere mannen kiest daar een stuk of twee grote vissen uit, die we meenemen naar een restaurant, waar ze worden geroosterd en geserveerd met zompig beboterd brood, genaamd *ratib*. Ik ben altijd de enige vrouw in het gezelschap en de mannen staren me de hele tijd aan. Maar omgeven en beschermd door mijn mannelijke medewerkers geef ik daar niks om. Soms eten we 's avonds, in Baab al-Sabah, de marktstraat in de buurt van mijn huis, *saltah*, een Jemenitische stoofpot met vlees en een pruttelende bouillon met fenegriek. De mannen leggen stukken karton op de stenen waarop ik kan zitten en vliegen overal heen om saltah, brood en pittig rozijnensap te kopen. Ze bestellen zelfs een eigen pot vegetarische saltah voor me, die smaakt naar een kruidige aardappelstoofschotel. We gaan in een kring zitten, terwijl langslopende mannen mij aanstaren, niet gewend als ze zijn aan een in het openbaar etende vrouw. Het maakt veel verschil dat ik de gelegenheid voor dit soort zaken heb. Mijn verhouding met de verslaggevers gaat er flink op vooruit nu we meer tijd met elkaar doorbrengen buiten het werk.

Alleen al het feit dat de krant volgens planning wordt afgerond, heeft veel veranderd in mijn leven. Niet alleen kan ik meer tijd met mijn medewerkers doorbrengen, maar ook heb ik voor het eerst in een halfjaar de kans om na mijn werk met vrienden uit te gaan. Natuurlijk moet ik wel eerst vrienden zien te vinden. Ik heb er wel een paar, maar ik ben zo vaak op mijn werk geweest dat ik nauwelijks andere mensen buiten mijn werkomgeving ken dan Shaima, Marvin en Pearl. De eenzame periode op Soqotra, waarin ik heb nagedacht over hoe ver ik bij mijn geliefde vrienden vandaan was, heeft me eraan herinnerd hoe essentieel vriendschap voor me is. De e-mails die ik krijg van ver weg wonende vrienden steunen me, maar ik heb behoefte aan mensen hier.

Anne is de eerste die de leegte opvult. Ik had haar een paar maanden geleden op mijn eerste diplomatenfeestje ontmoet, maar nu heb ik eindelijk de tijd om haar te zien. Ze werkt als stagiaire op de Nederlandse ambassade en is tweeëntwintig, maar leeftijd doet me niks meer. In New York zijn de meeste van mijn vrienden ongeveer even oud als ik, of ouder. Maar in Jemen verzamel ik vrienden in de leeftijd van tweeëntwintig tot zevenenzestig. Er zijn zo weinig expats in Jemen dat alleen al het feit dat je hier woont een stevige band schept. Daar komt bij dat Anne vroegrijp is. Ze is opgegroeid in Saudi-Arabië en heeft veel gereisd. Ze verslindt boeken, heeft ze vaak al in een dag uit, spreekt perfect Engels en redelijk Arabisch, maakt makkelijk vrienden en is altijd vrolijk en opgewekt. Ik heb een beetje ontzag voor Anne. Onze gedeelde liefde voor boeken brengt ons bij elkaar. Er zijn weinig Engelse boeken in Jemen, dus ruilen we de onze. 's Avonds is zij vaak degene die me na een lange dag bij mijn werk vandaan sleept. We eten bij mij thuis of gaan uit eten, en ze stelt me voor aan de vele vrienden die ze heeft.

Vroeg in het voorjaar nodigt ze me uit voor een tocht naar het eiland Kamaran, samen met een stel van haar Nederlandse vrienden. Ik durf makkelijker vrij te nemen, laat de krant, zelfs zonder Faris ervan op de hoogte te stellen op sluitingsdag aan Luke over, en reis naar de Rode Zee. Ik wil geen gelegenheid onbenut laten om mensen buiten het werk om te ontmoeten.

Het reisje wordt georganiseerd vanwege de verjaardag van Floor. Floor is het nieuwe vriendinnetje van Ali. Terwijl hij voor me werkte, is het aangeraakt tussen hen (tot grote teleurstelling van mijn vrouwen). Als we naar Kamaran gaan, is Ali tijdelijk afgereisd naar de Verenigde Staten. Floor is slank, blond en zorgeloos, en heeft een eigen auto, een reusachtige legergroene jeep. Ze is samen met haar beste vriendin, Serena, een Australische doctoraalstudent politieke wetenschappen, en Matt en Nina, een stel uit New York.

Xander, een grote donkerharige Nederlandse ontwikkelingswerker bestuurt de tweede auto, waarin Anne zit, evenals haar nieuwe Nederlandse vriend Florens. Ik heb me in de derde auto gepropt, samen met Yahya, een Jemeniet, Lama, een tengere, wilde getrouwde Jemenitische vrouw en Zana, een geweldig dikke Albanese, met een kortgeknipt blond kapsel en borsten als watermeloenen.

Zana komt uit Kosovo en werkt net als Floor en Lama voor het Nationaal

Democratisch Instituut. We vermaken ons door Lama te vragen hoe je uiteenlopende zaken in het Arabisch zegt, waarbij we ons vooral richten op zinnen waarmee we ervoor kunnen zorgen dat mannen ons met rust laten. Zana vraagt hoe ze kan zeggen: 'Dat is niet iets wat jou interesseert.'

'Daar bestaat geen Arabische vertaling voor,' zegt Lama, 'want iedereen is overal in geïnteresseerd.'

We rijden over de grillige toppen van het Harazgebergte, majestueus en mistig. In de bergen is het koel en ik verbaas me erover hoe groen het er is. De kleur is afkomstig van de landbouwgewassen op de in de mist verdwijnende terrassen om ons heen. Op een van de bergtoppen parkeren de drie wagens bij een illegale alcoholwinkel. Ik vind het grappig om te zien dat het kleine stalletje, zonder uithangborden, beplakt is met enorme foto's van Saddam Hussein en propvol staat met flessen Glen's gin, Bell's whisky en Heineken. Als ik vraag wat ze er verder nog voor smokkelwaar verkopen, zegt Serena: 'Alles wat je maar wilt.' Enkele Nederlanders kopen hasj en allemaal betalen we mee aan een paar kratten bier.

Als we van de bergen naar Hodeida afdalen, wordt de lucht zachter en warmer en kleurt de vallei langs de weg groen van de bananenbomen. Al snel is het zo heet dat we alle ramen openzetten.

Kort na het vallen van de avond arriveren we in Selim op de plek waar de boot vertrekt. De lucht is zwaar, warm en klam. De politieagenten bij de haven doen moeilijk over onze papieren, houden ons op terwijl ze met elkaar overleggen. De man die de leiding in handen lijkt te hebben, schijnt niet te snappen met hoeveel mensen we zijn. Serena zegt hem dat we met ons veertienen zijn, maar hij begrijpt het niet. 'Vijf en vijf en vier,' zegt ze en wijst op de drie groepjes. Hij fronst, krabbelt wat op een papiertje en telt nogmaals.

Ten slotte krijgen we toestemming om aan boord van drie gammele vissersscheepjes te gaan. Onze tassen met smokkelwaar rinkelen als we ze over de reling hijsen. Vervolgens zijn de schippers nog weinig geneigd het ruime sop te kiezen. Ze zijn druk bezig hun mobiele telefoons met elkaar te vergelijken. We zijn al zeven uur onderweg. Nadat we al een hele poos in de zon hebben zitten bakken, verliest de kleine Lama uiteindelijk haar geduld. '*Mumkin,*' ('Vertrekken we...?') zegt ze, terwijl ze de schipper op de rug tikt. En allemaal sluiten we ons met een '*Yalla!*' ('Kom op!') bij haar aan.

Met een onverwachte ruk varen we er in hoog tempo vandoor. Ik kijk omhoog. De sterren schijnen helder en in de vochtige lucht staat een vale maan. Nergens is een lichtje te zien. Onze boten hebben geen schijnwerpers en het water om ons heen is donker. Allemaal zijn we onder de indruk van de betoverende omstandigheden. De boten vliegen werkelijk door de duisternis, sneller dan onze auto's op het land. Het kielzog licht op in het maanlicht.

'Wow,' zeggen we vol ontzag. Ik laat mijn vingers door het water glijden.

'Dit is voor het eerst dat ik op de Rode Zee ben,' zegt Nina.

Plotseling ben ik opgewonden. 'Voor mij ook!'

Onze schipper vraagt Nina om haar zaklantaarn en ze overhandigt hem. Het verbaast me dat hij er zelf geen heeft. Hij schijnt ermee omhoog en vervolgens in de richting van de andere boten. Ze schijnen terug en wijzen ons de weg. De overtocht duurt twintig minuten. De boten komen aan bij de rotsen van Kamaran, dat in het donker nog altijd niet te zien is, waarna boven ons een bulderende stem klinkt.

'Welkom op Kamaran!' Het is een Jemenitische stem die een warm soort Engels spreekt. Ik klauter over de andere boten heen en tegen de rotsen op, en dan grijpt een sterke hand de mijne en trekt me naar boven. In het donker wordt het glimmende gezicht van Mohammed al-Zubairy zichtbaar. Hij stelt zich voor en richt zich op de volgende gast. 'Zana! Daar ben je weer!' Hij herinnert zich de naam van iedereen die hier eerder is geweest, vooral van de vrouwen.

Van boven op de rots zie ik in het maanlicht de omtrek van de bescheiden gebouwen van het Two Moon Tourist Resort. Degenen die al aan land zijn, reppen zich al in die richting, om een van de ronde met een strooien puntdak getooide Tihamahutten uit te kiezen. Op de zandvlakte rondom een rond stenen hoofdgebouw staan ze her en der verspreid. In het hoofdgebouw bevinden zich de eetzaal, keuken en toiletten.

Langzaam loop ik achter de groep aan en vraag me af met wie ik de hut zal delen. Vanuit mijn onderbewuste komen alle angsten van de middelbare school weer naar boven dat ze niks van me moeten hebben. Alle anderen kennen elkaar al. Anne is de enige die ik echt ken en zij slaapt bij Florens.

'Jennifer!' roept Floor. 'Wil je bij ons in de hut?'

Gered van sociale uitsluiting! Floor is de leider van deze groep en ik ben haar dankbaar voor haar warme onthaal. Snel voeg ik me bij haar en Serena.

Tegen de tijd dat we onze spullen hebben opgeborgen en naar het hoofdgebouw zijn gerend, zit iedereen al in houten stoelen en hangmatten een biertje te drinken. Floor kondigt aan dat ze gaat zwemmen, Anne gaat met haar mee. Ik aarzel net zolang tot ze er zonder mij vandoor gaan. (Alcohol of zwemmen? Dat is lastig kiezen.) Maar uiteindelijk besluit ik dat ik graag onder water wil zijn en Mohammed leidt me in het donker over het zand.

Hij herinnert zich dat hij me al eens eerder heeft gezien, ergens in Sana'a.

'Je gezicht viel me op,' zegt hij. 'En daar ben je, op mijn eiland!' Ik voel me gevleid.

We lopen over een duin, voorbij een druipende Floor en Anne die teruglopen, naar een klein, vierkant gebouw. Pas als we er zijn, kan ik de kust onderscheiden. Ik wil mijn badpak aandoen, maar Mohammed zegt me dat ik die daar niet nodig heb, 'Ga zo maar zwemmen! Voel je vrij!' zegt hij. 'Het is nacht. Niemand let erop.'

Dat zijn magische woorden voor een meisje dat zich maanden achtereen in doeken heeft gewikkeld. Euforisch ontdoe ik mij van mijn lange jurken en loop naakt over het zand. Ver bij me vandaan is Mohammed me al discreet voorgegaan en bevindt zich al, met boxershort aan, in het water.

Het water is heerlijk koel. We zwemmen een eindje de zee in. Mohammed (die op een respectvol afstandje bij me vandaan blijft) gidst me langs gevaren onder het oppervlak. Ik draai me op mijn rug om te zien hoe de maan er vanuit de Rode Zee uitziet. Hij ziet er wazig uit. Mijn zorgen over de krant verdwijnen en drijven zo de zee op. Ik volg het advies van Mohammed op en voel me vrij. Ik heb veel zin om hier de hele nacht te blijven dobberen, maar ik bedenk me dat ik hier niet ben gekomen om alleen te zijn.

Ik keer weer terug naar de anderen om voor de avondmaaltijd nog een biertje te drinken. We hebben ons allemaal ontdaan van onze Jemenitische kleding, zelfs de Jemenitische Lama heeft niet meer dan een kort broekje aan. Het is alsof ik mijn eerste zomervakantie vier. Mohammed en zijn medewerkers hebben snel een grote hoeveelheid vis, schaaldieren en salades bereid, die we met veel rumoer achteroverslaan, waarna we naar buiten gaan om onder de sterrenhemel in het licht van de vale maan te ontspannen. Nina geeft me een joint en ik neem enkele trekjes. Ik rook nooit hasj en ben dan ook meteen geveld. Ik val in mijn stoel in slaap en als ik mijn ogen open zie ik Anne naar me kijken. 'Je ziet er moe uit,' lacht ze. Ik strompel naar onze hut, kruip in mijn van touw geknoopte hangmat en ben meteen vertrokken.

We worden al vroeg wakker en zien dat de flensjes en mangosap al op ons staan te wachten. Na het ontbijt vliegt iedereen alle kanten op. Sommigen gaan zwemmen, anderen varen met een boot naar een eiland in de buurt, weer anderen gaan in de schaduw liggen lezen. Ik blijf wat in het hoofdgebouw hangen met Mohammed, nieuwsgierig naar wat hij over dit ontspanningsoord heeft te vertellen. 'Ik wilde een plek maken waar mensen zich vrij konden voelen,' zegt hij. 'Toen belandde ik hier.' Hij begon er in 1997 mee, nadat president Saleh hem het land had gegeven om het eiland voor toeristische investeringen te gebruiken.

'Ik hou van de zee,' zegt hij. 'Ik ben vlak bij de zee opgegroeid. Ik wilde de natuur beschermen, op mijn manier.'

Met alleen natuurlijke en plaatselijke materialen maakte hij bij het bouwen van de hutten gebruik van de traditionele bouwmethoden van de Tihama-regio, het westelijke kustgebied. Het vakantieoord ligt los van de rest van het eiland, waar ongeveer 3500 Jemenieten van de zee leven.

Er zijn twee redenen waarom men het eiland Kamaran noemt, zegt Mohammed. Ten eerste kun je als je op het uiterste puntje van deze landtong zit, als de volle maan net boven de horizon is uitgekomen, twee manen in de zee zien weerspiegelen, links en rechts van je. *Qamaran* is een transcriptie van het Arabische woord voor 'twee manen'. Ten tweede is het twee weken per maand mogelijk om de maan aan de ene kant van de hemel te zien schijnen en de zon aan de andere kant.

Het 109 vierkante kilometer grote eiland is omzoomd met witte stranden en omgeven door koraalriffen. Ik zou de riffen graag eens willen zien, hoewel ik nog nooit heb gesnorkeld, maar Mohammed leert het me. Eerder heb ik alleen op Soqotra koraal gezien. Met zwemvliezen aan en een duikbril op drijven we boven iets wat lijkt op vele kroppen kool. Daartussen zwemmen kleine zilverkleurige visjes. Verder zijn er doolhofvormige koralen die wel iets weg hebben van de kleine hersenen van een zeemonster. Overal zijn stekelige zee-egels te zien. Koraaltakken reiken met paarse uiteinden omhoog. Er zwemt een regenboogkleurige vis voorbij, met snel bewegende vinnen, en een enorme mossel (die Mohammed een 'moordenaarsschelp' noemt) opent en sluit zijn geribbelde blauwe lippen. Een school lange cilindrische vissen – het soort dat we gisteravond hebben gegeten – schiet er snel vandoor, alsof ze vermoeden wat hun verdwenen broertjes en zusjes is overkomen.

Al zwemmend wijst Mohammed me zwijgend dingen aan en ik gorgel van ontzag. Na een uur op onderzoek te zijn geweest, zwem ik weer naar de kust en loop de duinen over, waar het bezaaid ligt met witte schelpen, om me aan te sluiten bij de anderen die op een strand verderop liggen.

Het is vroeg in de avond als we allemaal terugkeren. Ik neem een paar foto's van de ondergaande zon en doe mee met de anderen, die met een uitgelaten cocktailuur zijn begonnen. Florens en Xander vermaken ons door hun zonverbrande lijven met yoghurt in te smeren. We vertellen elkaar onze Jemenitische avonturen en eten wederom vis en groenten.

Vervolgens gaan we allemaal naar buiten om de verjaardag van Floor te vieren, met nog meer drank, dans en zelfs met het afsteken van vuurwerk. We schroeven het volume van de muziekinstallatie op. Ik til mijn armen in de richting van de sterrenhemel en ik geniet van het kriebelen van mijn lange haar over mijn rug. Zo gelukkig heb ik me vele maanden niet gevoeld. Feest, voedsel en ten slotte enkele niet-werkende vrienden.

Tegen middernacht arriveren er boten die ons naar de mangrovegrotten vervoeren. We klimmen in twee vissersbootjes, grissen flessen whisky en bier mee en zoeven de donkere zee op, met de maan als enige verlichting. Nat van het opspattende zeewater gooien we, elkaar plagend, bierflesjes van de ene boot naar de andere. Op een klein strandje vlak bij de ingang van de mangroven, kleden we ons allemaal uit en zwemmen in het maanlicht.

Als we het koud krijgen, klauteren we weer aan boord en racen, drinkend en elkaar ophitsend, weer terug. Tegen de tijd dat we naar bed gaan, is er geen maan meer op het eiland Kamaran te bekennen.

De trip naar Kamaran gooit de deur naar de buitenwereld wagenwijd open. Ik keer terug met een hele horde nieuwe vrienden, die me zullen voorstellen aan nog meer vrienden en na lang wachten komt een druk sociaal leven van de grond. Nog altijd werk ik zes dagen per week. Op feestjes op woensdagavond ben ik nog altijd de eerste die vertrekt, want mijn medewerkers en ik zijn in Sana'a zo ongeveer de enigen die donderdags werken. Nog altijd komt het voor dat ik ongeduldig en uitgeput ben. Maar nu heb ik geleerd op tijd voor het diner te vertrekken. Ik heb geleerd zaken onaf op mijn bureau achter te laten. Tenslotte, zo zeg ik telkens tegen mijn verslaggevers, is het mooie van het werken met nieuws dat er altijd weer een volgend nummer komt.

ontwerpers uit de qatkeet slepen en andere drugsproblemen

Altijd als ik 's middags te lang weg ben uit de redactiekamer, verdwijnen mijn mannen. Aanvankelijk heb ik geen idee waar ze heen gaan en stuur andere verslaggevers eropuit om ze op te sporen. Maar al snel ontdek ik waar ze uithangen: in de qatkeet. Het is een groezelig hokje dat zich nog net op het terrein van de *Observer* bevindt. Tegen de muren liggen smerige mafrajkussens en in de hoeken staan dozen met kranten. Hier roken mannen sigaretten, proppen ze bladeren in hun wangen en verbergen zich voor me. Ik sta in de deuropening van de qatkeet en roep: '*Amal!*' (Werk!) totdat ze zich met tegenzin uit hun kussens hijsen en achter mij aan naar binnen lopen. Het spreekt voor zich dat dit niet zonder slag of stoot gaat. Eerst proberen ze me over te halen mee te doen. 'Kauw ook wat, Jennifer!' moedigen ze me aan. 'Het is lekker!' Farouq houdt een verleidelijke tak met groene blaadjes voor me en wuift ermee. 'Je zult ervan ontspannen.' Nu en dan ga ik erop in en kauw even met ze mee, al kan ik niet zeggen dat ik ervan kalmeer.

Mijn mannelijke verslaggevers kauwen elke dag, vaak tot laat in de avond. De meeste Jemenitische mannen kauwen qat, al doen ze dat niet allemaal dagelijks. De nationale afhankelijkheid van qat vormt de grootste hindernis voor de ontwikkeling van Jemen. De dorstige planten zuigen al het water uit de waterhoudende grondlaag, halen de voedingsstoffen uit de bodem, kosten de arbeiders vele productieve uren en veroorzaken vele uiteenlopende gezondheids- en sociale problemen.

Ik heb geen wetenschappelijke artikelen nodig om de negatieve effecten van qat te kennen, ik zie ze elke dag. Mijn mannen klagen voortdurend over slapeloosheid en gebrek aan trek. Vele van hen zijn akelig dun, omdat ze hun avondmaal overslaan terwijl ze hun wangen vol groene blaadjes stoppen. Hun tanden zijn bruin en verrot. Meerderen hebben bij me geklaagd dat ze na een lekkere kauwsessie depressief raken, wat ik zelf ook heb ervaren. 'Maar dan kauw je gewoon weer wat!' zeggen mijn verslaggevers.

Door de qat halen mijn verslaggevers ook hun deadlines niet, waardoor ik degene ben die met de hoofdpijn en sociale problemen wordt opgescheept. Wanneer een gemiddelde Jemenitische werkdag eindigt, om twee uur 's middags (dan eindigt die van ons helaas nog niet!), haasten vele mannen zich naar buiten om zich nog even vol te proppen met een stoofpotje of wat brood, zodat hun maag de vijf uur durende qatkauwsessie aankan. Omdat mijn verslaggevers ook 's avonds werken, kauwen ze op kantoor (of in de keet). Op sluitingsdagen halen de chauffeurs voor de lunch rijst met kip voor ons, zodat we de redactiezaal niet hoeven te verlaten, maar toch glippen de mannen ertussenuit om qat te kopen. Vaak overkomt het me dat tien minuten voor het sluiten van een nummer alle verslaggevers ineens verdwijnen. Ze weten niet hoe ze een middag zonder hun dosis qat door moeten komen.

Qat wordt al eeuwenlang in Jemen verbouwd; er zijn aanwijzingen dat het al in de dertiende eeuw gebeurde. Ethiopië en Jemen zijn de grootste producenten, al groeit het eveneens in Kenia, Oeganda, Tanzania, Rwanda, Zimbabwe, Turkmenistan en Afghanistan. Niet helemaal duidelijk is of qat van oorsprong uit Jemen komt of uit Ethiopië. Volgens een Ethiopische legende was een geitenhoeder de eerste die qat kauwde. Op een avond viel het hem op dat zijn geiten bijzonder wakker en dartel waren. De volgende dag volgde hij ze en zag dat ze op qatbladeren kauwden. De herder probeerde het zelf ook eens en dat was het begin van een traditie.

Tot in de jaren zestig van de vorige eeuw kauwden alleen de rijken nu en dan qat. Maar in de jaren zeventig en tachtig werd het door de stijgende inkomens voor boeren de moeite waard om meer qat te telen en de gewoonte aldus te verspreiden. Volgens een rapport uit 2007 van de Wereldbank kauwt tegenwoordig driekwart van de mannen en een kwart van de vrouwen qat. In andere onderzoeken wordt zelfs nog een hoger aandeel qatkauwers vastgesteld. De meeste gebruikers van qat doen het uit gewoonte, meer dan de helft daarvan gebruikt het dagelijks.

· ☪

EEN GROOT DEEL van het arbeidsleven in Jemen speelt zich af rond het kauwen van qat. Vrienden die als consultant voor ministeries werken, melden dat beslissingen vaak tijdens qatkauwsessies genomen worden die voorafgaan aan officiële bijeenkomsten, in plaats van op die bijeenkomsten zelf. 'Dat houdt in dat het Jemenitisch beleid vaak wordt gemaakt door mannen die zo stoned zijn als een garnaal,' zegt een consultant.

Het is eenvoudig te begrijpen waarom qat zo wijd verspreid is. Voor boeren is qat lucratief, want het is tien- tot twintigmaal zo winstgevend als andere gewassen. De qatteelt brengt evenveel op als driekwart van de olie-inkomsten in Jemen (die weer driekwart van het budget van Jemen uitmaken), aldus het ministerie van Planning. Hierdoor zullen de boeren begrijpelijkerwijs niet snel op alternatieve gewassen overgaan, zelfs als stijgende voedselprijzen honger in het land veroorzaken en de toenemende verbouw van qat tot een ernstig gebrek aan grondwater leidt.

Een op de zeven Jemenieten werkt direct of indirect aan de teelt en distributie van qat. Hoewel het arbeidsplaatsen oplevert, onttrekt de drug veel geld aan Jemenitische families. Een tiende deel van het inkomen van een gemiddeld Jemenitisch huishouden wordt aan qat besteed, bij sommige arme huishoudens is dat een kwart. Geld dat aan qat wordt besteed, wordt niet uitgegeven aan eten, medicijnen of andere behoeften, waar vooral kinderen onder te lijden hebben.

Mijn mannelijke verslaggevers, die een week voor de uitbetaling van hun loon zonder geld zitten om eten te kopen, slagen er nog wel in om qat aan te schaffen. Daarom verbaast het me niet dat 94 procent van de mensen die geen qat kauwen en 77 procent van de mensen die wel qat kauwen toegeeft dat qat een nadelig effect heeft op het gezinsbudget. Iets minder dan een vijfde deel van de Jemenieten belandt door het drugsgebruik in de schulden. Het is niet ongebruikelijk dat er een verslaggever met een mond vol qat aan mijn bureau verschijnt met het verzoek om geld te lenen om eten te kunnen kopen.

Qat kost evenveel tijd als geld, uren die anders aan meer productieve activiteiten besteed kunnen worden. Meer dan een derde van de qatkauwers is dagelijks vier tot zes uur per dag kwijt aan het kauwen van qat, bijna een kwart is er meer dan zes uur per dag mee onder de pannen. Als mannen voor de grap zeggen dat qat de Jemenitische whisky is, zeg ik: 'Ja, maar wij drinken niet zeven dagen per week, en zes uur per dag whisky.'

Een van de meest vermakelijke feiten die ik in het rapport van de Wereldbank aantrof, was dat mannen systematisch onderschatten hoeveel qat hun vrouwen gebruiken. Volgens het rapport geeft 14 procent van de mannen aan dat hun vrouwen qat kauwen, terwijl 33 procent van de vrouwen aangeeft qat te kauwen. Het verschil kan zijn veroorzaakt doordat het gebruik van qat door vrouwen meer is gestigmatiseerd dan het gebruik door mannen. Maar het kan eenvoudigweg ook komen door het feit dat mannen niet meer weten wat hun vrouwen doen, omdat ze zo weinig tijd samen doorbrengen.

Omdat mannen en vrouwen los van elkaar qat kauwen, draagt het gebruik ervan ook bij aan de scheiding van de geslachten. Het heeft als voornaamste gevolg dat mannen niet meer bij hun gezin zijn. Zo brengen mijn verslaggevers liever de hele nacht kauwend met hun vrienden door dan thuis bij hun vrouwen en kinderen.

Voordat ik naar Jemen ging, was ik erg benieuwd naar qat, en in mijn pogingen me aan de mensen aan te passen, heb ik behoorlijk wat gekauwd. Het is bijna onmogelijk om qatkauwsessies te vermijden, want bijna het hele sociale leven hangt ermee samen. Zelfs de expatgemeenschap heeft de gewoonte overgenomen. Elke keer als iemand het land verlaat – en er is altijd wel iemand van wie het contract net is beëindigd of van wie de diplomatieke termijn is afgelopen – vindt er een afscheidssessie qatkauwen plaats. Er zijn housewarmingqatkauwsessies, verjaardagsqatkauwsessies en gewoon-omdat-het-vrijdag-is-qatkauwsessies. Het voornaamste verschil tussen de Jemenitische sessies en de sessies van de expats is dat de expatsessies na een bepaalde periode overgaan in cocktailparty's en iedereen de bladeren uitspuugt en een glas wijn neemt.

Over het algemeen zou ik me niet zozeer aan het hele fenomeen qat storen, als het het werk niet zo in de weg zat. Ik zal de gewoonte niet proberen te verbieden, dat zou uitmonden in muiterij (alhoewel de *Yemen Times*, zo kreeg ik later te horen, het kauwen op het werk verbiedt). Maar ik probeer te verhinderen dat mannen er tijdens het sluiten van een nummer tussenuit knijpen om qat aan te schaffen. Het is een niet te winnen strijd, maar om een of andere reden weiger ik me erbij neer te leggen.

'Dit moet wel het enige land ter wereld zijn waar verslaggevers tijdens een deadline toestemming hebben om weg te gaan en drugs te kopen,' zeg ik tegen Luke.

'Het zijn geen drugs,' zegt Farouq. Dat is een bekend argument. Jemenieten beschouwen qat niet als een drug.

'Het is een stemmingsverhogend middel. Wat zou het dan kunnen zijn?'

'Het is gewoon qat,' zegt Farouq.

Hadi sluit zich bij hem aan. Hadi, Farouq en Al-Matari zijn de meest toegewijde qatkauwers, maar ook Jabr doet vaak mee. Hij heeft er moeite mee om te praten als zijn mond vol zit en spuugt soms stukjes blad naar me als hij een verhaal toelicht. Ik probeer me voor te stellen hoe mijn redacteur bij *The Week* zou reageren als ik dat bij hem zou doen.

Luke geeft tenminste toe dat het drugs zijn. Op een dag komt hij mijn kamer binnen en doet verslag van een gesprek met Hadi.

'Hadi kwam net binnen en zei: "Die qat maakt me helemaal kapot. Ik kan niet slapen. Ik geef al mijn geld eraan uit. Mijn vrouw wordt boos op me door de qat. En ik heb geen zin meer in eten!"'

'Dat is omdat het drugs zijn,' zei hij tegen Hadi. 'Als de negatieve gevolgen de positieve overstijgen, en je desondanks blijft doorgaan, dan betekent dit dat het drugs zijn.'

Hadi schudde slechts zijn hoofd en stak nog een blad in zijn mond.

Een andere reden waarom ik niet probeer qat te verbieden, is dat ik er niet zeker van ben dat mijn mannen zonder qat hun werk wel kunnen doen. Ze zouden weleens boven hun toetsenbord in slaap kunnen vallen. Of naar huis kunnen gaan om daar een tukje te doen. Journalisten met qat zijn beter dan journalisten die last hebben van qatonthouding, houd ik mezelf dan maar voor.

Daarentegen zijn mijn vrouwen bijna allemaal tegen qat. Als indirecte uithaal richting de mannen schrijft Najma voortdurend verhalen over de schadelijke effecten voor de gezondheid. Dit is een citaat van een van haar meesterstukken: 'De qatkauwer heeft na het nemen van qat last van veel negatieve gevolgen. Hij is niet in staat te slapen en voelt zich lui en ongerust. Bovendien presteert hij minder in bed, kan hij zich minder goed concentreren en raakt hij zijn controle over zijn sperma kwijt. Door de qat neemt zijn eetlust enorm af en eet hij meestal in zijn eentje. Ook ondervindt hij problemen met het plassen.'

Maar het lijkt alsof mijn mannen beginnen te begrijpen wat qat werkelijk is. Op een dag in mei komt Farouq mijn kamer binnen terwijl ik de redactie van een voorpagina aan het afronden ben.

'Heb je me nog nodig?' vraagt hij.

'Hoezo?' vraag ik hem behoedzaam. 'Waar moet je naartoe?'

'Ik heb je toestemming nodig om wat drugs te kopen,' zegt hij breed grijnzend.

Ik lach. 'Nou, omdat je het zo stelt, krijg je toestemming om drugs te kopen.'

'Shukrahn!' En hij vliegt er als een speer vandoor.

Ik klaag niet. De laatste tijd is Farouq buitengewoon aardig, eerbiedig en ontvankelijk voor mijn gedachten en aanmerkingen. We hebben net een bespreking van een artikel achter de rug over een afstudeerproject van twee universitaire studenten uit Sana'a over een religieus conflict. De studenten beweren dat de islam in vele opzichten verkeerd wordt geïnterpreteerd, zowel door 'slechte' moslims (die de islam gebruiken om terrorisme goed te praten) als door niet-moslims. Om daar iets aan te doen, hebben ze een boekje geschreven en een workshop ontwikkeld, waarmee ze willen bewerkstelligen dat de islam in de wereld van na 11 september beter wordt begrepen. Een paar onderdelen van het verhaal zaten me niet lekker. Dat betrof vooral de plekken waar naar de westerse media werd verwezen als een homogeen geheel, alsof elke krant en tijdschrift samenzweert en met één stem spreekt, terwijl in mijn ervaring de westerse media een veelkoppig beest is met een eindeloos aantal verschillende opvattingen. Zowel *Mother Jones* als de *New Republic* vallen er immers onder. En uiteenlopende periodieken als de *Playboy* en de *Wall Street Journal*. Hoewel sommige geluiden harder klinken dan andere, heb ik 'de westerse media' toch als tamelijk vrij en gevarieerd ervaren.

Als ik dit aan Farouq probeer uit te leggen, reageert hij met de opmerking: 'Maar hebben de Joden dan niet alle media onder controle?'

'Farouq,' zeg ik, 'weet jij hoeveel procent van de Amerikanen Joods is?'

'Nee.'

'Raad eens. Ik ben benieuwd wat je denkt.'

Hij denkt even na. 'Twintig procent?'

Ik hou twee vingers omhoog. '*Ithnayn*. Twee procent. Maximaal.'

Hij is verrast. Hij had aangenomen dat de hele Verenigde Staten door een zionistische coterie werd geleid.

Ik zucht. 'Farouq. Ik heb twaalf jaar in de media gewerkt en ik kan me niet herinneren ooit door Joden te zijn aangestuurd.' Nu ik erbij stilsta, waren mijn laatste drie bazen katholiek. 'En hoewel er beslist meer dan genoeg vooroordelen in kranten en tijdschriften worden afgedrukt, ben ik ook een behoorlijk aantal keren pro-islamitische standpunten tegengekomen. Zelfs in *The New York Times*. Die trouwens in het bezit is van een Jood. De Amerikaanse media vormen niet een groot anti-islamitisch blok.

'De Verenigde Staten zijn gesticht met de opvatting dat er sprake moet zijn van godsdienstvrijheid,' vervolg ik mijn betoog. 'Het is verboden om iemand vanwege zijn of haar religie te vervolgen.'

Het klinkt merkwaardig als ik mezelf zo vaderlandslievend hoor praten. Ik heb me vaak afgezet tegen de regering van de VS: ik ben naar anti-Bush-demonstraties gegaan, heb petities ondertekend, heb gedemonstreerd voor vrede en ben opgekomen voor de rechten van homo's. Maar hier in Jemen hoor ik mezelf ineens de regering verdedigen waarover ik de afgelopen jaren alleen maar heb geklaagd. En het is waar dat mijn regering in vergelijking met de corrupte en inefficiënte Jemenitische regering in mijn achting begint te stijgen, een beetje maar.

Farouq is verbaasd over het feit dat moslims in de Verenigde Staten niet om hun geloof vervolgd mogen worden en dat er in de kranten ook positief over moslims geschreven wordt. Meer nog schijnt hij zich erover te verbazen dat er in de Verenigde Staten uiteenlopende standpunten op na worden gehouden.

In zijn artikel over het islamproject van de studenten, stelt een bron dat de reden dat de Verenigde Staten zo bang zijn voor de islam, is dat ze vrezen dat de hele bevolking wordt bekeerd.

'Ik denk niet dat dat zozeer het geval is,' zeg ik tegen Farouq. 'De reden dat sommige mensen zich zorgen maken over de islam, is dat de terroristen de islam hebben gebruikt als excuus om het land aan te vallen.' Toch laat ik het citaat staan.

Farouq gaat niet tegen me in. Hij luistert. Alleen dat is al vooruitgang. Hij begint me meer vragen te stellen en lijkt meer zijn best te doen om indruk op me te maken. Afgelopen week heeft hij de opmaak van de voorpagina omgegooid. Dat doet hij de laatste tijd vrij vaak, dan komt hij bij mijn bureau en laat me de beide pagina's naast elkaar zien in de hoop dat ik de zijne zal kiezen. Soms heeft hij het bij het rechte eind, ik ben de eerste die toegeeft weinig verstand van ontwerpen te hebben. Maar in dit nummer heb ik vrij bewust bepaald waar ik de artikelen geplaatst wilde hebben, en als ik dat aan Farouq uitleg, haalt hij slechts zijn schouders op. 'Jij bent de baas,' zegt hij. 'Jij beslist.' Zijn achting doet me zo goed en streelt me zo, dat als hij er eventjes vandoor moet om drugs te kopen, ik hem niet probeer tegen te houden.

stilte voor de storm

Ik fantaseer niet langer over een terugkeer naar New York. Voor mij is thuis niets anders meer dan mijn eigen huis van suikerwerk in Sana'a. 's Nachts slaap ik vaker wel dan niet. Ik eet echte maaltijden. Als ik bij zonsondergang in de Oude Stad terugkeer en het goud en roze gekleurde avondlicht zie dat de huizen tegen de donkere achtergrond van de avondhemel afzet, dan ben ik de gelukkigste mens op aarde. De krant heeft nog nooit zo goed gelopen, ons rooster is zo voorspelbaar dat ik zelfs op sluitingsdagen met vrienden kan afspreken.

Het ging als volgt. Mijn uitgekookte verslaggevers hebben gemerkt dat als ze deadlines halen, ze vroeger van hun werk thuiskomen. En vroeger van hun werk thuiskomen betekent meer tijd overhouden voor een tukje, het kauwen van qat of, een heel enkele keer, hun familie. Dat zijn, kortom, allemaal voordelen die hen doen beseffen dat niet alleen ik er blij van word, maar ook zijzelf.

Het klinkt zo eenvoudig. Ik veronderstel dat iedere manager het zich op een bepaald moment realiseert: dat je je medewerkers ervan moet overtuigen dat ze er zelf baat bij hebben als ze doen wat jij van ze vraagt. Maar het verschilt nogal of je deze eenvoudige kennis in een managementhandboek leest of bij een krant in een vreemde cultuur probeert door te voeren. Niet dat ik ooit een managementboek gelezen heb. Of – tot nu toe – als manager in een vreemde cultuur heb gewerkt. Ik ben van de ene op de andere dag in het diepe gegooid, totdat op een dag tot ons doordrong dat de krant om drie uur 's middags sloot en we elkaar allemaal aanstaarden en ons afvroegen hoe we dat geflikt hadden.

Bijna alles wat ik in Jemen leer, is al improviserend tot stand gekomen, door tastend in het duister de ene na de andere horde te nemen, elk gevecht in de redactiekamer opnieuw, en aldus – na 1001 fouten – op een succesvolle aanpak te stuiten. Zo kom ik er op een sluitingsdag in juni achter dat niet alleen Faris met chocoladecups gevuld met pindakaas te manipuleren is.

Als ik 's ochtends op het werk verschijn, ben ik opgewekt en kijk vol verwachting uit naar de afspraken die ik later op de dag heb. 'Ik voel er weinig voor om hier vandaag de hele dag rond te hangen,' kondig ik op de redactiezaal aan. 'Zullen we een keertje proberen vroeger dan ooit te sluiten?'

Mijn verslaggevers kijken op van hun computer. 'Insjallah,' zeggen ze, terwijl ze bedenkelijk naar me kijken.

Nog voor halftwaalf 's ochtends heb ik drie voorpagina-artikelen geredigeerd, waardoor ik tijd zat heb om mijn medewerkers aan te sporen. Dan kom ik op een geniaal idee.

'De eerste die zijn of haar artikel bij me brengt, krijgt vijf chocoladecups gevuld met pindakaas,' zeg ik. 'De tweede krijgt vier, de derde drie, enzovoort. Doe je best!'

En tot mijn stomme verbazing blijkt het uitstekend te werken. Noor levert haar verhaal als eerste in, gevolgd door Jabr en Radia. Al snel zitten de wangen van de mannen onder de chocola en blijven de handen van de vrouwen onder hun nikab verdwijnen.

Terwijl ik samen met Samir, die invalt voor een verlate Hadi, druk bezig ben een pagina op te maken, Sharabi aan het bellen ben om hem te vragen langs te komen om zijn foto's aan te leveren, en mijn verslaggevers bevelen geef, draait Luke zich van achter zijn computer om en kijkt me aan.

'Als je hier vertrekt, moet je serieus overwegen om bij het circus te gaan,' zegt hij. 'Je hebt alles in je om circusdirecteur te worden.'

Mijn maag krimpt ineen. Als ik hier vertrek? Door die zin raak ik in paniek.

Het is een waanzinnige dag, maar we slagen erin vroeg te sluiten. Farouq levert een keurig verhaal in over een splinternieuw röntgenapparaat waarmee containers die Jemenitische havens binnenkomen zijn te doorzoeken, maar dat bij een openbare demonstratie jammerlijk faalde. Toen de functionarissen een machinegeweer door een van de apparaten haalde, werd deze niet waargenomen.

Ibrahim levert een verhaal in over drie ambtenaren uit Dhamar, die na beschuldigd te zijn van corruptie, worden ontslagen. Zuhra schrijft weer een verhaal over Anisa al-Shuaibi. Deze week wordt haar verkrachtingszaak door de rechter behandeld. Nadat Zuhra een reeks artikelen heeft ingeleverd over misbruikte gevangenen en verkrachte vrouwen en mannen, beginnen Luke en ik grapjes te maken over de klopjacht van Zuhra op homoseksuelen. Al haar verhalen hebben op een of andere manier te maken met aantasting van de lichamelijke integriteit. Mijn kleine actievoerder voor de mensenrechten.

Najma komt met een relaas over hoe een teveel aan fluoride in het water van sommige dorpen tot gevolg heeft dat de tanden van kinderen bruin worden. En Noor schrijft een stuk over een betoging in Sana'a, bedoeld om geld op te halen voor hulp aan kinderen.

Om twee uur 's middags zijn al onze pagina's af, maar ik blijf nog een beetje hangen om mijn medewerkers aan te sporen, pagina's te corrigeren en ervoor te zorgen dat alle krantenkoppen klaar zijn en geen fouten bevatten. 'Heb je me nog nodig?' vraag ik Hadi voor ik ervandoor ga.

'Nee,' zegt hij zonder aarzelen. 'Ga maar naar huis.'

'Ja,' zegt Luke en kijkt me aan. 'Ga alsjeblieft naar huis.'

☪

ZELFS OP DAGEN dat alles niet zo soepeltjes verloopt, vind ik de fouten van mijn verslaggevers eerder vermakelijk dan uitputtend. Neem bijvoorbeeld Bashirs vertaling van Farouqs verhaal over de Huthi's: 'De minister van bekostiging en frivoliteit Hamour al-Hitar zei: "We zullen proberen de rebellen ervan te overtuigen zich over te geven, de wapens neer te leggen en de strijd tegen de aanhangers van de staat te staken." Hij voegt eraan toe: "Afgelopen zaterdag is het wetenschappelijk comité in Sa'ada aangekomen om de rebellen een massage te geven en de oorlog te beëindigen."'

Ik weet zeker dat een massage door de minister van bekostiging en frivoliteit een zinvolle bijdrage kan leveren aan het oplossen van het conflict. Maar ik betwijfel of die zal plaatsvinden.

Jabr levert opnieuw een van mijn favoriete inleidingen in, voor een artikel over een geldinzamelingsactie bedoeld om kinderen met een hazenlip te helpen: 'Zeventienhonderd dollar voor het werk van *Yemeni Smile*, de organisatie die zorgt voor kinderen met genitale problemen en die niet kunnen lachen, zei Nerys Loveridge, het hoofd van de school. Het geld werd woensdag tijdens de open dag van de Britse School van Sana'a aan de Britse ambassadeur overhandigd.'

Het gebeurt ook vaak dat mensen die Arabisch spreken woorden met een P en B verhaspelen. Hierdoor krijg ik vaak zinnen als deze voorgeschoteld: 'Soms zijn er groepen gemaskerde soldaten, de zogenaamde SRT's (Snelle Reactie Troepen). "Ze komen de cel binnen en slaan de gevangenen op hun pek," zei hij.'

Ook Zuhra draagt het nodige bij aan de afdeling ontspoorde zinnen. Als ze een verhaal optekent over de viering van Pascha door vijftig in het noorden levende Jemenitische Joden, die nadat ze waren bedreigd onder bescherming van de regering in Sana'a verblijven, beschrijft ze de voedselvoorschriften als volgt: 'Joden mogen in die periode geen opgeblazen brood eten.' In een stuk over een groep mensen die protesteren tegen een slechte medische behandeling, beschrijft ze hen als: 'mensen die een nierplantage hebben gehad'.

Maar de allermooiste is misschien wel de paragraaf uit een artikel dat ze over vruchtbaarheidsbehandelingen schreef, die steeds vaker worden toegepast, wat gezien het torenhoge geboortecijfer van het land een alarmerende ontwikkeling is: 'Vrouwen moeten medicijnen slikken die de productie van eitjes door de eierstokken stimuleren en de mannen moeten hun mannelijke vloeistof stimuleren. Vervolgens moet de moeder stomverbaasd zijn om de eitjes eruit te kunnen halen. Met een laserapparaat worden de geselecteerde eitjes losgehaald van de omringende cellen om ervoor te zorgen dat ze goed worden bevrucht.'

Het doet me deugd dat ik de tijd heb deze fouten met mijn verslaggevers te bespreken. Nu de algemene organisatie van onze krant in orde is, kan ik me op de kleinere organisatie richten, op de structuur van de artikelen van mijn medewerkers. In plaats van alles haastig in mijn eentje in mijn morsige kamer te herschrijven, komen de verslaggevers bij me langs en gaan we de artikelen samen te lijf. Hierdoor kan ik alle wijzigingen die ik aanbreng toelichten.

Het is een goede zaak dat ik nu in de gelegenheid ben deze redactionele tête-à-têtes te houden, want in het voorjaar neem ik Zaki aan, die Hassan vervangt als redacteur van de businesspagina. Zaki is aardig, op het kruiperige af, klein, dik en brildragend en hij heeft slechts een oppervlakkige kennis van de Engelse taal. Ik ben vele uren bezig hem te begeleiden en doe mijn best om een einde te maken aan zijn gewoonte om betekenisloos zakenjargon te gebruiken, jargon dat verwarrend is voor onze lezers. Zijn stukken staan vol zinnen als deze: 'Professor Mohammed Musammar al-Shamiri, supervisor van de insurance group, zei dat het bewustzijn van het belang van securing voor ieder individu en elke organisatie in alle economische branches in Jemen erg belangrijk is.' Bijt daar je tanden maar eens op stuk.

Zaki wil zich graag verder ontwikkelen en komt ruim voor het verstrijken van de deadline met zijn pagina bij me, dus hoor je mij niet klagen. Daar komt bij dat ik tegenwoordig ongeveer de volgende eisen aan een medewerker stel: 'Moet minimaal met twee vingers typen en nu en dan komen opdraven.'

Zaki verschaft me bovendien allerlei boeiende culturele informatie. Op een avond komt hij hevig opgewonden mijn kamer binnenvallen.

'Jennifer,' zegt hij, terwijl hij op de stoel naast mijn bureau neerploft en naar me vooroverbuigt. 'Ik heb gisteren de jinni ontmoet.'

'Aha, fantastisch!' zeg ik, in de veronderstelling dat hij mijn vriendin Ginny is tegengekomen. 'Ik ben gisteravond nog met haar wezen eten.'

Zaki kijkt me vol afschuw aan. 'Meen je dat nou?'

'Yep,' zeg ik. 'Bij de Indiër.'

'Bij de Indiër?' Zaki kijkt me vertwijfeld aan. Plotseling realiseer ik me dat Zaki met jinni doelt op jinn, de vaak boze geest van het vuur die in staat is mensen bezeten te maken. Zaki blijkt recentelijk gevraagd te zijn om te helpen bij de uitdrijving van een geest van een bezeten vrouw. Op zich is dat niet opvallend, maar in dit geval sprak de boze jinni Engels, met een Amerikaans accent. Vandaar dat de sjeik die de vrouw uit de Koran voorlas Zaki voor de vertaling nodig had.

'Haar gezicht veranderde van vorm!' zei hij. 'En ze veranderde van kleur!'

'Dat heb je zien gebeuren?' vraag ik met opgetrokken wenkbrauwen.

'Ja!'

'En je gelooft echt in de jinn?'

Hij kijkt beledigd. 'Iedere moslim gelooft in de jinn.'

'Ah,' zeg ik. Pas een paar maanden later lees ik meer over de jinn in de Koran. Alle moslims geloven in de jinn, sterker nog, ze houden het niet voor mogelijk dat er landen zijn zonder jinn. Ik vertel mijn Jemenitische vrienden dat ik alleen 'geest' kan voorstellen als iets wat erop lijkt, maar dat is de overgebleven energie of ziel van dode mensen, terwijl jinn niets menselijks hebben. Ik vermoed dat de boze geesten of demonen waar de aanhangers van de evangelische leer in het zuiden van de VS door worden bezeten, en die ze in tongen laat spreken, nog het meest in de buurt komen van een westerse versie van de jinn, maar het verhaal erachter is anders.

Voordat hij naar de redactiekamer teruggaat, beschrijft Zaki hoe de vrouw sidderde en in het Amerikaans-Engels kreunde. Ik heb hem gezegd dat hij wel iets over de jinn mag schrijven, maar dat ik graag wel wil weten of wetenschappers en doktoren alternatieve verklaringen hebben voor de fysieke veranderingen van de vrouw. Misschien is het een te wereldlijke vraag, maar ik ben benieuwd wat zij erover te zeggen hebben.

Ik denk er nog wat over na en loop naar de redactiekamer. Er zit me iets dwars.

'Zaki,' zeg ik. 'Sprak deze vrouw Engels?'

'Nee!' zegt hij. 'Ze kan niet eens lezen!'

'Hmm.'

'Ik ken ook een vrouw die dat doet,' zegt Bashir (die vaak langskomt om te helpen, hoewel hij al maanden geleden zijn baan heeft opgegeven). 'Ze was een echte analfabeet, maar als ze door de jinn was bezeten, sprak ze perfect Engels met een Amerikaans accent.'

Bijna iedereen in Jemen blijkt zo'n vrouw te kennen. Met mijn mond vol tanden keer ik terug naar mijn kantoor.

'Kijk maar uit,' zegt Najma. 'Want de jinn is Amerikaans!'

'Als de jinns Amerikaans zijn,' zeg ik glimlachend, 'dan hoef ik me geen zorgen te maken.'

IK KRIJG BETER CONTACT met al mijn verslaggevers. Met mijn mannen kan ik buiten het kantoor makkelijk tijd doorbrengen, want zij kunnen gaan en staan waar ze willen. Maar al mijn vrouwen hebben een uitgaansverbod. Als het donker is, mogen ze niet naar buiten dus kan ik ze niet mee uit eten nemen naar een restaurant. De meeste vrouwen komen sowieso niet in restaurants. (Met een nikab aan kun je vrijwel niet eten.) Daar komt bij dat als ik vrouwen uitnodig voor de lunch, ze vaak niet mee willen omdat ze vasten. Mijn vrouwen vasten regelmatig, soms alleen maar om er geestelijk wat rijker van te worden. Toch eet ik 's middags geregeld met Zuhra bij Al-Mankal, het Jordaanse restaurant vlak om de hoek, waar ik meestal lunch en waar de manager een houten scherm neerzet om haar uit het zicht te houden. Op andere dagen koop ik broodjes falafel voor Radia en mij. Radia komt tussen de middag nooit van haar plek en we eten ze achter haar bureau op. Omdat er geen mannen in de buurt zijn, doet ze haar sluier af als ze eet en helpt me met mijn lessen Arabisch.

Daarentegen zijn mijn vrouwen, meer dan de mannen, geneigd me bij hen thuis uit te nodigen. Voor hen is dat makkelijker omdat zij niet met jaloerse echtgenotes rekening hoeven te houden. De eerste keer dat ik bij Zuhra thuis lunch, verbaas ik me erover hoe prettig ze woont. Na het eten slepen zij en haar drie zussen me mee naar hun slaapkamer en liggen we op bed en bekijken talloze foto's en een hele reeks zelfgemaakte films. In een daarvan spelen Zuhra en Shetha (haar zus die nu getrouwd is en in Dubai woont) de hoofdrol, als oude dorpsvrouwtjes gehuld in traditionele Sana'atische *setarrh*. Ghazal, Zuhra's jongste zus, danst in een krapzittend jurkje op hen af. Haar gezicht en prachtige ogen zijn niet afgedekt en ze straalt een en al zelfvertrouwen uit. 'Doe iets aan!' zegt Zuhra in de film. Ze apen de oude roddeltantes na die de jongere generatie veroordeelt en vragen Ghazal of ze misschien Amerikaans is. Bid jij in Amerika? Wie is je vader? (Twee vragen die volgens Zuhra vaak aan jonge meisjes gesteld worden.) Allemaal rollen we over het bed van het lachen en duwen elkaar heen en weer.

'Zo gaat het hier nou altijd,' zegt Zuhra. Ik ben stinkend jaloers. Als klein meisje droomde ik er altijd van een grote, luidruchtige familie te hebben. Zuhra en haar zussen en moeder zijn zo dik met elkaar als je je maar binnen een gezin kunt voorstellen. 'We vinden *Little Woman* prachtig!' zegt Zuhra. Het verbaast me dat ze het boek kent. En ik denk dat ze heel wat meer plezier hebben dan de zusjes March die daarin worden beschreven.

IBRAHIM IS EEN VAN DE WEINIGE MANNEN die me thuis durft uit te nodigen. Op een vrijdagmiddag ga ik naar zijn huis, dat op een minuut of veertig rijden van Sana'a ligt, om bij hem te lunchen. Ibrahim en zijn vrouw, Sabah, wonen met een hele groep familieleden en kinderen bij elkaar. Boven doe ik mijn schoenen uit en neem plaats in een grote met tapijten belegde kamer, waar ik al snel word omringd door de nieuwsgierige ogen van enkele kleintjes. Op de grond wordt een plastic kleed neergelegd en voor me worden borden met vis, salades, broden, rijst, kip, radijsjes en zawahek opgesteld. Omdat ik het enige niet-familielid ben, eten mannen en vrouwen samen. Als ik een man was geweest, had ik alleen met de mannen kunnen eten. Sabah is erg knap en stelt me de gebruikelijke vragen. Ben ik getrouwd? Ja, dat spreekt voor zich. Heb ik kinderen? Ik aarzel. Nee, zeg ik, en wacht op de gebruikelijke kreet van verbijstering. Maar tot mijn verrassing fleurt ze op. 'Net als ik!' zegt ze. 'Je bent net zoals ik.' Ik wist niet dat Ibrahim geen kinderen had. Zijn vrouw en hij zijn allebei in de dertig en zijn op twaalfjarige leeftijd met elkaar getrouwd. In Jemen is het heel gewoon om op die jonge leeftijd al te trouwen, al klinken er steeds meer stemmen op om de minimumleeftijd om te trouwen te verhogen. Voortdurend hoor ik berichten, zowel Jemenitische als westerse, over jonge meisjes die gedwongen worden om te trouwen voordat ze daar lichamelijk en geestelijk rijp voor zijn. Dat vervult me met ontzetting en ik vind het afschuwelijk dat men accepteert dat volwassen mannen twaalfjarigen seksueel aantrekkelijk vinden.

Maar Ibrahim en Sabah houden oprecht van elkaar, wat niet in elk huwelijk zo is. Het is ongebruikelijk dat een Jemenitische man bij een vrouw blijft die hem geen kinderen heeft geschonken. Maar Ibrahim en Sabah zijn druk bezig met de verzorging van de vele neefjes en nichtjes en lijken me gelukkig.

DOOR ALLE VOORUITGANG bij de rest van mijn medewerkers, hoef ik nog maar over twee mensen in te zitten: Al-Asaadi en Zaid. Faris heeft me beloofd Al-Asaadi uit mijn vaarwater te houden door hem tot redacteur te benoemen van een nieuw tijdschrift dat hij is begonnen, en hij heeft ingestemd met mijn voorkeur om Zaid tot mijn opvolger te benoemen. Hoewel ik tot mijn ontzetting nog maar een paar maanden heb om Zaid na zijn terugkeer uit Londen op tempo te krijgen, verwacht ik veel van de journalistieke opleiding in het buitenland, waar hij geleerd zou moeten hebben wat een redacteur te doen staat. Daarna hoef ik hem nog slechts de fijne kneepjes bij te brengen. Maar ik vrees het ergste. Ik heb geen idee hoe Zaid als manager zal fungeren. En ik weet evenmin hoe Al-Asaadi zijn nieuwe baan zal opvatten.

Op afstand is mijn relatie met Al-Asaadi verbeterd. Hij belt me en schrijft enthousiaste mailtjes uit het binnenland van New York, waar hij studeert en als stagiair bij een krant werkt, terwijl hij me feliciteert met wat ik bij de *Observer* (die hij op het internet leest) tot stand heb gebracht. 'Pas nu kan ik waarderen wat je voor ons hebt gedaan,' zegt hij. 'Ik ben je uiterst dankbaar voor wat ik van je heb geleerd.' Ik ben stomverbaasd. Wat is dit voor man en wat is er gebeurd met die ruziezoekende kleine mede-redacteur? Maar het stelt me niet gerust en ik ben bang dat onze oude strijd weer zal oplaaien zodra we elkaar weer in de ogen kunnen kijken.

Een week voordat Zaid terugkeert, arriveert Al-Asaadi weer in Jemen. Met een kus op beide wangen – voor het eerst – laat hij zien hoezeer hij is ver-amerikaniseerd. Kort na zijn terugkeer nuttigen we samen een lunch, bij Al-Mankal, mijn favoriete plek. Op ons gemak babbelen we wat over de tijd die hij in de Verenigde Staten heeft doorgebracht en over het werk. Jamal Hindi, de Jordaanse eigenaar van Al-Mankal, komt bij ons en zegt dat hij overschakelt op biologisch eten. Hij heeft acht jaar in Hong Kong en op de Filipijnen gewoond, waar hij in aanraking is gekomen met macrobiotisch eten en geïnteresseerd is geraakt in biologisch voedsel. Nadat hij eenmaal met natuurvoeding is begonnen, zegt hij, is hij een kleine veertig kilo afgevallen. Nog altijd is de heer Hindi een erg dikke man, dus moet hij er nogal ernstig aan toe zijn geweest.

Het eerste biologische restaurant in Sana'a! Ik haal een notitieblok tevoorschijn en interview hem. Ook interview ik de bedrijfsleider en enkele mensen die om ons heen aan het eten zijn. Tussen de bedrijven door vertelt Al-Asaadi me over zijn plannen voor het nieuwe tijdschrift, dat *Yemen Today* heet. Ik bekijk zijn lijst met voorgestelde afleveringen en de reeksen artikelen die hij in gedachten heeft en ben erg onder de indruk. *Newsweek*, pas op! We spreken over de artikelen en de tijdsschema's, en ik verbaas me erover hoe goed Al-Asaadi en ik met elkaar kunnen opschieten zonder dat we elkaar proberen af te troeven. Het is een pak van mijn hart. Nu hoef ik me alleen nog maar om Zaid te bekommeren.

☾✭

ONGEVEER EEN WEEK LATER komt Zaid terug uit Londen, en ik neem hem mee naar hetzelfde restaurant. Net als Al-Asaadi kust hij me ter begroeting op beide wangen. Jemenitische mannen die in het buitenland zijn geweest, zijn bijzonder gesteld op dit westerse gebruik. Eerlijk gezegd heb ik liever niet dat ik word gekust. Ik ben hier zeer voorzichtig met de fysieke ruimte om me heen, nadat ik een poos in dit land ben waarin de meeste mannen en vrouwen nooit met elkaar spreken, doet elke aanraking aan als een inbreuk.

De lunch verloopt heerlijk. Hij vertelt me over zijn opleiding in Londen, al heeft hij het nog meer over alle vrouwen die hij heeft geknuffeld en de whisky die hij heeft gedronken. Hij vertelt ook over het schandaal dat hij veroorzaakte toen hij op het vliegveld van Sana'a aankwam. 'Toen ik in Londen was, vroegen mensen wat het eerste was wat ik zou doen als ik in Jemen terugkeerde,' zegt hij, 'en het eerste wat ik wilde doen, was mijn vrouw kussen. Je wilt niet geloven hoezeer ik die vrouw heb gemist.'

Dus toen hij zijn vrouw op het vliegveld ontmoette, tilde hij haar sluier op en kuste haar. 'Ze was twintig seconden boos op me,' zegt hij. 'Toen kuste ze me terug.'

Haar familie was minder vergeeflijk. De vader en broers van zijn vrouw zijn nog boos op hem. Hoe kon een man in hemelsnaam zover gaan dat hij in het openbaar toonde dat hij van zijn vrouw hield?

Ik praat Zaid bij over de krant, schets hoe de planning eruitziet en ga in op de manier waarop we volgens mij zouden moeten samenwerken. Tot mijn vertrek heb ik de leiding in handen. Om een eenheid te vormen, wil ik dat hij alles wat hij tegen de verslaggevers zegt eerst met mij bespreekt. Zaid stemt ermee in.

Vervolgens zegt hij dat hij helemaal is gestopt met qat. Ik kan het nauwelijks geloven, want ik heb Zaid zelden zonder een dikke wang vol bladeren op de redactie gezien.

'Je moet verbieden dat het op de redactiekamer wordt gebruikt,' zegt hij. 'Dat wordt muiterij!'

'Nee, ik denk dat de mannen je uiteindelijk dankbaar zullen zijn.'

Echt waar?

Na deze lunch valt er nog meer druk van me af. Eindelijk heb ik iemand die me wil helpen! Eindelijk valt er zo'n last van me af dat ik kan nadenken over mijn toekomst.

☪

THUIS HEB IK EEN HELE FAMILIE om me heen verzameld. Mijn nieuwe Schotse huisgenoot, Carolyn, die ik op het vliegveld van Soqotra heb ontmoet en die aanvankelijk van plan was niet langer dan een maand te blijven, komt de rest van mijn verblijf bij me wonen. Daar ben ik blij om, want ik zie niet graag iemand vertrekken die mijn was doet, nu en dan kookt, en me eindeloos vermaakt met haar verhalen over het achternareizen van Ibn Battuta en het leiden van groepsreizen door Iran, Saudi-Arabië en Tasjkent.

Net als ik gewend ben geraakt aan het samenleven met Carolyn, hangt op een ochtend mijn vriendin Koosje aan de telefoon, terwijl ik juist een kopje koffie zet.

'Weet je nog dat je hebt gezegd dat ik bij jou in huis kon komen wonen als ik mijn woning uit moest?' vraagt ze.

'Jaaa...'

'Nou, eerlijk gezegd moet ik mijn huis uit. Dus, is het nog mogelijk?'

'Wanneer?' Ik roer in mijn koffie.

'Over twintig minuten? Ik heb alles al ingepakt.'

Wat kan ik anders? Ik kan een knap Nederlands meisje niet op straat laten staan. Dus een halfuur later heb ik een tweede huisgenoot. Wat hun leeftijd betreft, val ik precies tussen hen in. Carolyn is negenenveertig en Koosje tweeëntwintig. Koosje werkt als stagiaire bij de UNHCR.

Tot mijn verrassing vind ik het heerlijk om met andere mensen samen te leven. Jarenlang heb ik gedacht dat ik alleen maar in mijn eentje wilde wonen. Tenslotte ben ik het grootste deel van de afgelopen twaalf jaar tot volle tevredenheid op mezelf geweest. Nu vind ik dat ik echt een gemeenschapsmens ben. Ik vind het heerlijk om thuis te komen en lekker samen met Carolyn of Koosje in mijn mafraj niets te doen. Ik hou van de drukte van het komen en gaan van deze meiden. Ik hou ervan dat er altijd iemand in de buurt is die me kan helpen om, bijvoorbeeld, de wasmachine te repareren. Merkwaardig dat je op je achtendertigste nog zoveel nieuwe aspecten van jezelf kunt ontdekken. We kunnen het geweldig goed met elkaar vinden, hangen op onze vrije avonden wat in onze mafraj, gezellig kletsend met een drankje erbij. Mijn vrienden komen meer dan ooit uit alle windstreken: Nederlandse studenten, Duitse ontwikkelingswerkers, Ethiopische schoonmaaksters, Keniaanse consultants en Jemenitische economen. Ik begin te beseffen dat ik in New York wel erg op een eilandje woonde. Zo had ik niet kunnen voorzien dat een republikeinse directeur van een oliemaatschappij uit Texas een van mijn beste vrienden in Jemen zou worden.

☪

HET SPREEKT VOOR ZICH dat ik nooit helemaal zonder problemen zit. Net als mijn reputatie een beetje is bijgekomen van mijn bezoekje aan de douaniers, loopt die opnieuw schade op. Op een donderdagavond word ik gebeld door Floor. Ze heeft wat drank over van Kamaran, als ze die nu eens komt langsbrengen voor het feestje dat ik die avond geef? Geen probleem, zeg ik. Kom maar langs op mijn werk. Er zijn drie flessen whisky en twee flessen wodka, die verdacht rammelen als ik van de Jeep van Floor terugloop naar mijn bureau. Ik stop ze weg in mijn sporttas, die op de stoel bij de deur staat en ga door met het redigeren van een stuk voor op de voorpagina.

Een paar minuten later hoor ik een felle tik en glas dat breekt. Mijn sporttas is uit zichzelf van de stoel gegleden, alsof hij is beledigd omdat hij smokkelwaar moet vervoeren. Ik kijk op en zie tot mijn ontzetting dat zich op mijn tapijt een grote plas vormt. Meteen begint mijn kamer naar een Ierse kroeg tijdens sluitingstijd te ruiken. Ik raak in paniek. Ik heb alcohol verspild, in een kurkdroog land! Eigenlijk zou ik nu naar buiten moeten worden gesleept en gefusilleerd. Wat het nog erger maakt, is dat mijn deur open staat en er elk moment een verslaggever naar binnen kan lopen en in een poel met wodka kan stappen. Godzijdank is er maar een fles gebroken. Ik spring over mijn bureau en begin als een gek de glasscherven op te rapen. Gelukkig was het niet de whisky.

Ik zit nog op de vloer, met knieën die doorweekt zijn van de drank, als Qasim binnen komt wandelen.

'*Dageega!*' (Momentje!) zeg ik. '*Law samaht, ureedo dageega.*' (Alsjeblieft, een moment nog.) Ik wuif met mijn hand en probeer hem weg te sturen, maar hij loopt helemaal naar binnen en kijkt over mijn schouder naar de drie flessen whisky die ik zojuist uit de troep heb gevist.

'O!' zegt hij.

Ik vervloek de dwaze omstandigheden waarin ik ben beland. Qasim verlaat mijn kamer, wellicht om Faris te vertellen dat ik een gestoorde alcoholist ben, druk doende de laatste resten van het moreel van de medewerkers teniet te doen. Eerst de trillende kunstmatige man en nu dit!

Ik open alle ramen in de kamer en berg de andere flessen op in mijn bureau, maar mijn kamer stinkt nog altijd als een tapperij.

Luke komt binnenwandelen, werpt een blik op het tapijt en snuift de lucht op. 'Nou,' zegt hij. 'Daar gaat de rest van je reputatie.'

'Ach kom,' zeg ik met gespeelde opgewektheid, 'wodka vlekt in elk geval niet. Mijn tapijt is nog nooit zo schoon geweest.'

Onze trouwe receptioniste, Enass, komt zwijgend naar binnen en overhandigt me een fles tapijtreiniger.

Die dag wordt er nog een bijzonder pakketje afgeleverd. Abdurahman, Ali's vader, belt om te zeggen dat hij nog een tas biologische avocado's voor me heeft, die in Sana'a niet te krijgen zijn. Daar ben ik zo blij om dat ik de wodka even vergeet. Die avond, in de taxi die me naar huis brengt, aai ik ze en voel hoe stevig ze zijn. Ik kan me niet herinneren hoe lang het geleden is dat ik me er zo op verheugde iets in mijn mond te stoppen. Anne en Florens komen langs om me te helpen de avocado's fijn te stampen om er een dipsaus van te maken voor op het feest. Wat een daverend succes blijkt, bij de weinige mensen die zich daar de volgende dag nog iets van weten te herinneren. Nog nooit is mijn huis zo vol geweest. De mafraj barst van de mensen, waarvan ik er verschillende nog niet eerder heb ontmoet. Iedereen uit Kamaran is er, en Marvin, Pearl en Ginny. Ik draag een kort mouwloos jurkje en geniet van het

261

gevoel dat de stof bij mijn dijen omhoogkruipt als ik al dansend mijn armen omhoog steek. Het is lente en zo voelt het ook.

Nadat we allemaal een poosje hebben gedanst, wil Marvin cowboymuziek horen. Ik zet een countryliedje op, en hij en Pearl dansen de two-step door de kamer, terwijl ze al rondzwierend meerdere drankjes omvergooien. Het voelt als een echt feest. (Jemenieten hebben natuurlijk ook echte feesten, maar daar zijn de mannen en vrouwen altijd apart en wordt er meestal qat gekauwd en zoete thee gedronken.) Het enige wat nog ontbreekt, bedenk ik me, is romantiek.

☪

MAAR HET DUURT NIET LANG of een zesentwintigjarige Duitse wateronderzoeker in dienst van de Nederlandse ambassade vult deze laatste leegte op. Tobias is intelligent en aantrekkelijk, groot, met te grote handen en voeten, net als een puppy die nog niet helemaal volgroeid is. Zijn vierkante Duitse gezicht wordt verzacht door slap, donker haar, grote blauwe ogen en een aanstekelijke grijns. Ik ontmoet hem via vrienden van Kamaran en als hij naar een nabijgelegen woning verhuist, begint hij me op feestjes en qatkauwsessies uit te nodigen. Dat we ons tot elkaar aangetrokken voelen, wordt steeds duidelijker, maar het duurt weken voor we het ook toegeven.

Het gebeurt tijdens een weekend. Ik kom uitgeput thuis na het werk, als Tobias vraagt of hij langs kan komen. Ik fleur op. Het is voor het eerst dat we met z'n tweeën zijn. We schenken wat te drinken in en nestelen ons in de mafraj. Na een poosje stelt hij voor een film te gaan bekijken. Ik zet *Half Nelson* op en we kruipen bij elkaar voor mijn dertig centimeter grote beeldscherm. Tobias legt zijn arm om me heen en ik laat me in zijn armen vallen. Ik heb geen idee hoe *Half Nelson* afloopt. Ik weet zelfs niet eens of we hem hebben uitgezet of gewoon aan hebben laten staan terwijl we met elkaar vreeën, eerst in de mafraj en even later opnieuw in mijn bed.

's Ochtends maakt hij me wakker. Nadat we keurig goedemorgen hebben gezegd, sluipt hij huiswaarts en maak ik me klaar om naar mijn werk te gaan. Nog niet eerder heb ik me in dit land zo opgewekt gevoeld.

Ik sla mijn ochtendgymnastiek over en wandel naar het werk. Ik loop weer verend, het soort veren waardoor mannen op straat twee keer zoveel aandacht aan me besteden als gewoonlijk. Ik durf niemand in de ogen te kijken, zo opgewonden voel ik me. Als Luke mijn kamer binnenwandelt, zegt hij: 'Oké, wat is er gebeurd? Waarom moet de Chesire Cat zo lachen?'

Ik hou mijn mond dicht.

☪

DIE WEEK blijft Tobias bijna elke nacht bij me slapen, en op vrijdag hoeven we het huis helemaal niet uit. We brengen ongeveer eenentwintig van de vierentwintig uur naakt en ineengestrengeld door, totdat we door de honger uit bed worden gedreven en Tobias pasta voor ons kookt, die we in de mafraj met een fles wijn wegspoelen. De muezzins blijven oproepen voor het vrijdaggebed, wat Tobias ertoe aanzet om uit te roepen: 'Jullie weten niet wat jullie missen!' Maar op onze eigen wijze bidden we tot onze decadente goden.

Als de zon achter de ons omringende bergen wegzakt, en de mafraj met goud licht kleurt, valt Tobias in mijn schoot in slaap, waarbij hij er als een engel en vreselijk jong uitziet. Ik aai over zijn haren en beweeg mijn vinger over de decoratieve krul in zijn oorlel, zijn donkere wimpers, zijn rode wangen, zijn bleke, platte buik. Ik mag hem wel. Gezien het verschil in leeftijd en het feit dat hij over een paar maanden weer naar Duitsland terugkeert, is de kans klein dat we lang bij elkaar zullen blijven, maar voor het eerst in bijna een jaar, kan ik me door een eenvoudig gevoel van welzijn even nergens druk om maken.

Die nacht droom ik dat er een goede fee is die over me heeft gewaakt. Ze ziet eruit als een huisvrouw op middelbare leeftijd, mollig, met kort en donker haar en ze lijkt zich een klein beetje te vervelen.

'Tjonge, zo te zien gaat het bijzonder goed met je,' zegt ze, ietwat ontstemd. 'Dan moet ik maar iemand anders zoeken om te helpen, iemand met echte problemen.'

☪

ER LOPEN MENSEN op deze aarde rond die jarenlang achtereen niet aangeraakt hoeven te worden. Zo iemand ben ik niet. Zonder te worden aangeraakt, houd ik het niet langer dan een maand uit, dan wil ik wel uit mijn vel kruipen. Wat inhoudt dat ik al zolang als ik in Jemen ben uit mijn vel wil kruipen. Ik heb erg veel behoefte aan lichamelijk contact en daar weiger ik me voor te schamen. Dus als een van mijn beste Jemenitische vriendinnen, een maagd, bekent dat ze ook voortdurend aan seks denkt, probeer ik haar ervan te overtuigen dat ze geen immorele zonderling is. Denk je niet dat Allah een reden had om ons deze verlangens te geven? Dat hij een reden had om ons een lichaam te geven? Mijn Jemenitische vriendin schrikt hier niet van. Ze lijkt er zelfs moed door te vatten. 'Het klopt,' zegt ze blij. 'Waarom zou hij ons anders zulke lichamen hebben gegeven?'

Shaima, daarentegen, stopt haar verlangens gewoon weg. Op een avond als ze me na het avondeten naar huis rijdt, kletsen we wat over mannen en relaties. 'Ik heb nog nooit een man gekust, Jennifer,' bekent ze.

'Nooit?' Shaima is over de dertig. Ik heb voor het eerst een jongen gekust in de vijfde klas van de middelbare school. Nee, wacht, in de eerste klas! Ik weet nog hoe hij heet. Bobby Woodward. Brutale dondersteen.

'Nooit.'

'Maar hoe ga je...' Ik wil zeggen: hoe houd je het uit om nooit aangeraakt te worden? Hoe kun je die eenzaamheid aan? Maar ik slik mijn woorden in.

'Jennifer, ik negeer mijn lichaam gewoon,' zegt ze als antwoord op mijn niet gestelde vraag. 'Ik probeer te vergeten dat het er is.'

☪

DOOR MIJN ONDERZOEK voor de gezondheidspagina's kom ik iets te weten over Jemenitische seksualiteit. Als ik op zoek ben naar interessante nieuwe onderzoeken, krijg ik een tekst in de *New Scientist* onder ogen, over hoe orale seks kanker veroorzaakt. Blijkbaar heeft iemand die vijf of meer partners heeft gehad een vele malen grotere kans om keelkanker te krijgen. Terwijl ik hier wanhopig bij stilsta, komt Jabr mijn kamer binnen. Hij is mijn enige verslaggever die nergens mee bezig is.

'Jabr,' begin ik voorzichtig, 'denk jij dat we het kunnen maken om een verhaal over orale seks te publiceren?'

Hij kijkt me uitdrukkingsloos aan. 'Wat is orale seks?' vraagt hij. Gezien de knullige manier waarop hij de woorden formuleert, is duidelijk dat hij nog nooit van deze uitdrukking heeft gehoord.

Ik ben helemaal gechoqueerd. De meeste van mijn mannelijke verslaggevers surfen (volgens Luke) zodra ik me heb omgedraaid naar pornowebsites, dus ik stel me zo voor dat ze tamelijk goed weten wat orale seks inhoudt.

Ik probeer het uit te leggen, maar voor het eerst in mijn leven ben ik te zeer uit het veld geslagen om een seksuele handeling te beschrijven.

'Je hoeft niet verlegen te zijn,' moedigt Jabr me aan.

Ik heb een knoop in mijn maag. 'Dat ben ik niet! Alleen...' Ik wil je alleen niet per ongeluk opwinden, denk ik bij mezelf.

In plaats daarvan pak ik het woordenboek van mijn bureau en lees hem de definitie voor. Bij geen van ons tweeën kan er ook maar een lachje vanaf.

'Ehm, wat ik me afvraag, is of we problemen krijgen als we hierover zouden schrijven? Mag het van de islam? Door getrouwde mensen, dat spreekt voor zich!'

'Dat moet ik even nakijken,' zegt Jabr ernstig. 'Ik zal het onderzoek lezen.'

Een halfuur later ga ik bij de redactiekamer langs en zie dat Jabr alles aan het lezen is wat Google over orale seks heeft gevonden. Hij heeft Noor en Najma geraadpleegd, die geen van beiden ooit van orale seks gehoord hebben. Alle drie de verslaggevers zijn vrijgezel, wat het misschien kan verklaren.

Noor spreekt me aan en zegt: 'In Jemen bestaat er niet zoiets als orale seks.'
'Doen jullie dat niet?' Dat kan niet waar zijn.
'Nee,' stemt Jabr in.
'Het is een conservatief land,' zegt Noor. 'Zoiets doen we hier niet.'
'Zelfs getrouwde mensen niet?'
Alle drie schudden ze hun hoofd.
'Maar het is...' Bijna begin ik aan een eindeloze reeks onbehoorlijke verklaringen waarom het gezond en noodzakelijk is, maar ik slik mijn woorden in.
'Ach, laat ook maar. Dan plaatsen we dat verhaal over de iPod wel.'
Dat is waanzin, want het iPod-artikel gaat over het effect van iPods op pacemakers, en er is nauwelijks een Jemeniet te vinden die in het bezit is van een van beide apparaten. Al zal er geen mens over vallen.
Omdat ik toch wil weten hoe de vork in de steel zit, vertel ik Luke over mijn gesprek. 'Volgens hen bestaat er in Jemen niet zoiets als orale seks.'
'O, zeker wel!' zegt hij lachend.
'Ik vermoedde al dat jij er meer van zou weten.'
Volgens mij is het vooral een zaak van homofiele mannen; als ze toch al bij een verboden activiteit betrokken zijn, is het hek van de dam.
Later hoor ik van getrouwde Jemenitische vrouwen dat orale seks wel degelijk bestaat, maar dat men zich ervoor schaamt. 'Vrouwen zijn niet eerlijk tegenover elkaar,' zegt een Jemenitische vrouw. Als een vrouw toegeeft dat haar man 'haar vagina kust,' spreken anderen er hun afschuw over uit. Sommige mensen menen dat als een man orale seks bedrijft, hij te onderdanig is en niet mannelijk. 'Het komt door hun opvoeding dat ze denken dat ons lichaam vies is,' zegt mijn vriendin. 'Sommige vrouwen zijn van mening dat mannen de geboorte van hun kind niet moeten zien, omdat ze ervan zullen walgen. Vrouwen denken dat hun geslachtsorganen weerzin oproepen. Vrouwen maken zich dit soort seksistische ideeën eigen. Volgens de islam moet je je na het vrijen douchen.'

☪

HET MAAKT VEEL UIT dat Tobias na afloop van het werk óp me wacht. Iemand bij wie ik de frustraties van die dag kwijt kan, iemand die me iets te drinken aanbiedt en samen met mij uitkijkt naar de in het donker oplichtende, hoekige bruine huizen van Oud Sana'a en mijn hand vasthoudt. Iemand die zelf allerlei interessante verhalen te vertellen heeft. Mijn verslaggevers ervaren een lichtheid in me die ze nog niet eerder hebben bespeurd. Volgens de vrouwen zie ik er tweemaal zo mooi uit als anders, wat ze toch verdacht vinden. Hoe redden zij zich ermee, vraag ik me af. Hoe houden ze het vol om elke nacht in hun eentje te slapen? Hebben zij dan geen begeerten? Offeren zij die aan

God? Misschien is dat het. Als ik een God zou hebben, zou ik gelukkiger kunnen zijn in mijn eentje. Dan zou ik gelukkiger zijn zonder dat iemand met zijn vingers over mijn huid strijkt, zonder dat er een warm lichaam tegen me aan ligt. Maar ik heb geen God. Het enige wat ik heb, is een aanhoudende en niet per se verstandige openheid voor de liefde, en een niet-aflatend verlangen geliefd te worden.

Hoe goed alles ook loopt, toch heb ik uitgekeken naar een manier om aan mijn zesdaagse werkweek en mijn twaalfurige werkdag te ontsnappen. Maar de gedachte aan een terugkeer naar een baan in New York, de gedachte weer in die eeuwige tredmolen te stappen van werken, huur betalen, en me te midden van anonieme horden mensen van de ene plek naar de andere te moeten haasten, die gedachte jaagt me vrees aan.

Ik heb geen flauw idee wat ik aan het eind van dit jaar ga doen. Ik heb nauwelijks de tijd gehad van mijn bureau op te kijken. Maar nu ik weer menselijk geworden ben en me tussen mijn dolgedraaide werkdagen door weer kan ontspannen, vinden mijn hersenen als vanzelf de tijd om een blik op de einder te werpen. En daar is niets te zien.

TWINTIG

de storm

Net als ik me persoonlijk op mijn best voel en uiterst optimistisch ben over de toekomst van de krant, doemen er de nodige problemen op. Binnen een week dringt tot me door dat Zaids Engels in de tien maanden die hij in Londen heeft doorgebracht, helemaal niks is vooruitgegaan. Hoe hij dit voor elkaar heeft gekregen, is me een raadsel, maar ik heb de grootste moeite met het redigeren van zijn artikelen en het wordt duidelijk dat hij in de verste verte niet in staat zal zijn het werk van een ander te redigeren. Nadat ik bij Faris zozeer voor Zaid heb gepleit, moet ik hier nog eens grondig over nadenken.

Zaid lijkt zijn voornemen om geen qat meer te nemen, te hebben opgegeven. De dag na onze lunch loop ik het kantoor binnen en zie hem een blad in zijn mond stoppen. Ik kijk hem verbaasd aan.

'Iemand bood het me aan!' zegt hij. 'Dat kon ik niet weigeren! Dat zou bot zijn!'

Bovendien begin ik problemen te krijgen met Hadi, die altijd de meest betrouwbare en toegewijde ontwerper is geweest. De laatste tijd komt hij elke dag pas laat op zijn werk, soms pas aan het begin van de middag. Het stelt me voor een raadsel. Op een ochtend zit ik al een poos op de opmaak van een pagina te wachten, tot ik Luke maar eens aan zijn mouw trek.

'Hadi verschijnt nauwelijks meer op tijd op zijn werk! Wat is er aan de hand?'

'Wist je niet dat hij een auto heeft?'

'Een auto?'

'Daarom komt hij aldoor te laat.'

Ik snap het niet. Zou hij met een auto niet juist sneller op zijn werk moeten kunnen komen?

'Hij heeft de laatste tijd 's ochtends als taxichauffeur gewerkt.'

Aha. Dat is niet ongebruikelijk. Veel Jemenieten hebben meerdere banen om de eindjes aan elkaar te kunnen knopen. Als Faris het salaris van de mede-werkers zou verhogen, zou dat kunnen voorkomen dat ze er nog een baan bijnemen die hen van hun werk afhoudt. Zelfs Al-Asaadi werkte voor UNICEF terwijl hij hoofdredacteur van de krant was. Hierdoor was hij niet alleen al te vaak niet op de krant, maar het was ook nog eens moreel onjuist, omdat de krant regelmatig over de activiteiten van UNICEF schrijft.

Vanwege sommige verslaggevers kan ik me lastig inzetten voor een hoger loon. Als de mannen meer willen verdienen, beginnen ze steeds minder werk te verrichten, als ze al de moeite nemen om te verschijnen. Ik probeer aan Hadi uit te leggen – die net om een loonsverhoging heeft gevraagd – dat als hij meer wil verdienen, hij moet bewijzen wat hij waard is. Hij zou juist extra vroeg aan de slag moeten gaan en bijzonder veel werk moeten doen. Dan zou ik de moeite nemen om meer salaris voor hem te vragen, zeg ik. Daar kan hij niet bij.

Voor The Missing Link geldt hetzelfde. Een dag nadat hij om meer geld heeft gevraagd, verschijnt Jabr niet op zijn werk, hij belt me niet eens met een smoes. Als ik hem uiteindelijk aan de telefoon krijg, zegt hij dat hij net een tukje doet.

'Jabr, als je meer wilt verdienen, is het niet al te slim om de volgende dag niet op te komen draven. Het is slimmer om te laten zien hoezeer je dat extra geld ook waard bent, en niet om te tonen wat voor lijntrekker je bent.'

Op een ochtend aan het eind van juni neemt mijn frustratie over Hadi nog eens toe. Hadi, die zich het meest verheugde over ons nieuwe rooster, begint het moment van sluiten uit te stellen.

'Je kunt het niet maken om zo laat op je werk te komen!' zeg ik als hij rond het middaguur het gebouw binnenkomt.

'Heb je al een paar pagina's af?' vraagt hij uitdagend.

'Nou en of, ik heb zeker enkele pagina's af! Maar daar gaat het me niet om. Je hoort hier 's ochtends te verschijnen. Dat is je werk!'

De zaak escaleert tot we in de hal op elkaar lopen te schelden. Ik vraag Zaid om hulp, zeg hem dat Hadi eerder op zijn werk moet komen. Hij gaat naar buiten om met Hadi te praten en ik trek me terug op mijn kamer.

Een paar minuten later staat Zaid in de deuropening.

'Hadi heeft een groot probleem,' zegt hij.

'Dat weet ik, hij komt niet op tijd op zijn werk,' zeg ik dwars.

'Nee, hij heeft thuis een groot probleem. Hij zegt op kantoor te willen slapen en niet meer naar huis te willen. Het moet een serieus probleem zijn, want hij barstte daarnet in huilen uit.'

Ik voel me schuldig dat ik naar hem heb staan schreeuwen. 'Als hij een reden heeft waardoor hij niet op tijd kan komen, moet hij me dat zeggen.'

'Volgens mij moet je met hem praten.'

Ik ga naar buiten en tref Hadi aan op de trap voor het gebouw, leunend tegen het pand. Ik raak zijn arm aan.

'Hadi, het spijt me dat ik tegen je heb staan schreeuwen. Ik vind het niet leuk dat ik dat doe. Ik kan uitstekend met je samenwerken en ik wil dat het weer goed komt tussen ons,' begin ik.

Hij is niet meer boos. Hij lacht naar me, terwijl de tranen nog tussen zijn lange zwarte wimpers te zien zijn.

'Als je een probleem hebt, als je om een of andere reden niet op tijd op je werk kunt komen, kun je me erover vertellen,' zeg ik. 'Vertel me maar wat er aan de hand is.'

'Dank je,' zegt hij, en hij klopt me op mijn arm, een ongebruikelijk gebaar. 'Dankjewel.' Hij heeft gebrek aan geld om spullen te kopen die hij thuis nodig heeft, zegt hij. Ook heeft hij een forse ruzie met zijn vrouw gehad. Het is niet duidelijk of beide zaken verband met elkaar houden. Ik beloof hem dat ik bij Faris zal vragen of hij een klein beetje meer mag verdienen en hij belooft zijn best te doen om eerder op zijn werk te komen.

☪

OP 26 JUNI lijk ik op een of andere manier te voorvoelen wat de dag voor me in petto heeft, want ik ben te gedeprimeerd om te ontbijten en onderweg naar het fitnesscentrum loop ik de hele tijd te huilen. Alles komt bij elkaar, mijn zorgen over Zaid, mijn angst over mijn vertrek bij de krant en mijn vrees voor mijn toekomst, dus de sluizen gaan open. Godzijdank heb ik een donkere zonnebril op. Ik ren acht kilometer op de loopband en fiets een halfuur, alsof ik bij mezelf vandaan kan lopen. Vervolgens ga ik naar buiten en ontdek dat geen enkele van de aanwezige taxichauffeurs me kan vervoeren omdat ze allemaal met een mond vol bladeren in de achterbak van hun auto liggen.

Balend wandel ik door naar de hoofdweg en houd een taxi aan. De chauffeur begint te ruziën over de prijs, maar ik ben moe van alle strijd en stap in. Ik wil gewoon naar mijn werk.

Gedurende de eerste helft van de rit staar ik uit het raam, zie de winkelpuien, handeldrijvende kinderen en stapels tomaten en watermeloenen aan me voorbijtrekken, zodat ik niet let op wat de chauffeur uitspookt. Dan zie ik vanuit mijn ooghoeken iets bewegen. Ik richt mijn aandacht erop en zie dat mijn chauffeur zijn groezelige hand om zijn penis heeft geslagen en zich stevig en tamelijk openlijk zit af te trekken.

Eerst weiger ik te geloven wat ik zie. Maar dan kijk ik nogmaals. Ik verbeeld het me niet.

Vol afschuw graai ik een paar rials uit mijn portemonnee, gooi ze naar hem en spring midden op een belangrijk kruispunt uit de auto. 'Ik walg van je!' schreeuw ik. Terwijl ik auto's probeer te ontwijken, ren ik hijgend en vol afkeer de straat over, mijn tas stuiterend op mijn rug. Ik vind het onvoorstelbaar dat hij zo zonder zich te schamen zijn gang gaat. Dacht hij dat hij dat zomaar kon doen, alleen omdat ik een buitenlander ben? Ik wou dat ik hem niet had betaald. Ik wou dat ik een Arabisch woord kende voor 'schaam je'. Ik wou dat ik hem had geslagen. Ik stop en kijk om me heen. Ik heb geen idee waar ik ben. Misschien ben ik nog maar halverwege mijn werk. Maar ik ben hier al zo vaak langsgereden dat ik me voorstel dat ik, als ik een eindje doorloop, vanzelf iets zal herkennen. Het is warm, en de zon en het stof bedrukken me. Weer prijs ik me gelukkig dat ik een donkere zonnebril op heb, terwijl ik huilend voortstrompel over straat en ondertussen probeer mijn snikken te onderdrukken als ik langs groepen bouwvakkers loop. Het hele eind naar kantoor leg ik te voet en in tranen af. Mijn vrouwen staan bij de poort, alsof ze me verwachten. Het is lunchtijd en de mannen zijn weg.

'Ben je verkouden?' vraagt Zuhra, die me bezorgd aankijkt.

'Nee, alleen...' Weer begin ik te huilen en Zuhra en Radia lopen me achterna mijn kamer in. Ik vertel hen het hele verhaal, maar ze lijken er niet erg van onder de indruk.

'Dat overkomt ons allemaal,' zegt Zuhra. 'Dat is heel gewoon.'

Radia valt haar bij. Ze worden voortdurend belaagd, zowel door taxichauffeurs als door mannen op straat. Zelfs als ze helemaal gesluierd zijn.

'Een keer heeft een man me zelfs geld geboden om een hotel in te gaan,' zegt Radia. 'Maar wat kunnen we ertegen doen? Zo zijn alle mannen.'

Zo zijn alle mannen.

'Jullie horen hier niet het slachtoffer van te zijn!' schreeuw ik. 'Het is niet normaal. Ik kan er niet tegen dat jullie denken dat dit normaal is! Jullie horen niet te lijden onder deze afschuwelijke mannen.'

Ze zijn het met me eens. 'Maar wat kunnen we ertegen doen?'

☪

AAN HET EIND VAN DE MAAND valt de regen met bakken uit de lucht. Hoewel het 's ochtends vaak nog zonnig en helder is, stapelen zich 's middags donkere wolken op. Tussen de lunch en de avondmaaltijd kun je beter niet gaan wandelen, dan barsten de purperen buiken van de wolken open en stroomt de hele stad onder.

Op sluitingsdag staat de stortbui op het punt te beginnen, als Al-Asaadi me belt met de mededeling dat hij een voorpaginaverhaal heeft. Een groep Belgische toeristen mocht van de toeristenpolitie niet naar het schilderachtige dorpje Kawkaban reizen en is verontwaardigd. Ze beklagen zich erover dat ze in onze krant hadden gelezen dat Jemen een aantrekkelijk en veilig land was en nu worden ze door de minister van Toerisme in Sana'a vastgehouden. Al-Asaadi wil als kop: 'Overheid kidnapt ons, zeggen toeristen.'

Beleefd suggereer ik dat het woord 'kidnapt' misschien ietwat beladen is, en Al-Asaadi bindt in. We veranderen het in: 'Toeristen mogen niet verder reizen.' Ik probeer Hadi uit te leggen hoe ik het artikel op de pagina geplaatst wil hebben, maar Al-Asaadi en Zaid zitten me in de weg.

'Drie redacteuren bij elkaar is twee te veel,' zeg ik gefrustreerd. 'Zouden jullie alsjeblieft plaats kunnen maken zodat ik Hadi kan uitleggen wat ik bedoel?' Niemand verroert een vin en ik gooi de pagina's die ik aan het redigeren ben op de vloer. Het is een beetje overdreven, maar uit ervaring weet ik dat mijn verslaggevers niet op subtiele gebaren reageren.

De mannen veren op. Al-Asaadi smeert hem naar boven, naar zijn nieuwe kamer en Zaid knijpt er als een bange puber tussenuit.

'Doe maar wat je wilt met de krant. Ik ga ervandoor,' zegt hij sarcastisch, waarna hij met een kalm gangetje de straat op kuiert, ondanks het feit dat ik hem heb uitgenodigd na het werk bij mij thuis qat te komen kauwen.

Dit is de eerste keer dat Zaid zo vertrekt, vele keren zullen nog volgen. Dan zegt hij dat hij genoeg heeft van de krant, stormt er met een kwaaie kop vandoor, om vervolgens de volgende ochtend weer op de gebruikelijke plek achter de computer plaats te nemen. 'Grappig,' zeg ik. 'Ik zou toch zweren dat je gisteren ontslag hebt genomen.' Dat gaat zover dat de dag pas compleet is als ik Zaid zover heb gekregen dat hij ontslag neemt.

Nu Zaid ervandoor is, rond ik mijn redigeerwerk vlug af en tref Ali, die uit de Verenigde Staten is teruggekeerd en weer voor me werkt. Luke is verhuisd naar een verdieping hoger, waar hij *Arabia Felix* redigeert, zodat Ali tijdelijk op zijn plek zit. De regen spat op mijn haren als we naar zijn oude grijsblauwe wagen lopen. Tegen de tijd dat we op de weg zijn, komt de regen met bakken tegelijk naar beneden. Zo hard heb ik het hier nog niet zien regenen. Omdat ik weet dat de Sayilah – de weg die als een gracht om de Oude Stad ligt – zal overstromen, rijden we de Zubairastraat in om via achterweggetjes door te kunnen rijden. Maar de ramen zijn zo beslagen dat we achter ons en zijwaarts niks meer kunnen zien. Ik haal Kleenexdoekjes uit mijn tas en veeg de voorruit schoon, maar die beslaat meteen weer. Het water stroomt met grote vaart door de straten en ik vrees oprecht dat we de Sayilah in zullen worden gesleurd en in de snelstromende rivier ten onder zullen gaan. Omdat we geen hand voor ogen meer zien en geen begaanbare straat meer kunnen vinden, parkeert Ali de wagen uiteindelijk op een heuvel. We zitten en wachten af tot de storm voorbij is.

'Jammer dat we geen drinken bij ons hebben,' zeg ik en pruts wat met de kapotte radio.

'Dat had ik me ook al bedacht.'

Terwijl we wachten, krijg ik een sms van Zaid.

'Ik dacht dat je meer respect voor me zou tonen, maar meisjes en Ibrahim hebben je voorkeur en ik kom als laatste op je lijst. Door jou ben ik leeg en waardeloos. Dank en sorry dat ik je niet meer begrijp.'

Wat moet ik met hem aan? Op mijn handel en wandel is beslist ook het een en ander aan te merken, maar ik kan in elk geval zeggen dat ik nooit heb gedreigd mijn werk te laten liggen en ervandoor te gaan. De meisjes hebben hoe dan ook nooit gedreigd de handdoek in de ring te gooien en ontslag te nemen.

'Ali, help me,' zeg ik. 'Zou jij de krant niet over kunnen nemen?' Hij is tenslotte half Jemeniet. Zijn Engels is vlekkeloos. Een ideale kandidaat.

'Geen denken aan,' zegt hij zonder een seconde na te denken. 'Daarvoor geef ik gewoon te weinig om de krant, niet zoals jij.'

Misschien geef ik wel te veel om de krant. Ik wil invloed uitoefenen op wat er na mijn vertrek met de krant gebeurt, ik wil Zaid omvormen tot de perfecte redacteur, ik wil dat mijn aanpassingen de eeuwigheid doorstaan. Ik wil betere werkomstandigheden voor mijn verslaggevers tot stand brengen en de reputatie van de krant verbeteren. Ik wil dat de *Observer* effectief wordt, het denken van de mensen beïnvloedt. Maar het begint tot me door te dringen dat hoe hard ik ook werk, wat voor plannen ik ook bedenk, dit een brug te ver is. Ik kan deze krant niet in mijn eentje redden. Ik zit hier nog altijd over na te denken als ik door Carolyn word gebeld. 'Hou je goed vast,' zegt ze. 'Er is geen reden voor paniek, maar ik moet je toch zeggen dat...'

Alsof de volle last van mijn verwachtingen voor de *Observer* op mijn woning is beland, heeft het dak van mijn 350-jarige huis van suikerwerk het begeven. Er is een groot stuk van het plafond in de hal van de bovenste verdieping terechtgekomen, net voor de kamer waar een gast lag te slapen. En de regen valt zo naar binnen.

Onthutst zie ik voor me hoe een grote massa water mijn trap af gutst en onze schoenen op de overloop wegveegt. 'Ik moet naar huis zien te komen,' zeg ik tegen Ali.

De regen is enigszins afgenomen, dus Ali en ik stappen uit en lopen door het enkeldiepe water naar mijn verwoeste onderkomen. Buiten staan horden mensen langs de overstroomde Sayilah en de vele bruggen eroverheen. De stemming wordt jolig, volwassenen worden even opgewonden als kinderen als ze plotseling een rivier rond de stad zien stromen. Nog nooit heb ik het water zo hoog zien staan, het kon weleens meer dan drie meter diep zijn. Kinderen glijden langs de stenen oevers naar beneden en spetteren in de modderige brij. Een taxi drijft voorbij. Onder een brug staat een vrachtwagen half onder water. Even vergeet ik mijn dak, pak mijn fototoestel en begin te fotograferen. Mannen lopen met opgetrokken thobes voorbij, zodat hun onderbroek zichtbaar wordt. Als ze dat doen, wikkelen ze hun jurk rond hun jambiya's, zodat het lijkt alsof ze een enorme erectie hebben. Sommige mannen houden elkaar al wandelend zelfs aan hun jambiya's beet, blijkbaar zonder stil te staan bij de duidelijke erotiek van het gebaar.

Vijftig foto's later weten we ons los te rukken van het spektakel en waden in de richting van mijn huis. Als ik de poort open, rennen Ali en ik naar boven. Op de bovenste trap ligt een lawine van modder, stro, pleisterwerk en stenen. Vlak voor de overloop stop ik, want er is nergens een plek om te staan. Het puin ligt heuphoog in de hal. Op mijn haren vallen druppels water en ik kijk omhoog. Inderdaad, boven ons zie ik een rafelig stuk van de Arabische hemel. Mijn huis, de krant, deze stad, ze vallen voortdurend uiteen, moeten altijd worden opgeknapt. Dat is de weg die ik ben ingeslagen.

aanslag, afscheid en quatorze juillet

Op de eerste maandag van juli herstelt een onverwachte gebeurtenis het vertrouwen in mijn medewerkers: een bomaanslag. Die middag sluit ik de krant vroeg af en ga naar huis om een tukje te doen. Maar slapen, vergeet het maar, dus kijk ik of ik e-mail heb, en zie allemaal berichten van Fox News, CBS en Global Radio Network. Ze vragen zich af of ik nog in Jemen ben en meer weet over een terroristische bomaanslag in Ma'rib, een stad honderdzestig kilometer ten oosten van Sana'a die populair is bij toeristen vanwege een spectaculaire dam en oude ruïnes. Waarom ben ik door geen enkele medewerker gebeld?

Nog voor ik de e-mails allemaal heb gelezen, bel ik met de krant. Al-Asaadi is nog aanwezig, al-hamdulillah, hij werkt aan de *Jemen Today.*

'Zorg dat ze de krant nog niet naar de drukker sturen!' zeg ik. 'We moeten het nieuws over Ma'rib er nog in hebben.' Al-Asaadi heeft het bericht zelf ook nog maar net gehoord. Zo dicht bij 'Stop de persen!' zal ik niet vaak komen. In een vlaag van opwinding bel ik Farouq en Ibrahim en vraag of ze het nieuws meteen willen verslaan en aan mij willen zenden. Ik kan het vanuit mijn woning redigeren en naar Zaid sturen die het op kantoor kan opmaken.

In afwachting van hun teksten bel ik naar de woordvoerders van het ministerie van Binnenlandse Zaken en het ministerie van Toerisme. Maar niemand is te bereiken. Ze geven het nummer van de ander en lijken nergens van te weten. Als ik in de Verenigde Staten zou zijn, zou ik gewoon in een auto springen en naar de plek van de bomaanslag rijden. Maar hier is dat soort verslaggeving ter plaatse zo goed als onmogelijk. Om naar Ma'rib te komen, zou ik niet alleen eerst een auto moeten zien te vinden, maar vervolgens ook nog eens langs dertig militaire controleposten moeten zien te komen. Voor niet-Jemenieten betekent dit dat je een hele stapel reisvergunningen nodig hebt, vellen papier met de naam van de reisorganisatie, kenteken van de auto en datum van de reis, met goedkeuring van het ministerie van Toerisme. Wie heeft daar vlak voor een deadline de tijd voor?

Als je een van de weinige buitenlanders bent die het Jemenitische nieuws volgen, valt het je na een poosje op dat er van nieuwswaardige gebeurtenissen bijna nooit getuigen zijn. Nooit kom je een verslag tegen van iemand die in de buurt was van de plek waar de autobom is afgegaan, de persoon die de bom hoorde ontploffen en gezien heeft dat de auto afbrandde terwijl omstanders een veilig heenkomen zochten. Dat komt voor een deel doordat journalisten zelden toestemming krijgen om naar de plek des onheils af te reizen en voor een deel omdat getuigen nooit met journalisten willen spreken. Ze zijn te bang daardoor in de problemen te geraken. Uiteraard komt het niet vaak voor dat Jemenitische verslaggevers andere mensen interviewen dan de officiële woordvoerders. Als ik bijvoorbeeld aan mijn verslaggevers vraag om een reactie van de gewone man op straat te vragen, is een kenmerkende reactie: 'Wie interesseert zich nu voor wat de gewone man ervan vindt?'

Als gevolg van een gebrek aan ooggetuigen en andere onofficiële bronnen ontstaan saaie en vaak misleidende verhalen. Ik ga ervan uit dat ik van het ministerie van Binnenlandse Zaken nauwelijks meer dan bedrieglijk geleuter krijg, met als doel de overheid goed te doen uitkomen en iedereen zwart te maken die zich tegen de overheid verzet.

Ik zit Ibrahim en Farouq net zolang achter de broek tot ze me hun artikelen mailen en ik ze met elkaar kan vervlechten. Er zijn vermoedelijk negen mensen om het leven gekomen, zeven Spaanse toeristen en twee Jemenitische chauffeurs. In Ma'rib waren ze door de pleger van de zelfmoordaanslag in een hinderlaag gelokt, die met een truck vol explosieven inreed op hun konvooi dat bij de Ba'ran Tempel stond, ook wel Arsh Bilqis genoemd (de troon van koningin Sheba).

Ik mail het afgeronde artikel naar Zaid, zeg hem welke foto hij moet gebruiken en stuur het verhaal ook naar Al-Asaadi, die het op de website kan plaatsen. Het is behoorlijk spannend. Ondanks de tragedie en de angst en vrees die erdoor wordt opgeroepen, kan ik er niet omheen dat ik de bekende, schuldgevoelens oproepende journalistieke sensatie ervaar waarmee groot nieuws gepaard gaat.

Op het nieuws volgen weken van vervolgberichten. Dat is nooit het sterkste punt van de krant geweest, maar mijn verslaggevers verbazen me. Ze interviewen een overlevende Jemenitische chauffeur die nog metaalsplinters in zijn rechteroog en linkeroor heeft. Ze schrijven over de financiële problemen van de families van de twee doden en de twee Jemenitische gewonden, die geen inkomen meer hebben nu hun zoons er niet meer zijn en ze geen auto's meer hebben. Ze schrijven over de achteruitgang van het toerisme.

De aanslag, schrijven we, heeft alle kenmerken van een Al Qaida-aanval. Toch melden sommige bronnen dat de gewelddaad het werk is van een nieuwe tak van Al Qaida, niet van de oude veteranen die in Afghanistan zijn opgeleid. Zaid schrijft een verhaal over de verschillen tussen de oude en nieuwe Al Qaida en waarom jongemannen zich aangetrokken voelen tot een terroristische loopbaan.

Om vele redenen vormt Jemen een vruchtbare voedingsbodem voor terroristen. Het is een van de armste landen ter wereld, met een corrupte overheid. Deze corruptie heeft een grote ongelijkheid tussen arm en rijk tot gevolg, wat een sterk gevoel van onrechtvaardigheid voedt. Hoewel het land in de afgelopen dertig jaar een behoorlijke hoeveelheid olie-inkomsten heeft ontvangen, is de overheid er niet in geslaagd om te zorgen voor goed onderwijs, een goede gezondheidsdienst en een betrouwbare water- en elektriciteitsvoorziening voor de bevolking. Het regime verstrekt land en commerciële contracten aan degenen die hen steunen en negeert gebieden die in handen zijn van hun tegenstanders. Er zijn talloze geruchten dat de vriendjes van de president profiteren van het smokkelen van wapens, olie en drugs. Tenslotte wordt de smokkelaars weinig in de weg gelegd. Wat het allemaal nog erger maakt, is dat er een corrupte en incompetente rechterlijke macht is, waar mensen nauwelijks met hun klachten terecht kunnen. Geen wonder dat de mensen boos en machteloos zijn.

Een zwakke overheid, een slechte inlichtingendienst en slordige immigratieprocedures leiden er ook toe dat terroristen in Jemen vrijer kunnen opereren dan in sterkere buurlanden zoals Saudi-Arabië. De Saudische overheid heeft het terrorisme bestreden, gerichter, met meer vastbeslotenheid en meer geld dan er in Jemen beschikbaar is. Hierdoor kunnen terroristen er moeilijk opereren en zijn vele van hen naar Jemen uitgeweken.

Mijn medewerkers beschrijven dit allemaal. Ik ben apetrots dat ze in de nasleep van de aanslag het ene na het andere artikel uit de pen schudden. Het wijst erop dat we al een heel eind zijn gekomen.

☾★

NU ALI IN DIENST IS als tekstredacteur, vliegen we door de pagina's. We sluiten eerder dan met Luke, die wat sluitingsdagen betreft tamelijk Jemenitisch was. Ali staat niet in de qatkeet te lanterfanten en met de jongens te ouwehoeren, is tijdens de lunch niet vier uur achtereen verdwenen en kauwt niet op het werk. Hij helpt zelfs mijn andere verslaggevers met het schrijven van artikelen, en ze helpen hem bij het interviewen in het Arabisch (dat hij wel spreekt, maar niet goed genoeg om een functionaris van de overheid te interviewen).

Op de al genoemde uitzondering van Zaid na, is er alom sprake van vooruitgang. Toch krijg ik nog steeds afschuwelijk slechte verhalen onder ogen. Het redigeren wordt niet zo heel veel makkelijker. Maar het valt niet te ontkennen dat ieder van mijn journalisten erop vooruitgaat. En daar gaat het om.

Minder goed gaat het met mijn grote waanvoorstelling dat ik de democratie in de Arabische wereld kan verspreiden door belemmeringen voor de Jemenitische pers te slechten. Ook heb ik grotendeels afstand moeten doen van de illusie dat we met een van onze artikelen enige invloed op het beleid van de regering kunnen uitoefenen. Maar in plaats van deze verheven dromen, zijn kleinere, steviger gefundeerde verdiensten gekomen. Mijn verslaggevers maken bijna altijd gebruik van meer dan een bron per tekst. Ze kunnen statistieken tot een verhaal over een trend verwerken. Ze hebben een elementair begrip van ethiek en journalistieke integriteit. Sommigen van hen schrijven nu en dan zelfs een goede inleiding. Deze bescheiden vorderingen zullen ook na mijn vertrek aanwezig blijven. Dat is in elk geval iets.

Soms als ik mijn werk op de krant in ogenschouw neem en er met de juiste blik naar kijk, kan ik het zelfs zien als een democratie op zichzelf. Uiteindelijk draagt iedere medewerker bij aan elk nummer dat wordt uitgebracht. Ik vraag hen naar hun ideeën. Ik waardeer de bijdrage van vrouwen en minderheden. Uiteraard ben ik niet democratisch gekozen, maar welke hoofdredacteur van een krant is dat wel?

☪

PAS NADAT DE ADRENALINE van het schrijven over de bomaanslag uit het lijf is verdwenen, sta ik stil bij mijn eigen veiligheid. In de loop van al die maanden in Jemen, tijdens al mijn nachtelijke wandelingen door de Oude Stad, heb ik me geen moment onveilig gevoeld. Ja, mannen vallen me voortdurend lastig en iedereen staart me aan, maar ik ben niet met geweld bedreigd. De aanslag in Ma'rib doet vermoeden dat ik al te zelfgenoegzaam ben geworden. Enkele weken eerder waren Koosje en Tobias naar Ma'rib gereisd, naar dezelfde tempel waar de Spaanse toeristen en de Jemenitische chauffeurs werden gedood. Dat had hen net zo goed kunnen overkomen. Een paar weken lang leken mijn vrienden en anderen in de expat-gemeenschap wat nerveuzer dan anders, maar uiteindelijk richten we ons allemaal weer op ons werk en ons liefdesleven. Het is onmogelijk om de hele tijd op te letten. Ik verbaas me erover dat ik door de bomaanslag het land niet wil ontvluchten, maar dan bedenk ik me dat ik na 11 september ook niet uit New York wilde vertrekken, toch? Overal is gevaar en het zou dwaas zijn om te proberen terroristische aanslagen te voorspellen om er aldus aan te kunnen ontkomen.

☾★

NU IK WEER DE TIJD HEB om aandacht aan persoonlijke zaken te besteden, gaan mijn gedachten uit naar Tobias. Hij zal binnenkort vertrekken, eerder dan ik. We zijn slechts een paar maanden bij elkaar geweest, maar moeten nu een aantal beslissingen nemen. Of we gaan ieder voor zich verder en besluiten dat deze zomer een korte affaire was, of we proberen door te gaan. Als we bij elkaar zouden blijven, zou dat een relatie op afstand worden (wat ik niet wil) of een van ons zou moeten verhuizen. Tobias gaat weer naar de universiteit, om te promoveren. En ik, tja, ik weet het nog niet. Ik kan nog alle kanten op, denk ik. Eerlijk gezegd weten we geen van beiden wat we precies willen. Ik ben oprecht dol op Tobias. Hij is slim, sexy en maakt me aan het lachen. Maar ik heb geen idee of we op de lange termijn bij elkaar passen. We bevinden ons in verschillende levensfases, mijn studie ligt al lang achter me en die van hem is nog niet voorbij.

De laatste weken hebben we elkaar weinig gezien, wat een afscheid minder dramatisch maakt. Hoewel ik berust in het logische einde van onze romance, ben ik verdrietig over zijn naderende vertrek. Hij is misschien niet de ideale partner voor me, maar graag had ik nog wat tijd gehad om de zaken op een natuurlijke manier te laten aflopen, hoe die afloop er ook uit zou zien. Afscheid nemen heb ik nooit makkelijk gevonden. We leggen al onze zorgen naast ons neer om onze laatste nacht onder mijn gebrandschilderde ramen in elkaars armen door te brengen. Dan vertrekt hij. Met een aantal mensen begeleiden we hem naar de taxi en ik ben de laatste die hem een knuffel geeft. In het volle zicht van mijn buren, de taxichauffeur en onze vrienden ga ik op mijn tenen staan en kus hem. 'Daar krijg je problemen mee,' fluistert hij. 'Dat maakt me niet uit,' zeg ik. En ik draai me om, voordat iemand mijn tranen kan zien.

In de ochtend luister ik naar het nieuwe album van Wilco, *Sky Blue Sky*. Het eerste nummer doet me denken aan een lege zomerdag in een klein plaatsje in New England. Een dag dat ik limonade verkocht om geld te verdienen zodat ik een waterpistool kon kopen, maar er kwam niemand langs en het was stil op straat, op een enkele brom van een passerend vliegtuig na. Dat gevoel... als van een pauze halverwege mijn leven, waarna er van alles kon gebeuren.

☾★

IK OVERLEEF DE EENZAAMHEID door me op mijn werk te storten, nog langer bij mijn medewerkers te zijn, terwijl de tijd die we samen hebben in rap tempo vervliegt. Zaid lijkt maar niet te kunnen bepalen hoe hij over me denkt. Het ene moment zegt hij dat hij alles wat hij weet van mij heeft geleerd, het volgende moment gaat hij er weer vandoor omdat ik hem niet respecteer.

Maar nog altijd probeer ik het met hem, hoop ik dat hij op een of andere manier nog voor mijn vertrek de slag te pakken krijgt.

Op een sluitingsdag in de loop van juli heeft hij alweer een keer ontslag genomen, dus ben ik verrast als hij, nadat Ali en ik de foto-onderschriften hebben afgerond, op me afstapt. 'Ga je zaterdagavond ook naar de receptie van de Franse ambassadeur voor *le quatorze juillet*?' vraagt hij. Ik wil er wel heen, maar ben niet uitgenodigd. Omdat ik officieel geen hoofdredacteur van de krant ben, belanden alle uitnodigingen bij Zaid. Voordat hij terugkwam, en toen ze gericht waren aan Al-Asaadi, speelde Enass ze allemaal aan mij door. 'Ik ben uitgenodigd,' zegt Zaid. 'Wil je met me mee?'

'Oké, ik ga met je mee.' Om het goed met hem te maken. Een besluit dat grote invloed zal hebben op de rest van mijn leven.

☾★

OP QUATORZE JUILLET, de dag van het feest van de Franse ambassadeur, ben ik ongewoon productief. Ik bewerk alle drie de artikelen voor de gezondheids-pagina, waaronder het artikel van Adhara over het gevaar van het dragen van een koptelefoon tijdens onweer. Ze denkt dat de donder hetzelfde is als de bliksem en heeft het steeds over 'als de donder inslaat'. Ook redigeer ik Jabrs opvallend correcte beschrijving van het lastigvallen van vrouwen door taxi-chauffeurs. Een stuk naar mijn hart.

Mijn mannelijke verslaggevers zijn erg uitgelaten over het Franse feest (de vrouwen mogen uiteraard niet mee) en komen in een westers pak op het werk, hun haar keurig gekamd of glad op het hoofd geplakt. Met mijn een-voudige zwarte broek en lange koningsblauwe geborduurde Turkse bloes voel ik me toch wat minder spectaculair. Niets meer aan te doen. Het heeft geen zin om je in Jemen om mode te bekommeren. Ik doe buitengewoon felkleu-rige rode lippenstift op en hoop dat dit de zaak wat opfleurt.

Zaid, Jabr, Bashir (die nog steeds langskomt om ons op sluitingsdagen te hel-pen) en ik proppen ons in de aftandse wagen van de fotograaf Mohammed al-Sharabi en we zijn onderweg. Zaid laat me voorin plaatsnemen en de drie mannen persen zich op de achterbank. Zaid belt iemand met zijn mobiel. '*Feyn ant?*' zegt hij. Waar ben je? Zo beginnen Jemenieten elk telefoonge-sprek. Ze zijn niet in staat met iemand te spreken als ze niet precies weten waar deze zich bevindt.

'Weet je wat dat betekent?' vraagt Bashir.

'Natuurlijk weet ik dat,' zeg ik beledigd. 'Dat is kinder-Arabisch!'

'Niemand mag hier nog Arabisch praten!' zegt Bashir. 'Ze kan ons verstaan!'

We arriveren vroeg bij de woning van de Franse ambassadeur Gilles Gauthier en hangen wat rond voor de poort, samen met een paar andere, al te enthousiaste genodigden. Ten slotte worden we in de voortuin toegelaten, waar we uiterst grondig worden gecontroleerd. Mijn laptop, sporttas en handtas worden afgenomen en ik moet door het poortje van een metaaldetector. In de nasleep van de bomaanslag in Ma'rib zijn de veiligheidsmaatregelen overal aangescherpt.

De feestverlichting leidt ons langs een reeks ernstig kijkende Franse functionarissen, we schudden hen de handen en mompelen: 'Bonsoir.' Nadat we hen zijn gepasseerd, belanden we via rijen struiken in een grote achtertuin vol tenten. Er staan minstens tien grote tafels vol eten, en de bar is bijna even lang als een heel blok huizen. Er lopen obers rond met schalen vruchtensap, wijn en garnalen. Ik neem een glas wijn en kijk om me heen. Geen wonder dat de veiligheidsmaatregelen zo streng zijn, het barst hier van de ambassadeurs. Op dat moment pakt de nieuwe Britse waarnemend ambassadeur Chris Shute, die kortgeleden is gearriveerd en met wie ik bevriend ben geraakt, me bij mijn elleboog. 'Kom mee,' zegt hij. 'Ik zal je voorstellen aan de nieuwe Britse ambassadeur.' Ik wil hem graag ontmoeten, omdat de voormalige ambassadeur Gifford me zeer geholpen heeft.

Chris leidt me tussen het toenemend aantal gasten door naar een grote, donkerharige man in een krijtstreeppak, met de meest sprankelende blauwe ogen die ik ooit heb gezien. Ik geef hem een hand. 'Ik ben Jennifer Steil, redacteur van de *Yemen Observer.*'

'Tim Torlot,' zegt hij en knipoogt naar me.

Mijn hart slaat een slag over. *Met deze man wil ik trouwen.* Nog geen paar seconden nadat ik hem een hand heb gegeven flitst deze gedachte door mijn hoofd. Een totaal irrationele inval. Ik ken hem niet eens. Ik hoef niet te trouwen. Maar plotseling ben ik klaarwakker, helderder dan ik ooit in dit land ben geweest. Ineens ben ik tegelijkertijd in de zevende hemel en uiterst bezorgd. Rustig aan, Steil. Alle ambassadeurs zijn getrouwd. Ik wil een blik werpen op zijn linkerhand, maar ik kan me niet losrukken van zijn ogen. Ik vraag me af hoe oud hij is. Ik zie geen grijs in zijn haar en zijn lichaam is recht en slank.

Ik raap mijzelf bij elkaar en vraag hem hoe lang hij hier al is en wat hij van Jemen heeft gezien. Hij is hier pas drie dagen.

'Waar was je gestationeerd voordat je naar Jemen ging?'

'Irak, recentelijk. Daarvoor kort in Afghanistan, Tsjaad en de Centraal Afrikaanse Republiek...'

'Dus dit is eigenlijk het veiligste land waar je in jaren bent geweest.'

'Ja. Ik begin me af te vragen of Buitenlandse Zaken me daar iets mee heeft willen zeggen,' zegt hij glimlachend. Zijn wimpers krullen omhoog en hebben gouden puntjes. Concentreer je, Steil!

Hij vraagt me hoe lang ik in Jemen ben.

'Ongeveer een jaar. Ik vertrek over ongeveer anderhalve maand.' zeg ik. 'Mijn contract loopt tot eind augustus.'

Hij kijkt teleurgesteld. Of hoop ik dat alleen maar? Ik wil helemaal niet uit Jemen vertrekken, dringt tot me door. Geen haar op mijn hoofd die eraan denkt om uit Jemen weg te gaan.

'Iedereen die ik ontmoet, lijkt wel op het punt te staan om te vertrekken.'

'Ja,' zeg ik. 'Een hoge omzetsnelheid, ben ik bang.'

We kletsen wat. Hoe staat het met de pers in Jemen, vraagt hij. Is er sprake van persvrijheid? Waar kun je niet over schrijven? Ik praat over de *Observer* en hij luistert aandachtig. Dat moeten diplomaten hebben geleerd: kijk nooit weg van het gezicht van degene met wie je praat.

Geen van beiden kijken we ergens anders naar, tot ik begin te vrezen dat ik al te zeer beslag op hem leg. De rij met hoogwaardigheidsbekleders die met hem willen kennismaken, is al te lang aan het worden.

'Ik zou graag verder met je willen praten,' fluistert hij. 'Maar ik moet met al deze mensen kennismaken.'

'Goed. Sorry! Ik ga wel weg. Zelf moet ik hier ook nog enkele mensen ontmoeten.'

'Ik ben heel blij dat ik je heb leren kennen. Hier, ik heb mijn kaartjes al klaar.' Hij geeft me er een.

'Wat slagvaardig. Het heeft drie maanden geduurd voor ik de mijne had geregeld. En nu zit ik zonder. Maar het is fantastisch dat ik je heb ontmoet.' Hij schudt me voor de laatste keer de hand en met tegenzin laat ik hem over aan de rij wachtenden.

Enigszins duizelig loop ik naar de bar. Het kost me een hele tijd om er te komen. Iedereen die ik ooit in Jemen ontmoet heb, is aanwezig. Er zijn bijna duizend gasten. Het lijkt wel alsof ik bijna met iedereen heb gesproken. Maar slechts een gesprek schrijf ik op in mijn dagboek.

TWEEËNTWINTIG

het granaatappelseizoen

Tegen het eind van de lente komt Zuhra met tweemaal zoveel vaart als gewoonlijk mijn kamer binnenstormen. 'Ik heb het!' zegt ze, met zo'n brede grijns op haar gezicht dat ik hem dwars door haar nikab heen kan zien. 'Ze hebben me er een gegeven!'

'Wat?' vraag ik. 'Wat hebben ze je gegeven?'

'De ambassade! De beurs!'

'Welke?' Vanaf de dag dat Zuhra door de University of Columbia was geweigerd, heeft ze aanvragen ingediend voor elke beurs waarmee ze haar land uit kon.

'Jouw ambassade!' zegt Zuhra. 'Ze sturen me naar Amerika!'

'Echt waar?' Ik omhels haar. Ze is te opgewonden om stil te kunnen staan en staat op haar tenen te springen alsof haar groezelige sportschoenen van vering zijn voorzien. 'Zuhra, dat is fantastisch nieuws! Hoe ziet het programma er uit?'

Het *Near East and South Asia Undergraduate Exchange Program* biedt Zuhra voor een heel semester een vergoeding voor het lesgeld en de kosten voor levensonderhoud aan een Amerikaanse universiteit. Zuhra heeft al een *undergraduate*-diploma, maar dat is geen reden geweest om haar af te wijzen. Daar komt bij dat een extra semester, gezien wat ik van het Jemenitische onderwijssysteem weet, geen kwaad kan. De ambassade wil nog niets kwijt over de exacte data van de reis of waar ze zal worden geplaatst.

Ik ben ontroerd en opgelucht dat ik haar niet hoef achter te laten als ik vertrek. Hoe zou ik bij de *Yemen Observer* weg kunnen gaan terwijl zij er nog werkt? Hoe zou ik haar in handen van Zaid kunnen achterlaten, bij de man van wie elke dag duidelijker wordt dat hij niet in staat is mijn plaats als hoofdredacteur in te nemen? We duimen voor haar en hopen dat ze in New York belandt, waar ik vermoedelijk komende herfst zal zijn en waar haar oudste broer Fahmi woont. Een vriend van een vriend heeft me een gratis appartement aangeboden, waar ik tweeënhalve maand kan verblijven, zodat ik in elk geval onderdak heb als ik terugkom en kan uitzoeken wat ik vervolgens zal doen. Zuhra en ik praten over wat ze zal moeten meenemen. 'Ik heb enkele lange jurken nodig en shirts!' zegt ze. 'Bescheiden kleren.'

Ik lach, omdat de kleren die Zuhra uiteindelijk aanschaft om mee te nemen naar de Verenigde Staten dezelfde zijn als die ik heb gekocht toen ik hierheen ging. Omdat Jemenitische vrouwen altijd abaya's dragen, hebben de meeste van hen nauwelijks bescheiden kleren. Onder die polyester zakken dragen ze meestal strakke T-shirts en spijkerbroeken, geen kleren waarin ze door mannen willen worden gezien.

Nu ik weet dat Zuhra ook vertrekt, is inpakken zoveel makkelijker voor me. Niet dat ik mijn boeltje al aan het vergaren ben, daar heb ik geen tijd voor, omdat ik nog altijd even hard werk. Niets in de afgelopen maanden doet aan als een afsluiting. De hoeveelheid werk neemt niet langzaam af en het tempo vermindert niet. Tot op de dag dat ik de deur achter mij dichttrek, werk ik voluit. Kan dat anders bij een krant? Er moeten nog steeds kranten worden gesloten en de deadlines zijn even dwingend als altijd. Er is weinig tijd voor reflectie en de druk vermindert niet. Ik heb een grote behoefte om voor mijn vertrek zo veel mogelijk in me op te nemen.

Dus als mijn vriend Phil Boyle vanuit de Britse ambassade opbelt om te vragen of ik Shahid Malik wil interviewen, de onderminister van Ontwikkelingssamenwerking en de eerste Britse moslim die minister is geworden, grijp ik de kans met beide handen aan. Malik is maar een paar dagen in de stad en Phil biedt alleen de *Yemen Observer* en een Arabische krant de gelegenheid om hem te spreken. 'Ik kom hem zelf interviewen,' zeg ik. Hoewel ik ondertussen mijn medewerkers voldoende zou moeten vertrouwen om ministers te interviewen, wil ik dit zelf doen. Redacteuren moeten feeling blijven houden met het handwerk van de verslaggevers, rechtvaardig ik het voor mezelf. Ik wil niet vergeten hoe het moet.

Dus op een woensdagmiddag in het begin van augustus, even voor zessen, verschijn ik bij de poort van de statige ambtswoning van de Britse ambassadeur. Ik ben euforisch, tevreden met mijn werk, en blij dat ik de bewakers de grote stalen hekken zie openen om me binnen te laten, en ik kan niet ontkennen dat ik zeer opgewonden ben de man te zien die door dit alles beschermd moet worden. Nog geen minuut nadat ik binnen ben, staand tussen het grote grasveld en het huis, zwaaien de hekken opnieuw open en zwiept een legergroene Land Cruiser de bocht om, en rijdt de oprijlaan naast ons op. Er springen meerdere mannen met machinegeweren uit, die de daken om ons heen afspeuren. Vlak achter hen aan komt ambassadeur Tim Torlot, die met het enthousiasme van een zevenjarige die net uit school komt van de achterbank springt.

'Geweldig om je weer te zien!' zegt hij terwijl hij voor mijn voeten neerploft. 'Maar ik neem aan dat je hier voor je werkt komt en niet voor je plezier?' Zijn ogen schitteren.

'Eerlijk gezegd kan ik me niet herinneren dat ik al eens een uitnodiging heb gekregen om voor mijn plezier langs te komen.' Ik kan nauwelijks geloven wat ik zojuist heb gezegd. Ben ik nou echt met de ambassadeur aan het flirten?

We blijven zo lang praten dat ik bijna te laat kom voor mijn afspraak met de minister. Ten slotte gebaart hij me naar binnen te gaan en laat me in zijn studeerkamer plaatsnemen, waarna hij de minister opzoekt. Ik laat mijn ogen glijden over de boekenkasten tegen de muur. Engelstalige boeken! Honderden! Wat is het lang geleden dat ik zoveel boeken bij elkaar heb gezien. Met onverhulde begeerte strijk ik met mijn vingers over de ruggen van de boeken. Isabel Allende, Shakespeare, A.S. Byatt, Iain Banks, Tim Mackintosh-Smith, Freya Stark, Oscar Wilde, Philip Larkin, W. Somerset Maugham, talloze naslagwerken! Op elke boekenplank staat iets wat ik al heb gelezen of graag zou willen lezen. Ik vraag me af van wie de boeken zijn, van Tim of van zijn vrouw. (Hij is, uiteraard, getrouwd.) Wie leest deze boeken? Ik wil het aan Tim vragen, maar hij is verdwenen.

Een man van de ambassade komt me halen. Ik heb maar een kwartier, dus ik barst meteen los. Wat is volgens de minister het meest dringende vraagstuk voor Jemen? (Bevolkingsgroei.) Wat zijn de meest belangrijke aspecten van het tien jaar durende ontwikkelingsplan dat het Verenigd Koninkrijk met Jemen heeft ondertekend? (Bevolking, onderwijs, water, de gebruikelijke zaken.) Hoe wil het Verenigd Koninkrijk Jemen helpen om economisch aansluiting te vinden bij de Gulf Cooperation Council, een handelsblok van zes Arabische landen in de Perzische Golf? Daar wordt hij door overvallen. Hij stamelt wat en komt met een vaag antwoord. Phil prijst me voor de vraag terwijl hij me de kamer uit leidt. Zoals wel vaker heb ik meer tijd gebruikt dan me was toegewezen. Zonder dat het me gelukt is, heb ik geprobeerd hem iets opvallends te laten zeggen, hem buiten zijn boekje te laten gaan. Als ik het huis uit loop, komt Tim vanaf de veranda aanwandelen om me te ontmoeten. Ik vraag hem wat hij tot nu toe met Malik heeft gedaan, en hij vertelt over de ontwikkelingsprojecten die ze samen hebben bezocht. Voor me zie ik het lange rechthoekige grasveld en ik kijk er verlangend naar. 'Heb je een croquetset?' vraag ik hem.

'Niet hier.'

'Je hebt er anders een goed grasveld voor.'

'Dat lijkt maar zo. Het is vreemd zompig gras. Ik zal het je laten zien, kom.'
Hij raakt mijn arm aan en we lopen naar het gras. Onze voeten zinken weg in de verende ondergrond.
'Ik begrijp wat je bedoelt.'
'Daar zullen we iets aan moeten doen.'
Zo blijven we wat met elkaar staan praten, en ondertussen verdwijnt de zon achter de bergen en koelt de lucht af. 'Ik moet gaan,' zeg ik. 'Ik heb een afscheidsetentje van een kamergenoot.'
'En ik moet ook hoognodig terug naar binnen.'
Maar geen van beiden maken we aanstalten om te vertrekken. Plotseling heb ik een overweldigend verlangen om hem te kussen. Hij staat bijna dicht genoeg bij me en kijkt me met zijn sprankelende blik aan alsof hij vuurvliegjes in zijn ogen heeft. Ik raak ervan in de war en moet me losrukken van de gedachte aan een kus.
De bewakers laten me door de poort naar buiten en bedwelmd loop ik door de straat, bijna trillend van de levenslust. Ik zou de hele weg naar huis huppelend kunnen afleggen. Maar dan zou ik te laat komen voor de laatste avond van Koosje. Ik sla de hoek om en loop door, op weg naar de hoofdstraat waar ik een taxi aanhoud. Thuis spurt ik alle zeven trappen op en dender de keuken binnen, waar Carolyn op me staat te wachten.
'Ik ben verliefd op de Britse ambassadeur,' zeg ik en plof in een van de plastic stoelen.
Kalm werpt Carolyn een sceptische blik op me. 'Is er een nieuwe ambassadeur?'
'Ja, o ja. En het is de meest aantrekkelijke man die er bestaat.'
'Is hij getrouwd?'
Ik zak ineen. 'Ja,' zeg ik. 'Ik wil er ook niet met hem vandoor of zo. Ik ben gewoon verliefd op hem.'
Gelukkig voor Carolyn heb ik het te druk met mezelf klaarmaken voor de laatste avondmaaltijd van Koosje om het almaar over Tim te hebben. Telkens weer nemen we afscheid van iemand. Zoals gewoonlijk komt onze vriendengroep in het Arabia Felix hotel bijeen, waar we zoals altijd een kerrieschotel eten en een waterpijpfuif houden. Na afloop begeleiden we Koosje met de hele groep naar de taxi en rennen zwaaiend achter haar aan. *'Ma'a salaama!* Een veilige reis naar de Eerste Wereld!'
Het vertrek van Koosje is het begin van het einde van ons huis. Zij en Carolyn zijn familie van me geworden, en ik mis Koosje alsof ze een zus van me is. Ik ben dolblij dat Carolyn heeft besloten om te blijven.
Later die maand gaan Carolyn en ik naar een quizavond in de British Club. Ons team doet het behoorlijk goed en onwillekeurig kijk ik telkens heel

ongepast naar Tim, die er ook is, en aan de andere kant van het vertrek aan de bar staat. Zijn vrouw en zijn dochter die op bezoek is, een opgewekte zeventienjarige, zijn er ook, in een ander deel van het vertrek. Het duurt een poosje voor ik erachter kom wie het zijn. Ik spreek niet met Tim, maar we lachen vreselijk veel naar elkaar.

'Je bent een onverbeterlijke flirt,' zegt Carolyn beschuldigend voordat ze naar Tim gaat om zich voor te stellen. 'Hij is tenslotte mijn ambassadeur,' zegt ze. Ze blijven lang staan praten en als ze naar onze tafel terugkeert, kijkt ze me veelbetekenend aan en zegt: 'Ik begrijp wat je bedoelt.'

☪

HET SPRINKHANENSEIZOEN, het trouwseizoen en het granaatappelseizoen breken gelijktijdig aan. In augustus wordt Sana'a overgenomen door beestjes, bruiden en bakken vol met het geelgroene fruit. Onderweg naar mijn werk zie ik kleine jongetjes achter vuistgrote sprinkhanen aanjagen, ze in hun stoffige handjes vangen en in plastic flessen stoppen. Ze nemen de flessen mee naar huis, waar de insecten worden geroosterd en opgegeten.

De sprinkhanenplaag inspireert me tot mijn fraaiste, vlot geschreven redactioneel commentaar. Op een donderdag sluiten we de krant om vier uur af en ik doe net mijn computer uit, als Ali met een verontrust gezicht in mijn kamer verschijnt.

'Redactioneel commentaar?'

Ik kijk hem aan. 'O nee. Helemaal vergeten!'

'Ik ook.'

Ik doe de computer weer aan en open de map met de artikelen voor de voorpagina voor dit nummer. Niets inspireert me. Dan valt mijn oog op het stuk van Jabr. Hij heeft een fantastisch verhaal over sprinkhanen geschreven, onder andere over het feit dat de mensen op straat zich verheugen over de grote aantallen en ze opeten. Er staat een van de mooiste koppen boven die ik heb meegemaakt: 'Sprinkhanen maken zich meester van Sana'a, en smaken heerlijk.'

'Ali,' zeg ik, 'zou je op internet naar recepten voor sprinkhanen willen zoeken?'

'Ja,' zegt hij lachend. 'Goed plan.'

Een paar minuten later stuurt hij me een reeks recepten van de website van de Voedsel- en Landbouworganisatie van de VN en ik schrijf een kort commentaar over waarom we die beestjes zouden moeten eten.

Profiteer van al die sprinkhanen om je heen

Zwermen rondspringende, zwevende sprinkhanen hebben bezit genomen van ons land. Voor de boeren is dit ongedierte een plaag, omdat ze hun oogst opeten. Maar in de steden verheugen de mensen zich over de alomtegenwoordigheid van een van onze favoriete snacks. En waarom zou je

jezelf niet op een handje sprinkhanen trakteren? Ze zijn goedkoop, smake-lijk en makkelijk verkrijgbaar. Bovendien draag je zo een steentje bij aan de bescherming van de oogst tegen hun dodelijke geknaag. Daarom voorzien we u hieronder, met enige hulp van de Voedsel- en Landbouworganisatie van de Verenigde Naties, van een paar recepten om uw sprinkhanen nog lekker-der te maken. Omdat deze schepsels op onze voedselvoorziening uit zijn, hebben we het recht om terug te bijten.
Probeer de volgende recepten eens uit:

Tinjiya (Tswana recept)
Verwijder de vleugels en achterpoten van de sprinkhaan en kook hem in een klein beetje water tot hij zacht is. Voeg zout toe en wat bakvet en braad tot hij bruin is. Serveer met gekookte gedroogde mais.

Sikonyana (Swazi recept)
Maak een smeulend vuur en rooster daar de hele sprinkhaan op. Haal de kop, vleugels en poten eraf... en leg de rest op de kooltjes om te roosteren. De geroosterde sprinkhaan wordt op een maalsteen gelegd en tot een fijn poeder gemalen. Dit poeder kan lang worden bewaard en op reis worden meegenomen. Gedroogde sprinkhanen zijn ook geschikt om tot de winter te bewaren. Als de poten gedroogd zijn, smaken de poten erg lekker.

Cambodja
Neem enkele tientallen sprinkhanen, bij voorkeur vrouwtjes, snijd ze in de lengte open en stop er een pinda in. Gril de sprinkhanen vervolgens in een wok of een hete braadpan, voeg er een beetje olie aan toe en zout naar smaak. Pas op dat u ze niet te gaar maakt of verbrandt.

Barbecue (geroosterd)
Maak een houtskoolvuur. Prik een stuk of tien sprinkhanen op een spies, prik recht door het midden van het onderlijf. Als u alleen het onderlijf wilt eten, kunt u de poten en vleugels voor het bereiden eraf halen. Voor iedere eter heeft u meerdere spiesen met sprinkhanen nodig. Leg de spiesen boven de hete sintels en rooster ze terwijl u ze voortdurend omdraait, om te voorko-men dat ze verbranden, tot ze goudbruin kleuren.

Sprinkhaansoep, voor zes personen
4 liter rompen van sprinkhanen
2 uien, in grote stukken gesneden
1 teentje knoflook, in stukjes gesneden

1 steel bleekselderij
2 wortels
een halve theelepel foeliepoeder
250 ml slagroom
zout en peper naar smaak

Doe alle ingrediënten met uitzondering van de slagroom in een grote stoofpot en vul deze met water. Breng hem aan de kook, laat hem vervolgens drie
uur op een laag pitje pruttelen. Vermaal de inhoud met een blender of food-
processor. Laat het in een zeef uitlekken en doe het in een schone pan. Voeg
de slagroom toe en zorg ervoor dat het niet aan de kook raakt. Dien op met
koekjes in de vorm van dieren.

Vanuit Vermont reageert mijn vader meteen met een mailtje waarin hij vraagt
om een recept voor kevers. 'Ze vreten de hele tuin van mama op. Ze wil
terugbijten.'

☪

HOEWEL IK WEINIG BEHOEFTE HEB om sprinkhanen te proeven, ben ik helemaal gek op granaatappelen (*romaan* in het Arabisch). Ik eet er minstens
drie per dag. Anders dan de kleine rode granaatappelen in New York zijn de
Jemenitische granaatappelen geelgroenig van kleur en even groot als grapefruits. Maar hun zaden zijn karmozijnrood en zitten vol zoete, verslavende
nectar. Het is lastig eten en een hele klus om ze te schillen en te openen, zodat
je er niks naast kunt doen als je er eentje aanbreekt. Ik heb geleerd hoe ik met
een mes in de schil moet snijden, totdat die zo is verzwakt dat ik hem met
mijn vingers van elkaar kan trekken, waardoor er robijnrode zaden op mijn
tafel vallen. Ik neem nauwelijks nog de moeite de zaden er een voor een uit te
peuteren. In plaats daarvan breek ik het fruit in stukken en kauw op de bessen binnenin, terwijl het rode sap over mijn kin druipt en vaak op mijn shirt
belandt. Door de granaatappelen kom ik de laatste paar maanden 's ochtends
maar langzaam op gang en verkeren mijn bloezen in een slechte staat.
Het toenemend aantal bruiden eist ook zijn tol op het werk. De meeste van
mijn verslaggevers bereiden zich ofwel voor op een trouwerij of ze wonen ze
bij. Allemaal zijn ze druk in de weer om voor de ramadan te trouwen. Vanuit
bijna elke woning klinkt de jodelroep van Jemenitische vrouwen die een aan-
staande bruid te vieren hebben. Aan de eigenlijke trouwerij gaan meerdere
feesten vooraf, feesten waarbij de bruiden worden beschilderd met sierlijk
draaiende vormen, uitgedost met traditionele jurken en gefêteerd met zoete
thee en koekjes.

Plekken in de Oude Stad waar wordt getrouwd, zijn versierd met hele reeksen helderwitte lampen die in snoeren over de straat en door steegjes zijn gespannen. In het felle licht van deze lampen en onder de oorverdovende klanken van ruisende luidsprekers zijn mannen buiten aan het dansen en gaan ze een nabijgelegen tent in om qat te kauwen. Ik ben erg beducht voor deze lampen in de omgeving van mijn huis, want trouwerijen duren vaak tot de volgende ochtend, waardoor niemand die er dichtbij woont kan slapen.

Vrouwen komen binnenshuis bijeen om te feesten, zodat de mannen hen niet kunnen zien. Ik blijf het vreemd vinden dat de bruid en bruidegom elkaar nauwelijks ontmoeten. Wat is er leuk aan een trouwerij als je niet met je geliefde kunt dansen? Wat is er leuk aan een trouwerij zonder geflirt en champagne? Toch zijn Jemenitische vrouwen tevreden als ze er voor elkaar mooi uitzien, als ze heupwiegend over de dansvloer kunnen bewegen, vrijer dan wanneer er mannen bij zijn, als ze kunnen theedrinken en roddelen.

Half augustus nodigt Noor me uit voor de trouwerij van haar zus Rasha. Het is een Nagsh-feest, waarbij een plaatselijke kunstenaar de aanwezige vrouwen met diepzwarte inkt vol ingewikkelde plantachtige patronen schildert. Deze traditionele huwelijksdecoratie blijft wekenlang op de huid zitten. Radia, Jelena van *Arabia Felix* en ik reizen vanaf het werk rechtstreeks naar het huis van Noor, een grote moderne woning in een rijk deel van de stad. We zitten in de mafraj aan de voorkant, waar vrouwen zich ontdoen van hun sluiers, theedrinken en schalen met dadels en sesamkoekjes doorgeven. Allerlei meisjes en vrouwen lopen van de ene kamer naar de andere, doen andere kleren aan, doen hun haar en hun make-up en helpen de bruid. Ik herken Najma nauwelijks als ze vanuit een andere kamer tevoorschijn komt nadat ze haar abaya en hijab heeft afgelegd. Ze draagt een strak op het lijf zittend topje met tijgerprint, dat wel heel veel decolleté etaleert, gecombineerd met een strakke spijkerbroek. Haar haren heeft ze tot een paardenstaart bijeengebonden. Haar gezicht heb ik vaak gezien, maar nooit haar haren. Ze lacht als ze ziet hoe ik haar aanstaar en pakt me bij de hand om me naar buiten te geleiden, om me een tent te tonen vol fraaie grote kandelaars, voor de trouwerij.

Noor vliegt heen en weer en zorgt voor haar zus en andere familieleden, ook zij heeft een spijkerbroek en een topje aan, en haar haren achter op haar hoofd bevestigd.

Naast me zit een langharige vrouw die me vraagt of ik ook bij andere Jemenitische trouwerijen aanwezig ben geweest en ik vertel haar dat ik de trouwerij heb bezocht van een van Noors nichten.

'Dat was mijn trouwerij!' Ik kijk haar goed aan. Ik zou haar niet hebben herkend. Net als alle Jemenitische bruiden had ze vele lagen make-up op, en was haar haar gekruld en voorzien van een dwingende hoeveelheid haarlak. Nu draagt ze niet meer dan wat oogschaduw en vallen haar haren tot op haar heupen.

'Wow!' zeg ik. Om mijn verbazing te maskeren, vervolg ik met: 'Wat een prachtige trouwerij was dat!'

'Dankjewel!'

'En hoe bevalt het huwelijksleven?'

'Al-hamdulillah.' Ze lacht.

Wat ik eigenlijk wil vragen is: 'Wat vind je van de seks?' Maar ik wil haar niet voor het hoofd stoten. 'Ik meende dat je naar China zou gaan.'

'Dat waren we inderdaad van plan, maar ik moet nog twee jaar naar school, dus besloten we hier te blijven.' Ik ben blij te horen dat ze een man heeft die bereid is concessies te doen voor de loopbaan van zijn echtgenote. Zij is een van de zeldzame Jemenitische vrouwen die alles mag doen wat we in het Westen vanzelfsprekend vinden: het recht om te werken, een loopbaan te kiezen, te besluiten of ze kinderen wil, zelf per vliegtuig te reizen, haar eigen leven te plannen.

Iemand geeft me een kop thee en ik word aan een stuk of tien andere vrouwen voorgesteld, die me allemaal meermaals zoenen voordat ze de rest van de aanwezigen kussen.

Ten slotte is de nagsh klaar, en Jelena en ik, als de eregasten, worden naar de aangrenzende mafraj geleid om beschilderd te worden. Jelena is als eerste aan de beurt. Ze wil haar hele lichaam met zwarte inkt (mijn voorkeur gaat uit naar de roodachtige henna die sommige Jemenieten gebruiken) laten beschilderen, maar stemt ermee in alleen haar armen en borst te laten versieren. Ik zit naast haar en kijk toe, terwijl een oudere vrouw nog altijd gewikkeld in haar abaya de inkt met kleine, korte streken opbrengt. Ze is opvallend snel en elke streek is perfect van vorm.

Dan ben ik aan de beurt. 'Ik hoef maar een beetje,' zeg ik en wijs op mijn polsen. Dat oppervlak volstaat niet! Waarom laat ik mijn hele armen niet beschilderen? Maar het is de eerste keer en ik weet niet of het me wel bevalt als mijn hele armen eronder zitten. Als de nagsh of henna vervaagt, kan het op een huidziekte lijken.

Najma en Radia gaan naast me op een kussen zitten, en zien hoe de vrouw armbanden van bloemen en bladeren rond mijn beide polsen schildert, waarna mijn handen eraan moeten geloven, tot aan mijn knokkels. Ik sta haar niet toe dat ze mijn vingers onder handen neemt. 'Ik was mijn handen te vaak!' zeg ik.

'Dan was je ze toch een paar dagen niet!' zegt Najma.

'Onmogelijk!' Van sommige westerse gewoonten kun je gewoon geen afstand doen.

De inkt voelt koud aan op mijn huid en al drogende trekt de huid rond mijn polsen strak, alsof ik handschoenen draag die ik niet uit kan doen.

Maar we komen erachter dat het proces nog niet over is als de inkt is opgedroogd. Eerst moeten we nog ingesmeerd worden met vaseline en met meel worden beklopt, waarna we in plastic worden gewikkeld, om de schildering te verduurzamen. Ik kijk toe hoe Noor met Jelena bezig is en vaseline over haar nagsh smeert. Als Jelena helemaal is ingevet, pakt Noor een grote blauwe doek en spreidt die uit over haar schoot en de vloer. Uit een pan naast haar schept ze een handvol wit poeder, die ze op de vaseline klopt, terwijl het meel de lucht in stuift. Een vrouw haalt een rol met bloemen versierd plastic uit de achterkamer en beide armen van Jelena worden in het plastic gewikkeld, en een ander stuk gaat over haar borst. Ik ben blij dat ik zojuist heb gevraagd alleen mijn polsen te doen.

Noor gaat nu met mij bezig, vet mijn beide polsen in en bepoedert ze, waarna ze mijn handen in plastic zakken stopt en die met een stuk touw stevig vastknoopt.

'Hoe lang moet ik ze aanhouden?' Als ik mijn handen niet kan gebruiken raak ik lichtelijk in paniek.

'Minimaal een uur.'

'Een uur!'

'Maar eigenlijk moet je het de hele avond omhouden.'

'De hele avond!' Ik ben uitgenodigd voor een diner en ik ben niet van plan daar met mijn plastic handschoenen aan naartoe te gaan.

Als we uiteindelijk klaar zijn, wachten we tot Rasha, de bruid, uit een van de achterkamers tevoorschijn komt, waar haar lichaam voor de trouwerij met was is geëpileerd. Jemenitische vrouwen halen alles eraf: beenharen, armharen, schaamharen, alles.

We zijn er al vele uren en worden steeds onrustiger. De meisjes en vrouwen om me heen beginnen te gillen en te klappen, om Rasha aan te moedigen uiteindelijk aan haar trage tocht door de hal te beginnen naar een stoel die daar voor haar is neergezet. Ze draagt een jurk van goudkleurig kant en een sluier van gouden tule over een soort zwarte bivakmuts. Weer spijt het me dat ik hier geen foto's kan nemen. Ze kijkt zeer ernstig uit haar ogen.

Een poosje sta ik er met de andere vrouwen omheen, ik klap in mijn handen en probeer de kenmerkende Jemenitische kreten na te doen, om vervolgens mijn shirt over mijn in een plastic zak gewikkelde armen heen te trekken. Ik kan maar een beperkte tijd achtereen blijven schreeuwen tot ik me begin te vervelen. Najma en ik nemen samen een taxi. Ik vraag naar de op handen zijnde reis van haar familie naar Saudi-Arabië en ze zegt dat ze hoopt de *umrah* te doen in Mekka. 'Ik hou van die plaats,' zegt ze gepassioneerd. 'Ik kan

DRIEËNTWINTIG

ze gaat uit huis

Zuhra is nog niet vertrokken of ik mis haar al. Plotseling is ze erg druk, met allerlei soorten afspraken voor het regelen van visa, controles bij de dokter en het inkopen van de noodzakelijke spullen voor haar reis naar Amerika. We weten nog altijd niet wanneer ze zal vertrekken en ik raak in paniek als ik bedenk dat ik het vele weken zonder haar moet stellen. Elke keer als ik op sluitingsdag te weinig artikelen heb, zegt Zuhra: 'Ik vind wel iets.' En dat doet ze. Luke zegt dat ze als ik er een heel enkele keer niet ben, het toezicht op de aanlevering van artikelen overneemt, rondloopt met een lijst van artikelen en orders uitdeelt.

Nu is Zuhra bezig met haar eigen problemen. Nadat de opwinding over het krijgen van een beurs eenmaal is afgenomen, begint ze zich zorgen te maken over haar familie. Ze kan alleen naar de Verenigde Staten reizen als ze toestemming van haar mannelijke familieleden krijgt. Het is nooit bij me opgekomen dat ze niet in staat zou zijn te vertrekken. Ik word al beroerd als ik eraan denk dat iemand haar ervan zou kunnen weerhouden deze kans te grijpen.

Heel handig vertelt ze het als eerste aan Fahmi, haar oudste broer die in New York woont. Fahmi is haar meest verwesterde en mondaine broer, en hij is dol op zijn zus. Hij vindt het fantastisch en belooft dat hij bij haar andere broer voor haar zal pleiten. Aziz, die nog altijd bij Zuhra in Jemen woont, wil er eerst niets van weten.

'Ik vrees dat ik niet nogmaals een kans zal krijgen als ze nee zullen zeggen,' peinst Zuhra terwijl ze op haar sneakers heen en weer trippelt. 'Als ik niet ga, zal er niet opnieuw een beurs aan me worden verstrekt.'

Zuhra meent dat ze naar Washington DC wordt gezonden, omdat de organisatie die de beurs verschaft daar is gevestigd. Haar familie zit in over de veiligheid in de stad, maar Fahmi doet zijn uiterste best om hen gerust te stellen. 'Het is er veiliger dan in Jemen,' zegt hij. Dan komt ze erachter dat ze naar Mississippi wordt gestuurd, en niemand weet wat hij daarvan moet denken. Ten slotte stemt Aziz ermee in. 'Hij vreesde slechts dat ik er in de VS alleen voor zou staan,' zegt Zuhra. 'Maar Fahmi wist hem er in een lang gesprek van te overtuigen dat het goed met me zou gaan en dat hij verantwoordelijk voor me zou zijn.'

Vreemd genoeg vertoont Zuhra zelf geen enkele twijfels over de reis, hoewel ze nog nooit in een vliegtuig heeft gezeten of ook maar een nacht buiten haar woning heeft doorgebracht. 'Ik twijfel geen seconde,' zegt ze. 'Ik ben alleen maar blij. Het is een kans, het is fantastisch en het is niet nodig om er zenuwachtig over te zijn.'

Heimelijk spijt het haar dat ze bij Kamil al-Samawari vertrekt, de mensenrechtenadvocaat. Hoewel het een poosje heeft geduurd voor ik erachter kwam, is Zuhra al het hele jaar verliefd op hem. Afgelopen herfst drong het tot haar door dat ze verliefd was, nadat ze was flauwgevallen toen ze in een Sana'atisch ziekenhuis aan een artikel werkte. Ze was onwel geworden door de chemische lucht daar. Toen ze bij bewustzijn was gekomen, had ze Kamil als eerste gebeld. Hij had haar zo goed geholpen, zoals een goede vriend dat doet, dat zij hem had gevraagd om haar op te komen halen. Het was Ramadan, maar Kamil gaf haar vruchtensap en eten zodat ze kon herstellen en bracht haar veilig thuis. Dat was voordat ze verliefd werden, zegt ze. 'Na dit voorval besefte ik dat ik tot over mijn oren verliefd op hem was. Als ik hem zie, dan denk ik dat ik mijn hele leven bij hem wil blijven. Dat gevoel zit heel diep vanbinnen. Door Kamil ben ik sterk veranderd. Hij heeft me vertrouwen gegeven, zelfvertrouwen, en heeft ervoor gezorgd dat ik mezelf mooi vind. Na de gebeurtenissen in het ziekenhuis wisten we dat we van elkaar hielden. Maar het heeft wel even geduurd. Het wordt hier niet geaccepteerd dat je verliefd op elkaar bent.'

En daarom had ze het voor zich gehouden.

Kamil is voorstander van haar trip naar de Verenigde Staten. Ze hebben over trouwen gesproken en ze wil haar leven met hem delen, en hij heeft beloofd op haar te wachten. Ik ben gewoon een poosje weg, zegt ze tegen zichzelf. Binnenkort kom ik weer terug.

HALF AUGUSTUS raak ik in paniek als ik over mijn toekomst nadenk. Er zijn nog maar twee weken te gaan en ik heb me nog niet voorbereid op mijn vertrek. Ik ben alleen met de visa in de weer geweest, wat zoals gewoonlijk verkeerd is gegaan. De immigratiedienst had mijn verblijfsvergunning niet verlengd, zodat die tegen de tijd dat ik vertrek al twee maanden zal zijn verlopen. En het visum om het land te mogen verlaten, is al verlopen voordat ik ook maar op het vliegveld ben gearriveerd!

De volgende dag besluip ik Faris om hem om hulp te vragen. Ook zeg ik hem dat Jamal Hindi, de eigenaar van het Al-Mankal restaurant, me heeft aangeboden mijn afscheidsfeest met mijn medewerkers te organiseren. Op welke dag komt dat hem het beste uit? Daar kan hij nog niks over zeggen. Hij komt er later op terug. Hij lijkt niet erg kapot van mijn op handen zijnde vertrek. Iedereen op het werk heeft erop aangedrongen dat ik mijn contract verleng, iedereen, behalve Faris. Met weemoed denk ik terug aan het grote feestmaal dat hij me ter afsluiting van mijn eerste trip naar Jemen had aangeboden en vraag me af wat er is misgegaan. Toen had hij me in een toespraak alle lof toegezwaaid en me talloze Jemenitische cadeaus gegeven. Nu lijkt hij me liever vandaag dan morgen kwijt te zijn. Hij kan het niet opbrengen me aan te kijken, prutst wat met zijn pen en tuurt naar de computer.

'Faris, wat is er aan de hand?'

'Door jou heb ik een heleboel vijanden gekregen,' zegt hij. 'Iedereen in de regering heeft een hekel aan de krant. De minister van Binnenlandse Zaken weigert nog altijd met me te praten.'

Ik kijk hem aan. 'Het is niet de taak van een krant om bevriend te raken met de regering,' zeg ik. 'Het is onze taak om de waakhond van de regering te zijn en ervoor te zorgen dat de regering zijn beloften nakomt. En eerlijk gezegd ben ik er niet van overtuigd dat dit het geval is.'

Hij knikt, maar is het niet met me eens.

'En iedereen die ik heb gesproken, iedere diplomaat, iedere expat en zelfs Jemenitische beambten, heeft me gezegd dat de krant het afgelopen jaar een grote ontwikkeling heeft doorgemaakt.' Wanhopig ben ik op zoek naar erkenning, al is het maar een heel klein beetje.

'Jemenitische beambten, dat waag ik te betwijfelen.'

'Zelfs onze goede vriend Jalal.' Jalal is nu onderminister van Financiën.

'Echt waar? Welk artikel vond Jalal dan goed?'

'Faris, ik kan me niet een specifiek artikel herinneren. Oké, wil je dan beweren dat je ontevreden bent over mijn werk?'

'Nee. Ik geef je alleen het hele verhaal. Heb ik je laatst niet gezegd dat ik heb gehoord dat iedereen hoopt dat je terugkomt en aanbiedt dat je bij hen in kan komen wonen?'

Ik staar Faris aan. Hij ontwijkt mijn blik en kijkt naar de muur, het bureau, overal heen, maar niet naar mij. Ik blijf nog even, in de vergeefse hoop nog wat aardigs te horen over de veranderingen die ik in de krant heb doorgevoerd, maar Faris heeft duidelijk genoeg van me. Ik ga staan en vertrek. Als ik zou moeten wachten totdat Faris me een schouderklopje geeft, zou ik moeten wachten tot ik een ons weeg.

☾★

MIJN MEDEWERKERS COMPENSEREN de apathie van Faris. Hadi wordt met de dag wanhopiger. 'Het zal me zwaar vallen als je vertrekt,' zegt hij, terwijl hij zich vermoedelijk herinnert hoe het er voor mijn komst tijdens sluitingsdagen aan toeging, toen ze tot vroeg in de ochtend doorwerkten.

Zelfs mijn nieuwe verslaggever voor het economische nieuws is ontroostbaar. Op een dag werk ik samen met hem aan de economiepagina van een van mijn laatste nummers, en berisp hem omdat hij aanhalingstekens heeft vergeten en niet heeft aangegeven waar enkele wezenlijke onderdelen van de tekst vandaan komen. Bovendien maakt hij te vaak gebruik van ondoorgrondelijk zakenjargon.

'Je moet goed begrijpen dat politici en functionarissen van de regering bagger uitbraken,' zeg ik hem. 'Het is jouw taak om die bagger te vertalen naar iets wat iedereen kan snappen.'

Zaki lacht, maar zegt dat zijn verhaal op zakenlieden is gericht, die al die technische vaktaal beslist begrijpen. Dat argument gebruikt hij altijd.

'Elk artikel in een krant is bedoeld voor alle mensen,' zeg ik. 'Economie kan zelfs fascinerend zijn voor mensen die zich er niet voor interesseren, als je er maar in gewone taal over schrijft. Hoe ingewikkelder de inhoud, hoe belangrijker het is dat je het aan je lezers uitlegt.'

Vanachter zijn brillenglazen kijkt Zaki me met een ernstige blik in zijn ogen aan.

'Het is zo jammer dat je vertrekt,' zegt hij. 'Als ik met jou werk, leer ik zoveel. Niemand anders zal me op deze manier helpen. Door jou ben ik zoveel vooruitgegaan.'

Door dit soort gesprekken voel ik me altijd net een verrader.

'Maar waarom moet je eigenlijk weg?' vragen mijn verslaggevers me. 'Wat ga je hierna doen?'

Daar kan ik geen antwoord op geven. Misschien is er nog een ander land waar ze behoefte hebben aan een trainer voor journalisten. Ik heb gezien dat een NGO in Sierra Leone iemand nodig heeft en ik heb mijn cv opgestuurd. Hoe erg kan Sierra Leone zijn na Jemen? Bovendien vind ik het een tamelijk opwindende gedachte dat ik een opleider ben voor journalisten waar ook ter wereld, en van het ene chaotische land naar het andere reis.

Een enige andere optie is het plan om een boek te schrijven over mijn tijd hier, dat ik aan een vriend wil laten zien die een briljant literair agent in New York heeft. Maar ik kan mijn toekomst niet ophangen aan zoiets vaags als een eventueel contract om een boek te schrijven.

Faris heeft er eindelijk mee ingestemd om mijn medewerkers een perskaart te geven, iets waar ik elf maanden om heb gevraagd. Maar het leidt tot nieuwe problemen, want nu wil iedereen er eentje hebben. Op een dag komt Hadi mijn kamer binnenlopen met het verzoek om zo'n kaart.

'Waarom? Je bent geen verslaggever. Ze zijn bedoeld voor verslaggevers, zodat ze aanwezig kunnen zijn bij evenementen die de overheid houdt.' Voor zijn werk hoeft Hadi het pand niet te verlaten.

'Ik wil er gewoon eentje hebben,' zegt hij zoals een kind om een snoepje vraagt.

'Maar waarom heb je er dan een nodig?' Ik kan me niet voorstellen waar een ontwerper er eentje voor nodig heeft.

'Ik wil er eentje hebben,' zegt hij pruilend.

'Hadi, ik wil je er wel een geven als je me maar zegt waarom je hem nodig hebt.'

'Ik wil er een hebben!' zegt hij en banjert mijn kamer uit. 'Ik wil er een hebben!'

Ik slaak een zucht. Nog twee weken. Nog maar twee weken.

☪

IK NODIG TIM TORLOT UIT voor mijn eerste afscheidsfeest. Er komen vrijwel alleen medewerkers, maar ook enkele van mijn vrienden en ik ben denk ik op zoek naar een excuus om hem weer te zien. Hij reageert meteen. Het spijt hem zeer, maar hij heeft een eetafspraak waar hij niet onderuit kan. Maar hij benadrukt hoezeer het hem spijt dat ik vertrek en belooft me voor mijn afscheid te bellen.

Ik zit achter mijn computer en lees het bericht nogmaals door en mail hem uiteindelijk terug dat er later die week nog een afscheidsfeest is, in het huis van mijn vriend Phil. Zou hij dan misschien kunnen? Hij schrijft meteen dat hij dan wel kan! Hij zegt bovendien dat hij me al eerder zal zien, de volgende avond in de woning van zijn waarnemer, waar we allebei zijn uitgenodigd voor een ander feestje, voor de verandering eens geen afscheidsfeest.

De volgende avond ben ik zenuwachtig als ik me kleed in een zwartgrijze zomerjurk die ik de afgelopen zeven jaar op feestjes heb gedragen. Het beste is er wel af, maar ik vertrouw erop dat het licht niet te fel zal zijn.

Op het feest sta ik een poosje op de veranda met een vriend te praten, waar op een gegeven moment Tim zich bij ons voegt. Mijn vriend verdwijnt naar de achtergrond en dan is alleen Tim nog over, vlak bij me, met verwijde pupillen. Ik heb geen idee waar we het over hebben. Misschien over de krant. De vakantie naar Jordanië, Beiroet en Ethiopië, die ik voor mijn terugkeer naar

New York wil houden. Dingen die hij in Jemen hoopt te bereiken. Echt, ik heb geen idee waarover we het hebben gehad. Alles wat zich tussen ons afspeelt heeft niks met woorden te maken. Ik weet dat zijn vrouw zich ook ergens in de kamer bevindt, maar ik ben nooit aan haar voorgesteld. Ik vraag me af waarom. Niet dat het uitmaakt. Tim en ik spreken slechts met elkaar, en wat zou er ooit werkelijk met ons kunnen gebeuren? Mijn liefde voor hem is zonder enige verwachtingen, hij bestaat gewoon. Maar waarom heeft hij nou een vrouw?

Het is een grappige week geweest. Mensen brengen een bezoek aan mijn werkkamer, alleen om er even te zijn. Zelfs Qasim kwam laatst binnen, net toen ik een nummer afsloot, en hij zat gewoon wat naar me te kijken.

'Wat kan ik voor je betekenen?' vroeg ik hem, vermoedend dat hij was gekomen om te proberen om mij iets over een adverteerder te laten schrijven.

'Niks,' zei hij droevig. 'Ik zit hier alleen maar omdat je vertrekt.' En hij bleef zitten, terwijl hij me aanstaarde.

Luke bezoekt me meermaals, komt naar beneden, van zijn nieuwe baan bij *Arabia Felix*. Hij wijst me erop hoezeer ik hem zal missen. Hij maakt me aan het lachen. Net zoals Ali, die tijdens het redigeren van artikelen langskomt. Gedurende mijn laatste dagen slaag ik erin om Ali over te halen om ook na mijn vertrek bij de *Observer* te blijven. Hij was van plan op te stappen als ik weg zou gaan. 'Ik zou het hier zonder jou niet overleven,' zegt hij. Maar ik smeek en voer allerlei argumenten aan. Ik zeg hem dat ik er niet tegen kan als de krant meteen na mijn aftocht weer in chaos zou vervallen. Ik zeg hem dat de vrouwen hem nodig hebben en dat Zaid niet kan redigeren. Uiteindelijk, en nadat hem een flinke loonsverhoging is toegezegd, stemt hij ermee in om me op te volgen. Als Jemeniet en *native speaker* van het Engels is hij de ideale persoon om de krant te redigeren. Ik weet dat hij niet lang zal blijven, maar de komende maanden zal ik in elk geval een beter gevoel over de krant hebben. 'Schrijf me,' zeg ik. 'Laat me weten of je ergens hulp bij kunt gebruiken.'

Ali lacht. 'Je zult meer mailtjes krijgen dan je lief is.'

☾★

OP EEN MIDDAG, na afloop van de lunch, zitten Zaid, Ali en ik in de redactiekamer met elkaar te praten over waarom je door tatoeages niet in de hemel zult komen en over het Arabische woord voor navel (*seera*) en aap (*kird*), als Zaid iets uit zijn zwarte aktetas pakt.

'Ik heb iets voor je,' zegt hij. Op een kleine bandrecorder drukt hij op de afspeelknop en ik hoor een bekende stem.

'In de paar weken dat ik hier ben geweest, heb ik behoorlijk wat vooruitgang waargenomen... maar om verder te komen, heb ik nog enkele aanbevelingen.'

Het is de toespraak die ik een jaar geleden voor mijn klas heb gehouden, aan het einde van mijn eerste trip naar Jemen. Het is de stem van iemand die het allemaal weet, iemand die de krant met een paar eenvoudige aanpassingen denkt te kunnen veranderen. Iemand die ik bijna niet meer herken.

'... en ik adviseer dat jullie de functie creëren van een bureauredacteur of hoofdredacteur...' Het is de stem van iemand die zichzelf veroordeelt tot een erg interessant leven.

Op de dag van mijn eerste afscheidsetentje kijk ik mijn kamer rond. De ramen staan open, zodat er katten binnen kunnen komen, de wind vrij spel heeft en de gordijnen heen en weer bewegen. Ik strijk mijn vingers over het stoffige grijze bureau dat eens aan Al-Asaadi heeft behoord. Er is niets in de kamer wat ook maar enigszins aantrekkelijk is. Maar hij zal me wel bijblijven. De gedeukte archiefkast waarin ik mijn draadloze toetsenbord elke avond opberg. Ik zal me het geluid herinneren van discussiërende mannen in de gang. De verre galm van gebeden. De dichtbije galm van gebeden. En het hoge opgewonden stemgeluid van Radia en Enass. Hun ernstig kijkende bruine ogen die me vanuit hun nikab aankijken. De dokter die in de gang loopt te schreeuwen.

Ik zit op mijn stoel, alleen. Dat houd ik niet vol zonder in huilen uit te barsten, dus sluit ik mijn computer af, pak mijn sporttas en trek de deur achter me dicht.

Ondanks mijn zenuwen is het een heerlijk afscheidsdiner. Een man of vijftig komt me uitzwaaien, waaronder Bashir en Hassan, die een pak hebben aangetrokken, Ibrahim, en bijna al mijn vrouwen. Alleen Najma en Zuhra mogen van hun familie niet komen, al heb ik ervoor gezorgd dat de vrouwen in een aparte kamer kunnen zitten. Carolyn komt, evenals mijn vriend en klusjesman Sami, een Amerikaanse filmer, Shaima, Phil Boyle en anderen. De tafel zit vol.

De meeste van mijn verslaggevers hebben iets voor me meegenomen, verpakt in zilverpapier met hartjes of rode rozen erop. Van Shaima en haar vriendin Huda krijg ik sieraden. Jabr en Zaki geven me een corsage met bloemen verpakt in crêpepapier. Zaid geeft me een fraaie armband met een handgeschreven briefje.

Ik zal je altijd blijven herinneren, wat er ook gebeurt. Afgelopen nacht heb ik dit kleine gedichtje voor je geschreven. Het was drie uur en ik hoop dat je het mooi zult vinden. Ik wens je het allerbeste toe en je hoeft je niet druk te maken over de krant.

Ik zal mijn tranen voor me houden
Ik zal proberen te lachen
Uit Jemen zul je misschien vertrekken,
Maar uit onze harten
Zul je nooit verdwijnen.

Zaid al-Alaya-a
je opvolger
dinsdag, 3 uur 's nachts

Al-Asaadi vervult een belofte die hij tien maanden geleden heeft gedaan en brengt me de Jemenitische druiven waarvan hij zegt dat ze de beste van het land zijn. Dat raakt me misschien wel het meest.

Faris is laat. Als hij ten slotte arriveert, gaat hij aan tafel zitten, tussen de andere gasten, en negeert me. Ondanks de vreemde situatie had ik gehoopt dat Faris uiteindelijk toch een klein beetje waardering voor me zou tonen, me enige erkenning zou geven voor wat ik hier het afgelopen jaar heb gedaan.

Ik wacht vergeefs, terwijl ik de tafel rondloop om met iedereen een persoonlijk gesprek te hebben en loop heen en weer naar de kamer waar mijn vrouwen in hun nikab zitten te eten. Iedereen wacht. Mijn medewerkers verwachten eveneens dat Faris nog iets zal zeggen. In elk geval enkele afscheidswoorden. In elk geval een groet en een gelukwens. Hierdoor zou ik in de gelegenheid zijn om een paar dankwoorden aan mijn medewerkers uit te spreken.

Maar hij doet niks. Hij zit maar wat en klaagt dat het hoofdgerecht te laat wordt opgediend en knijpt er vervolgens voor het eind van de avond tussenuit met een haastig: 'Bedankt voor de uitnodiging,' en rent zowat naar buiten.

Daar sta ik dan in het leger wordende restaurant, stomverbaasd. Er zijn nog maar een paar gasten over. Sommige van mijn mannelijke verslaggevers zijn weer naar het werk gegaan. De vrouwen hebben een uitgaansverbod en de expats zijn vertrokken om bij iemand thuis nog wat te drinken. Ze hebben me uitgenodigd, maar ik heb zelden zo weinig behoefte aan drinken gehad. Shaima en haar vriendin Huda komen bij me zitten om me te troosten. 'Kan er dan niet eens een bedankje vanaf?' vraag ik. Ik ben er zo door gekrenkt dat ik nauwelijks een woord kan uitbrengen. Shaima probeert me te troosten en zegt me dat alle anderen wel waardering voor me hebben en gaat het niet om wat de verslaggevers ervan vinden? Ze heeft gelijk, uiteraard. Mijn verslaggevers zijn de reden geweest van mijn komst, om hen ben ik gebleven. 'Het ligt niet in de aard van Faris om dankbaar te zijn,' zegt een van de vrouwen. 'Je moet het niet persoonlijk opvatten.'

Ik kijk naar ze, zo aardig en bezorgd. Ik probeer hun geduld op te snuiven.

Ze ruiken naar wierook en naar Jemen.

'Dankjewel,' zeg ik en pak hun handen beet. 'Het spijt me dat ik zo emotioneel ben.'

Ze vertrekken en ik ga voor de laatste keer naar huis, alleen.

☪

HET TWEEDE AFSCHEIDSFEEST is voor mensen die drinken. Phil Boyle van de Britse ambassade is zo vriendelijk om als gastheer op te treden en kwijt zich uitmuntend van zijn taak. Hij zet kleine kommetjes met noten en chips op de tafels en stelt een hele rij wijnflessen op voor zijn kast met drank. 'Mijn afscheidscadeau voor jou,' zegt hij. Ook vult hij een hele koelkast met bier en fris.

Ik draag een nauwsluitende sprookjesjurk, volledig tegengesteld aan de bescheidenheid die ik de voorgaande avond vertoonde. Mijn haar hangt los en ik heb lippenstift opgedaan zo rood als een stoplicht. Tenslotte ga ik terug naar de westerse wereld en moet ik me aanpassen!

Carolyn is de eerste die arriveert, korte tijd later gevolgd door Tim, die zonder zijn vrouw komt. Ik ga naast hem zitten, op de armleuning van de bank waarop hij heeft plaatsgenomen en we spreken over mijn op handen zijnde reis naar Jordanië, want ik heb zojuist een telefoontje gehad van een Jordaanse vriend die me geholpen heeft de vakantie te organiseren. Tim vraagt me naar mijn medewerkers, maar ik ben nog niet begonnen over mijn vertrek te vertellen of ik barst in tranen uit.

'Sorry, we zullen het ergens anders over hebben,' zegt hij vriendelijk.

De volgende gasten die arriveren zijn mijn vrienden die in de olie werken, gevolgd door andere vrienden en buren, die eten en drinken meenemen. Net als het gros van de mensen binnenkomt, zegt Tim me dat hij er vroeg vandoor moet. De volgende dag moet hij naar Aden. Het spijt me dat hij weggaat.

'Maar ik kom terug,' zeg ik hem als ik hem naar de deur begeleid, waar hij me kuis op beide wangen kust. 'Ik weet dat ik terugkom.'

Wat er daarna gebeurt, hangt af van wie je moet geloven. Ik zou zweren dat Tim mij vol op de mond kust voordat hij zich omdraait en de deur uitgaat, maar hij is er net zo vast van overtuigd dat ik degene ben die hem kust.

'Het hele stuk naar huis was ik stomverbaasd,' zegt hij later. 'Ik had niet gedacht dat je me zo leuk vond. Zo leuk als ik jou vond.'

Ik kan me de rest van de avond moeilijk ergens op concentreren. Om een uur of halftwaalf, tikt Phil op zijn glas om ieders aandacht te krijgen en houdt een kleine toespraak, waarin hij alles zegt wat ik had gehoopt dat Faris gezegd zou hebben, ofschoon hij er een ironische Britse draai aan geeft. Hij heeft het erover hoe ik de krant radicaal heb veranderd, van 'een sufferdje,' naar een krant die 'nauwelijks meer een sufferdje' te noemen is. Maar het mooiste wat hij zegt, is misschien wel dat ik waarschijnlijk 'meer Jemenitische vrienden heb dan alle andere aanwezigen hier'. Het is zo gemakkelijk als expat om in je eigen sociale wereldje te leven, maar ik heb ernaar gestreefd om te integreren met de Jemenieten. Zij zijn de reden dat ik hier ben. Door de toespraak van Phil heb ik, eventjes, het gevoel dat ik iets goeds heb gedaan.

☪

DE VOLGENDE DAG, 30 augustus, is mijn laatste werkdag. De hele dag staat het huilen me nader dan het lachen, ik heb mezelf nauwelijks in de hand. 's Ochtends belt Noor me om zich ervan te verzekeren dat ik naar mijn werk kom en haar interview kan redigeren. De voorgaande avond, nog voor het feest, was ik lang op kantoor gebleven om het laatste stuk van Najma te redigeren. Ze had me een emotioneel mailtje gestuurd. 'Alsjeblieft Jennifer, redigeer dit zelf en maak er iets prachtigs van, laat het niet door iemand anders bewerken.' Ik respecteer hun laatste wensen.

Als afscheidscadeau schrijf ik voor ieder van mijn medewerkers een persoonlijke aanbeveling. Ik schep er behoorlijk veel plezier in, niet alleen omdat ik hen ermee help, maar ook omdat ik me realiseer hoeveel ieder van hen het afgelopen jaar is opgeschoten. Farouq schrijft nu in het Engels. Najma, die niet in staat was haar persoonlijke gevoelens buiten haar artikelen over gezondheid te houden en geen idee had hoe ze wetenschappelijk onderzoek in een echt verhaal moest omzetten, is nu een vaardig schrijver over gezondheid en wetenschap. Radia, die receptioniste was toen ik hier kwam, is nu leerling-verslaggever.

Aan het eind van de dag komen Noor en Najma samen mijn kamer in om afscheid van me te nemen en me een van geitenharen geweven Jemenitische handtas te geven. Door de tranen kan geen van ons een woord uitbrengen. Ze knuffelen me, kijken me met betraande ogen aan en gaan er snel vandoor. Zelfs Jabr heeft de tranen in de ogen staan als hij mijn hand ten afscheid schudt. Ik ben blij dat Zuhra al is vertrokken. Ik zou het niet aangekund hebben van iedereen tegelijk afscheid te moeten nemen.

☪

ZUHRA WAS EEN DAG EERDER in mijn kamer verschenen, waar ze anders dan anders zwijgend voor mijn bureau stond. 'Ik ga nu afscheid van je nemen.'

Ik stopte met het schillen van de granaatappel en legde het mesje op een oud nummer van de krant. Granaatappels waren alles voor me. Ik kon geen dag meer zonder. Ik dacht aan Persephone en hoe ze door het eten van zes granaatappelpitten zes maanden van elk jaar in de hel moest doorbrengen. Een pit per maand. Als ik een maand in Jemen moest blijven voor elke pit die ik had gegeten, zou ik nooit kunnen vertrekken.

Ik was nog niet zover dat ik afscheid van Zuhra kon nemen. Iemand is elke dag van je leven aanwezig en dan ineens niet meer. Er is geen overgangsperiode. Wacht, wilde ik zeggen. Ik heb meer tijd nodig.

Ze liep om mijn bureau heen en ik omarmde haar stevig, mijn kleine bundel kunstzijde, alsof ik een kerstgeschenk vasthield, met alle pakpapier er nog omheen.

Ik kon geen woord uitbrengen. Er waren geen wezenlijke laatste woorden, geen beste wensen, geen liefdesbetuigingen. Ik kon niet spreken. Zij zei evenmin iets. We keken elkaar slechts aan.

Toen was ze verdwenen.

Verdoofd en een beetje onpasselijk nam ik weer achter mijn bureau plaats. Ik pakte de granaatappel weer op.

Toen ik uit mijn kamer liep om de schillen weg te gooien, stond Zuhra nog altijd bij het bureau van Enass, waar ze haar spullen in een stel plastic zakken aan het stoppen was.

'Als je nog langer blijft rondhangen, zet ik je weer aan het werk,' zei ik.

Zuhra glimlachte. Of ik stelde me voor dat ze dat deed, omdat haar ogen even glommen. 'Hoe vaak heb ik geen afscheid genomen?' vroeg ze aan Enass. En ze liep langs me heen de deur uit. 'Ik zie je wel in New York.'

Ik knikte.

Ze haastte zich over de binnenplaats en ik liep achter haar aan. Ik kon er niks aan doen. Ze zag me niet. Ik liep het kantoor uit en bleef boven aan de drie marmeren treden staan. Ze wandelde snel, een bundel zwarte rokken en plastic tassen, haar met franjes versierde leren handtas die tegen haar zij aan stootte. Ik keek haar na tot ze de poort uitstapte en verdween. Ze keek niet achterom.

☪

EEN HALFUUR LATER ZAT IK achter mijn computer toen mijn telefoon piepte. Een sms'je van Zuhra, de laatste voordat ze in het vliegtuig stapte: 'Ik hou van je.'

VIERENTWINTIG

redenen om terug te keren

In mijn beroerdste periode in Jemen, toen ik alleen maar kon fantaseren over slapen, broccoli, tweedaagse weekenden en het vinden van kaas, vroeg een vriendin me hoe mijn liefdesleven ervoor stond. 'Dat meen je niet,' zei ik. 'Al zou ik er de tijd voor hebben, dan nog is iedereen in Jemen getrouwd, moslim of drieëntwintig. Maar mezelf kennende word ik een dag voor ik vertrek verliefd op iemand en blijf ik hier hangen.'

Dat is, naar later bleek, precies wat er gebeurde.

Tijdens de drie weken durende reis in september naar vrienden in Jordanië, Libanon en Ethiopië – mijn zegeronde door de regio, om te vieren dat ik het afgelopen jaar heb overleefd – heb ik vreselijke heimwee naar Jemen. Ik mis mijn woning van suikerwerk. Ik mis de Oude Stad bij zonsondergang. Ik mis mijn verslaggevers. Ik mis Carolyn en Koosje. Ik verlang hevig terug naar Sana'a, hoewel ik al over drie dagen terugreis naar New York.

Ik ben duidelijk nog niet klaar om te vertrekken. Maar ik kan mijn ticket absoluut niet wijzigen. Ik heb een afspraak met een agent in New York, waar een gratis appartement op me wacht en een grote oranje kat die moet worden verzorgd. En mijn familie zal me wurgen als ik niet terugkeer. Maar ik begin te denken dat de komende maanden in New York meer een bezoek zullen zijn dan een permanente verhuizing.

Geen haar op mijn hoofd die eraan denkt weer bij *The Week* aan de slag te gaan. Als ik daar zou terugkeren, zou ik de plek innemen van iemand die ik niet meer ben. Wat voor uitdagingen zouden er nog voor me liggen? De dingen die ik wil leren, kun je je niet eigen maken in een comfortabele baan in de westerse wereld. Ik heb behoefte aan nieuwe culturen, nieuwe mensen, nieuwe talen. Ik zou niet kunnen terugkeren naar mijn voorspelbare arbeidsbestaan. Nadat ik het zwaarste jaar van mijn leven heb overleefd, barst ik van het zelfvertrouwen. Heeft u een moeilijke taak in een chaotisch land? Neem maar contact met me op.

De baan in Sierra Leone ziet er goed uit, als ze besluiten me aan te nemen. Ik ben nog niet vaak in Afrika geweest, maar ik weet dat ik het werk aankan. Het is zelfs zo dat de gedachte me erg aanspreekt om een hele groep medewerkers van een totaal nieuwe krant op te leiden, ondanks de talloze hordes die ik bij de *Observer* moest nemen. Wat me vooral aantrekkelijk lijkt, is dat ik geen hoofdredacteur hoef te zijn. Ik zou me kunnen richten op de opleiding. Dat klinkt me heel comfortabel in de oren.

Ik besluit om het appartement op Manhattan dat ik onderhuur op te zeggen. Hoewel ik geen idee heb waar ik uiteindelijk onderdak zal vinden, weet ik dat ik nog niet ben uitgereisd. Als ik mijn idee voor een boek verkoop, moet ik sowieso naar Jemen terugkeren om onderzoek te verrichten, in elk geval gedurende enkele maanden. Wat zou het prachtig zijn als ik een aantal maanden in Jemen kon verblijven zonder een krant te leiden! Dan zou ik meer van het land kunnen zien, tijd bij vrienden kunnen doorbrengen en me op het Arabisch kunnen richten. En bovenal zou ik dan tijd hebben om te schrijven. Uiteraard hoef ik de knoop nog niet meteen door te hakken. De drie weken die ik reizend doorbreng, zijn puur voor mijn plezier, een en al uitstel, voordat ik me weer op het leven in New York stort en de beslissingen die me daar staan te wachten. Maar het valt me zwaar om niet met dit soort afwegingen bezig te zijn. Ik blijf maar zoeken naar mogelijkheden om nog een poosje in Jemen te wonen en geld te verdienen terwijl ik een boek schrijf.

En dan is Tim er ook nog.

C☪

TIJDENS MIJN RONDREIS begin ik een onverwachte correspondentie met Tim. Eerst schrijf ik hem vanuit een smoezelig klein internetcafé in Amman, om hem te bedanken voor zijn aanwezigheid op mijn feest en hem over mijn bezoek aan de spectaculaire ruïnes van Petra te vertellen, waar ik drie heerlijke dagen heb doorgebracht met het beklimmen van antieke tempels met bedoeïenen. Hij schrijft meteen terug, een lang verhaal. Aldus begint een bijna dagelijkse uitwisseling die voortduurt zolang ik afwezig ben.

Elke avond voor ik ga slapen in weer een volgend vreemd bed, schrijf ik hem over wat ik die dag heb meegemaakt, en vrijwel elke nacht droom ik over hem. Levendige, hartstochtelijke dromen. Ik begrijp er niks van. Ik heb nog nooit zoveel en zo intens gedroomd over iemand die ik nauwelijks ken. Ik droom dat ik naar zijn huis ga. Ik heb een vel papier met aantekeningen erop en toon die aan hem. Uiterst opgewonden praten we over de aantekeningen. Hij is blij me te zien. Dan komt zijn vrouw binnen. Eerst is ze aardig en dan heeft ze me door en beseft dat ik verliefd ben op haar man. Ze kijkt naar de aantekeningen die ik heb gemaakt en weet dat het zo is. Haar gezicht betrekt. Ze begint mij en Tim uit te schelden en werpt me de vreselijkste verwijten toe. Ik verwacht dat Tim haar probeert gerust te stellen, maar dat doet hij niet. Ze vertrekt en hij wendt zich naar mij. 'Ik hou niet van haar,' zegt hij. 'Het is vreselijk om te zeggen. Maar ik doe het niet. Het zal niet lang meer duren en ik ben gek op jou. En we kunnen bij elkaar zijn. We zouden kunnen trouwen.' Als ik wakker word, duizelt het me. Ik heb er nooit bij stilgestaan dat hij zijn vrouw zou kunnen verlaten. Ik probeer opnieuw in te schatten hoe verliefd ik ben. Wil ik echt voor altijd bij hem blijven, heel lang? Ik moet wel zoveel van hem houden als hij zijn huwelijk voor me wil opgeven. Tot mijn verbazing voel ik me heerlijk bij de gedachte de rest van mijn leven met hem door te brengen, zonder een spoortje twijfel. Het spreekt voor zich dat het er in werkelijkheid niet bepaald zo voor staat.

Tegen de tijd dat ik in Addis Ababa aankom om het Ethiopische Nieuwjaar te vieren, denk ik nauwelijks nog aan iets anders dan aan Tim. Wat is er met me aan de hand? En dat allemaal vanwege een aantal mailtjes van een getrouwde man?

☪

OP 16 SEPTEMBER 2007 keer ik terug in Sana'a, de dag voor Tims verjaardag. Als mijn vliegtuig boven Arabië afdaalt, springen me bij de aanblik van de koekkleurige huizenblokken onder me de tranen in de ogen. Ik ben zowat week van de liefde voor deze stad, dit land, deze bekende straten. Als ik niet een lunchafspraak met een literair agent in New York had staan, was ik vermoedelijk helemaal niet vertrokken. Als het vliegveld de landingsbaan over taxiet en de Jemenieten uit hun stoelen beginnen te springen, doe ik mijn telefoon aan. Tim heeft me een berichtje gestuurd om me te verwelkomen. Sami staat me op het vliegveld op te wachten en brengt me naar mijn geliefde woning, waar ik alles wil omarmen. Carolyn is naar China vertrokken, maar er is te veel te doen om me in eenzaamheid te kunnen wentelen. In drie dagen moet ik alles wat ik in een jaar tijd heb verzameld zien in te pakken. De eerste twee gebruik ik om zoveel mogelijk in twee koffers te proppen, de rest weg te geven en vrienden te zien.

De derde en laatste dag heb ik voor Tim gereserveerd, die heeft gevraagd of ik voor mijn vertrek tijd voor hem heb.

Die ochtend word ik gewekt door een telefoontje van een van zijn lijfwachten. Ze willen graag langskomen om het huis te doorzoeken, of dat uitkomt. Nog half in slaap stem ik ermee in. Tim stuurt me een berichtje en verontschuldigt zich voor de invasie. Een uur later staat er een uiterst beleefde Jemeniet in een helderwit shirt aan de poort en vraagt of dit de plek is waar de ambassadeur later die dag zal langskomen. Ik zeg hem dat dat inderdaad zo is en beloof hem voor alle gevaren te behoeden.

Tegen de tijd dat Tim belt om te zeggen dat de processie van de ambassadeur onderweg is van de ambassade, heb ik alles voorbereid. Mijn twee overvolle koffers staan klaar om naar het vliegveld gebracht te worden. Mijn woning is brandschoon. Sami heeft de laatste dvd's en boeken gekregen. En op een fles champagne, een fles witte Marlborough wijn en een pak yoghurt na is mijn koelkast leeg. In mijn keuken liggen twee granaatappels op me te wachten voor het ontbijt van morgenochtend. In mijn mafraj steek ik kaarsen aan en ga zitten lezen tot Tim me belt om te zeggen dat hij voor de poort staat.

Grijnzend als een spijbelende schooljongen glipt hij naar binnen en kust me op mijn lippen, pal voor de neus van de twee Jemenitische lijfwachten die met hem mee de binnenplaats op lopen. Toch is de kus ingetogen genoeg om door te kunnen gaan voor niet meer dan een vriendschappelijke begroeting. Ik zou er niks achter hebben kunnen zoeken. Nerveus begin ik de poort af te sluiten, maar Tim herinnert me eraan dat er twee gewapende mannen voor de deur staan, zodat dat nou niet bepaald nodig is. Met een hevig kloppend hart leid ik hem naar boven, helemaal naar de hoogste verdieping, waarbij ik mijn abaya onderweg scheur. Ik wil hem mijn stad laten zien. De meeste rommel van het dak is al weggevoerd en het plafond is uiteindelijk gerepareerd, al zijn daarbij niet de door de UNESCO voorgeschreven oorspronkelijke materialen gebruikt. Tim moet bukken om door de lage deuropening naar het dakterras te kunnen en dan staan we onder de sterrenhemel van Sana'a. Met onze ellebogen leunend op de stoffige balustrade rond mijn dakterras bewonderen we de oplichtende qamaria en kijken naar de spelende kinderen onder de waslijnen, waarna we elkaar aankijken. In zijn ogen reflecteert de wassende maan en ik blijf maar lachen. Met zijn gestreepte shirt en spijkerbroek aan, ziet Tim eruit als een zeventienjarige en allesbehalve als een ambassadeur. Dit is een van de perfectste momenten van mijn leven. We blijven staan tot een klein meisje op een nabijgelegen dak ons in de gaten krijgt en begint te zwaaien en te roepen. Omdat ik beloofd heb hem te beschermen, voer ik Tim vlug mee naar binnen, naar de mafraj, en haal de fles champagne.

Nog nooit is er in mijn mafraj zo'n verrukkelijke avond geweest. We praten zo lang met elkaar – over zijn werk in Irak, Tsjaad en de Centraal-Afrikaanse Republiek, over mijn onzekere toekomst – dat ik bijna begin te vrezen dat ik hem niet goed heb ingeschat. Maar als we de champagne op hebben en hij de wijn opent, weet ik genoeg. Net als we onze eerste slok hebben genomen, legt hij zijn hand onder mijn haar in mijn nek, zegt: 'Misschien moeten we dit niet doen,' en kust me.

Er komt iets wilds over me, iets wat elke passie die ik in het verleden heb gevoeld overtreft. Het is een duizelingwekkende, onweerstaanbare val. Hoe heb ik ooit kunnen denken dat ik al eens van iemand heb gehouden? Hoe heb ik ooit bij iemand kunnen zijn als er een Tim bestaat? Ik kan voelen, tastbaar bijna, hoe mijn hart mijn lichaam verlaat. Als er niet van alles op was gevolgd, had het een droom kunnen zijn.

Als we even ophouden met zoenen, neemt hij mijn hoofd in zijn handen. 'Beloof me,' zegt hij. 'Beloof me dat dit niet de laatste keer zal zijn.'

'Beloof jij het mij maar.'

'Dat doe ik, dat beloof ik.'

'Dan beloof ik het ook,' fluister ik.

Zelfs nadat we hebben gevreeën, blijft hij me stevig vasthouden, klemt me nog vaster in zijn armen. Zo blijven we beslist langer dan een uur liggen.

'Waarom ga je weg?' zegt hij met pijn in zijn stem, terwijl zijn armen mij bijna fijndrukken. 'Ga niet weg.'

'Het is goed dat ik vertrek.' Ik probeer mezelf iets wijs te maken. 'Als ik zou blijven, zou de kans groot zijn dat ik verliefd op je word.'

'Te laat,' zegt hij, en zijn vingers drukken in mijn schouders. 'Denk je niet dat het te laat is?'

☾★

IK VERTREK UIT JEMEN, maar ga niet weg bij Tim. In de drie maanden dat ik in New York ben, schrijven we elke dag, beschrijven we ons hele leven. Alles wat ons in Sana'a is overkomen, is zo snel gebeurd dat ik nauwelijks de tijd heb gehad om over de gevolgen na te denken. Maar nu maak ik me zorgen. Ik ben bang omdat ik zoveel van een man houd die niet de mijne is. Ik vrees dat hij met me speelt en nooit bij zijn vrouw zal weggaan. Ik ben beducht voor de pijn die zijn familie wordt aangedaan als hij zijn vrouw verlaat.

Ik vertel hem over mijn zorgen. Ik vertel hem ook over alle liefdes uit mijn verleden, over alle fouten die ik heb gemaakt. Als hij zich ergens door laat afschrikken, wil ik dat hij me dat nu laat weten. Maar Tim laat zich niet snel ergens door afschrikken. Na elke onthulling volgt een nieuwe liefdesverklaring van zijn kant. Elke keer als ik op 'verstuur' druk, vrees ik dat ik nooit meer van hem zal horen, maar elke keer als ik mijn mail bekijk, is hij er.

Tim vertelt me over zijn grote hechte familie, de jaren die hij doorbracht in New Zeeland, Chili, Oostenrijk en Frankrijk, dat zijn dochter alles voor hem is. Hij vertelt me over de vrouwen van wie hij heeft gehouden. En ten slotte vertelt hij me over zijn vrouw. Ze hebben al jaren problemen. Ze denken anders en houden er niet van om samen iets te ondernemen. Hij zou niet aan deze verhouding begonnen zijn als hij gelukkig getrouwd was.

Iemand heeft me ooit gezegd dat vrouwen een einde maken aan een slecht huwelijk omdat het een slecht huwelijk is, maar dat mannen pas vertrekken als ze iemand anders hebben gevonden. Misschien klopt dat. Ik denk dat Tim pas weg wilde gaan als hij daar een echt goede reden voor had; alleen het feit dat hij ongelukkig was, volstond niet om iemand anders pijn te doen.

Als ik in New York met vrienden uitga, merk ik dat ik na afloop haastig naar huis ga, alsof Tim daar echt op me zit te wachten, en schrijf uren achtereen naar hem. Het beangstigt me hoezeer ik van hem hou. Ik heb duidelijk gemaakt dat dit zo niet door kan gaan, ik kan niet van hem blijven houden als er geen kans bestaat dat we samen verder gaan. Daarin verschilt hij van de andere mannen van wie ik heb gehouden; ik wil samen met hem de toekomst tegemoet. Ik vraag hem of ik hem helemaal voor mezelf kan hebben.

'Ik moet je zien,' zegt hij. 'We moeten elkaar zien om er zeker van te zijn.' We zeggen hardop dat we vrezen een fantasieverhouding te creëren en dat de realiteit anders zal zijn. Tim waarschuwt me dat hij snurkt. Ik waarschuw hem dat ik 's nachts met mijn tanden knars. We spreken af elkaar in Londen te ontmoeten.

Ondertussen heb ik de baan aangenomen om in Sierra Leone journalisten op te leiden. Ik zit vreselijk in mijn maag met de beslissing, bel met mijn ouders, mijn nieuwe agent (de lunch verliep uitstekend!), mijn vrienden en Tim. Mijn ouders zien mij liever niet naar een oord vertrekken waar het mogelijk nog gevaarlijker is dan in Jemen, maar ze weten ook dat het weinig zin heeft om te proberen mij op andere gedachten te brengen. Mijn agent moedigt me aan, en herinnert me eraan dat we het boek dat ik aan het schrijven ben nog niet hebben verkocht. Ik doe er goed aan een alternatief te hebben. Tim houdt zijn mening voor zich, zegt me dat ik mijn hart moet volgen. Hij zal op me wachten, zegt hij. Hoewel ik ernaar verlang om bij hem in Jemen te zijn, laat ik mijn beslissingen niet afhangen van een getrouwde man.

Ik neem de baan. Na in december Tim te hebben ontmoet, zal ik met hem meevliegen naar Jemen en daar twee maanden bij vrienden doorbrengen. De baan in Sierra Leone begint in februari. Ik denk zelf dat als ik mijn boek verkoop, ik nog twee maanden heb om er keihard aan te werken, voordat ik naar Afrika ga.

☾★

7 DECEMBER IS DE BESTE DAG VAN MIJN LEVEN. Hij begint nog voor het ochtendgloren in New York, als mijn vrienden me naar JFK brengen. Ik heb de hele week contact gehad met redacteuren, maar ik weet nog niet hoe het met mijn boek zal aflopen. Er zitten weinig mensen in het vliegtuig naar Londen. Ik lig uitgestrekt op lege zittingen maar kan de slaap niet vatten. Mijn hart klopt te luid. In Heathrow laat de douane me wachten, dus ik ben de laatste

die door de controle komt. En daar staat hij, wachtend op mij. Zijn gezicht is me helemaal vertrouwd, alsof ik hem mijn hele leven al op vliegvelden ontmoet. 'Jenny,' zegt hij.

Hij brengt me snel naar een hotel, waar de kamer vol staat met al mijn lievelingseten. Hij heeft het onthouden van mijn mailtjes. Er zijn gepeperde cashewnootjes, zwarte bessen, muffins en gegrilde garnalen. In een emmer met ijs staat een fles champagne. De tranen springen me in de ogen als ik het zie. Maar voor ik het ervan kan nemen, krijg ik een telefoontje van mijn agent. 'Je hebt een uitgever!' zegt ze zonder inleiding. Prompt val ik bijna flauw en moet op het bed gaan liggen om het gesprek te kunnen voortzetten. Tim is even verrukt als ik en ontkurkt de champagne.

Die week drinken we champagne bij elke maaltijd. We gaan naar het theater, het ballet en de film. We schaatsen voor het Somerset House. We bezoeken kunstgaleries. We lopen overal heen. Op de op een na laatste avond zitten we in een schaars verlicht Frans restaurant te eten als Tim zegt dat hij het over ons wil hebben. 'Ik heb degene ontmoet met wie ik de rest van mijn leven wil delen,' zegt hij. 'En dat ben jij. En ik moet weten wat jij ervan vindt, voordat ik een heleboel levens ga ontwrichten.'

Vreemd genoeg hoef ik er geen seconde over na te denken. In achtendertig jaar heb ik nog nooit zoiets voor iemand gevoeld. Wat hij allemaal zegt, staat me nog allemaal bij, maar van wat ik zelf zeg, kan ik me niets meer herinneren. Ik huil van verwondering, opluchting en liefde. Maar op een of andere manier weet ik mijn antwoord over te brengen.

Tim was van plan om zijn vrouw pas na de vakantie te verlaten, maar het is anders gelopen. Op kerstavond heeft hij haar alles verteld en in januari is ze vertrokken. Het is verwarrend, ingewikkeld en pijnlijk voor zijn vrouw en dochter. Het doet me pijn te weten dat ik mensen kwets die ik nooit iets heb willen aandoen. Maar geen van beiden twijfelen we er ook maar een nanoseconde aan dat we de juiste beslissing hebben genomen. Het meest onbegrijpelijke is dat we er zo zeker van zijn, al vanaf het allereerste begin.

Gedurende een paar weken zie ik hem nauwelijks. Ik verblijf bij vrienden, terwijl hij zijn scheiding regelt en het erg druk heeft met zijn werk. Het wachten valt me zwaar. Ik kan er niet tegen dat hij ergens anders is en blijf vrezen dat hij zich bedenkt. Nu ik mijn boek heb verkocht, heb ik gelukkig genoeg te doen. Door een strikt werkschema heb ik voldoende afleiding en ook de vele bezoekjes van Zuhra helpen. Ze is rond de tijd dat ik uit New York in Jemen aankwam uit Mississippi teruggekeerd.

Ik heb geworsteld met wat ik met Sierra Leone aan moest. Tim heeft gezegd dat hij op me zal wachten en dat hij wil dat ik bij hem intrek als ik de acht maanden durende opdracht heb afgerond. Maar het is me duidelijk geworden dat het lastig zal zijn om mijn tijd te verdelen tussen het schrijven van mijn boek en het opleiden van journalisten in Sierra Leone. En elke keer als ik nadenk over het verlaten van Jemen, barst ik in tranen uit. Hoewel ik er nog lang niet van overtuigd ben dat ik de baan moet afzeggen, durf ik er niet met Tim over te spreken. Ik wil niet dat hij het gevoel heeft dat ik overhaast te werk ga of druk op hem uitoefen door in Jemen te blijven.

Zuhra is faliekant tegen mijn vertrek, want ze vreest dat ik daar iemand anders zal ontmoeten met wie ik bevriend raak.

'Je zult er een nieuwe Zuhra tegenkomen!' zegt ze. 'Een Afrikaanse Zuhra!'

Ik vertel haar over Tim, en volgens haar zou ik gek zijn als ik degene van wie ik houd acht maanden lang zou verlaten. 'Je zou jezelf martelen als je zonder hem bent,' zegt ze. 'Je hoeft er niet heen. Je verdient het om bij de persoon waar je van houdt te blijven.'

☪

OP EEN ZONNIGE WINTERDAG gaan Tim en ik er voor het eerst in Jemen op uit. Tot dan toe zijn we alleen thuis met ons tweeën geweest, bij Tim, als het personeel een dag niet aanwezig was. Maar nu heeft hij de scheiding van zijn vrouw en zijn relatie met mij bij de ambassade aangekondigd, en ben ik niet langer een geheim. De gepantserde wagens zetten ons in Bait Bous af, een oud dorp op een rots die uitzicht biedt op Sana'a, en we beginnen aan een lange wandeling. Een paar van zijn lijfwachten klauteren voor ons uit de bergen op en enkele anderen volgen op discrete afstand.

Boven op een bergkam stoppen we om op adem te komen. Het hele eind hebben we gesproken, maar als we ons omdraaien en uitkijken op de onder ons liggende stad Sana'a vallen we stil. Met al die sprookjesachtige minaretten en huizen van suikerwerk lijkt het wel op iets wat ik ooit als kind in een zandbak maakte. De blauwe lucht is wolkeloos. Aan de andere kant tekenen zich scherp enkele verre bergtoppen tegen de hemel af. Tim pakt mijn hand.

Nerveus haal ik diep adem. 'Ik heb nagedacht over Sierra Leone...'

Als ik hem heb uitgelegd waarom ik er niet heen wil gaan, glimlacht hij. 'Je hebt volledig gelijk. Eerlijk gezegd zou je niet goed bij je hoofd zijn als je een boek zou willen schrijven en tegelijkertijd even hard werkt als je hier hebt gedaan. En je moet echt hier zijn om dit boek te schrijven, toch?'

'Ik wilde alleen niet dat je het gevoel hebt dat alles vanwege het feit dat ik hier blijf sneller gaat... Je hebt vast nog tijd nodig en ik wil je bij je werk niet in de weg zitten...'

'Jenny,' zegt hij terwijl hij me onderbreekt. 'Zal ik je eens wat zeggen? Ik ben zo blij dat je niet naar Sierra Leone gaat.'

'Echt waar?'

'Ik denk niet dat ik zo lang zonder je had gekund.'

'Ik kan nog wel een poosje bij vrienden blijven...'

'Maar ik wil dat je bij mij woont, zo snel mogelijk. Wil je dat Jenny? Wil je bij me komen wonen?'

Daar hoef ik niet over na te denken, maar ik kan even geen woord uitbrengen. Ik kijk neer op de stad waar ik van houd en kijk de man aan waar ik nog meer van houd. Het lijkt te mooi om waar te zijn dat ik ze allebei bij me zou kunnen hebben.

'Ik denk niet dat ik ergens anders gelukkig zou kunnen zijn.'

EPILOOG

Sinds we allebei bij de *Yemen Observer* zijn vertrokken, zijn Zuhra en ik meer dan ooit bevriend geraakt. Ze bezoekt me in New York, waar ze op vakantie van haar studieprogramma aan de Jackson State University in Mississippi langskomt, een staat die ze zo beschrijft: 'Het is net de Derde Wereld! Er is geen enkel verschil met Jemen!'

Ze heeft zich al snel aangepast aan de Amerikaanse cultuur. Ze geniet erg van haar vrijheid, woont op zichzelf in een studentenwoning, gaat openlijk met studiegenoten om, en heeft haar kheemaar afgedaan. Tot haar verrassing, schrijft ze, heeft ze ontdekt dat ze prachtig is.

'Een knappe man heeft me gezegd dat ik zo mooi ben. wat was ik blij. veel mensen hier zeiden dat. en het mooiste is dat ik hier veel vreinden maak. mensen hier zijn zo vrendelijk, de meesten zijn balkans. Dat zijn goed mensen. ik heb vrindscep gesloten met een oud politieman. ik ben vriendin met de vrouwen in het studentenhuis. Aaah, en ik heb de avengilisten ontmoet, ze nodigden me uit voor de kerk om me Engels te leren!!!!!dat zal ik doen.'

In haar eerste maand in Amerika word ik overstelpt met mailtjes. 'Ik heb een spijkerbroek gekocht en een kort shirt,' schrijft ze. 'ik zie er mooi uit. Jennifer, je gelooft nooit hoeveel mannen me complimentjes geven, en een knappe en oude man zegt dat hij als ik een veertiger was zonder aarzelen met me wil trouwen. Ik weet niet dat ik zo in die mate aantrekkelijk was. Echt waar, ik dacht dat ik niet knap ben en niet aantrekelijke persoon was waar mensen voor vallen.'

Maar voor Zuhra is er ook een duistere kant aan het feit dat men haar knap vindt. Als mannen haar beginnen te vleien, haar uithoren, en haar hun liefde verklaren, heeft ze het gevoel dat ze door zoveel aandacht te trekken, iets verkeerds heeft gedaan. Ben ik nog wel een fatsoenlijk meisje, vraagt ze me op vele manieren. Ja, zeg ik haar. Betere meisjes zijn er niet.

Het eerste wat me opvalt als ik haar in de woning van haar broer in Brooklyn ontmoet, is dat ze paarse kleren aan heeft. 'Je bent in het paars!' zeg ik. Ik neem haar in mijn armen en draai haar in de rondte. Ik draag een mouwloos, tot de knieën reikend jurkje. Ik had haar gevraagd of ik me ingetogen moest kleden, maar Zuhra herinnerde mij eraan dat we in mijn land zijn en dat ik me moest kleden zoals ik zelf wil. We praten aan een stuk door, zitten samen op een stoel, tot haar broer Fahmi grapt dat hij zich begint af te vragen wat voor verhouding we hebben.

Voor Zuhra is het veel moeilijker om naar Jemen terug te keren dan er weg te gaan. Nog voor haar vertrek uit de Verenigde Staten begint ze er al over te piekeren. Hoe kan ik weer terugkeren naar een leven vol beperkingen nu ik de vrijheid heb geproefd, lijkt ze te willen zeggen. Zuhra weet wat haar in Jemen te wachten staat, en, op Kamil na, ziet ze ertegenop.

Ik kom een paar dagen voor haar in Jemen aan, en in een tijd dat er veel verandert, klampen we ons erg aan elkaar vast. Ik verblijf bij een hele reeks vrienden en worstel met mijn schrijfwerk, terwijl Tim zijn scheiding regelt. Zuhra twijfelt of ze haar werk bij de *Yemen Observer* zal voortzetten en zich weer zal aanpassen aan een beschermd leven. Uiteindelijk besluit ze een baan te nemen bij de mensenrechtenorganisatie HOOD en voor hun website te schrijven en verslag uit te brengen. 'Zonder jou kan ik niet naar de *Observer* terugkeren,' zegt ze. 'Ze zouden me niet de waarheid laten schrijven.'

Het bedroeft me dat zoveel van mijn hervormingen na mijn vertrek ongedaan worden gemaakt. Zonder uitzondering geven mijn vrouwen af op Zaid, die als een tiran huishoudt in de redactie en te zeer een stroman is van Faris. Ali, die de zaken relatief goed in de hand had, neemt uit protest ontslag als Faris probeert hem iets te laten schrijven waarvan hij weet dat het niet waar is. Noor vertrekt om voor een krant te werken van de Duitse ontwikkelingsorganisatie GTZ. 'Ik ben nog steeds een journalist!' verzekert ze me. Radia stopt helemaal met schrijven, ze weigert voor Zaid te werken, en wordt weer secretaresse. Een paar maanden later, als Qasim ontslag neemt om een eigen zaak te beginnen, wordt ze bevorderd naar zijn functie. Ze doet het fantastisch, zegt Zuhra en heeft een flinke loonsverhoging gekregen.

Farouq, Jabr, Hadi, Ibrahim, Al-Matari en Najma blijven voor de *Yemen Observer* werken, waar ze nu tot de meest ervaren medewerkers behoren. De gezondheids- en wetenschapspagina is de beste pagina van de krant. Dat wou ik maar gezegd hebben.

Ik bezoek de krant zo vaak ik kan en heb contact met mijn verslaggevers, vooral met de vrouwen. Adhara rondt in mei 2008 haar studie af en samen met Radia, Enass en Najma woon ik de afstudeerceremonie bij. Ik vertel hen over Tim en ze vinden het geweldig. Niemand vindt het mooier dan Zuhra, die Tim en ik als eerste uitnodigen om in de ambtswoning een kop thee te komen drinken. Ze kan het zo goed met Tim vinden dat ik er de hele avond slechts met moeite tussen kan komen. En als ik na afloop in de taxi klim om Zuhra naar huis te begeleiden, kijkt ze me aan en zegt: 'Ik was meteen helemaal weg van hem.'

'Ja,' zeg ik. 'Dat gevoel ken ik.'

Adhara blijft nog een jaar bij de krant voordat haar frustraties over Zaid haar ertoe aanzetten een baan te nemen bij een organisatie voor voedselveiligheid. Als haar nieuwe werkgever haar vraagt om bij besprekingen op te treden als tolk, staat ze in paniek bij me op de stoep, doodsbenauwd bij het vooruitzicht om voor een groep mensen het woord te moeten voeren. Ik ben blij dat ze bij me aanklopt en sta haar bij om haar angsten te overwinnen. Als ik een week later bel, zegt ze dat haar baan makkelijker is geworden en is ze heel wat tevredener.

Niet lang nadat we allebei in Jemen zijn teruggekomen, vertelt Zuhra ten slotte over haar geheime liefde. Ik verheug me erover dat het iemand is die ik ken en respecteer. 'Nu weet ik waarom je hem het afgelopen jaar zo vaak hebt geciteerd!' plaag ik haar.

Jammer is wel dat Kamil al een vrouw heeft. Als ik Zuhra was, zou ik niet hebben gekozen voor het leven van een tweede vrouw, en we brengen hele middagen door om de implicaties van deze beslissing van alle kanten te bekijken. 'Weet je zeker dat je je liefde met een andere vrouw wilt delen,' zeg ik. 'Is het wel eerlijk dat jij jezelf helemaal aan hem geeft en hij zich slechts voor de helft aan jou? Heb je erbij stilgestaan over hoe zijn eerste vrouw zich moet voelen?'

'Jij zit in dezelfde situatie!'

'Maar Tim houdt zijn eerste vrouw niet,' laat ik haar weten. 'En ik kan er niet tegen een nacht zonder hem te moeten doorbrengen.'

Maar Zuhra is een eigenwijze tante en laat zich niet van haar voornemen afhouden. Dat lukt niemand, zegt ze. Je hebt het niet voor het zeggen als het om liefde gaat. Opnieuw bindt ze de strijd aan met haar familie om toestemming te krijgen en moet ze haar beslissing verdedigen om een tweede vrouw te worden. Door alles wat ze meemaakt, begint ze mee te voelen met alle minderheden, zegt ze. 'Mensen vragen me waarom ik een getrouwde man heb gekozen en dan voel ik me net een homo, want mensen begrijpen me niet.' Hoewel het in Jemen niet ongebruikelijk is dat een man meerdere vrouwen heeft, hebben vele families niet een dergelijk lot voor hun dochter voor ogen. Maar uiteindelijk steunt Zuhra's familie haar beslissing en verheugt zich over haar geluk.

Ook ik geef haar mijn zegen en woon in augustus 2008 haar trouwerij bij.

Ze kiest tenminste haar eigen echtgenoot, wat al een gewaagde breuk met de traditie is. Bovendien kiest ze een man die haar de vrijheid geeft om haar loopbaan voort te zetten en te reizen wanneer ze dat zelf wil. Dat is een groot voordeel. Voor Zuhra is niets zo belangrijk als haar loopbaan en ze bezweert me dat ze die niet zal opgeven. In juni heeft ze grote artikelen verkocht aan zowel het Duitse tijdschrift *Stern* als de zondagseditie van *El País* in Madrid. Ze begint haar leermeester voorbij te streven.

Ik ben benieuwd naar haar huwelijksleven. 'Hoe verdeel je Kamil?' vraag ik. 'Is er een rooster?' Dat is er. Zuhra krijgt Kamil om de andere nacht. 'Wil je dat hij zich doucht als hij bij je komt?' wil ik weten, maar ze lacht slechts. De kinderen van Kamil komen vaak bij haar langs en noemen haar tante Zuhra. Ze houdt van hen, maar is nog niet zover dat ze zelf kinderen wil. Net als ik is ze bang dat ze haar werk zullen verdringen. 'Ik heb het al druk genoeg om te wennen aan het feit dat ik een echtgenoot heb,' zegt ze.

Zuhra heeft haar droom opgegeven om op een dag zelf een krant uit te geven. Ze doet wat freelance klussen voor de *Yemen Times* en hoopt dat ze zodra ze de website van HOOD op orde heeft, weer als journalist aan de slag kan.

Terwijl ik dit schrijf, is Zaid nog altijd redacteur van de *Observer*. Hij belt me om de andere week met de vraag waarom ik niet vaker langskom en zegt me dat hij me mist. Ik ben ervan onder de indruk dat hij het heeft weten vol te houden, maar ik kan me er niet toe zetten hem te zeggen hoezeer het me aan het hart gaat te zien wat hij met de krant heeft gedaan. Het schamele restant van mijn verslaggevers maakt zich op om te vertrekken, voornamelijk omdat ze zich niet kunnen vinden in zijn manier van leidinggeven. Voordat Adhara ontslag neemt, stuurt ze me een wanhopig mailtje waarin ze zegt hoezeer zij en de anderen te lijden hebben. Faris en Zaid hebben geen respect voor vrouwen, zegt ze. De *Yemen Times* heeft haar een baan aangeboden, maar ze durft hem niet aan te nemen. 'Ik ben bang dat Faris me iets zal aandoen,' zegt ze. Ik hoop dat haar vrees ongegrond is.

Ik vind het vreselijk om te zien wat mijn vrouwen wordt aangedaan. Ik voel me schuldig en verantwoordelijk.

Ik nodig Adhara uit, en Zuhra, Radia, Enass, Najma en Noor, voor een lunch. Ik woon nu met Tim in de ambtswoning van de Britse ambassadeur, omgeven door tien lijfwachten en vijf mensen die de huishouding verzorgen. Dat is een grote verandering. Vanochtend ben ik opgestaan van mijn grote bureau dat uitkijkt over onze tuin en onderweg naar beneden ben ik even bij de keuken langs geweest om met onze kok het menu door te nemen. Ik kan me niet voorstellen dat dit mijn leven is.

Bij een bord garnalensoep bespreken we de dramatische achteruitgang en vragen ons af waarom Faris er niets aan doet. 'Waarom houdt hij vast aan

Zaid, terwijl die zijn medewerkers zo slecht behandelt en zulke onzin publiceert?' vraag ik. Al formuleer ik het misschien net even anders.

'Niemand anders wil het doen,' zegt Radia.

'Is er niemand anders die leiding wil geven aan de krant?' vraag ik.

Allemaal schudden ze hun hoofd.

'Maar waarom niet? Het is zo gemakkelijk!'

Even kijken mijn vrouwen me ontzet aan, waarna ze in lachen uitbarsten.

'Ik moet denk ik maar terugkomen.'

'Als je terugkeert, kom ik ook terug,' zegt Zuhra.

'Echt?' vraag ik. Ik denk erover na. Tim zal nog minstens twee jaar op zijn post blijven. En dan schiet me te binnen dat Faris niet zal zijn veranderd. Hij zal nog altijd willen dat mijn medewerkers advertorials schrijven. Hij zal nog altijd willen voorkomen dat we artikelen schrijven waarin Jemen in een negatief daglicht wordt gesteld. Hij zal nog altijd willen dat Zaid de leiding in handen houdt. In de praktijk zou hij mij vrijwel zeker niet opnieuw in dienst nemen, iets wat bij mijn verslaggevers niet lijkt door te dringen. Maar ik denk ook aan mijn medewerkers en aan wat ik zou kunnen bereiken als ik voldoende tijd en gelegenheid heb. Ik heb tenslotte nog twee jaar stuk te slaan. Ik vind het onvoorstelbaar dat ik er zelfs maar over nadenk.

DANKWOORD

Niets in dit boek of in mijn leven zou in de verste verte mogelijk zijn zonder de medewerkers, toen en nu, van de *Yemen Observer*. Ik wil jullie bedanken voor het vele werk dat jullie voor me hebben verricht, ondanks mijn veranderlijke manier van leidinggeven. Ik ben jullie eindeloos veel dank verschuldigd. Verder ben ik de volgende mensen zeer dankbaar:

Theo Padnos, omdat hij ervoor heeft gezorgd dat ik daar kwam.

Mijn vriend Tom Zoellner, wiens waardevolle hulp en aanmoediging vanaf het allereerste begin dit boek van de grond hebben gekregen.

Mijn agent Brettne Bloom, die in dit boek geloofde, voor haar niet aflatende enthousiasme en steun, voor haar inspirerende ideeën naar aanleiding van mijn oorspronkelijke voorstel.

Mijn redacteur Kris Puopolo en haar assistent-redacteur Stephanie Bowen, voor hun wijze raad bij het vormgeven van dit boek, hun nauwkeurige redigeerwerk en hun geduld met mijn vele lange internationale telefoongesprekken.

Mijn redacteur Christine Pride, voor haar begeleiding in de laatste stadia van het werken aan en de totstandkoming van dit boek en voor haar onvermoeibare steun.

Faris al-Sanabani, omdat hij me vertrouwde. Soms.

Sabri Saleem, voor zijn warme vriendschap en voor het regelen van mijn eerste woning in Jemen.

Sami al-Siyani, omdat hij de beste vriend, buurman en gids in Oud Sana'a is die ik me kan voorstellen.

Mijn buren in het Al-Wushali district van Oud Sana'a, voor hun onbegrensde gastvrijheid.

Muhoro Ndungu, omdat hij mijn gemoedstoestand op de meest trieste momenten heeft getolereerd, vanwege zijn vaardigheden als medicijnman, en omdat hij me binnenliet toen ik geen dak boven mijn hoofd had.

Bushra Nash, voor haar generositeit en vriendschap.

Al mijn leraren Arabisch, maar met name Fouad, voor hun geduld met mijn grillige voortgang.

Meneer Jamal Hindi en de hele staf van het Al Mankal restaurant, waar ze allemaal precies weten wat ik wil eten bij de lunch.

De keurige taxichauffeurs die hun handen aan het stuur hielden.

Harris Collingwood, voor emotionele en materiële steun in zware tijden.

Anne-Christine, Angelica, Carolyn, Koosje en Jilles, huisgenoten die mijn huis van suikerwerk tot een thuis maakten.

Aida, zonder wie ik door vele tientallen centimeters stof zou waden.

Rasheed, omdat hij me zijn Soqotra heeft getoond.

Anne Leewis, omdat ze me heeft geholpen een leven naast mijn werk te vinden.

Phil Boyle, omdat hij me aan het lachen heeft gemaakt, curry heeft gevoerd, en een onmisbaar interview met een Britse vip heeft geregeld.

Don Lipinski, voor de wijn, films en loyale steun, ondanks onze politieke verschillen.

Marvin en Pearl, voor de clandestiene gin en Soqotra.

Tobias Lechtenfeld, voor de liefdevolle tijd in Sana'a, en omdat hij een vriend is gebleven.

Peter Toth, voor zijn uitzonderlijke generositeit, voor zijn toegewijde vriendschap en voor Parijs.

Chris en Peta Shute, omdat ze me onderdak boden terwijl ik de eerste hoofdstukken van dit boek schreef.

Lloyd, Dave, Colin en het hele CP-team, omdat ze me tijdens het schrijven van dit boek en daarbuiten hebben beschermd.

Negesti, Alem en Emebet, omdat ze ons thuis zo goed verzorgen.

Cole en Ali, omdat ze hun gevoel voor humor behielden toen ik het mijne kwijt was.

Mijn klasgenoten en professoren van de Columbia University Graduate School of Journalism, voor hun hulp bij de opzet van mijn eerste opleidingsprogramma.

Mijn vrienden in New York en elders in de wereld – te veel om hier op te noemen – die me met hun liefde en e-mails geestelijk gezond houden.

Mijn ouders, die me altijd steunen, zelfs als ze twijfelen aan de keuzes die ik in mijn loopbaan maak.

Timothy Achille Torlot, omdat hij het boek vaker gelezen heeft dan goed voor iemand is, en omdat hij meer van me houdt dan ik voor mogelijk hield.

OVER DE AUTEUR

Jennifer F. Steil heeft een jaar lang gewerkt als hoofdredacteur van de *Yemen Observer*, een tweemaal per week verschijnende Engelstalige krant die in het Jemenitische Sana'a wordt uitgegeven. Voordat ze in 2006 naar Jemen verhuisde, was Steil senior redacteur bij *The Week*, die ze in 2001 heeft helpen oprichten. Ze heeft ook gewerkt voor *Playgirl* en *Folio* en als verslaggever voor verschillende kranten. Haar werk is verschenen in *Time, Life, Good Housekeeping* en *Woman's Day*. Steil heeft een universitaire opleiding in de journalistiek gevolgd aan de Columbia University Graduate School of Journalism en een opleiding creatief schrijven aan het Sarah Lawrence College. Ze woont in Sana'a, Jemen, samen met haar verloofde, Tim Torlot, de Britse ambassadeur in Jemen, en hun dochter, Theadora Celeste.